R. GARCIA Y ROBERTSON

VROUWE ROBYN

DE ROZENOORLOG

UITGEVERIJ M

Oorspronkelijke titel: Lady Robyn
Vertaling: Fanneke Cnossen
Omslagontwerp: DPS prepress design & services, Amsterdam

Eerste druk juni 2006

ISBN 10: 90-225-4416-8 / ISBN 13: 978-90-225-4416-7 / NUR 342

VROUWE
ROBYN

R. *Garcia y Robertson bij Uitgeverij M:*

DE ROZENOORLOG-TRILOGIE
Levend verleden
Vrouwe Robyn

www.uitgeverij-m.nl

De website van Uitgeverij M bevat nieuwtjes, achtergronden bij
auteurs en boeken, voorpublicaties en vele extra's.

Voor Darci en Matt

Deel Een

Hoogzomer

Onder deze zon van York
verandert de winter van ons misnoegen
nu in een schitterende zomer
Shakespeare, *Richard III.*

1

Steekspel

Zaterdag 26 juli 1460, naamdag van de Heilige Anna, Baynards Castle, Londen
's Ochtends, even voor priem. Nog voor zonsopgang opgestaan en aangekleed. In de stad hoor ik de hanen kraaien. Veel te zenuwachtig om te kunnen slapen. Vandaag het toernooi in de modder van Smithfield, de Middeleeuwen op zijn smerigst. Collin doet mee, misschien Edward ook. Angstig als je erover nadenkt, dus dat probeer ik maar niet. Ik ben vast de enige vrouw in de Middeleeuwen die 's ochtends naar koffie smacht. Gelukkig heb ik nog een beetje oploskoffie...

Robyn hield op met haar dagboek en scheurde een zakje open dat ze op haar laatste dag in het eenentwintigste-eeuwse Londen van een tafeltje uit een restaurant had meegenomen. Ze strooide het donkere poeder in een kop en deed er kokend water uit de ketel bij. Op deze koude juli-ochtend genoot ze van het warme, gehamerde zilver, een stukje hedendaagse magie op haar middeleeuwse eiken tafel. Het aroma van de koffie vulde de kille lucht in haar torenslaapkamer en verdreef de klamme, bedompte ochtendkasteelgeuren. Ze begroef haar tenen lekker warm in een tapijt dat per karavaan over het dak van de wereld hiernaartoe was vervoerd. De stormachtige zomer van 1460 was de koudste en natste die de mensen zich konden herinneren. Zoals ze in Southwark zeiden: 'Natter dan een trouwerij in een badhuis.'

Nadat Robyn door hekserij in het middeleeuwse Engeland was beland – zeer tegen haar wil, trouwens – was ze in het begin vaak wakker geworden zonder dat ze wist waar ze was, en had ze zich afgevraagd of ze weer terug was in het Engeland van nu. Misschien in een buitenissig deel van Wales. Of thuis, in Californië, in een vreemd bed na een wild Hollywoodfeestje. (Waar ben ik? En in wiens bed lig ik?) Nu schrok ze niet meer wanneer ze in 1460 wakker werd, een half millennium voor haar geboorte, maar het was fijn dat ze voor de verandering een eigen slaapkamer had. In de Middeleeuwen sliepen de meeste mensen met zijn tweeën of meer in bed. Maar niet lady Robyn Stafford van Holy Wood, gravin-op-blote-voeten uit Roundup, Montana, en ze wiebelde triomfantelijk met haar tenen.

Vrouwe Robyn had haar eigen kamer, met een houten, balken deur, duizend-en-één-nachttapijten, een gezellige open haard en drie hoge, smalle vensters die uitkeken op het middeleeuwse Londen. En dat allemaal in een heus kasteel: Baynards Castle, het kasteel met de witte torens aan de zuidwestelijke hoek van de stadsmuren, het Londense hoofdkwartier van het Huis van York. Ze mocht van Edward elke kamer nemen die ze maar wilde, ze had deze uitgekozen vanwege de haard en omdat ze hier tenminste wat privacy had. Vroeger hadden schildwachten in de torenkamer gehuisd, maar nu was hij helemaal van haar, compleet met handgeweven wandkleden en een grote, houten badkuip. Ongelooflijk, magisch bijna, helemaal als je bedenkt dat op haar vorige adres een postcode uit West-Hollywood had gestaan. Drie maanden in de Middeleeuwen en ze was al bijna een lady en meesteres.

Dus waarom zou ze zich ongerust maken? Ze probeerde niet aan het toernooi te denken en maakte plannen voor de rest van de zaterdag. Het was de naamdag van Sint-Anna.

Gelukkig was ze vanochtend vroeg opgestaan, ze zag er al helemaal uit als vrouwe Robyn. Ze zat aan haar bewerkte eiken tafel en droeg een lang, roodgouden gewaad met strakke scharlaken mouwen die met gouden Stafford-knopen waren dichtgeknoopt. Heel middeleeuws. Robyn was nu alleen nog maar in naam een lady. Sommigen spraken minder vriendelijk over haar, aangezien het niet iedereen aanstond dat ze de populairste vriend van Londen had. Maar op een dag zou ze gravin en uiteindelijk zelfs hertogin zijn. 'Robyn Plantagenet, hertogin van York.' Het klonk indrukwekkend, zelfs voor een voormalige miss Rodeo uit Montana. Ze was deze natte zomer van 1460 in gegooid, als heks veroordeeld tot de watertest, en het was pompen of verzuipen geweest. Drie maanden later ging het behoorlijk goed met haar, dat mocht gezegd. Er zat een half pond goud in haar beurs, ze kreeg verse, warme melk voor haar koffie die elke ochtend door een man met een koe werd bezorgd.

In stilte bad ze tot Aurora, de godin van de dageraad, en de Heilige Anna, tenslotte was het haar dag, en ze nam dankbaar haar eerste slokje hete koffie. 'Op het toernooi, en maar hopen dat niemand gewond raakt. Dat Maria's moeder hen voor hun dwaasheid moge behoeden.'

De eerste droge zaterdag in tijden en uitgerekend die moest ze in de modder van Smithfield doorbrengen om te zien hoe mannen te paard elkaar in de haren vlogen. Allemaal omwille van Edward, omdat hij beweerde dat hij van haar hield. Mannen dreven je tot waanzin als je niet oppaste, en middeleeuwse mannen zeker. Maar ze had wel erger overleefd, veel erger. Op de vierde dag van haar verblijf in de Middeleeuwen was ze zelf inzet geweest van een duel. Twee mannen in ijzeren harnas hadden te paard en te voet in het uitgestrekte eikenbos van

Sudeley gevochten. De uitkomst zou bepalen of ze vrij zou zijn of vanwege hekserij op de brandstapel terecht zou komen. Bevrijd of verbrand, door één zwaai van het zwaard. Het joeg haar zo'n angst aan dat ze in de kille kasteelslaapkamer de rillingen kreeg. Hoe kon een steekspel op zaterdag in de Smithfieldse modder daar tegenop?

Ze hoorde iemand in haar grote, witte hemelbed bewegen. Robyn riep in het Keltisch: 'Goedemorgen.'

Deirdre, haar Welsh-Ierse dienster, stak haar hoofd uit het beddengoed omhoog. Het slaperige gezicht van het meisje glansde haar glimlachend in een halo van rood haar toe. 'Nog meer heksenbrouwsels, m'lady?'

'Wil je ook wat?' Ze stak de kop naar voren om haar meid uit bed te lokken. Als zestienjarige – 'om en nabij' – hield Deirdre van uitslapen. En gisteravond was het diner ontaard in een geïmproviseerd avondbal ter ere van Sint-Anna. Lakeien, dienstmeisjes, de jonge lords en vrolijke jonge lady's hadden onder de sterren op livemuziek gedanst. Door de straten van Londen had muziek geklonken van een Welse harp, een paar dronken violisten en vrouwen met kleine tamboerijnen. Het halve kasteel sliep op deze Sint-Anna's dag uit.

'O, graag, m'lady.' Ze zette grote, hoopvolle ogen op. Ze had nog maar een week geleden met koffie kennisgemaakt en was nu al verslaafd.

'Dan moet je het komen halen,' zei Robyn vleiend tegen haar slaperige dienstmeid. Wanneer ze met zijn tweeën waren of als ze bang was dat iemand haar kon horen, sprak ze de moedertaal van het meisje. Voor ze hier kwam, had Robyn nauwelijks geweten dat Keltisch bestond, maar nu sprak ze net zo makkelijk Deirdres Wexford-accent als Latijn. Of middeleeuws Frans. Of Waals. De betovering had haar 'met ziel en zaligheid' uit het moderne Engeland hierheen verplaatst, 'om de lucht in te ademen, het water te drinken en de taal te spreken'. Ze verstond iedereen en kon nog antwoord geven ook, of het nou in het Grieks of Keltisch was. Handig, haar handigste magische talent eigenlijk. De betovering had haar daar niet gebracht om haar kwaad te doen, of gewild dat ze tussen allerlei lieden terechtkwam die ze niet kon verstaan, dus had het niet anders gekund. Zo werkte hekserij nu eenmaal, bedoelingen waren net zo belangrijk als techniek. Eigenlijk was de betovering niet eens voor haar bedoeld geweest, niet per se, het ging om Edward en zij was min of meer een onschuldige toeschouwer.

Deirdre wurmde zich, nog steeds ingepakt in Robyns dekbed, naar het voeteneind van het grote hemelbed. Zonder de dekens af te doen boog de tiener zich naar voren en gaf haar meesteres een ochtendkus. Toen nam ze de koffie en nipte er gulzig van. Kastelen zijn koud 's ochtends, zelfs in juli, en 's zomers sliep Deirdre poedelnaakt.

'Hmm!' murmelde Deirdre. 'Hoe komt hij zo zoet?'

'Chocola,' legde ze uit, en ze wenste dat ze meer mee terug had genomen. 'Wordt gemaakt van cacaobonen in Amerika.'

'Amerika moet geweldig zijn als dit aan de bomen groeit.'

'Heel geweldig,' stemde Robyn in terwijl ze naar haar roodharige bedwurm zat te kijken. Ze wist dat Deirdre al haar Amerikaanse verhalen op één hoop gooide. Ze dacht dat er in het pre-Columbustijdperk indianen in de Verenigde Staten woonden die in suv's het internet afstroopten en chocola uit bomen aten. Robyn had Deirdre opgepikt toen ze voor een dag in Ierland was. Ze was een opgewekt bastaardkind van Welsh-Ierse afkomst en vastbesloten het net zover te schoppen als haar lef en talent haar konden brengen. Ze was snel met talen, spraakzaam, maar ze kon ook voor zich uit zitten dromen. Haar hoofd zat vol tienerverlangens en sprookjes, ze geloofde nog in de ware liefde, elfjes, kabouters en vogeltjes die uit mosselen komen. Voor een paar centen per dag en een droge slaapplaats deed ze opgewekt allerlei klusjes. Deirdre deugde niet als dienstmeid van een lady, maar niettemin was ze een godsgeschenk. Ook al was er een wereld van verschil tussen stand, leeftijd en afkomst – om het maar niet te hebben over de verschillende millennia –Robyn en haar dienstmeid waren hartsvriendinnen, bannelingen die gedwongen waren volgens de regels van anderen te leven. Deirdre had het gelijk in de gaten gehad en werd van dienstmeisje al snel metgezellin, soms zelfs medesamenzweerster, het eerste lid van lady Robyn Staffords toekomstige huishouding.

Het zei een hoop over de Middeleeuwen dat haar Welsh-Ierse meid vaker in het grote veren bed lag dan zij – voor een deel omdat Robyn onlangs was verloofd met een seksmaniak op tienerleeftijd, maar vooral omdat de Middeleeuwen één groot, kleurrijk spelletje bedverwisselen waren. Normaal gesproken sliep Deirdre op de grond, maar ze verhuisde naar het bed als haar meesteres bij de meester in zijn slaapkamer sliep of ergens op bezoek ging. Een edelman sleepte zijn huishouding overal mee naartoe. Sinds ze hier was, had Robyn in paleizen tussen zijden lakens geslapen, in het open veld in door regen doorweekte tenten, in kerken en kloosters, in herdershutten en kerkers. Een hele reeks bedden, niet allemaal schoon genoeg naar haar zin, die ze met alles en iedereen had gedeeld, van opgesloten heksenkind tot een amoureuze jonge graaf.

De klokken luidden voor het eerste uur, riepen Baynards Castle naar de kapel. Deirdre had de koffie overleefd en lachte ondeugend. 'Vandaag gaan we naar het toernooi. Doet lord Edward mee?'

'Misschien.' Ze moest er niet aan denken dat Edward op een andere zwaarbewapende ruiter af zou stormen, zelfs niet voor de lol.

Gelukkig was haar grote liefde weliswaar onstuimig, maar niet roekeloos. Meestal althans.

Deirdre grijnsde warm en behaaglijk naar haar, vond het prachtig om 'weg van de wereld' te zijn, ze genoot van haar magische avontuur op dit sprookjeseiland met zijn veren bedden en donkere, zoete drankjes. 'Misschien is lord Edward van March vanochtend al uitgereden?'

Robyn greep een groot veren kussen van het bed en smeet het naar haar meid. Ze zei: 'Geen wonder dat de Saksen de wilde Ieren zonder omhaal te drogen hangen.'

'De wilde, goddelóze Ieren,' giechelde Deirdre van onder het kussen. De laatste keer dat Robyn een tiener als kamergenoot had gehad, was op college geweest. Maar in zekere zin waren de Middeleeuwen één lang slaapfeestje, zonder cd's of videorecorder, geen privacy en niets anders te doen dan je verkleden en roddelen over elkaars seksleven terwijl je oefent voor een quiz over middeleeuwse geschiedenis. Deirdre stak haar roodharige hoofd onder de deken uit en wilde details weten. 'Nou, heeft hij dat gedaan?'

'Nee! Mijn lord Edward van March is vanochtend niet "uitgereden". Hij was diep in slaap toen ik bij hem wegging, hij is net zo'n langslaper als jij.' Edward had gisteravond met volle teugen genoten van het dansen en zou pas na de ochtendmis wakker worden. Jammer dat hij zich niet voor het toernooi zou verslapen. Ze gooide weer een kussen naar haar meid. Deirdre was geboren en getogen in het ouderlijk bed en had moeten aanhoren hoe haar ouders meer koters verwekten. Ze was een schaamteloos bastaardkind en veeleisend op de koop toe. 'Kom! Eruit!' commandeerde Robyn terwijl ze haar 'huishouden' uit bed trommelde. 'Doe wat aan dat verhitte naakte lijf van je, dan kun je naar de kapel, anders laat ik de Saksen je zeker ophangen.'

'Eerst nog wat heksenbrouwsel,' drong Deirdre aan en daarmee bewees ze hoe hopeloos nutteloos Ieren waren als bedienden. Deirdre wist dat haar meesteres uit de verre toekomst ongewoon mild voor haar was. Ze had het hart niet om haar de mantel uit de vegen of haar een pak rammel te laten geven. Deirdre haalde het onderste uit de kan, ze kon halsstarrig ongehoorzaam zijn en combineerde dat met een dodelijke toewijding. Robyn gaf haar het kopje, en haar dienstmeid ging daar helemaal in op terwijl zij verder typte aan haar dagboek.

De enige tiener hier die naar chocola en cafeïne smacht. Deirdre is absoluut verslaafd. Priem alweer, ik moet me haasten. Later meer...

Ze drukte op save. Ze sloot haar elektronische verslag af en stopte het in een binnenzak van haar zwierige roodgouden gewaad weg. Middeleeuwse vrouwen hadden op hun lijf talloze plekken waar ze iets konden verstoppen. Een strakke broek met top hadden dat voordeel niet. Los van haar digitale horloge was haar dagboek het enige stukje elektronica dat ze had meegenomen, de enige restanten uit het derde millennium. Dat en een thermosfles, een paar aanstekers en zaklantaarns, haar kostbare voorraad pijnstillers, antibiotica, tampons, batterijen, chocola en toiletpapier. In de Middeleeuwen een absolute must, waar ze heel zuinig mee deed, net als met haar voorraad koffie. Ze had nog vier zakjes instant- en vijf pond filterkoffie. Dat was ongeveer alles wat ze uit de eenentwintigste eeuw had meegenomen, tenzij je haar VISA-card ook meetelde. Daarmee had ze in Berkeley Castle haar celdeur weten te ontgrendelen en kunnen ontsnappen, maar verder had ze er nauwelijks wat aan. Ze glipte in haar rode slippers, kleedde Deirdre in roodgouden Stafford-livrei en nam haar meid mee naar de sierlijke kasteelkapel om te bidden. Ze maakte zich nog steeds zorgen om Edward, die op zijn wit-met-gouden hemelbed lag uit te slapen.

Vandaag was het de feestdag van de Heilige Anna. De moeder van Maria. De grootmoeder van Jezus. Robyn zonk op haar knieën en bad tot Maria's moeder voor de zegening en of ze haar wilde bijstaan, deze dag en de dagen die nog komen gingen. Ze smeekte of Sint-Anna de deelnemers aan het komende toernooi wilde sparen en of ze bovenal Edward, graaf van March, maar helemaal van het lijstje zou schrappen. Amen.

Haar gebeden kwamen recht uit haar hart. Het ochtendgebed was verplicht, maar daarom hoefde ze zich er nog niet van af te maken. Drie maanden in de Middeleeuwen hadden van haar een gelovig mens gemaakt. Alles was ondergedompeld in religie: in de harten en gedachten van de mensen, bij hun dagelijkse beslommeringen, in hun gezangen, in de lucht die ze inademden. Voordat ze hier kwam had ze nauwelijks van Sint-Anna gehoord. Nu geloofde ze onvoorwaardelijk in Sint-Anna en de wonderen die zij kon verrichten. Ze had die wonderen gezíén. Klinkt dat gek? Maak het dan maar eens mee, letterlijk.

Sint-Anna was ook Hecate, de heksengodin. Gods grootmoeder, bij de heidenen het oud wijf van de dood. De moeder van de Moeder. Godin van dood en wedergeboorte. Daarom was het symbool van Sint-Anna een heksenbezem. Of je haar nu Sint-Anna, Hecate of Lilith noemde, door haar macht was Robyn in de Middeleeuwen beland, je moest wel heel koppig zijn om dat mirakel te ontkennen.

Ze sloeg een kruis en ging ter communie. Het was niet de eerste keer dat ze in de Middeleeuwen ontbeet met het lichaam van Christus. Ook al zo'n middeleeuws wonder.

Toen ging ze op weg naar Smithfield. Ze had de heilige sacramenten aangevuld met wat kruidenthee en een stuk toast, en liet haar witte merrie en de kastanjebruine ruin van Deirdre zadelen. Haar met goud afgezette jurk was hopeloos op een paardenrug, maar op de dag dat ze in middeleeuws Engeland was aangekomen, had ze een gouden rij-jurk en een strak mouwloos rood jasje gekregen. Sir Collingwood Grey moest zien hoe het haar stond. Ze deed een parelketting om haar hals en zette een hoofdtooi op met horens en zijden linten die bijna tot aan de grond reikten. Je moest er wat voor over hebben om er als een Londense lady uit te zien. Aan haar zadelboog rinkelden zilveren belletjes, toen ze met Deirdre in haar kielzog uit Baynards Castles wegreed. Onder de zware plooien van haar kostuum zat een tweesnijdend Saksisch mes verborgen, in een lederen schede die aan haar zadel was bevestigd. Ze was tenslotte in de Middeleeuwen.

Bij de kasteelpoort stonden de lamme bedelaars met hun zweren haar al op te wachten en smeekten: 'Heb mee'lij, m'lady. Heb alstublief mee'lij.'

Wat moest ze anders? Ze had zilveren muntjes in haar geldbuideltje paraat, ze leunde in het zadel voorover om ze uit te delen en voegde er een paar bemoedigende woorden aan toe. In ruil daarvoor kreeg ze de zegen van de bedelaars. Ze had verwacht dat er in de Middeleeuwen hordes bedelaars zouden zijn, maar tot Robyns verbazing hadden de meeste middeleeuwers werk, of stukjes land die ze bewerkten. Veel tijd om te bedelen hadden ze niet. Degenen die dat wel deden, maakten er een serieuze zaak van. Ze gingen regelrecht naar de poorten van de rijken of de trappen van de kathedraal. Het leken wel hangplekken voor gehandicapten waarvoor de rijken aan de poort tol moesten betalen. Ze gaf de centen graag, betaalde openhartig haar schuld aan de armoede terwijl ze de hemel dankte dat zij die dans was ontsprongen. Drie maanden geleden was ze hier moederziel alleen terechtgekomen, nu was ze een aanstaande gravin, maar zij had net zo goed als een kreupele armoedzaaier kunnen eindigen, of nog erger. Zij had meer geluk gehad dan zij, oneindig veel meer geluk, en elke ochtend weer was ze daar dankbaar voor en deelde ze wat van haar geluk met anderen.

Blinde en verwrongen gezichten glimlachten naar haar terug en met hun tandeloze mond riepen ze geestdriftig hun zegeningen. Ze namen het haar totaal niet kwalijk dat ze gezond en mooi was, en op een prachtige merrie zat. Wat trouwens niet haar verdienste was, in gezondheid en een mooi uiterlijk had God de hand gehad, en Lily was een geschenk van Edward geweest, in Calais. Dat gold ook voor Deirdres kastanjebruine ruin. Ainlee, genoemd naar een regel uit een sage: 'Grote Ainlee droeg een last op zijn rug...'

De meeste middeleeuwers hadden geen moeite met haar voorspoed, ze geloofden dat de hemelse goedertierenheid je vanzelf overkwam, die hoefde je niet per se te verdienen, het had immers niets met gerechtigheid te maken, genade was iets heel anders.

Ze bedankte de bedelaars voor hun zegenende woorden en reed de stad in. Baynards Castle stond naast de rivier aan Upper Theems Street, tussen Blackfriars en Saint-Paul's Werf. Toen ze uit de kasteelpoort tevoorschijn kwam, zag ze dat het op de kades wemelde van paard-en-wagens en vloekende stuwadoors. Reusachtige kranen met vaten Spaanse wijn zwaaiden uit een karveel die uit Cádiz tot aan haar kasteeldeur was komen zeilen. Mannen schreeuwden: 'Werk! Werk!' en 'We gaan!' tegen zeelui die boven Londen Bridge in de richting van het afnemend getij voeren, terwijl vlakbij met een tandrad vuil van de heilige grond weggehaald werd dat voor de kerkfundamenten werd gebruikt en om graven op te vullen. Ze vond het heerlijk zoals de stad over je heen golfde, een muur van beeld en geluid. Bedelaars met uitgestoken handen, zeelui die zaken deden te midden van schepen die naar vis en kruiden roken, gaven haar het gevoel alsof ze als koningin Alice door een omgekeerde wereld reed 'van schoenen – schepen – en zegellak – / van druiloren – en van koningen'.

Matrozen zwaaiden naar haar en riepen haar schunnige opmerkingen toe, maar vrouwe Robyn schonk er geen aandacht aan. Ze keerde de verkeersopstopping in Thames Street de rug toe, spoorde Lily met Deirdre in haar kielzog Ludgate Hill op en reed in de richting van de reusachtige Saint Paul's die boven de stadsmuren uittorende. Zijn gouden torenspits stak vijftig verdiepingen de lucht in, een stenen speer die regelrecht naar God wees. Op het kerkhof eronder delibereerden rechtsgeleerden met zakkenrollers, geestelijken gingen tekeer tegen de in zonden gedompelde stad en hoeren uit Cock Lane hingen geduldig rond, klaar om zondaren een reden te geven om te biechten. Er waren geen tv en kranten dus de Middeleeuwen moesten het met de werkelijkheid doen, het echte sprankelende leven, een doorlopend zeden-en-moraalspel over geloof, hard werken, praal en armoede. Allemaal onderdeel van het dagelijkse toneel. Bij Saint Paul's Cross moesten priesters die Gods woord verkondigden wedijveren met straatmuzikanten en -venters. Misdadigers stonden aan de schandpaal of bedelden vanuit hun celraampjes om een aalmoes. Vaklieden waren onder het toeziend oog van hun opdrachtgevers aan het werk. De liefde bood zich schaamteloos te koop aan. Shakespeare zou nog honderd jaar op zich laten wachten, maar dit was de wereld waarin zijn metaforen zijn ontstaan: 'De wereld is een schouwspel / en man en vrouw bevolken slechts zijn toneel.'

In Hollywood had Robyn dolgraag een hoofdrol gewild, en nu had ze er een, in dit levende theater om haar heen – lady Robyn Stafford, beoogd gravin en vriendin van de koning – ze had niet te klagen over de rolverdeling.

Ze bleef staan om de reusachtige, kruisvormige kathedraal te bewonderen, ze was kenner geworden op het gebied van kerken en in de Middeleeuwen maakten ze daar heel veel werk van. Zelfs kathedralen konden in Manhattan klein lijken, ineengedoken tussen de wolkenkrabbers. Maar de oude Saint Paul's rees boven de opeengepakte daken uit zoals het een kathedraal betaamde, omarmd door luchtbogen en bezaaid met kruisen, één grote glazen en stenen lofzang op de hemel. En Robyn was de enige uit haar tijdsgewricht die hem in het echt kon aanschouwen, want de oude Saint-Paul's zou bij de grote brand van 1666 verloren gaan, tweehonderd jaar in de 'toekomst'.

Ze negeerde de kreten van de koksjongen: 'Nierpasteitjes!' of 'Pittige schapenboutjes! Voor een prikkie!' en keek op haar horloge – 10:12:17 – ze besloot een tijdje rond te rijden. Het toernooi zou pas rond het middaguur beginnen, dus ze had geen haast. In plaats van rechtstreeks Ludgate uit te rijden, naar Smithfield, nam ze de lange rondweg, Watling Street door naar Newgate, waar de mensen haar vanuit de deuropeningen van hun stoffenwinkels begroetten. Dienstmeiden hielden op met hun werk en glimlachten naar haar of hingen uit de bovenramen om een glimp van haar jurk op te vangen... wat haar enorm opvrolijkte. Ze groette opgewekt terug om te laten zien dat ze, ook al kon ze in de toekomst kijken en sliep ze met een graaf, niet naast haar schoenen liep. Lord Edwards heksenvrouwe was werkelijk geliefd in Londen, haast vanaf het moment dat de stad zijn poorten voor de rebelse graven had geopend en zij achter Edward naar binnen was gereden. Drie weken geleden, op de vierde juli, hadden reactionaire lords de Tower van Londen bezet en over East Cheap vuur uitgespuugd, waardoor overal brand was uitgebroken en iedereen doodsbang was geweest. Toen ze Cheapside was ingereden om een verdwaald kind terug te brengen, had ze beloofd dat Edward koning Hendrik mee naar Londen zou terugnemen om de Tower te heroveren. Haar achteloze voorspelling – waar ze zelf ook de hand in had gehad – was uitgekomen en daarmee had ze haar reputatie als zieneres gevestigd, een witte heks die Londen goedgezind was. Ze hoorde een leerjongen roepen: 'Kijk nou, daar heb je lord Edwards meisje. Gosh, ik wou dat ik hem was.'

Je kon niet zeggen dat Britse jongens niet ambitieus waren. En ze was dol op het oude, smerige Londen, ondanks de afschuwelijke taferelen en stank. Dit waren de magische Middeleeuwen, waar men nog zelf de zaken kon rechtzetten en erop toezien dat het recht geschiedde, en waarmee je dankbaarheid kon oogsten. Ze had haar leven geriskeerd door de koning naar Londen te halen, de Tower te ontzetten en lord Scales omver te werpen... ze had daar zwaar voor moeten boeten. Daarom had ze een eigen torenkamer verdiend, een witte merrie, een paar schandalige outfits, een dromerige tienermeid en een rijk vriendje. Dat dachten de meeste Londenaren tenminste, en wie kon ze ongelijk geven?

Deirdre kocht een tak kersen bij een fruitkraam en bood haar eentje aan. 'Kersen, m'lady?' Robyn zag dat ze niet gewassen waren en ze at er een paar, ze bedacht dat kersen zo van de tak veiliger waren dan het vieze water waarmee ze werden gewassen... maar ze hoefde zich nooit zorgen te maken over milieuvervuiling of insecticiden.

'Nog een paar, m'lady?' Haar meid stak haar nog een uitnodigend handje toe. Deirdre had er een taak van gemaakt om haar kieskeurige meesteres verdacht voedsel op te dringen, een meesteres die erom bekendstond dat ze gekookt water eiste en alles goed werd doorgekookt.

'Te zuur.' Ze schudde haar hoofd. 'Door al die regen zijn ze niet goed gerijpt.' Als de te koop aangeboden kersen nog groen waren, was dat geen best teken, misschien zou er deze zomer wel niets anders te krijgen zijn. Deirdre at de rest van de tak op, ze had de gezonde eetlust van een tiener, at als een boerenpaard maar zag er altijd 'welgevormd' uit.

Bij Bow Lane sloegen ze af, ze kwamen langs de parochiekerk van Saint Maria le Bow, een van haar favorieten. De klokken van de Bow luidden altijd de avondklok van negen uur en de hele nachtelijke uren, samen met Saint Bride's, Saint Gilles zonder Cripplegate en de All Hallows Barking. In haar jeugd, in Montana, had haar vader haar het verhaal van Dick Whittington voorgelezen, die zijn kat voor een fortuin had verruild en zijn grote liefde had weten te veroveren. Toen hij wanhoopte, waren het de klokken van de Bow geweest die Dick naar Londen hadden teruggeroepen, met de belofte dat hij burgemeester zou worden. Net als de London Bridge was dit kerkje in Cheapside een plek uit een sprookje dat nu werkelijkheid was geworden.

En net als Jeanne d'Arc verwees Maria le Bow heimelijk naar Diana, de heksengodin met de maansikkel. Robyns coven heette Diana en een van de kerkgangers van Maria le Bow, Beth Lambert, de tien jaar oude dochter van een schepen in Cheapside, was haar zuster-ingewijde. Onder het langsrijden sprak ze een stil gebed uit voor haar heimelijke naamgenoot, Hecates kleindochter, de maagdelijke jageres, beschermster van vrouwen en kinderen.

Er klonk een laag fluitsignaal, ze spoorde Lily aan en zei: 'Kom, we gaan kijken wat daar aan de hand is.' In de Middeleeuwen werden de mensen met muziek opgeroepen, trompetten waren voor aankondigingen, en fluiten en bellen voor sirenes, een heel plezierige gewoonte. Ze kwamen op West Cheap terecht, de grote marktstraat van Londen, die van Newgate naar het stadscentrum liep. Deze werd ook wel Cheapside – of gewoon de Street – genoemd. West Cheap was de middeleeuwse Rodeo Drive, die doorging voor de duurste straat in de hele christelijke wereld, waar goud- en zilversmeden, kleermakers en tapijthandelaren hun waar aanboden. Zelfs de Venetianen moesten toegeven dat er in geen enkele Italiaanse stad zo'n rijke variatie met de hand vervaardigd zilver te vinden was als in Cheapside. Absoluut de volmaakte plek voor een rustig zaterdagochtendritje dat haar gedachten van het komende toernooi zou afleiden.

Haar vrolijke stemming verdween als sneeuw voor de zon toen ze zag waar de muziek vandaan kwam. Robyn bleef staan en had onmiddellijk spijt dat ze deze kant op was gegaan, was ze nu maar rechtstreeks vanuit Ludgate naar Smithfield gegaan. Op straat marcheerde een troosteloze optocht met aan kop fluitisten, dienders, een hulpsheriff en een heraut in de kleuren van de stad, die een ellendige gevangene meevoerden, op weg om gestraft te worden. Het was een zwerfkind, een tiener met kort onverzorgd haar, droevige bruine ogen en op smerige blote voeten. Boven haar zelfgemaakte tuniek droeg ze de gestreepte kap van een prostituee. Toen Robyn zag hoe het arme, geboeide kind door mooi uitgedoste mannen in gewatteerd wambuis langs de juwelierszaken van Cheapside werd geleid, kwam haar weerzin tegen de Middeleeuwen weer boven.

Haar hart ging uit naar dit kind dat door een stel streng uitziende kerels werd voortgetrokken. De meeste middeleeuwse vrouwen waren klein, maar deze was wel heel klein, ze zag er nauwelijks oud genoeg uit om al seks te hebben, laat staan om de kap van een hoer te dragen. Opgewonden jongens liepen achter haar aan, wilden zien hoe ze gestraft werd, misschien mochten ze wel meehelpen. Maar ze werd tenminste door niemand uitgejouwd. De middeleeuwse rechtspraak was soms afschuwelijk. Een maand geleden had Robyn in Sandwich gezien hoe een dief met zijn oor aan een paal werd genageld. De misdadiger had een mes gekregen om zichzelf los te snijden en toen ze langsreed was hij bezig moed te verzamelen om dat inderdaad te gaan doen. Middeleeuwse jurisprudentie op haar schilderachtigst. Deirdre hield naast haar de teugels in en vroeg neutraal: 'Welke kant op, m'lady?'

Ja, welke kant op? Weinig hoop meer op een gedachteloos pierewaaien langs de winkels. De zonnige dag van Sint-Anna was plotseling een donkere dag geworden. Even verderop in de straat lag de begraafplaats van de Saint Paul's en daartegenover het belangrijkste toevluchtsoord van Londen, Saint Martin-le-Grand, een wijkplaats voor dieven, moordenaars en politiek vluchtelingen. Nog weer verderop stonden Newgate en de stadsmuren, en daar voorbij lag Smithfield. De ongelukkige stoet ging de andere kant op, Cheapside door in de richting van de vee- en vogelmarkt, dieper de stad in.

Ze moest erachteraan. In Sandwich was ze niet blijven rondhangen om te kijken hoe de dief zijn oor afsneed, maar dit meisje was iets heel anders, met die kinderogen en die met tranen bevlekte wangen. Robyn kon haar niet overleveren aan wat die kerels hadden bedisseld. Ze zei tegen Deirdre: 'Deze kant op,' en wendde de teugels in de richting van de akelige processie door Cheapside.

Deirdre begreep het onmiddellijk, ze dirigeerde haar ruin achter haar goud-met-donkerrode lady de straat in. Deirdre mocht zich dan verslapen en moest bijna elke ochtend worden aangekleed, maar haar dienstmeid was slim, dapper en zo ongelooflijk loyaal dat ze te midden van al die krankzinnige Saksen blind op haar meesteres vertrouwde. Ze vroeg behoedzaam, op Keltisch overschakelend: 'Wat gaan ze met haar doen?'

'Ik weet het niet,' moest Robyn toegeven. Behalve over heikele onderwerpen als ketterij, hekserij en verraad waren de wetten hier en nu niet slechter dan thuis. Marteling en getuigenissen van dieren waren niet toegestaan en vrouwen hadden verbazingwekkend veel rechten... ook al werden de wetten door mannen gemaakt en gehandhaafd. De wet op de prostitutie was hier beter dan elders. Londen zette hoeren niet in de criminele hoek, maar probeerde ze in plaats daarvan uit de stad te weren, in Cock Lane in Smithfield, of aan de overkant van de rivier in Southwark. Daar zag de goedhartige bisschop Waynflete erop toe dat zijn 'Winchester gansjes' niet waren veroordeeld tot badhuizen en hoerenkasten, maar hun eigen onderkomen hadden. Op die manier weerhield hij de mannen ervan hun hele loon naar de 'dames van lichte zeden' te brengen of hun vrouw de hoer te laten spelen. 'Ik denk niet dat ze haar kwaad zullen doen,' zei ze tegen Deirdre. 'Waarschijnlijk zullen ze haar in het openbaar vernederen en dan naar Cock Lane brengen.'

Haar meid keek twijfelachtig en merkte op: 'Cock Lane is de andere kant op.'

Wat inderdaad zo was, dat was achter hen, voorbij de stadsmuren, tussen Newgate en Smithfield. Robyn slaakte een zucht: 'Dan gaan ze haar misschien ook aan de schandpaal nagelen.'

Deirdre gaf geen antwoord, ze had een gezonde Ierse doodsangst voor het Engelse rechtssysteem. Maar zowel meid als meesteres voelden onmiddellijk met elke vrouw mee die seksueel werd misbruikt. Ze wisten maar al te goed dat als hun eigen leven en afkomst kritisch onder de loep zouden worden genomen, ze het niet lang zouden volhouden. Robyn reed op een mooie witte merrie en droeg een goud-kleurige jurk, geschenken van een graaf en ridder, met beiden was ze naar bed geweest... stom geluk, dichterlijke vrijheid en een hoop romantische waaghalzerij maakten het verschil dat vrouwe Robyn niet aan een touw werd voortgetrokken, in plaats van dit meisje.

Uit de groentewinkels op Bucklersbury Lane dreven groene geuren vermengd met het aroma van zeep en kruiderijen. Robyn zag dat het vastgebonden, toegetakelde meisje smachtend naar de Great Conduit keek, waar bronwater uit Paddington in liep, ze keek nog om toen het touw haar erlangs trok. Het kind had kennelijk dorst. Gelukkig ging Robyn nooit het kasteel uit zonder schoon drinkwater in haar zadel-tas, het probleem was hoe ze het bij de gevangene moest krijgen. Ze had ook nog meer zilvergeld in haar beurs, en vijf gouden rozennobels die elk wel een weekloon waard waren. Als losgeld zou het waar-schijnlijk niet genoeg zijn, maar misschien wel voldoende voor een schadeloosstelling. En ze was op dit moment zo geliefd, dat zou toch zeker ook wel meetellen... middeleeuws Londen was nog steeds een betrekkelijk kleine stad, met kleinsteedse ideeën over gerechtigheid. Het deed er veel toe wie je was en wie je kende. Maar ze was niet van plan haar populariteit op het spel te zetten voor een onbetekenend tie-nerhoertje. Tot nu toe had ze met volle teugen van haar roem genoten.

De zilveren belletjes klingelden zachtjes aan haar zadel toen ze het donkere stadshart binnenreed. Daar was het armer, smeriger en woon-de het gepeupel dicht op elkaar gepakt. Cheapside ging over in de vogelmarkt die door de veemarkt werd doorkruist met een massa marktkramen van poeliers, slagers, visboeren en tweedehandsspul-len... het nauwe, volgepakte darmkanaal van Londen, waar kippen-houdsters hun eieren verkochten en inbrekers hun buit aan de man brachten. Voor hen uit lag Cornhill, de broodkorf van de stad. Geluk-kig zag Robyn niemand slachtafval of rotte eieren van de kramen ver-zamelen en ze probeerde de stemming onder het volk in te schatten. In het begin was ze bang geweest dat de middeleeuwers dom en wreed zouden zijn – en sommige overtroffen zelfs haar stoutste verwachtin-gen – maar de meeste waren ongelooflijk vriendelijk, verdroegen met opgewekt hart de verschrikkelijkste beproevingen en deelden graag hun hongerloontje met haar. Toch nam ditzelfde godvruchtige, vrien-delijke volk gemakkelijk de wet in eigen hand en dat beperkte zich niet tot een scheldkanonnade naar een of andere schooier op de markt. Toen Edward en Warwick de lord constable vrije doortocht had beloofd in ruil voor overgave van de Tower, hadden bootmannen uit Londen zijn lordschap doodgeslagen omdat hij East Cheap onder vuur had genomen. Gelukkig leek de stemming vandaag gematigder, nie-mand was van plan dit meisje kwaad te doen... dat zou de wet wel regelen.

21

Iets verderop zag Robyn een vrouw in een wapperend, groenjuwelen gewaad lopen, met haar meid in bijpassende kleding. Robyn spoorde Lily naar voren aan en haalde hen in toen ze Cornhil beklommen. Ze stelde zich aan de verschrikte matrone voor en ontdekte dat dit dame Agnes Foster was, de vrouw van een rijke visboer en voormalig burgemeester. Met haar witte haren, wat mode was in deze tijd en waardoor ze ouder leek dan ze was, bleek dame Agnes de zoveelste middeleeuwse verrassing, ze probeerde gevangenen te bekeren. Ze was druk bezig om een vleugel aan de Ludgate gevangenis te realiseren, 'voor het betere soort misdaders, mensen met schulden en helers... goed bewaakt, weliswaar, maar met grote luchtplaatsen waar de gevangenen zich kunnen ontspannen.' Dame Agnes smeekte haar: 'Wilt u dat meisje helpen? Ik heb in Newgate met haar gesproken en volgens mij is ze goddelijk en onschuldig.'

Robyn beloofde dat ze zou doen wat ze kon. 'Ik heb genoeg geld om een boete te kunnen betalen, maar ik ben bang dat ze haar aan de schandpaal gaan nagelen.'

'Boete? Schandpaal?' Dame Agnes keek haar verbaasd aan terwijl ze de kralen van haar rozenkrans omklemde. Dame Agnes was net als iedereen hier katholiek. 'Dat meisje wordt verbrand.'

'Verbrand?' De schok golfde als ijswater over Robyn heen en ze bevroor in haar zadel. 'Wat bedoel je?'

'Levend verbrand op de brandstapel,' legde dame Agnes geduldig uit alsof vrouwe Robyn niet bekend was met dit gebruik. 'Bij Tyburn, over een uur.'

'Waarom in godsnaam?' Haar eerste gedachte was vanwege hekserij, maar ze zei het niet hardop. Ze was zelf een zieneres, dus maakten ze de mensen niet graag wijzer dan ze waren, vooral omdat ze de wet aan hun zijde hadden en er al vrouwen waren opgepakt.

'Moord,' antwoordde dame Agnes botweg, alsof het zo logisch was als wat.

'Moord?' Dat kind kon nog geen muis aanvallen, zo klein was ze.

'Zo heeft de wet het bepaald en niemand heeft het voor haar opgenomen. Is het waar dat u de koning kent?' vroeg dame Agnes die kennelijk haar reputatie kende.

Robyn knikte zwijgend. Ze had inderdaad aan de koninklijke tafel meegegeten en een ongemakkelijk halfuurtje in koning Hendriks tent doorgebracht, toen ze hadden moeten afwachten wie als winnaar uit de slag om Northampton tevoorschijn zou komen. Die arme, gekke koning Hendrik mocht haar wel, en het was algemeen bekend dat hij een man was van de zachte aanpak. Hij haatte het als vrouwen kwaad werd aangedaan of seksueel misbruikt werden. Maar Hendrik zat in Westminster... tegen de tijd dat ze heen en weer was gereden, zou dit meisje al verbrand zijn.

'En ook de lord, graaf van March?' voegde dame Agnes er hoopvol aan toe, misschien kon Robyns edele minnaar helpen.

Ze knikte weer. Aan Edward had je meer dan aan koning Hendrik: hij was attenter, besluitvaardiger en trad graag op... maar hij was nog moeilijker te vinden. Hij had die ochtend een bijeenkomst met de Nevilles, dan zou hij naar Westminster gaan en tegen het middaguur weer bij Smithfield terug zijn. Op dit moment kon Edward overal zijn, ergens tussen Warwick Street en Westminster. Hij wilde zoveel dingen voor elkaar krijgen dat hij nauwelijks te pakken te krijgen was, wat Edwards vijanden door schade en schande wel hadden geleerd.

'Lord Edward luistert toch zeker wel als u hem smeekt dit meisje te sparen,' suggereerde dame Agnes die goed op de hoogte leek van vrouwe Robyns liefdesleven. De Londenaren hadden geen paparazzi en grootbeeldtelevisie, dus moesten ze de romances van de rijken en beroemdheden uit de eerste hand te horen krijgen. Bovendien vond de vrome dame Agnes het geen enkel bezwaar om te zondigen als ze daarmee een zieltje kon winnen. De Britten lapten met het grootste gemak de kerkelijke dogma's aan hun laars.

'Dat zou hij zeker,' stemde Robyn in en ze knoopte haar hoofdtooi vast voordat ze tot actie overging. 'Als we hem op tijd konden vinden.' Ze zag dame Agnes nerveus haar kralen tellen en ze raadde de oude vrouw aan: 'Houd moed en bid tot Sint-Anna. Dit is haar dag en ze zal die niet willen laten bederven.' En ook Hecates dag, bad Robyn inwendig tot de doodsgodin opdat die het kind niet zou wegnemen. Geen rijk, machtig of goedbedoelend mens kon dit meisje redden... dat werd aan haar en Deirdre overgelaten. En aan Hecate. En aan dame Agnes, als de voormalige burgemeestersvrouw ervoor in was.

De processie kwam op Cornhill tot stilstand, de Londense graanmarkt, waar burgers grote boerenbroden kochten die met karren waren aangevoerd, en waar ze water uit de Tyburn oppompten, 'het vat van Cornhill'. Boven op het vat stond een kooi vol dronkenlappen en zwervers die door de stadswacht waren opgepakt. Vlakbij stond in een noodhok een met eieren besmeurde apotheker, zijn valse gewichten hingen om zijn nek. Gerechtigheid in de Middeleeuwen geschiedde zonder pardon in het openbaar, dat ging nog veel verder dan een tv-verslag van een rechtszaak of de publieke tribune. Misdaad moest in het verborgene blijven, maar de wet moest gezien worden en men maakte daar zelfs deel van uit. Er werd een meisje verbrand, ze was dwars door het stadshart voortgetrokken, en bij de broodetalage van deze reusachtige openlucht supermarkt werd luid en duidelijk verkondigd dat ze haar gerechte straf niet zou ontlopen.

Verkopers en klanten bleven staan en staarden naar het angstige slachtoffertje wier doodvonnis zou worden voltrokken. De heldere, compacte kleuren van het Londense gepeupel leken wel op een wandelend pak tarotkaarten, klaar om het lot van het meisje te onthullen. Vrouwen uit de meute groepten om Robyn en dame Agnes heen, aangetrokken doordat er een lady bij aanwezig was. Ze grepen de kans aan om in de buurt te komen van een van de nieuwe sterren uit de soapopera der edelen, die de nationale politiek moest voorstellen. Robyns blik was op het meisje gericht. Op zaterdag stalden 'buitenlandse' slagers van het platteland altijd hun vee uit, zodat klanten zelf hun slachtdieren konden uitzoeken. Je hart brak zoals dat meisje blootsvoets en met haar handen op haar rug daar stond, terwijl ze afwezig de verdoemde varkens bestudeerde. Regelmatig zwierven haar ogen naar het vat en likte ze met haar roze tong langs haar gebarsten lippen.

Zo'n kind op de brandstapel zetten was één ding, maar om haar naast een fontein neer te zetten terwijl ze versmachtte van de dorst was onnodig wreed. Robyn rommelde in haar zadeltas en vond de knijpfles met gekookt water. Toen reed ze met een stille knik naar Deirdre de mensenmenigte uit, de belletjes klingelden zachtjes. Ze dreef de mannen met haar paard uiteen en bleef pal voor het dorstige meisje stilstaan. De wachters keken haar vragend aan. Ze ging rechtop in het zadel zitten en zei luidkeels tegen de hulpsheriff: 'Ik bid u, laat mij haar wat water geven. Zwaardere misdadigers dan zij lopen vrij rond... we hebben allemaal onbestrafte zonden op ons geweten.'

Ze zocht in de zwijgende menigte naar vrienden en ze herkende slechts één man, Matt Davye, niet langer in het livrei van hertog Holland, maar zijn openhartige, alerte gelaatstrekken kon je niet missen. Ironisch genoeg was hij een van de wachters geweest die haar en Jonas Grey in de Tower gevangen had gehouden, en iemand voor wie haar woorden werkelijk iets hadden betekend. Mat Davye had medelijden gehad met zijn gevangenen. Hij had ze voedsel en dekens gebracht, en bemoedigend toegesproken. Daardoor hoefde Matt Davye niet terecht te staan voor graaf Warwick in de Guildhall waar de andere mannen van hertog Hollands mannen waren veroordeeld. Wist Matt Davye eigenlijk wel dat zijn medelijden hem had gered? Zou het iets voor hem uitmaken?

Beschaamd maakte de hulpsheriff een gebaar naar zijn mannen die een stap achteruit deden. Robyn schroefde de plastic drinkdop los en gaf het meisje zo uit de fles te drinken. De gevangene dronk gulzig, ze deed haar hoofd achterover en ze liet met gesloten ogen, handen vastgebonden op de rug, het frisse schone water door haar slanke keel glijden. Ten slotte stopte ze even om adem te halen, keek naar haar op en zei zacht: 'Dank u wel, m'lady.'

Ze knikte en hield de fles vlak bij de lippen van het meisje omdat ze wel wist dat het kind nog meer dorst had. Ze vroeg: 'Hoe heet je?'

'Maria, m'lady,' antwoordde het meisje waarbij ze zonder haar blik van de fles af te houden een beleefde kniebuiging maakte.

De naam van de Maagd, dat maakte het helemaal perfect. Ze gaf Maria nog wat water en zorgde ervoor dat het meisje zich helemaal voldronk. Toen ze klaar was, vroeg Robyn: 'Hoe oud ben je?'

Maria veegde haar lippen langs haar schouder af en dacht even na. 'Vijftien, of zo.'

Middeleeuwers wisten vaak niet precies hoe oud ze waren en ze hadden er ook geen moeite mee om tieners terecht te stellen. Edward, haar verloofde, was op zijn zeventiende ter dood veroordeeld wegens verraad... en dat vonnis was nog niet officieel nietig verklaard. En Jeanne d'Arc werd op haar negentiende verbrand. Maar zowel Jeanne als Edward hadden erom gevraagd, ze hadden de wapenen opgenomen en waren met een stel rebellen in opstand gekomen tegen gekke koning Hendrik. Robyn kon niet geloven dat het vergrijp van dit meisje ook maar bij zoiets in de buurt kwam en vroeg: 'Heb je iemand vermoord?'

'Nee, m'lady.' Maria zei het achteloos, zonder enige aarzeling, alsof ze beleefd een vraag van een volwassene beantwoordde, die weinig te maken had met haar netelige situatie.

Robyn schroefde de plastic dop weer op de knijpfles en deed hem terug in haar zadeltas, ze wist niet precies wat ze nu moest doen. Deirdre erop uitsturen om Edward te zoeken? Geen sprake van, niet genoeg tijd en veel te riskant. Als ze dat deed, wist ze zeker dat ze Deirdre tegelijk dolgraag bij zich in de buurt wilde hebben. Het voor Maria opnemen bij deze mannen? Tijdverspilling. Ze hadden de macht niet om haar gratie te verlenen, ze konden alleen maar ijzerenheinig Maria naar Tyburn sleuren en het vonnis uitvoeren. Middeleeuwers konden hardnekkig zijn als ze iets goed wilden doen... vooral als er niets van deugde. Ze zouden zich ook heus niet laten vermurwen alleen maar omdat haar vriendje de graaf van March was. Robyn werd plotseling misselijk, ze moest hier een eind aan zien te maken. Ze zou gek worden als die kerels dit ernstige, bedachtzame meisje zouden verbranden.

Maria trok met een zacht geluidje haar aandacht, ze vroeg verlegen: 'Wilt u alstublieft iets voor me doen, m'lady?'

Robyn knikte langzaam en zei: 'Wel als ik daartoe in staat ben.' Ze vond het vreselijk dat ze zo wrevelig overkwam, maar ze moest voorzichtig zijn met wat ze beloofde. Ze was een bekend zieneres en stond als heks bekend, dus moest ze heel omzichtig met de wet omspringen, het zou dom zijn die uit te dagen.

Maria boog zich naar voren en balanceerde op haar blote voeten. Ze vroeg fluisterend: 'Ik heb liever dat ze me ophangen, m'lady. Ik ben zo verschrikkelijk bang voor vuur.'

Wie niet? Maar Maria zei het zo nuchter dat het door Robyns hart sneed. Het had niet veel gescheeld of zij had op de plek van dat meisje gestaan, beschuldigd van verraad en hekserij, onder de eiken van Sudeley Park in afwachting van of ze gered of verbrand zou worden... maar zij had tenminste nog een pleitbezorger gehad, en de kans om zich eruit te vechten. Maria had geen van beide, alleen al te worden opgehangen scheen haar een zegen toe. Ze zocht de gezichten van de mannen af of iemand naar haar smeekbeden zou luisteren, of iemand Maria's pleitbezorger wilde zijn, maar het enige bekende gezicht was nog steeds Matt Davye, die onlangs zelf op het nippertje aan de galg was ontsnapt. Waar waren al die knappe dolende ridders als je ze nodig had? De besten van hen zouden die middag een lans breken op Smithfield, maar tegen die tijd zou Maria al tot as zijn verbrand. Ze dwong zich naar het meisje te glimlachen en zei vriendelijk: 'Ik zal zien wat ik kan doen.'

'Dank u, m'lady.' Het meisje glimlachte naar haar terug. 'Ik word nog liever twaalf keer opgehangen dan te worden verbrand.' Middeleeuwers wisten heel goed dat iemand meer dan één keer kon worden opgehangen. Terechtstellingen werden in het openbaar uitgevoerd en soms in verschillende steden herhaald. Maria maakte nogmaals met haar handen op de rug een knicksje om haar verzoek kracht bij te zetten.

De heraut in stadskleuren rolde zijn perkamentrol uit en keerde zijn gezicht naar één kant. Hij vormde zijn mond tot een trompet en schalde de woorden eruit, ze klonken tot achter in de menigte door. Robyn bleef bij het meisje terwijl het vonnis werd voorgelezen, ze hoorde dat Maria een hoer en moordenares werd genoemd, en schuldig was bevonden aan ontucht, incest en moord. Haar korte leven was zo doordrenkt geweest van zonde dat dit slechts door vuur kon worden gereinigd. Middeleeuwers zouden verbijsterd zijn als terechtstellingen in het geheim en achter gesloten deuren zouden plaatsvinden, zij geloofden in meedogenloze, openbare bestraffingen. Executies in achterafkamertjes waren voor tirannen wier handelingen het daglicht niet konden verdragen. Doodzonde... wat kon je nou leren van een drama dat niet werd opgevoerd? Middeleeuwers wezen de moderne instant-rechtsstaat af, bij halsmisdaden had je gradaties en Maria's gruwelijkste misdaad was huiselijk verraad geweest... Volgens de heraut was de man die ze had omgebracht zowel haar stiefvader als haar echtgenoot geweest. Alleen degenen die zich hardnekkig tegen de natuur verzetten, werden verbrand, zoals ketters die God verloochenden en vrouwen die hun man een kopje kleiner maakten.

Gladjes en zelfvoldaan als een hartenboer eindigde de heraut met een verzoek om Gods genade en hij verklaarde dat het vonnis nog vandaag op Tyburn zou worden voltrokken. De wachters schoven tussen Robyn en het meisje in en Maria keek nu angstig, de tranen sprongen haar in de ogen. Ze zei: 'Ga alstublieft niet weg, m'lady. Zeg tegen ze dat ik moet worden opgehangen.'

Robyn boog zich uit haar zadel naar omlaag en legde een hand op de magere schouder van het meisje, ze kon de botten door haar tuniek heen voelen. Maria kalmeerde onmiddellijk, mompelde een paar dankwoorden en kuste de vingers van 'm'lady'. Een lange poos bleef Robyn zitten en bad innerlijk tot Hecate en de Heilige Anna, zo kon het meisje kracht putten uit haar aanwezigheid. Toen haalde ze aarzelend haar hand weg, gaf het meisje aan de biechtvader en zei: 'Wees niet bang, ik ga met je mee. De hemel zal je beschermen.'

De hemel zou wel een beetje moeten opschieten, want deze kerels waren vast van plan haar op de brandstapel te zetten. Robyn draaide zich met een holle pijn om en voegde zich weer bij Deirdre, ze zag dat de tot nu toe zwijgzame menigte stond te huilen. Mannenogen waren vochtig en vrouwen snikten ingehouden. Middeleeuwers kregen hun portie lijden wel. Zelfs rijke mensen en schoonheden moesten voor de gefolterde Christus knielen en de bedelaars bij de kasteelpoort passeren, maar wie kon zijn ogen nog droog houden bij de benarde toestand van Maria? In het absoluut ergste geval had Maria een man vermoord die met zijn tienerstiefdochter was getrouwd, haar had misbruikt en haar voor hoer had laten spelen. Ze verdiende eerder een medaille dan de brandstapel. Geen wonder dat ze slechts door een hulpsheriff en een paar dienders naar Tyburn was gebracht. Niemand had hier een goed gevoel over. Niemand, op de wet na dan... die een moord en een 'moordenares' in de kraag had en tot het gaatje wilde gaan. In die vijfhonderd merkwaardige jaren was de wet niet veel veranderd, behalve dan dat hij hier misschien minder teergevoelig was. De middeleeuwse wet verhulde zijn fouten niet in stroperige rechtszalen en langdradige betogen, hij bracht Maria onder begeleiding van droevige muziek, de hele weg door, terug naar Cheapside, en dan Newgate uit naar Tyburn, waar de brandstapel op haar wachtte.

Dus gerechtigheid werd aan vrouwe Robyn overgelaten. Wat verschrikkelijk onrechtvaardig. Vanochtend was ze opgestaan en had ze helemaal niet de bedoeling gehad om wie dan ook te helpen, behalve Edward. En hem ervan proberen te weerhouden naar dat mesjogge toernooi van hem te gaan. Als ze de verleiding had weerstaan om te gaan winkelen en de zaken op zijn beloop had gelaten, dan zou ze nu in Smithfield zijn en voor het steekspel nog een plezierige ochtend hebben gehad. Als ze achteraf had ontdekt wat Maria's lot was geweest, zou ze natuurlijk compleet geschokt geweest zijn, een gebed hebben gepreveld en over zijn gaan tot de orde van de dag. Alleen was dit haar dag niet – dat was wel duidelijk – het was de dag van de Heilige Anna.

De akelige stoet draaide zich om en liep over de veemarkt Cornhill af. De middeleeuwse wet nam de 'laatste mijl' letterlijk. Robyn reed een paar paardlengtes achter de veroordeelde en ze voelde haar maag ineenkrimpen. Gelukkig had ze alleen maar een stukje aangebrande toast, een paar groene kersen en een stukje ouwel gegeten. En dat was prima, want Maria zat duidelijk op een wonder te wachten, en wel stante pede. Na drie maanden Middeleeuwen had Robyn onderhand wel geleerd dat wonderen nooit vanzelf gebeuren. De hemel helpt altijd een handje. Onder de plooien van haar goudkleurige jurk controleerde ze of haar Saksische mes er nog was en ze liet het uit de leren schacht aan haar zadel glijden. Ze had het van een Welse heks gekregen, het mes was vlijmscherp en ze had het zo voor het grijpen.

Als ze de wet zou trotseren, kon ze alles kwijtraken: haar positie, haar comfort, haar aanstaande huwelijk, haar titel, zelfs haar leven. Maar ze had aan Sint-Anna gevraagd haar de weg te wijzen en het hemelse antwoord luidde: 'Maak jezelf nuttig.' Ze woonde in een kasteel, was verloofd met een knappe vent uit de Koninklijke Raad, had een prachtige witte merrie tot haar beschikking... dat had ze allemaal niet voor niets gekregen. In West-Hollywood gebeurden de verschrikkelijkste dingen met tienerhoertjes, dat vond ze erg en ze was er bang voor, maar ze had er nooit iets aan gedaan. Hier kon ze zich die luxe niet veroorloven. Ze was lady Robyn Stafford, het liefje van een graaf en vriendin van de koning. Als zij niets voor dit kind deed, wie dan wel? Als ze Maria liet meesleuren en verbranden dan zou 'noblesse oblige' een lachertje zijn... en dan had ze het nog niet over het rebelse idee dat ze een beter Engeland nastreefde. Robyn had de voordelen van de elite aangegrepen, dan moest ze daar ook de nadelen van aanvaarden.

Ze trok haar zware mes en maakte een gebaar naar Deirdre die onmiddellijk naast haar kwam rijden. Ze gaf Deirdre het Saksische mes, raakte daarbij even haar hand aan om kracht te halen uit dat warme contact, en fluisterde in het Keltisch: 'Let op.'

Deirdre begreep het en greep het mes handig vast. Ze had haar rokken opgetrokken en hield haar telganger startklaar. Voor zo'n opgewonden standje was haar dienstmeid in tijden van crises verbazingwekkend beheerst, ze anticipeerde op moeilijkheden en wachtte het juiste moment af. Wat voor narigheid ze ook zouden tegenkomen, een meisje uit Wexford had het allemaal nog erger meegemaakt. Veel erger.

De vogelmarkt ging weer over in Cheapside, met zijn manufacturenzaken en zilversmeden. Voor haar uit zag ze de Saint Paul's en het toevluchtsoord van Saint Martin-le-Grand, en daarachter Newgate met de weg naar Tyburn. Hun eindbestemming kwam in zicht en ze verzamelde al haar moed, greep de natbezwete teugels stevig vast en drukte haar benen tegen het zadelleer. De voormalige miss Rodeo Montana was er helemaal klaar voor, ook al klopte haar hart in haar keel. Toen ze zo oud was als Maria had ze met halsbrekende snelheden voor joelende menigten gereden, was ze een eersteklas racer geweest totdat ze bij een val haar been had gebroken. Voorbij de wijkplaats van Saint Martin-le-Grand zag ze de getraliede vensters van Newgate, waar Maria haar dag was begonnen. De gevangenen zouden de processie gadeslaan, sommigen wachtten ongetwijfeld zelf op een tocht naar Tyburn.

Hoog tijd dat de bajesklanten wat leven in de brouwerij kregen. Ze boog zich in het zadel voorover, deed inwendig een schietgebedje naar Hecate en Sint-Anna en riep toen in het Keltisch naar Deirdre: 'Snij het touw door.'

Deirdre drong zich met het gevest in de hand langs haar heen. Ze reed als een Ierse comanche, de benen opgetrokken, het hoofd omlaag, haar rode haren golfden achter haar aan. Het dienstmeisje kegelde de verraste dienders opzij, trok aan de teugels en greep het lange, bungelende touw vast waarmee Maria aan de hulpsheriff vastgebonden zat. Ze sloeg het om het tweezijdige lemmet en sneed de lus door.

Robyn gaf Lily de sporen en schoot achter haar meid aan over het pad dat Deirdre voor haar had vrijgemaakt. Ze zat diep voorovergebogen in het zadel en haar zijden hoofdtooi wapperde in de wind. Toen de lijn loskwam, schepte Robyn het gebonden meisje op, maakte een halsbrekende draai en reed met Maria dicht tegen haar schoot gedrukt naar de poort van Saint-Martin-le-Grand. Ze dook langs de verschrikte toeschouwers en stormde in vliegende vaart op de poort af, waarbij haar zadelbelletjes als gekken tekeergingen, en showde de stomverbaasde Londenaren de rijkunsten van miss Rodeo Montana. Maria staarde haar met grote, verbaasde ogen aan, haar gestreepte kap hing vervaarlijk scheef, verbijsterd als ze was dat ze op de rug van een paard zat, met het doorgesneden touw nog om haar nek.

Opeens verscheen er een gewapende diender voor de poort, dreigend bulderend stond hij met een bruinpunt klaar – een reusachtig, akelig wapen, half bijl, half mes, in de vorm van een haak. Ze kon niet om hem heen, daar was geen ruimte voor. Hij hief het afschrikwekkende wapen omhoog om haar de pas af te snijden, het glansde in het zonlicht en kon met gemak haar hoofd of Lily's been afhakken. Maar als ze de teugels inhield, zou ze van achteren worden beetgegrepen en uit het zadel worden gewerkt, net zoals Jeanne d'Arc bij Compiègne te pakken werd genomen.

Plotseling, zonder te waarschuwen, viel de diender naar voren uit, hij was door een perfect gemikte steen in zijn knieholtes getroffen. Robyn zag hem vallen en spoorde Lily aan tot een sprong waarbij ze het meisje stevig tegen haar buik gedrukt hield. De hoefslagen hielden even op toen ze met een tinkeling van de zadelbelletjes door de lucht vlogen. Toen ze naar beneden keek, zag ze de diender en zijn aanvaller in de poort liggen. Matt Davye had zijn knie in het middenrif van de gewapende diender geplant zodat zij tijd had om weg te komen.

De kinderhoofdjes van de binnenplaats lagen verwelkomend op haar te wachten. Ze greep Maria steviger vast toen Lily als een witte vloedgolf op de aarde neerstortte. De ijzeren hoeven spatten op de stenen en de moordenaars en het galgenaas die in de vrijplaats van Saint Martin-le-Grand verbleven, juichten haar toe en schreeuwden: 'Goed gereden, m'lady. Welkom in Saint Martin's.'

Robyn schoot glijdend uit haar zadel op de stenen, hees Maria op haar schouders en over haar rokken struikelend belandden ze op de brede treden van Saint Martin's, haar hele haartooi zat schots en scheef. De vogelvrijverklaarden riepen opgetogen uit: 'Pas op uw jurk, m'lady!' En: 'U hoeft u niet te haasten, hoor, de mis is pas morgen.'

Ze negeerde de schimpscheuten en strompelde met Maria op haar schouders door de open kerkdeur het hooggewelfde stenen schip binnen, dat baadde in het door de glas-in-loodramen naar binnen stromende zonlicht. Verbijsterde monniken schoten op haar toe toen ze als een in gouddraad verklede Quasimodo naar ze uitriep: 'Ik vraag asiel! Bescherm ons!'

Welwillende monniken vingen haar op toen ze in het schip instortte. Ze hielpen Maria los te maken die half gewurgd was door het touw om haar nek. Robyn realiseerde zich dat ze het arme meisje bijna had opgehangen, waar ze zelf nota bene om had gevraagd. De monniken konden nauwelijks hun blijdschap verhullen dat twee zulke belangwekkende vluchtelingen hun toevluchtsoord waren binnengestormd. Heel wat beter dan de gebruikelijke zakkenrollers en mislukte strooplikkers. Wijkplaatsen haalden status uit hun cliëntèle en de Westminster had alle glitterzondaren: bendeleiders, voorname dames in nood, terwijl Saint Martin's het moest doen met de minder glamoureuze misdadigers.

Toen de monniken de strop om haar hals weg hadden gehaald, stamelde een verbijsterde Maria: 'O, mijn god... m'lady, u hebt me gered.'

Robyn knielde en maakte de kleine handen van het meisje los, ze zag dat ze rood en rauw waren van de touwen. 'Sint-Maarten heeft je gered.' Ze knikte naar de donkere kerk. 'Ik heb je hier alleen maar gebracht.' Saint Martin-le-Grand was de belangrijkste wijkplaats binnen de muren van Londen en zelfs een moordenares met bloed aan haar handen was veilig zodra ze de drempel over was... of, beter nog, als ze zichzelf op het altaar wierp. Gods vergiffenis stond boven de menselijke wetten. Mensen in het derde millennium zéíden wel dat ze geloofden, maar de middeleeuwers deden het ook oprecht. Ze hadden een immens toevluchtsoord gebouwd voor veroordeelden en vluchtelingen, een stukje bij de Newgate gevangenis vandaan, precies langs de executieroute. Gods goedertierenheid was er altijd... soms hoefde je maar een paar stappen te doen, zondaren moesten die kans dan wel grijpen.

Robyn liet het bloederige touw vallen en glimlachte naar Maria. 'Ik zei toch dat de hemel je zou verhoren.' Vrouwe Robyn kreeg onmiddellijk een paar armpjes om haar nek geslagen, verrassend sterk voor zo'n tenger persoontje. Maria hield ze stevig bij elkaar. Nog maar een paar minuten geleden had ze zonder met haar ogen te knipperen haar doodsvonnis horen uitspreken, maar nu liet ze zich plotseling gaan en begroef ze haar hoofd in een gouden schouder. Nu ze in veiligheid was, stroomden de waterlanders over haar wangen.

Robyn sloeg troostend een arm om haar heen, trok de hoerenkap naar achteren, streek het meisje over haar korte, bruine haar en zei tegen haar dat ze maar eens lekker moest uithuilen. Ondertussen staarden de monniken naar een vrouwe in een rij-jurk van gouddraad en een meisje in een brandstapeljak, die samen op de grote stenen kerkvloer geknield lagen. Robyn negeerde de mannen van God – en de puinhoop die ze van Sint-Anna's dag had gemaakt – en nam de tijd om met een huilende tiener in haar armen de hemel te danken. Toen ze Maria's fijngebouwde botten en magere schoudertjes voelde, werd ze overweldigd door het kleine meisje dat ze had gered, het kon haar niet schelen wat er komen ging. Wat er ook zou gebeuren, dit was een zeldzaam ogenblik van overwinning en dat moest gekoesterd en gezegend worden.

Gaandeweg hield het meisje op met beven en snikken. Robyn voelde dat de smalle ribben weer overgingen in een normaal ademhalingsritme. Maar toen Robyn zich probeerde los te werken, drukte Maria zich dichter tegen haar aan, ze omklemde de goudkleurige stof en fluisterde: 'Ga alstublieft niet weg, m'lady. Blijf bij me, want ik heb zo'n verdriet gehad in mijn eentje.'

Dat kon ze zich heel goed voorstellen – ze had helemaal alleen in een cel in de Tower op de dood zitten wachten – zij had het zelf angstaanjagend gevonden. Maar Robyn wist tenminste dat Edward van buitenaf probeerde in te breken en dat had haar een greintje hoop gegeven. Dit meisje was echt helemaal alleen geweest, naar lichaam en ziel, had slechts tot de hemel kunnen bidden. En Sint-Anna had haar gebed verhoord. Zachtjes herinnerde Robyn het meisje: 'Nu ben je niet meer alleen.' Verre van dat... dit was een behoorlijk druk toevluchtsoord. Ze knikte naar de monniken die om hen heen stonden. 'En deze gezanten van God zullen ervoor zorgen dat je veilig bent.'

Maria keek naar de mannen, toen weer naar Robyn en vond het helemaal niks. 'Moet u weggaan, m'lady?'

'Dat moet m'lady.' Ze knikte verdrietig, er stond haar buiten een puinhoop te wachten, die moest ze onder ogen zien. Deirdre was in handen van de Saksen, waar Robyn zich erg ongerust over maakte. Anders had ze nog wel een tijdje in de koele kerk kunnen blijven om het verhaal van dit meisje aan te horen. 'Maar ik zal erop toezien dat ze goed voor je zorgen, dat zweer ik.'

Maria keek nog ongeruster en zei: 'Zullen ze niet boos zijn dat u me hebt bevrijd?'

'Misschien,' gaf ze toe. 'De hulpsheriff zal ongetwijfeld razend buiten op me staan te wachten.'

'Blijf dan hier bij me, m'lady,' smeekte Maria en ze drukte zich nog steviger tegen haar aan, 'dan zijn we beiden veilig.'

Ze glimlachte om de bezorgdheid van het meisje. 'Wees maar niet bang... jij bent slechts de minste van mijn zonden.' Ketters, heksen en verraders hadden geen recht op asiel... en Robyn was alle drie. Als haar vijanden haar gevangen wilden nemen, kon geen kerk haar redden. Maar Maria was alleen maar een moordenares, zij kon veilig in Saint Martin's blijven. Robyn zei tegen het meisje: 'Ik ben een ergere zondaar dan jij ooit kunt worden, en nu moet ik het volk buiten tegemoet treden.'

'Maar u komt terug.' Maria zei het als een vaststaand feit.

'Ik kom terug,' verzekerde ze het meisje. Ze kon toch niet anders? Ze had het leven van deze tiener gered en nu was ze verantwoordelijk voor haar, de laatste aanwinst bij de steeds groter wordende kring mensen die van haar afhankelijk waren.

'Wanneer, m'lady?' vroeg Maria dwingend. Nu ze van de brandstapel was gered dacht Maria zeker dat ze overal mee weg kon komen.

Robyn kende dat gevoel. Op de avond van haar bevrijding uit de Tower was ze voor het eerst met Edward naar bed geweest. Vrijheid was bedwelmend en als je een afgrijselijke dood boven het hoofd hing, hunkerde je naar het leven. Ze beloofde 'voor de dag om is' terug te komen.

'Goed.' Ze kreeg het antwoord dat ze wilde horen en Maria legde haar hoofd weer tegen Robyns schouder, wilde nog steeds niet loslaten. Ze kreeg voedsel, onderdak en veiligheid, en nu wilde het meisje alleen maar haar redster terugzien. Robyn streelde over het korte haar van het meisje, dat fijn en zacht aanvoelde. Ze zei tegen haar dat de monniken voor haar zouden zorgen, en bezwoer haar dat ze haar zaak aan de graaf van March zou voorleggen.

'Maar u komt terug,' drong Maria aan.

'Als ik kan, ben ik er voor vesper.' Maar nu moest ze gaan... ze maakte zichzelf langzaam van het meisje los en trok tegelijkertijd de gestreepte kap mee, ze wilde de bewoners van de vrijplaats niet op ideeën brengen. Ze vouwde de kap onder haar arm weg, vroeg de monniken voor haar te zorgen en bood in een impulsief gebaar haar beurs aan als geschenk aan Saint Martin's. 'Als ze iets nodig heeft, laat me dat dan weten, ik ben Robyn Stafford en woon bij mijn lord, de graaf van March, in Baynards Castle.

Ze knikten veelbetekenend. Zelfs de monniken in hun kloosters waren op de hoogte van haar privé-zaken, of dachten dat althans. Gelukkig stond de Engelse clerus verbazingwekkend tolerant ten opzichte van zonden. Lords, ridders en wetsdienaren hadden haar met de brandstapel gedreigd wegens hekserij, verraad en omdat ze 'de hoer van de graaf van March' was... maar geen enkele geestelijke was zo onbeleefd tegen haar geweest. Toen ze in nood was, hadden ze haar voedsel, onderdak en troost geboden. Die troost had wel wat minder gekund, maar ook dat was van harte gemeend geweest.

Ze wurmde de vingers van het meisje uit haar jurk los, kuste haar vingertoppen en liet Maria over aan een jonge non die door de monniken erbij was gehaald. Maria liet het gebeuren, zij het niet van harte, en zich door de non naar een vrouwencel binnen de vluchtplaats wegleiden. Volgens de wet zou ze daar de komende veertig dagen tenminste veilig zijn. En bij de middeleeuwse wetgeving konden veertig dagen heel makkelijk voor altijd worden, zeker als je voor de middag op de brandstapel had moeten staan.

Robyn ging rechtop staan, ze was op dit moment nog vrij, maar omgeven door dieven en moordenaars, en buiten de poort stond een woedende hulpsheriff op haar te wachten. Daar ging de bewering dat ze het niet aandurfde om 'de wet met voeten te treden'. Soms liet de wet je geen andere keus. Vrouwe Robyn bracht haar hoofdtooi weer in orde, verbaasd dat ze die niet helemaal was kwijtgeraakt. Toen liep ze door het grote schip, knielde voor het altaar en dankte Sint-Maarten voor zijn genade. Ze sloeg een kruis, stond op en ging haar paard ophalen, dat ze bij de moordenaars en zakkenrollers buiten had achtergelaten.

Bij de kerkdeur werd ze met gejuich van de meute misdadigers ont-haald, er klonken kreten als 'Welkom in onze vrijplaats!' en: 'Waar heeft de lady zo leren rijden?' Ze gaf hun haar stralendste miss Rodeo Montana glimlach en stapte onder nog meer gejoel de trap af, met de hoerenkap onder de arm. Asielzoekers waren met schrikbarend wei-nig tevreden. Ze bleef op een van de laatste treden staan, nam het applaus in ontvangst en keek naar de ongeschoren gezichten die vals glimlachend oplichtten. Ze haalde een wortel uit de plooien van haar jurk tevoorschijn en gebaarde dat ze haar paard wilde hebben. De glimlachjes gingen over in geschater. Er was even een handgemeen, maar die werd snel in de kiem gesmoord en de winnaar bracht Lily naar haar toe. Hij was een vierkante, donkere messentrekker, had een baard van drie dagen en glimlachte sluw naar haar. Joost mocht weten waarom hij asiel had gezocht, maar hij snoerde met gemak zijn tegen-strever de mond en bracht Lily nu vakkundig naar buiten om te laten zien hoe goed hij was met andermans paarden. Hij knielde op één knie, reikte haar de teugels aan en zei met zwaar Northumberlands accent: 'Uw rijdier, m'lady.'

Zodra ze dat noordelijke accent hoorde, wist ze dat ze die kerel eer-der had gezien. Hij was een grensjutter, een Percy struikrover die was geronseld om in het zuiden voor gekke koning Hendrik te vechten. Drie weken geleden nog had ze zijn getaande gezicht onder een helm gezien, op de zondag voor de slag om Northampton, toen lord Egre-monts kwartiermakers in het dorp Hardingstone waren neergestre-ken. Ze hadden kort bij een boerderij staan praten. Nu was zijn lord dood, maar hij droeg nog steeds de kleuren van Percy, roodbruin met geel. Jammer dat ze in namen niet zo goed was als Edward, want die van hem kon ze zich niet herinneren. Ze nam de teugels over en bedankte hem in het Northumberlandse dialect.

Zijn ogen sperden zich blij open toen hij zo ver ten zuiden van Tyne zijn moedertaal hoorde spreken. 'Dus u bent het inderdaad, hè? Dat knappe meisje dat zo mooi tegen ons had gesproken op de zondag voor de veldslag. Toen ik met Fingerless Will, Maria's Jock, Sweet-milk Selby en Bangtail Bell meereed. Ik herkende u bijna niet in die mooie jurk, maar de merrie herkende ik gelijk.'

'Ze heet Lily,' zei ze tegen hem en ze aaide de merrie terwijl ze haar een wortel voerde. 'En jij bent?'

'Black Dick Nixon,' antwoordde hij met een diepe buiging. 'Tot uw dienst, m'lady.'

Black Dick Nixon, hoe had ze dat kunnen vergeten? 'Waarom zit je hier?'

Hij grijnsde: 'Zwaar in de schuld, m'lady.'

Dat wilde ze wel geloven. Zo te zien had Black Dick Nixon vanaf

Schotland een spoor van boetes, valsheid in geschrifte, afpersing en borgtochtontduiking achter zich gelaten. Iedereen die aan plunderingen meedeed, was verantwoording verschuldigd aan wet en eigendommen. 'Hoe lang kun je hier nog blijven?'

'Langer dan een maand,' pochte Black Dick Nixon, blij dat hij het grootste deel van zijn veertig dagen nog voor zich had.

Twee weken geleden waren de noordelijke ruiters van lord Egremont in de slag om Northampton verslagen. Hij had ze zonder een cent te makken bij de zuiderlingen achtergelaten waar ze aan het plunderen waren geslagen, met als gevolg dat Black Dick Nixon nu voor niet nader te noemen misdaden een wijkplaats had gezocht. Ze propte de hoerenkap in haar zadeltas en liet hem haar bij het opstijgen helpen. Ze had haar beurs al weggegeven, dus haalde ze een ring van haar vinger, een gouden bandje met een rode steen die bij haar jurk kleurde, dat ze de dag ervoor in Cheapside had gekocht. Ze gaf de ring aan Nixon en zei tegen hem: 'Pas op het meisje dat ik hier heb gebracht, dan zal ik ervoor zorgen dat die schulden worden betaald. Ze heet Maria en ik heet Robyn Stafford. Ik woon in Baynards Castle, bij de graaf van March. Laat me roepen als er iets met het meisje aan de hand is.'

'De vrouwe hoeft het maar te zeggen,' beloofde de schurk en kuste haar zwierig de hand. 'Maar aan een snel paard en een voorsprong van een dag heb ik genoeg.'

'Afgesproken,' verzekerde ze hem. Wat kon het Black Dick Nixon schelen dat zijn schuldeisers nooit werden betaald? En de misdaden die Nixon verder nog op zijn geweten had kwamen waarschijnlijk niet in de buurt van de aanklachten die zij onder ogen zou moeten zien, zeker in vergelijking met de huiveringwekkende straffen die haar te wachten stonden. Ze boog zich voorover, klopte Lily op de schouder en zei: 'Prima meid, dat was nog eens een sprong. Maar misschien moeten we het weer doen en zul je het op een lopen moeten zetten, dan krijg je nog een wortel.'

Ze rechtte haar rug in het zadel, het had geen zin om de narigheid die op haar af kwam nog verder uit te stellen. Ze moest naar Deirdre en Matt Davye, die haar te hulp waren geschoten toen ze die nodig had. Tot twee keer toe. Ze zwaaide gedag naar de schurken, spoorde Lily zachtjes naar de poort aan en hoorde een koor van gekreun en hartverscheurende kreten. 'Nu al, m'lady? U bent bij ons in de Saint Martin's veiliger.'

'Dat is maar al te waar,' riep ze terug terwijl ze bedacht dat ze vrienden in de wijkplaats nodig zou hebben. 'Maar buiten heb ik nog iets te regelen.'

Haar hart klom weer naar haar keel toen ze naar de poort reed.

Met haar status was ze verplicht het goede te doen, anders waren ze alleen maar een stelletje chique parasieten die van het zweet van anderen leefden. Dame Agnes, slechts een burgemeestersvrouw, bracht elke dag licht en lucht in de gevangenissen. Dus hoe kon een aanstaande gravin werkeloos toekijken hoe onrecht geschiedde? Het enige wat haar echt speet was dat Edward niet bij haar was. Zijn relativerende humor en stevige lijf van een meter tachtig hadden een kalmerend effect op mensen. Ze had twee keer gezien dat hij gewapende en wanhopige tegenstanders had weten over te halen om zich over te geven, hij had alleen zijn zwaard maar even hoeven aanraken... allebei de keren was ze allemachtig blij dat hij aan haar zijde was geweest. Ze bad stilletjes tot Sint-Anna, wier dag het was, en tot Hecate, die haar in deze puinhoop had gebracht, en reed in draf de poort van de vluchtplaats door.

Ze werd begroet door een verbijsterde stilte. Ze zag dame Agnes tussen Deirdre en de hulpsheriff in staan, ze was met gewapende dienders en ongeruste geestelijken in een verhitte discussie verwikkeld. Deirdre zat nog steeds op haar paard en zei niets, ze hield haar Saksische mes stevig vast en hield zich van de domme bij de Saksen, ze liet het praten aan dame Agnes over. Matt Davye was verdwenen, maar de diender die hij had omgegooid, stond weer, met zijn afschuwelijke wapentuig in de hand. Winkelend publiek van Cheapside, klerken uit het klooster van de Saint Paul's en de meute van Cornhill keken verbaasd op toen ze met haar zijden hoofdtooi en zacht klingelende zadelbelletjes tevoorschijn kwam.

De mensen staarden haar een hele poos aan, verschrikt dat ze plotseling weer opdook. Toen barstten ze in een luid en lang gejuich los, ze applaudisseerden spontaan en er klonken kreten als: 'Hiep-hiep-hoera! Hiep-hiep-hoera!' Het groeide uit tot een rondborstig gejoel, een staande ovatie die de jubelkreten van de mannen in de wijkplaats ver overstemde. De holle pijn verdween en daarvoor kwamen golven van een misselijkmakende opluchting en enorme opwinding in de plaats. Londen hield van haar, dat ontsteeg zelfs de wet. Het zaterdagse winkelende publiek op Cheapside, de marktvrouwen, priesters van de Saint Paul's, loopjongens en dronken zeelui stonden aan haar kant, waren blij dat Maria in de schoot van de Moederkerk was. Ze had een verbazingwekkend einde aan een tragische dag weten te breien, een gelukkig wonder verricht waarover de mensen dolenthousiast waren.

De mensen kwamen dichterbij, aaiden Lily en plukten aan Robyns gouden zoom, raakten haar aan, knepen en staken haar de hand toe zoals ze ook hadden gedaan toen de rebelse graven voor het eerst de stad waren binnengereden. Haar liefde voor het Londense volk sprong op, voor het eerst die godgeklaagde ochtend kreeg ze tranen van geluk in haar ogen. Merkwaardig genoeg waren dit haar mensen, ze mocht dan niet uit de Middeleeuwen komen, maar onder al haar zijde en satijn was ze net zo gewoon als zij. Vanaf de eerste dag dat ze in de Middeleeuwen rondliep had het gewone volk haar verwelkomd, vooral de vrouwen en meisjes, maar mannen ook. Ze wisten helemaal niet dat ze uit de toekomst kwam, ze wisten alleen maar dat ze leuk was en verdwaald. Gewapende edelen en mannen van de koning hadden haar opgejaagd en bedreigd, maar van Sandwich tot North Wales waren de eenvoudige Britten alleen maar aardig voor haar geweest, hadden haar te eten en onderdak gegeven, en waren zo nodig tegen de wet in opstand gekomen. Ze vroegen er alleen maar verhalen van verre plaatsen voor terug, het leven aan het hof, of hoe de jonge lord Edward in bed was. Vrouwen riepen haar toe en zwaaiden ter ere van Sint-Anna triomfantelijk met hun bezems uit hun bovenramen.

Gesterkt door het applaus reed ze dolgelukkig naar voren, oneindig dankbaar. In Hollywood was ze productieassistente geweest en had ze gehoopt dat ze een ster zou worden. Hier was ze het middelpunt van een wereldvoorstelling en Londen was dol op haar optreden. Elke tegenwerping van de hulpsheriff verdronk in de meute en in de wetenschap dat ze in de gunst stond bij de graaf van March. Hoeveel ze ook van het gepeupel hield, Robyn was toch dankbaar om de voordelen van haar status, vooral als die bepaalde oneffenheden gladstreken. Ze raakte de uitgestoken handen van de mensen aan en dirigeerde Lily met haar knieën door de juichende menigte, blij dat ze zo geliefd was. Maar ze wilde ook haar meid met haar Saksische mes bij een dankbare dame Agnes wegroepen. Ze moest nog naar een toernooi.

2
Smithfield

Tegen het middaguur was ze in Smithfield, de grote smerige veemarkt in het noorden van de stad, omgeven door de chaos van de toernooivoorbereidingen. Dit toernooi bestond voor een deel uit spektakel en voor een deel uit een gewapend steekspel te paard, waar rijke en beroemde deelnemers aan meededen. Er waren mooie paviljoens opgezet en nog mooiere, in livreikleuren uitgedoste, paarden liepen langs haar heen. Standwerkers hamerden er boven hun hoofd op los, ze legden tapijten en hingen kleurige wandkleden op, waardoor de eretribune in een pluche appartement werd omgetoverd. Ze stond in de schaduw van Edwards gestreepte paviljoen aan de westkant van het strijdperk, ze had zich als een schildknaap uitgedost in harlekijnbroek en wambuis, compleet met dolk en broekklep, en lange leren rijlaarzen waarvan de flappen bij de knie omgevouwen waren. Alles was uitgevoerd in Edwards persoonlijke kleuren, donkerrood en blauw. Het rood was dieppurper dat ze in het derde millennium moerbei zouden hebben genoemd, en Edwards blauw was bijna koninklijk.

In de Middeleeuwen moest je je vaak verkleden, dit was nu al haar derde keer. De vierde, als je het heksenhemd meetelde dat ze om middernacht aan had gehad. Deirdre droeg een bijpassend pagekostuum en ze hadden de beschikking over een prachtig zwart strijdros, een sterke grote Fries met lange, zijden vetlokken dat Caesar heette. Hij droeg ook purper-rood en blauw over zijn wapenrusting heen. Deirdre grijnsde breeduit, ze was allemachtig blij dat ze de Saksen te snel af was geweest. 'Nog nooit meegemaakt dat een verbranding zo gelukkig afliep.'

Wat willen we toch graag goeddoen. Vol afgrijzen bedacht Robyn dat het kantje boord was geweest, dat het ondenkbare bijna wel was gebeurd. Ze stond nog steeds duizelig te trillen op haar benen, verbaasd dat de rest van de ochtend zo kabbelend en gewoontjes voorbijging, dat ze kon doen of ze een mooi uitgedoste staljongen was die zich op het schijngevecht aan het voorbereiden was. Ze trok het zich te veel aan als mensen in de problemen kwamen, ze moest zich daar beter tegen harden.

Alle jonge vrouwen om haar heen waren als schildknapen verkleed, ze lachten, maakten grappen en droegen het blauw en wit van Collin. Of het wit en rood van Wydville. Sommigen droegen zelfs nepdolken tussen hun benen, het knopvormige gevest stond als een stalen erectie omhoog. Gewoon weer een prettige dag in Smithfield. Het was Joanna Greys idee geweest om als man verkleed te gaan, als schildknapen, en met de paarden te helpen. Zelfs een verblijf in de Tower wegens hekserij had Jo niet afgeschrikt... ze was nauwelijks een week vrij of ze maakte alweer amok. De jongere 'hofdames' vonden Jo's idee te verheven om vanaf de zijlijn te blijven toekijken. De tribune was voor oude dames en getrouwde vrouwen. De sterkste, meest atletische jonge edelen van het koninkrijk zouden het strijdperk betreden, ter ere van de Heilige Anna en om naar de gunsten van hun lady te dingen. Als ze niet konden flirten en de paarden verzorgen, dan was zo'n toernooi alleen maar goed voor mannen, gevaarlijker dan de meeste spelen, maar daarom niet vanzelf interessanter.

Niet dat Robyn kwam om te flirten. Ze was hier om op haar man te passen. Hij was achttien en graaf van March, reden voor Edward om soms te denken dat hij ook nog onoverwinnelijk was. De schilden van de deelnemende strijders hingen in een rij langs een kant van de arena zodat de vrouwen ze konden inspecteren en niet-ridderlijk gedrag konden rapporteren. Gelukkig hing Edwards schild met de witte leeuw er niet tussen.

Londenaren in heldere zomerkleding en wollen tunieken bevolkten de twee verdiepingen tellende tribunes. Ze zweetten onder een ongewoon zomerzonnetje, lachten, praatten en sloegen van achter een omheining de voorbereidingen gade. Britten konden uren, zelfs dagen geduldig wachten, als ze maar bier bij de hand hadden. Doordat de rust was weergekeerd en ze op deze dag van de Heilige Anna een gratis voorstelling voorgeschoteld kregen, leek het wel vakantie voor ze. Normaal gesproken moesten mensen betalen als ze een toernooi wilden bijwonen, en de prijs was niet mals in de centen-economie van de Middeleeuwen. Maar vandaag was het toernooi voor iedereen vrij toegankelijk, om de stad te bedanken, georganiseerd door de rebelse graven als teken van harmonie en dat alles in het koninkrijk weer koek en ei was... nu ze de koning hier hadden.

Ze vond het mooi dat het gratis was. En ook dat het voor de vrede was. Als je je dan te kijk wilde zetten en klappen wilde oplopen, kon je dat maar het beste voor de goede zaak doen. En miss Rodeo Montana wist een verveelde menigte te vermaken. Ze liet Deirdre de zwarte hengst heen en weer lopen zodat zijn spieren los werden en hij aan de wapenrusting kon wennen. Deirdre deed het prima, ze had dat natuurlijke jonge-meisjesgevoel voor drama, ze zwaaide en paradeerde met de grote Fries – zoals elke jonge schildknaap zou doen – vriendelijk, zonder het paard van streek te maken, en Caesar mocht de ster zijn. Het volk vond het prachtig, vooral de mannen, ze applaudisseerden luid voor het meisje en het paard.

Van dat gejuich fleurde Robyn helemaal op, een veel betere adrenalinestoot dan koffie. Londen had haar duidelijk omarmd – men maalde er niet om of ze uit een of andere sprookjestoekomst kwam – zolang ze de stad maar geluk bracht en zijn taal sprak. Londenaren staken niet onder stoelen of banken van wie ze wel of niet hielden, en om status gaven ze weinig... de koningin had haar gezicht al eeuwen niet laten zien. Deels dankzij vrouwe Robyn kregen de Londenaren tenminste een regering die ze wilden, met iemand die binnen zijn budget leefde en het zakendoen aan Londen overliet. Gekke koning Hendriks blokkades van Ierland en Calais waren opgeheven zodat de handel met het Britse overzeese grondgebied weer wettelijk was toegestaan en smokkel niet meer nodig was. En het Londense volk vond het prachtig dat ze in de kleuren van de jongste en knapste lord van de Koninklijke Raad rondliep, hoopte dat ze voor hen op zou komen, vooral als ze dat in bed deed, 'wanneer de jonge lord Edward waarschijnlijk het beste luisterde'.

Maar in Smithfield werden ook heksen verbrand. Daar had Gilbert FitzHolland haar op de brandstapel willen zetten als hij dat duel onder de reuzeneiken van Sudeley had gewonnen. Jeanne d'Arc was verbrand omdat ze een broek droeg, de toekomst kon voorspellen en brutaal was. Daar had Robyn zich ook allemaal schuldig aan gemaakt en het was nauwelijks middag, 12:03:16 uur volgens haar polshorloge.

Om half een stonden de paviljoens overeind met de ridderlijke banieren erbovenop. Minstrelen kondigden aan dat de toernooioptocht in aantocht was met de dames die hun kampioenen aan zilveren kettingen begeleidden. De middenklasse paradeerde achter de burgemeester, de schepenen, buitenlandse ambassadeurs en de toernooi-jury langs het gewone volk, en namen hun plaats in op de gestoffeerde tribune die met de rug naar de zon stond en door kleden werd overschaduwd. Er waren wijn en zoetigheid in overvloed om het de weledelgeborenen en weledelgetrouwden naar de zin te maken. De tribunes voor het gepeupel waren beduidend eenvoudiger, verhoogde planken met staanplaatsen, waar de mensen waren overgeleverd aan het onbestendige Engelse klimaat, maar dat leek niemand iets uit te maken. De Londenaren waren in een feeststemming, ze voelden zich gesterkt doordat de Tower was heroverd en de koning was teruggekeerd. De meeste middeleeuwers hadden het te goed om van de bedeling te moeten leven, maar waren te arm om belasting te betalen, dus hadden ze het liefst een zuinige, onderhoudende regering. De vrouwen rekten de halzen om de zijde en het satijn van het hof te bekijken en waren blij dat de modeshow als eerste aan de beurt was. De lady's droegen omvangrijke vlinderhoofdtooien en duizelingwekkende, met juwelen afgezette gewaden. De mannen waren gekleed in kortgesneden tunieken en belachelijke puntschoenen. Jongens leurden met zelfgemaakt bier voor een cent per kroes, wat de stemming onder de zaterdagse meute alleen nog maar verhoogde.

Robyn smachtte naar een kop koffie. Gelukkig had ze een thermoskan vol gezet voordat ze uit Baynards Castle was weggegaan in de veronderstelling dat het wel weer zo'n dag zou worden... ze kon sommige dingen zo goed zien aankomen dat ze er wel eens bang van werd.

Eigenlijk was het de hele week al zo. Afgelopen zaterdag had ze nog in de Tower van Londen gevangengezeten, samen met Joanna Grey, beschuldigd van hekserij en verraad. Sindsdien had ze haar overmeesteraars weten te pareren, had ze gezien hoe haar folteraars voor het gerecht gesleept en veroordeeld werden en was ze in het geheim met de graaf verloofd... allemaal in minder dan een week tijd. Een alarmerende wending van het lot, hoe welkom ook. Ze had een tweede kop koffie nodig wilde ze dat met een toernooi kunnen vieren. Ze liet Caesar aan Deirdre over, schroefde haar zilveren thermosdop los en schonk de stomende bruine koffie in haar porseleinen kopje.

'Wat is dat voor heksenbrouwsel?' vroeg een vriendelijke, bekende stem. Ze keek op en zag dat Edward naast haar was komen staan, net zo sterk en prachtig als toen ze hem bij het ochtendkrieken had achtergelaten, alleen nu niet meer naakt. Hij droeg een purper-gouden wambuis met modieuze splitmouwen op een veelkleurige broek met daaroverheen hoge leren laarzen die bij de knie waren teruggeslagen. Zijn lange blonde haar hing los over zijn schouders en omlijstte een knap, gladgeschoren gezicht. Blij verrast zag ze dat zijn warmbruine ogen glimlachten.

Al haar zorgen en angsten verdwenen als sneeuw voor de zon. Edward was er, opgewekt, ontspannen – en niet bewapend, wat altijd een goed teken was. Edward straalde een nonchalant soort zelfvertrouwen uit waardoor iedereen zich bij hem op zijn gemak en blij voelde. Hij had haar leven compleet op zijn kop gezet... een man die haar vrijwillig in de Middeleeuwen kon houden was tot alles in staat. Edward was slim, zorgzaam en knap, zijn favoriete sport was dansen, wat hem nagenoeg onweerstaanbaar maakte, ook al was hij in 1442 geboren. De term 'generatiekloof' kwam hierdoor wel in een heel nieuw licht te staan. Hij gluurde naar de bruine inhoud van het kopje en vroeg: 'Vleermuisvleugel, misschien?'

'Hete koffie met melk en honing.' Ze bood hem haar kopje aan, vergetend dat ze zijn schildknaap moest spelen. 'Hier, probeer het maar.' Deirdre bleef in haar rol, zonder het grote zwarte strijdros los te laten wist ze er een buiging uit te persen en haar pet af te nemen.

Edward begroette Caesar met een klopje, pakte toen het kopje van Robyn over en nipte eraan. Veel middeleeuwers zijn klein en Robyn, die eigenlijk van gemiddelde lengte was, was hier lang, langer dan veel mannen... maar Edward was een meter tachtig en nog wat en torende prettig boven haar uit. Hij zette grote ogen op, net zoals Deirdre had gedaan. 'Heerlijk zoet drankje,' stelde hij. 'Een vleermuisvleugel fleurt de hele dag op.'

Weer een verslaafde. Wie had ooit gedacht dat de vijftiende eeuw wel oren had naar een shot cafeïne? 'Het wordt van bonen gemaakt,' vertelde ze hem. Maar waar kwamen die bonen vandaan? Arabië misschien... zoals bij Arabische melange? 'Arabische bonen.'

'Magische bonen uit Arabië.' Edward trok een wenkbrauw op. 'Alweer zo'n toekomstsprookje?' Ze kon mensen er maar moeilijk van overtuigen dat ze uit het Amerika van de eenentwintigste eeuw kwam, Amerika was immers nog helemaal niet ontdekt. Ze geloofden wel dat ze van een rare plek kwam, want ze gebruikte buitenlandse woorden in verschillende talen, maar de meeste mensen reageerden beleefd op haar verhalen en dachten dat 'Holy Wood' in de buurt van 'Coventry' lag. Of dat Amerika een eiland was, een stukje verder dan 'Brazilië'. Wat in zekere zin ook zo was. Middeleeuwers compenseerden het ontstellende gebrek aan privacy met de kunst van het ontkennen, ze namen alles aan wat je zei of bedachten zelf iets wat nog veel verder gezocht was. Sommigen dachten dat ze een doodgewone heks was, en het maakte ze niks uit of ze uit Camelot of Californië kwam, als ze maar op de brandstapel terechtkwam. Edward geloofde haar wel, maar plaagde haar als ze weer eens serieuze verhalen opdiste over dat geweldige derde millennium, waar alles groter en beter was. Veel indruk maakten haar verhalen over de toekomst niet op hem, hij vond het fijn dat ze hier bij hem was en niet in een of ander wonderlijk land.

'Dit is niet iets uit de toekomst,' zei ze nuffig. 'Waarschijnlijk zetten bedoeïen op dit moment hun stroperige zwarte koffie boven hun kampvuren van kamelenmest... en zo ver is dat hier niet vandaan.' Haar paard Lily had Arabisch bloed en het kopje in zijn hand kwam helemaal uit China.

'Kamelenmest?' Edward keek wantrouwig in de parelwitte kop. 'Ik vond het beter toen het nog een vleermuisvleugel was.'

'Laat maar zitten. De Venetiaanse kooplui weten het wel.' Venetianen praatten graag met haar, fleurden helemaal op als ze Italiaans met ze begon te praten, dan konden ze hun geluk niet op. En ze hadden nog iets tegoed van de Venetianen. Onder gekke koning Hendrik had de regering de Italiaanse kooplui belastingen opgelegd en die cash geïnd, vervolgens werden ze in het gevang gegooid en dan moesten ze een lening van de kroon nemen om de borgsom te kunnen betalen...

maar Edward en Warwick hadden een eind gemaakt aan al die vernuftige financieringstrucs.

Hij nam nog een slokje, de vleermuisvleugels en kamelenmest trotserend om te genieten van de warme zoete opkikker. Edward was als ontbijt alleen maar aan brood met bier gewend en hij was onmiddellijk aan de café au lait verslingerd. Hij gaf het kopje terug, raakte daarbij haar vingers even aan en zei: 'Ik heb je gemist.'

Dat geloofde ze graag. Zijn warme, stevige aanraking voelde als een elektrische schok, ze snakte naar adem en haar huid begon te tintelen. Gisteravond hadden ze voor het eerst sinds hun verloving niet met elkaar gevreeën. Een stelletje dat zich op de dag van Maria Magdalena verloofde, hoefde niet tot hun trouwdag te wachten, dat beweerde Edward tenminste... en het was zowel opwindend als slopend om met een tiener verloofd te zijn. Maar vannacht was het heksennacht geweest, ze was laat naar bed gegaan en bij het hanengekraai had ze haar eerste nerveuze kop koffie zonder hem gedronken. Ze nam een slok en zei instemmend: 'Ik heb jou ook gemist.'

En zij was nog wel degene geweest die zo haar twijfels had gehad... tot Edwards verbijsterde wanhoop. Nog ongeslagen in de strijd en op zijn achttiende een graaf, was Edward niet gewend aan teleurstellingen, hij wilde haar naast zich in bed, haar niet alleen als lady aan zijn zijde maar als gravin. Ze had niet eens in de Middeleeuwen willen zijn... maar de liefde had het van het verstand gewonnen en daar was ze dan, moest ze in Smithfield een toernooi openen. Om politieke redenen droeg ze als ze naar de kapel ging het rood en goud van Stafford en hield ze haar verloving geheim. Maar tijdens het toernooi kon ze doen wat ze wilde en droeg ze zijn kleuren, had ze zelfs een broekklep. Dit was bij uitstek een toernooi voor jonge mensen, ze vierden de vrede, de zomer en de overwinning van de jeugd.

'O ja?' Edward was opgetogen dat ze hem had gemist.

Ze knikte en nam nog een slokje. Op Cornhill had ze bijna op het punt gestaan om vanwege Edward in huilen uit te barsten, hoewel het hem misschien zou kwetsen als hij wist dat ze vooral zijn status als edelman had gemist, evenals zijn overtuigingskracht en zijn rechtvaardigheidsgevoel, en ze rekende op alle drie om Maria vrij te krijgen. Maar nu ze hem daar zo zag staan, zo blij dat ze hem had gemist, kon ze zichzelf er niet toe brengen om eruit te flappen welke puinhoop ze van die ochtend had gemaakt. Ze had het hof met voeten getreden en een hoop heisa veroorzaakt, nota bene op de dag dat de rebelse graven vrede, harmonie en de wet wilden vieren. Robyn had niets tegen de wet, zolang niemand om wie ze gaf erdoor werd gekwetst. Wat had ze aan een vriendje dat in de Koninklijke Raad zat als je elk afschrikwekkend middeleeuws wetsartikel en alle antieke gewoontes op je nek kreeg? Toch was het een beetje raar om Edward doodleuk te vragen of hij partij voor haar koos tegen de wet, zeker als duizenden nieuwsgierige Londenaren zaten toe te kijken en hoopten op een romantische show tussen de jonge graaf en zijn 'schildknaap'.

'Heb je van het wonder in Cheapside gehoord?' vroeg Edward terwijl hij nogmaals met zijn hand naar de koffie reikte.

Verrast dat hij haar gedachten las, gaf ze hem schuldbewust het kopje. 'Welk wonder?'

'Een paar sheriffs moesten een arm meisje naar Tyburn brengen,' zo vertelde hij, 'naar de brandstapel. Maar toen ze bij Cheapside kwamen, heeft Sint-Anna in hoogsteigen persoon de moordenares gered, op magische wijze het touw doorgesneden en haar rechtstreeks naar Saint Martin-le-Grand gevlogen. Een verbazingwekkend wonder, en nog wel midden in de straten van Londen.'

Ze trok een wenkbrauw op. 'Sint-Anna in hoogsteigen persoon?'

'Heel veel mensen hebben haar gezien.' Edward nam genietend een slokje.

'Nou, nou.' Ze wist door zijn onschuldige toon dat hij haar plaagde. Edward maakte zich nooit vrolijk om religie, hij stond aan het hoofd van een uitermate principiële rebellie, behalve als het om haar ging. 'Ze reed zeker op een sneeuwwitte merrie?'

'In galop, werd gezegd. Hoe weet jij dat nou?'

'Ik was erbij,' gaf ze toe, maar dat wist hij al.

'Echt waar?' Edward veinsde verbazing.

'Ze heet Maria,' zei ze tegen hem. 'En ze is te jong en te klein om iemand kwaad te kunnen doen, het was een afschuwelijke vertoning.' Ze werd misselijk bij de gedachte alleen al. 'Ik moest gewoon iets doen. En als het had gekund had ik je met alle liefde laten halen. Of ze het uit hun hoofd gepraat als ze naar me hadden willen luisteren. Gelukkig kan ik paardrijden, dus heb ik haar gered. Dat had jij ook gedaan als je haar had gezien.' Dat hoopte ze althans. Edward kon belachelijk galant zijn, zeker bij vrouwen, en voor een middeleeuwer was hij opmerkelijk nuchter, hij dacht tenminste zelf na. Dat kwam allemaal omdat hij jong was, succes had en vol zelfvertrouwen zat.

'Dus Sint-Anna had er helemaal niets mee te maken?' vroeg hij verrast spottend. 'Heeft zelfs niet op miraculeuze wijze het touw doorgesneden?'

Ze schudde haar hoofd. 'Deirdre heeft eerst het touw doorgesneden, ze heeft daarbij bijna een paar hellebaardiers omver gereden.' Deirdre maakte met een vluchtig glimlachje weer een buiging zonder uit haar rol te vallen of Ceasars teugels los te laten.

'Mooi.' Vrolijk stelde Edward zich het beeld voor van de verwarring die Robyn en haar meid op Cheapside hadden veroorzaakt. 'Bij god, ik wou dat ik het had gezien, maar ik hoorde het in Westminster en het verhaal is inmiddels ongetwijfeld behoorlijk aangedikt.' Nou, dat viel wel mee. Edwards bronnen waren meestal adequaat en aan zijn intuïtie mankeerde niets... naar anderen luisterde hij net zo nauwlettend als naar haar.

'Als je haar ziet, weet je wat ik bedoel,' legde Robyn uit. 'Maria is verlegen en lief, en ik kon niet toestaan dat ze onschuldig op de brandstapel zou belanden.'

'Hoe onschuldig?' vroeg Edward terwijl hij weer een langzaam slokje koffie nam.

Min of meer onschuldig. Maria was een hoer geweest en had maar nauwelijks de hel van een middeleeuwse jeugd overleefd. 'Ze heeft gezegd dat ze niemand heeft vermoord.' Hoewel ze daar uitstekende redenen toe had.

Edward trok een wenkbrauw op. 'En je geloofde haar?'

Meer dan dat ze de wet geloofde. 'Ja. En jij ook.'

'Die Maria heeft anders de rechter niet kunnen overtuigen,' wees Edward haar terecht, hij was nu doodernstig, plaagde haar niet maar probeerde erachter te komen waar ze hem in meegesleurd had. Zelfs voor Edward van March, middeleeuwse wonderjongen, kon het niet eenvoudig zijn om met een heks uit de toekomst verloofd te zijn. Op dat moment stelde ze hem voor de keus tussen haar en de wet, die hijzelf opzij had geschoven om een koning in het zadel te helpen.

'Joost mag weten of ze haar verhaal wel heeft kunnen vertellen.' Robyn had gemerkt dat de middeleeuwse gerechtshoven beter functioneerden dan ze had verwacht, eerlijk en nuchter, tenzij een lord ze onder druk zette en zijn oordeel wilde opdringen. Maar in alle gevallen was het een mannenaangelegenheid, die bol stond van de klassieke referentiekaders en nonsens-van-horen-zeggen, waarna een ongelooflijk zware straf werd opgelegd. Hoe ze ook hun best deden om eerlijk en rechtvaardig te zijn, je kon net zo goed levenslang krijgen van een lokale elandenraad die potjeslatijn sprak. 'Ze is klein en jong, en heeft waarschijnlijk haar verhaal niet kunnen doen, ze was serieus aan een redster in de nood toe.'

'En dus heeft Sint-Anna er een voor haar gevonden. Jij hebt haar voor het gerecht weggesleurd,' herinnerde hij haar, 'en haar aan de moederkerk gegeven.'

'Die haar om te beginnen al had moeten hebben.' Een van de mooie verrassingen van de Middeleeuwen was hoe de kerk voor vrouwen opkwam, terecht de lagere instincten van mannen wantrouwde. 'Je moet Maria met eigen ogen zien en dan begrijp je me wel.'

'Moet dat?' Edward glimlachte om haar oprechtheid.

'*Absolument!*' Wat had je eraan om met een jonge graaf verloofd te zijn als je hem niet alle kanten op kon sturen?

Hij gaf haar de koffie terug. 'Dat zal dan wel.'

Ze was zo blij dat ze hem voor het paviljoen en de open arena kon kussen, dat wilden Edward en de Londenaren op de tribunes de hele tijd al. Hij voelde zich tegelijk sterk, teder en opwindend, vroegwijs voor zijn leeftijd maar met een frisse verbazing, een combinatie van de mooiste eigenschappen van man en jongen. Hoe had John-Amend-All hem ook nog genoemd? 'Engelands grootste hoop.' Het zei veel over de Middeleeuwen dat je de hoop van Engeland in je armen kon houden.

Vanaf de staanplaatsen brak gejuich uit, hartelijk klonk het 'hiep-hiep-hoera' op voor het voorprogramma. De Londenaren waren op deze zonnige zaterdag zo gelukkig dat ze overal voor applaudisseerden: acrobaten te paard, vrije gevechten, zelfs een jonge graaf die zijn schildknaap omhelsde. Robyn had daar wel iets meer privacy bij willen hebben, maar je moest mannen en het publiek soms een verzetje gunnen. De liefde tussen lords en het gewone volk bestond uit de band met de adel. Edward mocht dan graaf van March zijn en erfgenaam van de hertog van York, hij was ook het levende bewijs dat hij menselijk was. Toen ze waren uitgekust vroeg ze: 'Ga jij ook rijden?'

Hij knikte bedachtzaam. 'Misschien.'

Dat wilde ze eigenlijk niet horen. Nog maar een paar tellen geleden had ze schaamteloos van haar invloed genoten, maar ze kon niet alles met een kus voor elkaar krijgen, leek het wel. Dit was hun toernooi, ze vierden hun overwinning, gekke koning Hendrik had zijn koninklijke toestemming gegeven, maar de leesgekke vorst zou er niet bij aanwezig zijn, ze mochten het helemaal zelf regelen. Edward kon nu eindelijk eens een keer veilig aan de zijlijn staan. Was het niet genoeg dat hij de troepen bij Northampton had aangevoerd? 'Laat iemand anders maar een lans voor Sint-Anna breken,' stelde ze voor. 'Maria's moeder zal het wel begrijpen.' Dit bewees weer eens hoe middeleeuws ze al was geworden, dat ze zomaar de gevoelens en meningen van al lang begraven heiligen met haar verloofde besprak.

'En Sint-Anna ongetwijfeld ook,' gaf Edward toe. 'Maria's moeder is heel geduldig en vergevingsgezind.' Ondanks het feit dat Edward de heilige familie bij de voornaam noemde, was hij opmerkelijk rationeel voor een middeleeuwer en hij hield er niet van om alleen maar voor zichzelf te vechten. In plaats daarvan vertrouwde hij erop dat hij met zijn enorme gevoel voor humor uit de problemen kon blijven.

De trompetten schalden. Ze draaiden zich om en door een overdekte doorgang aan het andere eind van de arena zagen ze drie uitdagers op strijdrossen in kleurige wapenrusting en ijzeren helm op binnenrijden. Er ging een elektrische golf door de menigte heen en een aanzwellend gejuich kondigde de hoofdwedstrijd aan. De uitdagers draafden over de volle lengte langs de zadelhoge overdekte tribune en stopten in het midden om hun lansen aan de lady's en de toernooi-jury in hun hoge, pluche boxen te presenteren. Drie krijgsmannen daagden iedereen uit die maar wilde vechten en droegen onder leiding van sir Collingwood Grey, winnaar van het laatste toernooi in Westminster, hun lansen op aan Sint-Anna en de vrede in het koninkrijk.

Sir Collingwood Grey reed op een groot, grijs strijdros en droeg een glanzende, zilveren wapenrusting met blauw-wit livrei versierd met zilveren gevleugelde draken, het wapen van sir Collin. Hij had zijn vizier naar achteren geschoven, waaruit donkere waakzame ogen keken en er een breed voorhoofd te zien was met daarop een zwarte lok haar. Je moest Collins gezicht kennen, wilde je zijn schoppenbaard en zelfverzekerde glimlach onder de helm je voor de geest kunnen halen. Hij had een rechte neus die nog nooit was gebroken, een zeldzaamheid bij steekspelveteranen. Zijn zuster, Joanna Grey, had zijn paard aan de teugel en was in zijn kleuren gekleed. Het was haar idee geweest om verkleed als schildknaap te komen en ze had plechtig beloofd dat zij voor aan de parade zou rijden. Ze droeg een blauw-witte broek en had haar lange, steile zwarte haar in een fluwelen jongenspet weggestopt. Robyn zag dat om sir Collins stalen armbeschermer het lievelingssjaaltje van zijn vrouwe zat geknoopt, een kiwigroene sjaal met Minnie Mouse erop, uit Eurodisney.

Die was natuurlijk van haar. Collin was Robyns voorvechter, hij had tegen Gilbert FitzHolland om haar vrijheid gestreden onder de eiken van Sudeley Park en had het recht verworven om voor haar te mogen opkomen. Hoewel zij en Collin beiden al aan iemand anders waren beloofd – zij aan Edward en hij aan Bryn – was Collin uit ridderlijk oogpunt haar voorvechter, klaar om haar met lijf en leden te verdedigen, heel handig om in de buurt te hebben. Door middel van Collin en Jo was ze met de Greys verbonden, zij waren bij haar verloving getuigen geweest, traden op als haar middeleeuwse surrogaatfamilie.

Achter Collin kwam sir Anthony Wydville op een prachtige vos die in het wit-met-rood van Wydville was uitgedost. Hij had zijn vizier ook naar achteren geschoven, waardoor een gladgeschoren gezicht met zware oogleden boven een stel slaperig kijkende ogen te zien waren. Sir Anthony was een riddertroubadour, vroom, atletisch en erudiet, net zo vaardig met de lans als met de luit. Zijn zuster Anne fungeerde als zijn schildknaap, ze was blond en niet getrouwd, haar gouden haar paste nauwelijks in de jongenspet die ze droeg. Er stonden nog twee lachende blonde Wydville-vrouwen bij het paviljoen van sir Anthony, zijn jongere zuster Margaret en de tiener Jacquetta,

47

beiden als schildknaap verkleed in wit met rode broek. Ze wierpen verholen zijdelingse blikken op Edward, die in twee weken tijd van hun jonge en knappe vijand was veranderd in de meest begerenswaardige vrijgezel van het koninkrijk.

Jullie mogen kijken wat je wilt, maar aanraken, ho maar. Robyn was terecht beducht voor de Wydvilles en hun avances naar Edward. De laatste keer dat ze de drie gezusters had gezien was tijdens een heksennachtseance geweest in kasteel Kenilworth, alle drie hadden ze tijdens haar toetreding tot de coven naakt gedanst. De vrouwen van Wydville waren heksen – althans degenen die ze tot nu toe had ontmoet – en deze drie waren dochters van de hertogin van Bedfort, de machtigste heksenpriesteres van Engeland, de tovenares die Robyn uit de eenentwintigste eeuw hierheen had gehaald. Tot twee keer toe. Verkleed rondparaderen in Smithfield moest behoorlijk saai voor ze zijn.

De laatste uitdager was een eenvoudige landjonker uit Midland: meester William Hastings van Burton Hastings, in blauw met purperrood kostuum. Op zijn helm wapperde een zwarte wimpel en hij had een doodgewone mannelijke begeleider bij zich. 'Wie is dat met die zwarte wimpel?' vroeg Deirdre, die vaker een revérence naar het Hogerhuis had gemaakt dan naar landjonkers, ze wilde de Saksische adel van haver tot gort leren kennen. Robyn haalde haar schouders op, zij behoorde nu tot de nieuwe adel. Hastings klonk maar gewoontjes, iets uit Shakespeare, maar dat kwam misschien omdat ze op de middelbare school tegen een meisje had gereden dat Hastings heette.

'William Hastings is de tweede neef van mijn vader.' Edward was ongewoon trots op de vage familiebanden met de landjonker Burton Hastings. 'En van moederskant stamt hij af van de Mortimers.' Edward stamde ook af van de Mortimer-graven van March en via hen van de laatste onbetwiste koning.

'Dus hij is kampioen van Burton Hastings?' vroeg Deirdre, het ontzag in haar stem verraadde dat voor haar de wereld voorbij Wexford voor het grootste deel terra incognita was. Burton Hastings kon wel eens net zo groot zijn als Londen, misschien nog wel groter en het was verder dan Schotland. Dankzij de verhalen van Robyn was voor haar dienstmeid West-Hollywood reëler dan Parijs of Rome. 'Dan moet hij wel heel machtig zijn,' speculeerde Deirdre, 'als ze een hele stad naar hem hebben genoemd.'

'Burton Hastings is niet groot,' wees Edward haar terecht, 'en is vooral naar zijn voorouders genoemd.' Hij nam Deirdre altijd heel serieus en niet alleen omdat de eerbiedige roodharige hem als een sprookjesprins behandelde. Robyn had gezien dat hij net zoveel geduld had met de bejaarde boogschutters die zijn vader in Frankrijk hadden gediend. Edward moest wel met ondergeschikten kunnen praten, anders zou hij een eenzaam leven hebben. Dus deed hij altijd zijn uiterste best om vriendelijk en geïnteresseerd naar de verhalen van gewone mensen te luisteren, en hij vergat nooit een gezicht. 'Hastings' vader en grootvader hebben voor mijn familie bij Agincourt gevochten,' legde hij uit, 'en William was mijn getuige toen ik graaf van March werd. Hij is sheriff in Warwickshire geweest en heeft mijn vader terzijde gestaan bij Ludford, Hastings heeft zijn moed wel bewezen, maar is nooit ten strijde getrokken.'

'Dan is hij een onbeproefd voorvechter,' merkte Deirdre plompverloren op, ze vond meester Hasting des te moediger nu hij met al eerder uitgedaagde ridders en afstammelingen van lords meereed. Deirdre was Ierse en om elke hoek zag ze romantiek en in de meest alledaagse gebeurtenissen zag ze magie.

Toen ze hoorde dat William Hastings een van Edwards mannen was – zijn bloedverwant en een oude getrouwe uit zijn jeugd – kreeg Robyn weer wat moed. Jonker Hastings klonk als de perfecte invaller, nu had Edward geen excuus om te rijden. Alle drie de uitdagers waren om politieke redenen gekozen, ieder van hen vertegenwoordigde een partij uit de recente burgeroorlog. Drie weken geleden hadden Edward en de graven uit Neville het hier tegen de rebellen opgenomen, nadat Londen in opstand was gekomen en zich achter hen had geschaard. In een wervelwindactie hadden ze koning Hendrik bij Northampton gevangengenomen en naar Londen teruggebracht, waarna ze symbolisch naar Smithfield waren teruggekeerd. Ze hadden de vrede getekend en dit schijngevecht voorgesteld. Ze hadden zich min of meer verontschuldigd voor de korte termijn van twee weken en dat de door regen overgoten strijd bij Northampton zo snel was afgelopen, die op Robyns horloge inderdaad slechts een half uur had geduurd. De ridders die het gevoel hadden dat ze niet genoeg aan hun trekken waren gekomen, kregen de kans om de partij te kiezen die ze maar wilden. Engeland wilde vrede, maar Grey, Wydville en Hastings hadden zich vrijwillig beschikbaar gesteld voor degenen die de strijd nog wilden aanbinden.

De drie uitdagers wendden zich van de toernooischeidsrechters af, staken hun stompe lansen in de lucht en reden in de richting van de paviljoens. Toen ze dichterbij kwamen, maakte Edward zijn verhaal voor Deirdre af. 'Hastings was bij mijn vader bij Ludford, waar ze zich aan de genade van de koning overgaven en amnestie kregen. Sir Anthony Wydville kwam vanaf het begin tegen ons in opstand en was in een gevecht bij Sandwich gevangengenomen, hij heeft maanden bij ons in Calais vastgezeten, tot hij werd vrijgelaten. Beide partijen hebben zich beiden eerzaam gedragen, ze bleven bij hun mening, ook al waren ze verslagen en gevangengenomen. En geen van beiden heeft bij Northampton strijd geleverd.'

'Dus ze hoeven geen bloedvetes uit te vechten.' Elk Iers meisje met een beetje verstand kon dat begrijpen.

'*Exactement!*' Edward was Deirdre Frans aan het bijbrengen, in ruil voor Keltisch. Zijn vader was graaf van Ulster en onderkoning van Ierland, maar dat betekende niet dat Edward de taal ook sprak.

Alleen sir Collingwood Grey was in Northampton geweest, maar hij had ook bloedvetes weten te vermijden. Hij stond erom bekend dat hij in vele slagen en toernooien had gevochten zonder dat hij iemand ooit had omgebracht, 'behalve dan per ongeluk'. Collin had ook bij Northampton niemand vermoord, althans niet eigenhandig, omdat hij het veel te druk had gehad met het verslaan van de koning. De oom van sir Collins, lord Grey de Ruthyn, voerde het bevel over koning Hendriks troepen bij Northampton, en toen de rebellen onder bevel van Edward de koninklijke linies hadden bereikt, liepen de Greys massaal over. Collin had geholpen bij het neerhalen van de barricades en Edward verwelkomd in het versterkte kamp van koning Hendrik. Tijdens de korte strijd had hij zich voornamelijk beziggehouden met erop toe te zien dat zijn mannen de vijand niet per ongeluk de dood injoegen. Hij koesterde zeker geen wrok tegen de kameraden bij wie hij zojuist was gedeserteerd, die nog maar enkele minuten geleden deel hadden uitgemaakt van hetzelfde leger. 'Het was al erg genoeg dat ik ze had verraden,' had Collin uitgelegd, 'ik hoefde ze niet ook nog eens in de rug te steken.' Maar dat vertelde Edward niet aan Deirdre. Toen lord Grey de Ruthyn had besloten over te lopen, had Deirdre die boodschap aan Edward overgebracht, ze had die uit haar hoofd geleerd, zowel in het Engels als in het Keltisch, en daarmee Edward ruimschoots beloond omdat hij haar altijd serieus had genomen.

Sir Collin draafde naar de trappen, steeg ratelend af en gaf zijn paard over aan zijn zuster. Toen liep hij rinkelend zijn blauw met wit gestreepte paviljoen binnen. Mannen met een harnas aan klonken alsof iemand tussen een stel potten en pannen op zoek was naar zijn lievelingspannetje. Sir Anthony Wydville volgde zijn voorbeeld en verdween in zijn rood met witte paviljoen terwijl hij zijn grote vos aan de zorg van de drie nimfen uit Wydville overliet. Meester William Hastings had geen tent, maar Edward escorteerde de landjonker uit Burton Hastings naar zijn eigen purperrode met blauwe paviljoen. Hij liet de zorg voor Caesar aan Robyn en Deirdre over. Haar dienstmeid giechelde blij en zei: 'Hij gaat rijden.'

'Ik hoop het niet.' Robyn schudde haar hoofd. Soms nam Edward veel te veel risico's, maar hij beweerde van haar hetzelfde.

'Je moet je niet zoveel zorgen maken.' Deirdre klonk meer bezorgd om haar dan om Edward.

'Waarom niet?' Ze was vaak jaloers op Deirdres gemakkelijke, ongecompliceerde relatie met Edward, die qua tijdsgewricht dichter bij elkaar stonden – ze waren immers in dezelfde eeuw geboren. Deirdre had nooit twijfels of zorgen, vereerde met verve de jonge Saksische 'prins' en was blij dat ze het grote bed voor zich alleen had als m'lady er niet was. De pure heldenverering van een tiener, een paradijselijke surrogaatverhouding met de vriend van haar vrouwe, de enige Saksische lord die haar serieus nam. Deirdre had totaal geen last van seks, verloving of angst voor de toekomst.

Deirdre pakte haar hand en kneep er licht in. 'Maak u geen zorgen... hij gaat heus niet dood voordat hij zijn lotsbestemming heeft bereikt.'

Ze staarde naar haar oprechte dienstmeid en vroeg: 'Wat bedoel je?'

Deirdre zei lachend: 'Nou, daar gaat alleen hij over.'

Vraag nooit de weg aan een Ier. De trompetten schalden en Deirdre klapte in haar handen toen de eerste deelnemer het strijdperk betrad, een ridder met het andreaskruis van Neville, een grote witte X op een rood veld, *gules, a saltire argent*. Zijn vizier was omhoog en Robyn herkende een aanstaand familielid. Sir Thomas Neville, Edwards eerste neef. Edwards moeder was een Neville, een van de enorme hoeveelheid kinderen die met een van de machtigste families was getrouwd. Robyn was een wees geweest en werd nu zonder omhaal iemand met connecties.

Sir Thomas Neville reed naar het midden van de arena, maakte met zijn lans een saluut naar de vrouwen en juryleden, en galoppeerde toen naar de plek waar de uitdagers hun schild hadden opgehangen: heldere heraldische vredesschilden, bedoeld voor de botte lans. Met meer moed dan verstand klopte hij met zijn lans op het zilveren drakenschild van sir Collingwood Grey. Sir Thomas was een heetgebakerd portret, bij Blore Heath had hij de vijand zo dicht op de hielen gezeten dat hijzelf gevangen werd genomen en vervolgens de strijd zelf had moeten missen. Dat wilde hij nu goedmaken en hij begon overmoedig bij de hoogste baas. Alle toernooien van tegenwoordig waren puur *à plaisance*, maar sir Collin had ongewild meer mannen in toernooien gedood dan ooit in de strijd. En Collin had bij Blore Heath deel uitgemaakt van de verliezers, zijn paard was onder hem afgeschoten en hij had zelf een paar akelige wonden opgelopen. Geen enkele reden dus om Thomas Neville met zachte handschoentjes aan te pakken.

Sir Collin kwam rammelend uit zijn paviljoen en Jo had zijn grijze strijdros al klaarstaan. Collin zwaaide in het zadel en wachtte tot Jo hem plechtig een lange, stompe vredeslans bracht, met een drietandige kroon om de klap te spreiden. Nadat ze hem de lans had overhandigd, stapte zijn zuster zwijgend naar achteren, Collin draafde weg om onder het toeziend oog van de scheidsrechters Thomas Neville tegemoet te treden. Nu ze niet langer een paard in toom hoefde te houden, kuierde Jo naar Robyn en ging naast haar staan. Jo Grey had net als haar broer een hoog voorhoofd, donkere ogen en een sterke, vastberaden neus, wat haar eerder een streng dan een mooi uiterlijk gaf. Jo leunde dicht naar haar toe en fluisterde: 'Gaat Edward ook meedoen?'

Dat wilde iedereen wel weten. Robyn herhaalde alleen maar Edwards antwoord: 'Misschien.'

'Ik weet het wel zeker.' Deirdre was absoluut zeker van haar Saksische prins. Robyn lachte meesmuilend om het vertrouwen van de tiener. Daar stonden ze dan op het strijdperk van Smithfield, drie verklede heksen die worstelden om de toekomst te voorspellen terwijl half Londen ze op de vingers keek. Geen van hen was een echte zieneres. Deirdre was op haar best een novice, zij had nog nooit een heksenvlucht gedaan, zelfs niet iets wat erop leek, ze was eigenlijk meer een goedwillende beginneling. Jo was covenleidster met eeuwenlange ervaring maar had weinig voorspellende gaven. Robyn was de enige die de toekomst helder voor ogen had, maar helaas was dat een toekomst uit het derde millennium, ze had geen idee wat er de komende vijf minuten ging gebeuren.

Na de bloemrijke speeches over de vrede in het koninkrijk en een eerbetoon aan Sint-Anna reden Collin en de jonge Neville elk naar een kant van de zadelhoge afscheiding die langs de hele lengte van het strijdperk stond. Ze moesten ervoor zorgen dat de paarden niet met elkaar in botsing kwamen en dat alleen de ruiter zou worden geraakt. Dieren hadden in de middeleeuwen niet veel rechten, maar toernooipaarden werden koste wat het kost beschermd. Er was geen sprake van dat een paard klappen mocht oplopen en als hen wat overkwam, werd het onmiddellijk onderzocht, nog sneller en zorgvuldiger dan bij een gewonde man. De mannen namen immers zelf het risico, de paarden werden alleen als rijdier gebruikt. De spanning steeg toen de heraut riep dat ze zich als ridders moesten gedragen, klaar moesten staan en bij de derde aankondiging van start konden. Robyn zag dat Collin zijn vizier liet zakken en ze keek naar Jo die zich helemaal niet druk maakte. Jo had Collin natuurlijk in talloze toernooien zien optreden en herhaaldelijk zien winnen, waarbij twee man in het gevecht het leven hadden gelaten. Waarom zou ze zich dan nu zorgen maken?

Toen de heraut voor de derde maal had geklonken, draaide Robyn zich om en keek hoe de in ijzer geklede ruiters hun paarden aanspoorden, hun lans lieten zakken en op elkaar af stormden terwijl natte wolken Smithfieldse modder alle kanten op spatte. Ze botsten met een oorverdovend kabaal op elkaar. De lans van sir Thomas Neville gleed naar opzij, maar Collin raakte sir Thomas zo hard en volledig, dat die door de klap compleet uit het zadel werd gegooid. Hij vloog door de lucht en belandde recht voor de scheidsrechters. Dat was voor Blore Heath.

De echte schildknapen kwamen aangesneld om te kijken of Neville zo dood was als hij eruitzag. Robyn hield haar adem in en staarde naar de in de arena gevloerde wapenrusting, waarin haar toekomstige schoonneef huisde. Ze moest aan de moeder van de man denken, de truttige oude gravin Alice van Salisbury, in wier verbannen huishouden Robyn dienstmeid had gespeeld. De gebroken oude dame zou het niet overleven als ze op deze manier een zoon zou verliezen, zij had haar portie problemen wel gehad.

Gelukkig stond deze jonge Neville nog voor de schildknapen bij hem waren alweer overeind, maar hij zat nog steeds vol vechtlust. Ze sloot haar ogen en bedankte Hecate en Sint-Anna wier dag wonderbaarlijk zonder een smetje bleef. 'Dat de Moeders moeder ons hierbij moge beschermen en onze dierbaren tegen het gevaar moge behoeden.'

Ze opende haar ogen en de moed zonk haar in de schoenen. Edward was in volle wapenrusting uit zijn purper-rode met blauwe paviljoen tevoorschijn gekomen – zonder helm en handschoenen – en grijnsde opgewekt. Hij zag er net zo uit als toen ze hem die eerste keer op zijn zwarte oorlogsros had zien rijden: charmant, joviaal en compleet verdwaald in het Wales van de eenentwintigste eeuw, op zoek naar de priorij in Llanthony en het dal van Ewyas. Het had eeuwen geduurd om hem uit die wapenrustig te krijgen en veel van hun eerste afspraakjes waren uitgemond in een gevecht. Ze hoopte oprecht dat ze die dagen achter zich hadden gelaten, wat had je aan vrede als je niet ophield met vechten?

Hij zag haar teleurstelling, knikte verontschuldigend naar de Londenaren op de tribunes en zei: 'Het volk is gekomen om een show te zien.'

En bovendien eentje die gratis was. Wonderlijk dat het middeleeuwse Engeland niet veel verschilde van dat uit het derde millennium, het gewone volk betaalde grif om te zien hoe miljonairs elkaar de hersens insloegen, hier deden ze het alleen op de rug van een paard en voegden daar een snufje politiek aan toe. De deelnemers waren niet alleen rijk, maar ook nog eens de heersers van het land. Collins oom zat in het Hogerhuis, net als de vader van sir Anthony, en sir Thomas

Nevilles vader en broer zaten met Edward in de Koninklijke Raad. En toch riskeerden ze allemaal hun nek om het volk te vermaken. Middeleeuws Engeland was in geen enkel opzicht democratisch, maar de stemming onder het volk was wel van belang, en bovenal de stemming van Londen. Deze ochtend nog had de goedkeuring van het volk Robyn gered van pijnlijke verklaringen aan een aantal hoogwaardigheidsbekleders en een hulpsheriff. De Londense politiek zat overal en was een persoonlijke aangelegenheid. De mensen wisten door wie ze werden geregeerd, kenden vaak hun gezicht, en kwamen in opstand als het bestuur in de fout ging. In tien jaar tijd was Londen twee keer in opstand gekomen, had zich achter de rebellen tegen de kroon geschaard. Dus elk bestuur met een beetje verstand maakte zijn burgers het hof, vandaar dat politieke steekspel te paard van vandaag. Doordat Londen zijn poorten voor de rebellen had geopend en Edward had gesteund, had hij het van een verbannen tiener met titel geschopt tot lid van de Koninklijke Raad. En nu wilde Edward daar iets voor terugdoen.

De trompetten schalden en een andere heethoofdige Neville betrad het strijdperk. Sir Thomas' jongere broer, sir John, droeg ook het witte kruis van de Nevilles. Hij salueerde met zijn lans naar de dames en klopte op het rood met witte schild van sir Anthony Wydville. Sir Anthony werd door zijn charmante schildknapen naar het zadel begeleid, steeg op en reed weg om de eer van Sint-Anna te verdedigen. Hij maakte een saluutgebaar naar de dames en draaide zich toen naar Neville om. De beide jonge mannen grepen hun schild vast en spoorden hun paarden aan die donderend door de modder op elkaar toe reden. Ze lieten hun lansen zakken en de ridders kwamen krakend met elkaar in botsing, de vonken vlogen in het rond toen ze elkaar op de helm raakten. De helm van sir John Neville zeilde weg en belandde in de arena, de mensen hielden hun adem in en reikten hun hals om te zien of zijn hoofd er nog in zat.

Gelukkig was dat niet het geval. Verdwaasd en uit zijn neus bloedend, maar met zijn hoofd nog op zijn schouders, salueerde Robyns toekomstige schoonneef pijnlijk met zijn lans en draafde toen door de verste poort weg, terwijl sir Anthony door de gezusters Wydville uit het zadel werd geholpen. De loyalisten waren door de Nevilles bij Blore Heath en Northampton verslagen en ze hadden tenminste een paar arrogante jonge Nevilles van paard en helm weten te ontdoen. Edward was de volgende.

Ze moest er maar op vertrouwen dat hij wist wat hij deed, aangezien er geen sprake van was dat ze het hem uit het hoofd kon praten. Onder Edwards jeugdige joie de vivre school een jongensachtige koppigheid in een mannenlichaam. Hij was als ridder geboren in een

Engeland zonder leger, zonder bobby's, MI5 of Scotland Yard, er waren alleen maar gewapend gepeupel en gepantserde adel. Sinds zijn dertiende had hij geregeld veldslagen geleverd en mannen met scherp staal om zeep gebracht. Ze had het hem zelfs zien doen, op de eerste dag dat ze elkaar hadden ontmoet. Ze was geschokt geweest, en daarna had hij het nog een paar keer gedaan. Maar als ze bij Edward was, werd geen haar op haar hoofd gekrenkt, ook al hadden ze samen velden zeeslagen doorgemaakt. Zodra ze van elkaar gescheiden waren, werd ze opgejaagd, was ze van honger bijna omgekomen en waren bijna haar ledematen afgerukt, één voor één. Dus kon Robyn hem moeilijk zijn krijgslust kwalijk nemen, en al helemaal niet met zo'n goede aanleiding en zo'n innemende glimlach.

Terwijl Edward opsteeg hield zij Caesar in toom, ze stond nu voor de tweede maal in de startblokken, alleen reed zij nu niet, wat het eigenlijk nog erger maakte. Robyn fluisterde het zwarte ros toe dat alles in orde kwam en dat hij zijn meester moest beschermen. Er glansde een kalme opwinding in Caesars donkere, heldere ogen. Caesar was een krijgsros en had dit al talloze keren meegemaakt, hij genoot net zoveel van het toernooi als de jongen die hem bereed, anders zou Edward niet eens op hem rijden. Bij Northampton had Edward zich te voet in het strijdgewoel begeven, hij hield er niet van zijn paard op het spel te zetten. Maar op die eerste dag had Robyn gezien hoe Edward en Caesar drie achtervolgers te paard tegemoet waren gereden. Met scherpe wapens en geen schot om de paarden van elkaar te scheiden, had Caesar niet alleen Edward de strijd in gereden maar was ook het rijdier van een tegenstander te lijf gegaan. Als een koningshengst die met ontblote tanden en ijzeren hoeven het gevecht aanging met een rivaal. Een schijngevecht in de Smithfieldse modder schrok Caesar bepaald niet af.

Toen Edward in het zadel zat, gaf Deirdre hem zijn helm en witte leeuwenschild, en haastte zich toen weg om zijn lans te halen. Robyn liet het hoofdstel los en hielp bij het aantrekken van de zware stalen handschoenen, ze genoot van zijn naakte huid onder haar vingers en wenste dat hij snel weer terug zou komen. Hij voelde haar ongerustheid, boog zich voorover en fluisterde: 'Niet alleen heksen moeten dapper zijn.'

Maar al te waar. Stoere jongens in wapenrusting riskeerden hun leven voor de vrede, en ter ere van Hecate en de Heilige Anna. En klagen kon ze ook al niet, zelfs niet tegen zichzelf – bij haar krankzinnige escapades had ze zijn steun net zo hard nodig als hij de hare. Misschien wel harder. En inmiddels was ze meer dan genoeg heks om te weten dat je je man vooral niet met smeekbeden en jammerklachten de strijd in moest sturen, een beroerder voorteken kon je niet bedenken.

Ze kneep in zijn hand en fluisterde glimlachend terug: 'Als je je nek breekt, vergeef ik het je nooit.' Deirdre kwam terug met zijn lans en weg was hij, opgewekt wegdravend om de scheidsrechters te begroeten. Hecate, sta hem alsjeblieft bij.

Op de tribunes joelden de Londenaren opgetogen toen Edward de arena betrad. Een graaf en nationale held die buiten het officiële programma om zou optreden, was meer dan ze van hun gratis voorstelling hadden kunnen verwachten. Edward had een verrassing tevoorschijn getoverd waar de meute zeer mee was ingenomen: het leek alsof Hastings zou strijden, maar Edward nam zijn plaats in, en zo gaf hij Hastings een excuus om van zijn paviljoen gebruik te kunnen maken. Je moest zo nu en dan nu eenmaal een dramatische draai aan de politiek geven, en dat kon Edward als geen ander. Hij maakte de inwoners van Londen net zo schaamteloos en oprecht het hof als hij bij Robyn had gedaan. Zij stond er verloren bij en hield zichzelf voor dat zijn motieven om naar het gevaar te rijden juist de reden was waarom ze van hem hield. Ze bewonderde niet alleen Edwards rijkdom of charme, maar juist dat hij bereid was zijn gespreide bedje op het spel te zetten om van het middeleeuwse Engeland een betere plek te kunnen maken, en heus niet alleen voor de adelstand.

'Maak je je ongerust?' Jo was stilletjes naast haar komen staan toen het gejuich verstomde.

'Vanzelf.' Ze knikte en staarde nog steeds naar Edwards bepantserde rug. 'Bang is nog zacht uitgedrukt.'

Jo moest lachen. 'Vanzelf ging niet op voor Jo, een hooggeboren heksenpriesteres, covenleidster en een middeleeuwse ongehuwde moeder, met een baron als oom en een ridder als broer. Jo maakte zich niet druk om sociale status, zij ging helemaal op in haar bezweringskunsten en de opvoeding van haar lastige dochter. 'Maak je niet ongerust,' zei Jo tegen haar. 'Hij is in Hecates handen. En op deze dag van de Heilige Anna is er al een wonder geschied.'

'O ja?' Robyn keek Jo aan.

'Vanochtend heeft een grote mensenmenigte in Cheapside het gezien,' verklaarde Jo. In een wereld zonder kranten of CNN ging het nieuws als een bliksemvuurtje, in Londen althans.

Robyn vertelde Jo het hele verhaal over haar wilde rit door de mensenmassa op Cheapside naar Saint Martin-le-Grand, en dat ze hellebaardiers en het zaterdagse winkelende publiek omver had gereden. Deirdre vulde de details aan en maakte zich opnieuw vrolijk om hun krankzinnige avontuur. Je kon haar geen groter plezier doen dan de Saksische wet op één oor te leggen.

'Heel opwindend.' Jo glimlachte stijfjes. Collins zuster had verreweg de voorkeur voor heksenvluchten, ze was geboren voor de bezem, niet voor het zadel. Maar Jo vond haar actie prima, ze kuste hen beiden en zei: 'Goed gedaan. Heel goed gedaan.'

Niet dat Robyn veel keus had gehad, die had ze nu ook niet. Ze zag Edward voor de dames op de tribunes halt houden. Hij salueerde met zijn lans en wendde zich tot de scheidsrechters. Adellijke dames en koopmansvrouwen gooiden hem zomerbloemen toe, wuifden met hun sjaals en zakdoekjes, boden graag hun gunsten aan de nieuwe Londense voorvechter aan. Je had rekening te houden met Londen, en deze vrouwen bepaalden welke beslissingen de stad moest nemen. Deze mannenmaatschappij was merkwaardig afgestompt als je bedacht dat de rijkste en machtigste mannen van Londen voor een krankzinnige koning moesten kruipen en buigen, en orders moesten aannemen van een over het paard getilde, adellijke tiener als Edward. Zolang het volk nagenoeg niets te zeggen had over de politieke macht, kon het alleen controle uitoefenen op de regering door luidkeels zijn mening te verkondigen. Londen had niet zijn poorten voor de rebellen geopend omdat de stadsbestuurders zich tot Edwards zaak hadden bekeerd – burgemeester en schepenen liepen op zijn best lauw voor de rebellen – maar omdat de burgers van Londen zich achter deze respectvolle, godvrezende opstand hadden geschaard, aangevoerd door onbeschaamde, knappe jonge edelen die rechtvaardigheid en genade beloofden. Als de vrouwen van Londen zich tegen de rebellen hadden gekeerd, dan waren Edward en Warwick nooit de stad binnengekomen, zelfs niet met twintigduizend boogschutters en aangevoerd door koning Hendrik in hoogsteigen persoon.

Na Edwards saluut kondigden de trompetten hem schallend in de arena aan. Edward wendde Caesar en reed met hoog opgeheven lans ratelend naar de paviljoens terug, terwijl half Londen toekeek en zich afvroeg welke uitdager hij zou kiezen. Welk schild zou door zijn lans worden getroffen?

Robyn probeerde net als de rest ernaar te raden. Zeker niet meester Hastings – Edwards eigen man – de menigte zou dat absoluut als doorgestoken kaart opvatten. Met stompe lansen de strijd aangaan met je eigen landjonker was niet bepaald de dood in de ogen zien. Sir Anthony Wydville zou een veel betere partij zijn. Niet dat ze sir Anthony narigheid toewenste – de jonge riddertroubadour was een keer tussen haar en een bende heksenjagers gesprongen – maar Edward had meer dan één appeltje met de Wydvilles te schillen. Tweemaal hadden de Wydville-heksen geprobeerd hem te pakken te nemen, de eerste keer hadden ze hem met een bezwering naar het Wales van de eenentwintigste eeuw gestuurd en vervolgens Robyn als lokkertje naar zijn tijd teruggehaald om hem in de val te laten lopen. En dat terwijl Edward ridderlijk de hertogin van Wydville had bevrijd en sir Anthony op erewoord vrijgelaten toen die bij Sandwich door de rebellen gevangen was genomen.

Maar Edward sloeg op het schild van Collins draken, het metaal rinkelde en de toeschouwers juichten. Sinds Edward in Londen was, werd alles wat hij deed enthousiast begroet, dus ook de uitdaging van Collin. Het was wel heel doorzichtig om zijn wrokkige strijd met de Wydvilles voort te zetten. Hij had ze op het slagveld al verslagen, waarom ze dan ook nog in een schijngevecht laten struikelen? Sir Collingwood Grey was de regerend kampioen van Westminster en de man die Edward zo verraderlijk had verwelkomd in het versterkte kamp van gekke koning Hendrik. De slag tussen de vooruitgeschoven voorvechters, die niet in Northampton had plaatsgevonden, zou in Smithfield alsnog dunnetjes worden uitgevochten – de neef van lord Grey de Ruthyn tegen de zoon van de hertog van York – en ter lering en vermaak van de doodgewone, bier zuipende Britten riskeerden zij hun nek. Londen juichte wellustig.

Toen Collin uit zijn blauwwitte paviljoen tevoorschijn kwam, klonk het gejuich nog harder en zwol nog meer aan toen hij opsteeg en Jo hem zijn lans, schild en helm aanreikte. Neerslachtig keek Robyn, uitgedost in het malle purper-rood met blauw van haar schildknaaplivrei, toe hoe haar verloofde en haar voorvechter hun bepantserde rug naar haar toe keerden en naar de hoge met wandkleden behangen tribunes reden, waar ze de vrouwen op hun pluche zitplaatsen met hun lans begroetten. De vrouwen glimlachten en applaudisseerden, bogen zich opgewonden met hun zakdoekjes zwaaiend naar voren, waarmee ze een inkijkje gaven in hun decolleté. Het steekspel was een van de vrouwvriendelijkste contactsporten, voetbal was voor chips etende bankzitters, maar het steekspel was bedoeld om de zachte sekse te imponeren. 'In vroeger dagen' stelden maagden zich maar al te graag publiekelijk aan toernooiwinnaars beschikbaar, als prijs. De eerste prijs om precies te zijn. Het steekspel op zijn schandaligst, vrouwen die onverholen opgewonden toekeken hoe rijke jonge edelmannen met scherpe wapens op elkaar in hakten, alleen maar om het nachtelijke bed met de winnaar te kunnen delen. Heftig, en natuurlijk door de Kerk verboden.

Robyn was bepaald niet enthousiast om haar twee dierbaarste mannen nu op een paard te zien zitten. Godzijdank ging het niet om haar. Ze deden het voor de Heilige Anna, flirtten met het wijf des doods om haar te behagen. Ze waren elk naar het verste uiteinde van de arena gereden en wendden zich nu met hoog opgeheven lansen naar elkaar toe. De Londenaren op de tribunes waren muisstil en de

spanning steeg ten top toen de herauten aankondigden: 'Op uw plaatsen... maak u gereed...'
... Ze voelde een blote, koele hand in de hare en keek naar omlaag. Het was Deirdre. 'Start!' dreunden de herauten, 'in naam van God.' Alles hier en nu was in Gods naam, goede, slechte en idiote dingen.

Edward en Collin spoorden hun strijdrossen aan, gingen van draf over in een korte galop en schakelden toen op volle snelheid over, vlees en staal stormden op elkaar af. Ze hield Deirdres hand stevig vast, haalde kracht uit de aanraking van de tiener. Wat er ook zou gebeuren, Deirdre zou bij haar zijn. Het meisje kon letterlijk nergens naartoe. Halverwege de afscheiding kletterden de beide mannen van haar leven met een oorverdovende, metaalachtige dreun tegen elkaar. Ze zaten allebei voorovergebogen en raakten elkaar recht op hun schild.

De lansen explodeerden zowat bij de knal en de splinters vlogen door de lucht. Lichte toernooilansen braken makkelijker af dan de zware oorlogslansen, en het was een spectaculair gezicht... gevoel voor show hadden ze wel, al in de Middeleeuwen deden ze aan special effects. Beide mannen zwaaiden in hun zadel, maar bleven zitten. Met het botte uiteinde van hun gebroken lans stevig in de hand reden ze naar een uiteinde van het strijdperk.

Edward kwam onmiddellijk naar haar toe, vizier omhoog, verhit en opgewonden. Op zijn witte leeuwenschild schitterde de kras die Collins lans daar had achtergelaten en Edward hield zijn beschadigde exemplaar triomfantelijk vast, belachelijk blij dat hij zijn eerste aanvaring met sir Collingwood Grey – de kampioen van Westminster en een van de leermeesters uit zijn jeugd – had overleefd. Zijn bruine ogen glansden opgetogen. 'Ik heb hem gehouden, kun je dat geloven? Heb je het gezien?'

Natuurlijk had ze het gezien, half Londen had het gezien. Maar het was tegen de regels om advies aan de deelnemers te geven, zelfs bij een eenvoudig 'Kom ervan af, lulhannes, voor je aan die lans wordt geregen' werden de wenkbrauwen al opgetrokken. Ze kon alleen maar zijn overenthousiaste glimlach beantwoorden en hopen dat dat voldoende aanmoediging was.

'Geweldig, hoogheid, geweldig! Deirdre gaf in plaats van haar antwoord, liet haar hand vallen, maakte een licht knicksje en rende toen weg om een reservelans te halen die tegen de omheining klaarstond. Zo had Robyn Edward een paar ogenblikken voor zichzelf. Ze schonk hem haar stralendste miss Rodeo Montana glimlach.

'Ik heb hem gehouden!' zei hij gelukzalig nog een keer, net zo verrukt als een jonge ruiter op een wild paard die nauwelijks kon geloven dat hij in het zadel was gebleven. 'Ik heb hem gehouden, toch?'

Ze knikte met haar hoofd en bleef maar dwaas glimlachen. Ze wilde dat ze kon zeggen: 'Geweldig! Nu ga je zeker winnen!' Nu wist ze hoe haar vriendjes op de middelbare school zich hadden gevoeld wanneer zij voor een paar lintjes halsbrekende toeren op een paard uithaalde. Eén jongen had haar aan de kant gezet toen ze haar been had gebroken en niet wilde beloven ermee op te houden. Hij zei dat hij tijdens de proms voor gek liep met zijn afspraakje op krukken. Ze had hem toen nooit begrepen, maar nu wel.

Collin kwam weer aan gegaloppeerd, en Jo ging hem met een nieuwe lans tegemoet. Robyn had het gevoel dat iedereen naar haar keek en ze haastte zich naar Deirdre om de nieuwe lans voor Edward te halen. Ze kwam haar dienstmeid halverwege tegen waardoor ze even haar plakglimlach kon ontspannen. Gelukkig hoefden lady's voor hun dienstbodes niet de heldin uit te hangen, wie zou hen anders opvangen als ze flauwvielen? Ze ging weer terug naar Edward en reikte hem de nieuwe lans aan met een oprecht: 'Alsjeblieft, liefste, schiet nou maar op... en probeer hem geen pijn te doen.'

Edward stak de nieuwe spies in de lucht en beantwoordde opgewekt haar glimlach. Waarom ook niet? Haar knappe malloot beleefde zijn tienerdroom: hij was een heuse, eerlijke, waarachtige ridder in wapenrusting en ging te paard het gevecht aan met een beroemd kampioen, ten overstaan van een mensenmenigte die hem toejuichte, terwijl zijn welgevormde schildknaap voor nieuwe lansen zorgde. Als een jongen daar niet van kon genieten, zou hij dood zijn als een pier. Edward sloot zijn vizier en draafde weg voor de volgende confrontatie met Collin.

Robyn bleef achter met het botte uiteinde van een gebroken lans stevig in haar greep. Ze keek naar Jo, die ook een beschadigde lans vasthield en vroeg zich af wat Collins zuster nu zou denken. Jo schonk haar een ernstige blik, een covenleidster waardig, hoewel de heksenpriesteres op dat moment een jongenswambuis aan had met een nepdolk tussen haar blauw-met-witte harlekijnbenen. Een uitermate opvallend ensemble, want een verklede Jo was bijna het evenbeeld van Collin. Ze was natuurlijk kleiner en had geen baard... maar verder een jongere, zachtere uitvoering van sir Collin, met achter haar een joelende Smithfieldse menigte. Toen Robyn pas in de Middeleeuwen was aangekomen, was ze Jo's vertrouweline en metgezel geweest. Ze had in Jo's grote hemelbed geslapen omdat ze geen recht had op een eigen kamer. Toch was Jo volledig afhankelijk van Collin als het ging om onderdak en bescherming. Jo's edele minnaar, Edmund Beaufort, hertog van Somerset, was bij Saint Albans omgekomen – sommigen zeggen vermoord – in een hinderlaag gelokt door graaf Warwick en Edwards vader, zodat Jo haar buitenechtelijke dochter alleen moest opvoeden. Toch had Jo zich totaal niet vijandig opgesteld naar Edward, wat maar eens bewees hoe ambivalent heksen konden zijn.

Edward reed naar het verste uiteinde van het strijdperk en draaide zich naar Collin om. De menigte verstomde toen beide mannen op hun strijdrossen met opgeheven lans en in staal gevat gezicht bleven staan wachten op de aankondiging van de heraut. Daarop galoppeerden haar dolende voorvechters in naam van God en de Heilige Anna op elkaar af en kwamen weer met een oorverdovende klap met elkaar in botsing.

Edwards lans brak weer, het grootste deel ervan wervelde in de richting van de tribunes. Collins lans bleef intact, hij raakte Edward vol op zijn witte leeuwenschild en bukte vanwege de inslag. Beide mannen werden uit hun grote zadels getild. Collin wist te blijven zitten terwijl hij zich stevig aan zijn lans vasthield, maar Edward kreeg het geweld van de klap te verduren.

Edward werd naar achteren geworpen, brak door de achterkant van zijn zadel heen, sloeg tegen de bepantserde achterhand van zijn rijdier en sleurde Caesar mee in zijn val. Man en paard wankelden achteruit, neergehaald door Collins lans totdat Caesars romp tegen de afscheiding schuurde waardoor Edward los kwam. Hij vloog door de lucht, brak door de afgebroken afscheiding heen en landde met zijn gezicht in de natte aarde voor de tribunes, terwijl hij zich nog steeds aan zijn gebroken lansstomp vastklemde. Modder vloog hem om de oren, maar Edward bewoog niet. Caesar kwam weer overeind, draafde rechtstreeks naar het opstijgpunt en bleef met korte stootjes ademend en een leeg zadel staan.

Robyns gelaarsde voeten waren al in beweging, nog voordat ze zich realiseerde dat ze aan het rennen was. Ze was blij dat ze geen lange sleepjurk en hoofdtooi droeg en sprintte de vijftig meter over het zompige toernooiveld, de modder zoog aan haar leren rijlaarzen. Het scheen een eeuwigheid te duren voor ze bij Edward was, die nog steeds met zijn gezicht naar beneden in het slijk lag, te midden van de zomerbloemen die hem nog maar een paar minuten geleden door bewonderende dames waren toegegooid. Hij was hard neergekomen, was tegen de grond geslagen en had sindsdien niet meer bewogen. De pantserplaten waren zo zwaar dat gevallen ridders vaak in hun eigen wapenrusting stikten of in de modder verdronken. Bij Northampton waren meer strijders gestorven bij het overzwemmen van de gestegen Nene-rivier dan in de strijd zelf. Edwards eigen oudoom had met zijn gezicht in de omgeploegde aarde bij Agincourt het leven gelaten en nu lag de Hoop van Engeland bewegingsloos in de Smithfieldse modder.

Robyn viel op haar knieën naast hem en knoeide onhandig met de riem aan zijn helm. Ze wilde wanhopig graag zijn gezicht zien en er zeker van zijn dat hij nog ademde. Overal om haar heen was het schorre geschreeuw op de tribunes verstomd. De held van Londen was gevallen en het vakantiegevoel was verdwenen. Vrouwen staarden omlaag vanuit hun pluche boxen, hun zijden zakdoekjes waren stilgevallen, in de aanslag om hun ogen uit hun hoofd te huilen vanwege hun verlies. Ondertussen knielde zij in een felgekleurd wambuis en veelkleurige schildknaapbroek in de modder en zat ze aan de ouderwetse, handgemaakte gesp van de natte helmriem te rukken. Edward verroerde zich nog steeds niet tussen de modder en bloemblaadjes, niet ver bij hem vandaan lag een kousenband die door een enthousiaste bewonderaarster was gegooid toen hij het strijdperk betrad.

Ze rukte als een uitzinnige aan de gladde, doorweekte riem, wist de gesp los te werken en zijn helm af te doen. Zijn lichtbruine, van zweet doornatte haar spreidde zich uit. Ze gooide de helm weg en veegde zijn haar opzij, blij dat ze geen bloed of blauwe plekken zag. Maar ze wist niet of hij nog ademde en door zijn harnas kon ze onmogelijk een pols of hartslag voelen. Ze moest er steeds maar aan denken dat Collin tijdens zijn toernooien twee mannen had gedood... per ongeluk.

Met wanhoopskracht rolde ze zijn torso met gebutste wapenrusting om, groef de modder uit zijn mond en begon te reanimeren. Borstcompressie was door zijn modderige borstplaat onmogelijk, maar het ging vooral om de mond-op-mondbeademing. Haar EHBO-training nam het van haar over. Miss Rodeo Montana moest op elk noodgeval voorbereid zijn... wanneer en waar ook. Ze zoog haar longen vol lucht, boog zich voorover en probeerde weer nieuw leven in Edward te blazen. Eerst één longvol en toen een andere.

Niets. Half Londen hield zijn adem in, sloeg haar bij elke beweging gade en vroeg zich af wat er van de pas verklaarde vrede terechtkwam als sir Collingwood Grey nu de erfgenaam van de hertog van York zou hebben vermoord. Robyn ging het alleen maar om Edward zelf, niet om Engelands hoop of de erfgenaam van York, maar om haar dierbare, gewonde liefde, zonder wie ze verloren was, voor eeuwig een uitgestotene in een middeleeuwse nachtmerrie. Dit was nou precies waarom ze zo bang was geweest voor het toernooi van vandaag. In haar hart had ze geweten dat er iets ergs zou gebeuren. Robyn duwde zijn hoofd naar achteren om de luchtwegen vrij te maken en probeerde opnieuw lucht naar binnen te blazen. Nog steeds niets.

Hecate, help me, bad ze, neem hem alsjeblieft niet weg, want ik heb hem zo nodig. De tranen brandden in haar ogen en keel, waardoor ze zelf maar met moeite kon ademhalen en al helemaal niet voor twee. Ze slikte haar snikken in, weigerde om aan haar wanhoop toe te geven. Ze haalde nog eens diep adem en blies in zijn mond uit.

Herauten in koninklijk livrei kwamen met bezorgde blik aangelopen, ze leken wel op ernstige jokers uit een ouderwets pakje speelkaarten. Een van hen vroeg in middeleeuws Frans wat ze aan het doen was, op een manier alsof het tegen de toernooiregels was dat schildknapen midden op het strijdperk mond-op-mondbeademing bij hun lords toepasten. Ze wuifde hem met tranen in de ogen weg. Als ze een echte schildknaap was geweest, had hij haar misschien tegengehouden, maar zelfs de herauten van de koning wisten dat je een witte heks niet bij haar werk moest storen.

Ze boog zich weer voorover, de tranen spatten op Edwards wangen. Haar vingers doken onder zijn wapenrusting om bij zijn hals een hartslag te kunnen voelen. Ze probeerde het vuurtje aan te wakkeren en gaf hem nog een grote longvol lucht terwijl ze hem nog altijd als verstijfd onder zich voelde. Halleluja! Ze ademde gulzig nog meer lucht in, boog naar voren en blies die nog dieper zijn mond in.

Deze keer ademde hij terug, hij stootte haar adem uit en haalde toen zelf licht adem. Ze ging rechtop zitten en wachtte hijgend, ongerust op zoek naar tekenen of hij bij bewustzijn zou komen. Het volk op de tribunes kreunde, dacht dat ze het had opgegeven.

Edwards bruine ogen schoten open. Hij staarde een ogenblik naar haar omhoog en toen krulde er een glimlach om zijn lippen: 'Mijn vrouwe weet wel een man tot leven te wekken.'

Tranen van opluchting stroomden over haar wangen toen ze dankbaar zijn hoofd in haar schoot nam en hem uitschold voor 'godallemachtige dwaas' en 'complete achterlijke idioot'.

Hij grijnsde naar haar terwijl hij aandachtig luisterde totdat ze klaar was met hem de huid vol te schelden. 'Echt waar?'

'Soms dan,' gaf ze toe en ze droogde haar tranen met haar vieze handpalm, beschaamd dat ze zich zo door haar angst had laten meeslepen. De blije Londenaren begonnen te juichen toen ze Edward zagen praten en lachen, uitzinnig dat hun jonge held zich niet tot het uiterste had opgeofferd voor de Heilige Anna, opgetogen dat hij nog leefde. Robyn realiseerde zich hoe ongemanierd ze was geweest dat ze Edward eerst een fikse uitbrander had gegeven in plaats van te vragen of hij gewond was en vroeg: 'Ben je gewond?'

'Alleen gekwetste trots.' Edward probeerde zich met een stalen arm omhoog te drukken, worstelde om overeind te komen, want hij was niet erg bedreven in het zichzelf van de grond rapen. 'Verder lijkt er niets gebroken.'

Ze hielp hem te gaan zitten en oogstte een donderend applaus van de mensen die alleen al dolblij waren dat Edward rechtop zat. De zakdoekjes wapperden in de luxeboxen. Overgelukkig hield ze hem vast, voelde ze zelf dat hij niet zwaargewond was en Robyn herinnerde zich dat Jo had gezegd: 'De beste plek om naar een toernooi te kijken is vanaf het strijdperk zelf.' En een heks kan het weten, reken daar maar op. Leuk was dit niet, maar het was veel erger geweest als ze op geborduurde kussens in een of andere opgedirkte box had gezeten en had moeten toekijken hoe een andere vrouw het leven in Edward had teruggeblazen, en dan met tranen vol dankbaarheid met haar snotlap had zitten wuiven. Ze had voor nog geen hertogdom en tienduizend pond per jaar met een van de vrouwen op het pluche boven haar willen ruilen.

Ze hielp hem te gaan staan, wat nog meer gejuich ontlokte en op de tribunes schalde het van blije opluchting. Sir Collingwood Grey, kampioen van Westminster en toernooiwinnaar, was vergeten, alle toejuichingen waren voor Edward. En voor haar, dat ze naar hem was toe gerend en hem met haar adem weer tot leven had gewekt. De mensen achter de omheining hadden alleen maar hulpeloos kunnen toekijken, waren op het ergste voorbereid geweest maar kregen op de dag van de Heilige Anna opnieuw een wonder te zien. Ze plantte Edward op zijn voeten en liet hem toen los. Ze viel weer terug in haar rol, was niet langer de witte heks maar weer de plichtsgetrouwe schildknaap. Vandaag zou Edward niet meer rijden, hij kon niet veel anders dan elegant weg hinken. En dat deed Edward dan ook, waarmee hij opnieuw opgetogen gejoel veroorzaakte alsof hij Collin eigenhandig had neergeslagen, in plaats van dat hij plat op zijn gezicht in de modder was beland. De tribunes schudden onder stampende voeten terwijl de meute Edwards titel scandeerde: 'March, March, March, March...' Robyn onderdrukte de neiging om zelf een vreugdedansje te maken, ze haalde de gehavende lansstok op, wendde zich af van het applaus en speelde de rol van een besmuikte schildknaap wiens ridder zojuist een afstraffing had gekregen. Vanuit haar ooghoeken zag ze dat Deirdre zich over Caesar had ontfermd.

Neef Hastings kwam ratelend op hen toe, een grote, uitdagende landjonker uit de Midlands. Hij was gladgeschoren en mysterieus knap, zeker tien jaar ouder dan Edward. Toch was hij al sinds Edwards jeugd diens 'gentleman' geweest. Hij haalde het onderste uit de kan bij hun rol op het toernooi, hij wierp Robyn een stralende glimlach toe en gaf een vriendschappelijke klapje op haar achterste, van het soort dat een jonge schildknaap moed inspreekt na een verloren steekspel. Tegelijkertijd toonde hij speels dat hij de actrice achter het kostuum wel zag zitten. Hastings wist hoe het moest, brutaal maar precies goed, hij liet duidelijk, maar onopvallend zijn interesse blijken zonder obsceen te zijn. Half Londen zag wat hij deed, alleen Edward niet.

Robyn reageerde expres niet. Meester Hastings van Burton Hastings wilde kennelijk hogere ogen gooien – als hij tenminste niet eerst zou worden onthoofd wegens schaamteloos gedrag – maar ze was hier niet gekomen om te flirten. Ze volgde Edward het paviljoen in, draaide zich om en sloot de tentflap. Ze knoopte hem voor Hastings gezicht dicht, ze had genoeg van al die starende ogen. Meer privacy kon je niet krijgen in deze gestreepte tent zonder ramen midden in een groots sportevenement. Er stond een kledingkast en een standaard waarop Edwards wapenrusting hing als hij er niet in zat, en er lagen verschillende scherpe wapens op het tapijt verspreid zodat het een beetje een bewoonbare indruk maakte. Ze hielp hem uit zijn wapenrusting, maakte gespen los en 'gedeeltes' waar hij niet bij kon terwijl ze hem controleerde op botbreuken en beurse plekken. Na drie maanden Middeleeuwen kon ze mannen redelijk handig uit hun pantser helpen. Zijn ledematen waren in orde, maar hij kromp ineen en slaakte verschrikte kreten, hij had een paar ribben gebroken, zoveel wist ze wel. Ze koerde vol meegevoel: 'Deed dat pijn, liefje? En hier ook?'

'Genade, mijn vrouwe!' Edward grimaste toen ze in zijn ribben prikte. 'Ik heb je toch geen kwaad gedaan?'

'Dat zeg jij.' Ze was zich wild geschrokken toen hij was gevallen en niet meer was opgestaan. Ze rolde zijn wollen broek naar beneden en ontdekte een lange, akelige blauwe plek op zijn heup, wat zijn gehink verklaarde. Erger dan dat en een paar gebroken ribben was het niet, mogelijk nog een hersenschudding, samen met wat krassen en schaafwonden, vooral veroorzaakt door zijn eigen pantser. Ze vond het verschrikkelijk om zijn prachtige lichaam zo bont en blauw te zien, ook al was het dan door het spel, of eigenlijk door een berekenende poging om het Londense gepeupel voor zich te winnen. De term 'lichaamspolitiek' kwam hiermee in een geheel nieuwe licht te staan. Wat was dit toch een merkwaardige wereld, waar leiders met lijf en leden het voortouw moesten nemen, voor publiek moesten optreden en met hun mannen ten strijde trekken. Vreemd, maar op een of andere manier klopte het wel. Gelukkig was Edward jong en sterk, en zou hij waarschijnlijk gauw weer beter zijn. Ze stond erop om zijn ribben in te zwachtelen en een antibiotische zalf op de krassen en plekken te smeren, liever dan hem over te laten aan de middeleeuwse geneeskunst. Op elke wond drukte ze een kus, opdat die sneller zou genezen.

Edward vond dat wel wat. Hij gedroeg zich angstaanjagend gezond voor iemand die de dood in de ogen had gekeken. Hij probeerde serieuze geneeskunst om te buigen in doktertje spelen, hij maakte haar bandjes onder haar wambuis los en rolde tegelijk haar broek naar omlaag. Hij vroeg: 'Heb je echt zo'n hekel aan het toernooi?'

'Alleen als jij meedoet.' Ze maakte met haar heupen een omtrekkende beweging om zijn handen bij haar broekriem weg te houden. Ze was blij dat hij zich zo snel herstelde, maar een dunne laag purperrood en blauw scheidde hen slechts van duizenden toeschouwers, de meesten stelden zich al gelukzalig het ergste voor.

'Toch heb je naar me geglimlacht en me gelukgewenst,' bracht hij haar in herinnering.

'Vrouwen kunnen zo misleidend zijn,' waarschuwde ze, inwendig blij dat hij zo gezond was. Los van zijn naar beneden gerolde maillot had hij alleen maar zijn shirt en wapenrok aan, een gewatteerd katoenen geval met stukken maliënkolder die met koorden aan zijn wapenrusting werden bevestigd. Die had ze tot over zijn schouders omhoog geschoven zodat ze de ribben op zijn gespierde, blote borst kon inzwachtelen. Très chic. En de aardgeur van zweet en leer was verrassend opwindend. Toen ze klaar was met doktertje spelen, eiste Edward een kus van de zuster.

Ze gaf hem die dankbaar, gebruikte dit heerlijke intermezzo van tonggymnastiek om achter zijn rug om de tentflap los te knopen. Zodra hun lippen van elkaar gingen, haalde ze zijn hand van haar wambuis en glipte naar buiten om zich bij Deirdre te voegen, zodat hij zich kon aankleden. Tenzij hij zijn publiek wilde begroeten in hemd en wapenrok met zijn broek op de knieën. 'Is hij in orde?' Deirdre keek bezorgd vanwege haar Saksische prins.

'Meer dan in orde,' antwoordde Robyn met rollende ogen. Deirdre begreep het en grijnsde opgetogen. Ook Robyn kon zich nu ontspannen, Hecate zij dank was het toernooi nu voorbij, voor Edward althans. Collin kon nog steeds worden uitgedaagd door een deelnemer met zelfmoordneigingen, maar sir Collingwood Grey kon heel goed voor zichzelf zorgen. Nippend aan haar café au lait met honing uit haar thermosfles zag ze dat die lui het prachtig vonden als een stelletje kerels elkaar van een paardenrug afsloegen of stonden te juichen naar degenen die zo mesjogge waren daaraan mee te doen. Al haar angsten en tranen waren voor niets geweest, het was immers alleen maar een zaterdagmatinee van het middeleeuwse wereldtheater.

Edward kwam tevoorschijn, hij droeg zijn modieuze purper-met-gouden kostuum met splitmouwen en veelkleurige maillot, zo gelukkig alsof hij net het steekspel had gewonnen. Of alsof zij had toegegeven. Toen ze hem zo opgetogen zag, voelde ze zich min of meer schuldig dat ze niet een snelle, hete wip in het toernooipaviljoen had gemaakt. Hoe vaak kreeg je daar nou de kans toe? Maar ze wist zeker dat hij er zo van genoten zou hebben dat hij haar vervolgens ongetwijfeld naar elk waardeloos toernooi zou hebben meegesleept, alleen maar om in het paviljoen zweterig seks te kunnen bedrijven. Beter om dat voor het bed te bewaren.

Het begon weer te regenen waardoor het laatste deel van het toernooi in het water viel, maar tegen die tijd hadden de rebelse graven laten zien wat ze wilden: de strijdende adelstand van Engeland kon met het steekspel meer eer en roem verwerven dan met het weer aan de macht helpen van koningin Margaret en haar corrupte hof. Als de Nevilles het tegen de Percy's moesten opnemen, dan moesten ze dat maar in de arena doen waar het gewone volk voor het schouwspel betaalde. Toen het weer opklaarde, droogde ook de stroom deelnemers op en liepen de tribunes leeg. De meeste mensen gingen door de modder naar Londen terug. Toen ze terugreed naar Baynards Castle, zag ze dat Cock Lane goede zaken deed en voor de storm een veilige haven bood voor de dronken kerels. Ze vroeg zich af hoeveel meisjes als Maria hier woonden, in de steek gelaten door stad en kerk, nu tenminste één minder, dankzij haar. Vrouwen hadden ook hun overwinningen, net zo reëel als die van een Westminster kampioen.

Het was een natte vesper toen Robyn bij Saint Martin-le-Grand aankwam. Ze droeg een doorweekte cape over een min of meer droge jurk, blauw-met-wit, afgezet met zilver ter ere van Collins overwinning. Ze had zich voor de zoveelste keer omgekleed vandaag, en Collin had tijdens het toernooi haar Minnie Mouse zakdoekje gedragen terwijl hij meer mannen dan wie ook in de modder had laten bijten, en dus had hij zijn erkenning verdiend. Edward droeg purper-met-blauw, onder een gouden cape waarop witte rozen geborduurd waren. Ze waren een studie van contrasten: haar zilver, zijn goud, Collins BMW-kleuren en Edwards koninklijke donkerblauw en purper-rood. Robert Stillington, deken van de Saint Martin-le-Grand, kwam hen bij de kerkdeur tegemoet en bracht ze naar Maria's eenvoudige cel met stromatras, wasbak en smalle venster. Dolblij dat haar redster was teruggekomen, veegde Maria haar vieze haar uit haar tranende, bruine ogen, ze schonk nauwelijks aandacht aan de twee mannen, ook al was de ene de deken van de Saint Martin's en de ander de graaf van March. Op dit moment konden mannen Maria gestolen worden, ook al stonden ze nog zo hoog op de maatschappelijke ladder, het meisje dacht terecht dat vrouwe Robyn haar beste hoop was.

Edward kon het niet hebben dat een vrouw niet gevoelig was voor zijn charmes en deed zijn best om Maria op haar gemak te stellen. Hij stuurde de lastige oude Dean Stillington weg en ging op een knie zitten om met het meisje te kunnen praten, die naast zijn lengte van ruim een meter tachtig maar half volgroeid leek. Deze twee totaal tegengestelde tieners hadden net zo goed van twee verschillende planeten kunnen komen. Edward was nagenoeg als een prins opgevoed, met Franse onderwijzers en schermlessen, terwijl Maria haar moeder had zien sterven en toen voor haar stiefvader de hoer moest spelen. Zij had haar opleiding op Cock Lane genoten. Merkwaardig genoeg hadden ze één ding gemeen, namelijk dat ze beiden tijdens de regering van gekke koning Hendrik veroordeeld waren tot akelige, vernederende doodstraffen, wat weer eens bewees hoe willekeurig krankzinnige tirannie kon zijn.

Edward zag er met zijn glanzend gouden cape met witte rozen uit als een sprookjesprins en hij wist het kleine gehavende meisje zover te krijgen dat ze met horten en stoten haar verhaal vertelde. Maria beweerde dat ze niemand kwaad had gedaan, en zeker haar stiefvader niet, voor wie het meisje nog steeds doodsbang was. 'Hij is een grote, woedende vent die volledige gehoorzaamheid eist.' Maria leek verbijsterd dat mensen dachten dat ze hem iets had aangedaan, of tegen hem in het geweer was gekomen. 'Het was al moeilijk genoeg om het hem naar de zin te maken.'

Robyn haastte zich om het kind gerust te stellen en zei tegen haar: 'Hij is nu dood en weg.'

Maria haalde haar schouders op en keek naar haar schoot, haar gezicht ging schuil achter haar neervallende haar. 'Misschien.'

'Hoe is hij gestorven?' vroeg Edward, haar vriendelijk aansporend om haar kant van het verhaal te vertellen. Robyn zou het hem niet kunnen vergeven als hij Maria onheus zou bejegenen, maar Edward voelde onmiddellijk met haar mee, geschrokken dat zoiets in 'zijn' Engeland gebeurde.

Maria schudde verbijsterd haar hoofd. 'Ik begrijp er zelf ook niets van. Het is allemaal zo wonderbaarlijk, dat ik het nauwelijks kan geloven.'

'Bedoel je dat hij niet dood is?' Robyn hoopte nog steeds dat de hele zaak op een verschrikkelijk misverstand berustte. Net als bij de moderne rechtspraak kon het middeleeuwse gerecht geweldige blunders maken. 'Waarom denkt de rechtbank dat je hem hebt vermoord?'

Maria haalde met neergeslagen ogen haar schouders op van: hoe-moet-ik-dat-nou-weten. De motieven en conclusies van de rechtbank gingen haar pet duidelijk ver te boven. 'Hij is misschien wel dood,' gaf Maria toe, nog altijd in haar schoot starend. 'Maar niet weg. De hemel wil zo'n slechte man niet hebben en de duivel staat ook niet om hem te springen. Hij zei zelf altijd tegen me dat zelfs de hel geen passende plek voor hem had.' Te wreed om te sterven en geen enkel berouw tonen. Geen wonder dat Maria tijdens haar rechtszaak niet had opgelet, ze kon nauwelijks geloven dat het slachtoffer overleden was. Edward merkte wel dat hij geen zinnig woord uit haar kreeg en probeerde haar nu te troosten. Hij vroeg hoe ze behandeld werd. Maria klaarde onmiddellijk op en zei dat ze nu deze geweldige cel helemaal voor zichzelf had, ze kreeg twee maaltijden per dag waar ze niet voor hoefde te bedelen of de baan voor op hoefde. 'En elke keer als de bel klinkt, komen er nonnen die me precies vertellen waar ik kan bidden, wat ik heel erg heb gemist. Hier voel ik me veilig, veiliger nog dan in de Newgate gevangenis.'

Het was overduidelijk dat haar ontvoering naar de wijkplaats het beste was wat Maria was overkomen, zij maakte zich totaal niet druk over haar goede naam. Als je 's ochtends wakker wordt in de wetenschap dat je nog voor de middag op de brandstapel staat, en je ziet dan opeens een toekomst voor je met gratis eten en een regelmatig gebed naar de hemel... en die veertig dagen leken natuurlijk wel een eeuwigheid. Edward glimlachte om haar enthousiasme en zei dat hij erop zou toezien dat ze voor haar zouden zorgen. 'Als je iets nodig hebt, zeg het dan tegen de monniken, die laten me het wel weten.'

Maria keek op en kon geen woord uitbrengen van zoveel geluk. Ze had het bed weliswaar met een massa mannen gedeeld, maar reageerde pijnlijk verlegen op een knappe jonge edelman van ongeveer haar eigen leeftijd die van alles voor haar wilde doen. Ze had vakantievierende bemanningsleden moeten vermaken, maar wist zich geen raad met de nonchalante ridderlijkheid van Edward van March. Robyn nam de hand van het stomverbaasde meisje in de hare en bedankte Edward uit haar naam, zij wist immers hoe het was als je bij hartstochtelijke jonge edelen in het krijt stond.

Nadat ze Maria blij in haar eenzame afzondering hadden achtergelaten, namen ze afscheid van de deken van Saint Martin's, die samen met Edward in de Koninklijke Raad zat. Dean Stillington beklaagde zich dat hoewel koning Hendrik hem had geprezen om zijn 'grote deskundigheid, deugden en priesterlijke toewijding', hij in ruim tien jaar nog geen cent had gezien van de veertig pond waar een koninklijk raadslid recht op had. Dat was nou typisch iets voor gekke koning Hendriks regering, ze gaf mooie titels en enorme landgoederen weg, maar kon haar adviseurs niet eens hun veertig piek betalen. Edward bezwoer dat hij daar verandering in zou brengen, zeer tot genoegen van de deken van Saint Martin-le-Grand, die beloofde op Edwards eigenzinnige moordenares te zullen passen.

Onder de druipende, overhangende dakrand van de kerk aarzelde Robyn even voordat ze zich in de stortbui waagde, hun natte paarden stonden buiten te wachten om hen naar Baynards Castle terug te brengen. Edward bood haar een stuk van zijn cape aan en zei: 'Ik heb hem gehouden, toch?'

'Wie gehouden?' Ze was nog steeds met haar gedachten bij Maria en Saint Martin-le-Grand.

'Sir Collington Grey,' antwoordde hij opgewekt terwijl hij haar dichter tegen zich aantrok. 'In de eerste run heb ik hem gehouden.'

'Inderdaad, ja,' gaf ze toe en ze vond het heerlijk dat hij zijn sterke arm om haar heen had geslagen. Ze wist heel goed dat er voordelen zaten aan een vriendje die een lans kon breken bij de regerend kampioen van Westminster, vooral in dit tijdsgewricht. In het paviljoen waren ze voor het laatst alleen geweest en hij hield haar nu zo stevig vast, dat ze wel kon raden waar haar volgende verkleedpartij op zou uitdraaien... als het aan Edward lag tenminste. Het was duidelijk dat hij popelde om Collins kleuren van haar af te rukken en haar voorvechter de loef af te steken. Maar ze waren in een kerk, een godshuis, een vrijplaats vol priesters, nonnen, politieke afvalligen en ordinaire schurken, echter niet voor lang. Maria wist dan misschien geen raad met Edward, Robyn wist dat wel.

Black Dick Nixon stond bij de paarden te wachten, hij boog voor Edward maar knipoogde tegelijkertijd naar haar. Iedere misdadiger van het christendom leek bij haar in de gunst te willen komen. Toen ze door de regen naar huis reden, klapten de mensen vanaf hun drempel en bovenramen voor hen. Vrouwen maakten een knicksje, riepen haar goedkeurend toe en bedankten vrouwe Robyn dat ze de jonge held van Londen had gered. Als iemand haar al beschouwde als lord Edwards 'mooie hoertje', dan hield hij dat wijselijk voor zichzelf.

Toen ze terugkwamen op Baynards Castle, dreven licht en muziek de grote hal binnen, ze hadden immers nog steeds een toernooi te vieren. Wat een dag, en het was nog niet eens avond. Ze voelde zich net Assepoester die te laat op het bal aankwam, en ze haastte zich naar haar torenkamer om haar natte kleren uit te trekken. Ze verscheen op het feest in een wijde groene jurk bezaaid met gouden Franse lelies, met een bijpassend jakje in zomerkleuren die goed samengingen met Edwards wit-met-goud. Op Edwards feestavonden ging het er luchthartig en vrolijk aan toe, met veel muziek en pret, niet die gebruikelijke middeleeuwse vreetwedstrijden met bedorven vlees. De tafels waren aan de kant geschoven en dansers zwierden onder de strijdvlaggen die vanaf het hoge balken plafond hingen. Soms hield iemand even op om een slokje kruidige wijn te drinken of zich te laten vermaken door potsenmakers. Hellebaardiers hielden stram de wacht bij een heerlijk buffet dat langs een muur was opgediend: kippastei in groene gember met kruidensaus, suikerwafels, dadelcompote, lamsvlees *en croûte* met engelen versierd. Toen het voor de gasten tijd werd om te vertrekken, begeleidden jongetjes hen zoet zingend naar de uitgang.

Als je de hofmeesters, koks, muzikanten en kamerheren niet meetelde, waren ze eindelijk alleen. Edward glimlachte haar door de lege ruimte toe, trok een wenkbrauw op en zei: 'Zullen we?'

Ze knikte instemmend, ze bedacht dat het een lange, regenachtige dag was geweest en dat ze nauwelijks onder elkaar hadden kunnen zijn, tenzij je de bijna-rendez-vous in zijn wapentent meetelde. Maar ze konden niet zomaar wegglippen, iedereen had zich onder aan de trap verzameld en het jongenskoor begeleidde hen met hun gezang de trap op. In de afgelopen maand was het leven van deze mensen radicaal veranderd. Baynards Castle was gesloten geweest, 'in handen van de koning'. De meesten van hen waren toen werkloos geweest, dienden bij een verbannen lord of waren zelf op de vlucht met in het vooruitzicht een regenachtige zomer en een nog strengere winter. En toen waren Edward en de Nevilles zomaar bij Sandwich neergestreken, hadden Kent en Londen verenigd en de koning naar Northampton gebracht. Daardoor was op wonderbaarlijke wijze een eind gekomen aan de gevechten en was het leven van deze mensen drastisch omgegooid, ze hadden weer werk, een plek waar ze de winter konden doorbrengen. Absoluut een avondlied waard.

Edwards slaapkamer was veel groter dan de hare, met dikke, warme tapijten en hoge gebeeldhouwde vensters in plaats van smalle pijlspleten. Hij had voor de helft van haar kunnen zijn. Ze had ook in Edwards vertrekken kunnen wonen waar mannen in Yorks livrei haar op haar wenken bedienden... maar ze wilde een eigen kamer, samen met Deirdre. In elk geval een paar nachten in de week. Vanavond zou Deirdre het grote bed weer voor zich alleen hebben. Toegewijd verzorgde Robyn de wonden van haar geliefde, ze verschoonde het verband, smeerde er nieuwe antibiotische zalf op en liet hem beloven dat hij in bad ging. Het warme water was al besteld. Met alleen zijn hemd en verband aan wilde Edward gelijk verdergaan waar ze in het Smithfield paviljoen waren gebleven. 'Na het bad,' zei ze beslist. 'Ik ga niet naar bed met een jongen die zo uit de Smithfieldse modder is komen rollen.'

De bedienden vulden de grote badkuip in Edwards audiëntievertrek en zij bleef naast haar lord op het hemelbed zitten, nog altijd in haar groen-met-gouden baljurk. Ze genoot intens van deze intieme momenten, als ze alleen waren, grappen maakten en praatten, de gebeurtenissen van de dag met elkaar doornamen en over hun toekomst spraken. Alleen zij en hij, zonder Edwards talloze volgelingen, troepen en relaties. Zelfs niet die lieve, malle Deirdre. Terwijl het bad werd gevuld maakte Robyn van dit vredige moment gebruik om Edwards hoofd te inspecteren of hij geen hersenschudding had opgelopen en ondertussen bepleitte ze Maria's zaak. 'Je hebt nu zelf gezien dat ze onschuldig is, geen rechtgeaarde rechtbank zou haar veroordelen.'

'Wil je dat dan?' vroeg Edward, hij trok haar lichaam dichter tegen zich aan en begon de gouden knopen van haar mouw los te maken.

'Een eerlijke rechtszaak met eerlijke rechters?'

Goede vraag. Het was heel eenvoudig om middeleeuwse gerechtshoven weg te sturen, het waren allemaal monsterlijke mannenbolwerken, met gewiekste advocaten die potjeslatijn naar halsstarrige rechters spuugden, maar wat was het alternatief? Twaalf goede en oprechte vrouwen? Dat zat er waarschijnlijk niet in. Ze had geen zin om het middeleeuwse rechtssysteem om te vormen. 'Niet echt. Maar misschien moet het wel.'

De waarheid was dat ze de gerechtshoven niet vertrouwde. Ze wilde dat Edward ervoor zorgde dat het werd opgelost. En dat kon hij nog ook. Gekke koning Hendrik had zijn regering aan vrienden en kennissen overgelaten, die de rechtbanken corrumpeerden met intimiderende juryleden, belachelijke wetten aannamen en boetes oplegden aan degenen die zich daar niet aan hielden. Ze zwaaiden de scepter bij rechtszaken die over 'landverraad' oordeelden om zo van hun slachtoffers te kunnen profiteren. Uiteraard stond het uitbannen van vriendjespolitiek en schaamteloos onrecht hoog op de agenda van de rebellen. Maar wat zij nu nodig had, was schaamteloze, ouderwetse voortrekkerij. Ze wist alleen niet hoe ze dat moest formuleren.

'Dankzij jou zit ze nu in de wijkplaats,' merkte Edward op terwijl hij nog steeds met haar knopen bezig was, ze had er alleen al op haar mouw tientallen, dus de jongen was nog wel even bezig. 'Het ergste wat haar nu kan overkomen is dat ze verbannen wordt.'

Iedereen die asiel had aangevraagd kon een bekentenis afleggen over zijn misdaden, maar moest dan wel het koninkrijk verlaten. Ze werden door een diender naar de dichtstbijzijnde haven gebracht en moesten op het eerste het beste schip dat hen wilde hebben aanmonsteren. Als er geen schip uitvoer, moesten de schurken elke dag op hun knieën de zee in lopen en uitroepen: 'In naam van de goede God en koning Hendrik, laat mij de overtocht maken!' tot een schip hen op een dag meenam.

'Dat zou bij Maria niet veel uithalen.' Ze had dat wel in Sandwich gezien, een man in broek en hemd die onder bewaking in de golven stond, waarschijnlijk de gelukkigste man van Engeland toen hij de vloot van de rebellen de haven in zag varen. 'Maria is te klein en te kwetsbaar om haar op een boot naar Vlaanderen te dumpen.' Hoewel Vlaanderen wel leuk was en de Hollanders geweldig waren. Zij en Edward hadden een fantastische week in Brugge doorgebracht, waar ze te gast waren bij lord Gruthuyse. Ze waren van het ene bal in het andere masqué gerold en er hadden schepen door de grachten gevaren, maar Maria zou die koninklijke ontvangst niet krijgen.

Edward moest glimlachen om haar koppigheid en begon nu aan de knopen van haar lijfje. Hij werkte langzaam langs haar borstbeen in de richting van haar strak ingesnoerde middel. Door haar dunne zijden hemd voelde ze de streling van zijn vingers langs de binnenste welving van haar borsten en over haar buik voorbij haar navel, er ging een lichte rilling door haar dijen. Toen hij de laatste knoop had losgemaakt, trok hij met een hand haar zijden hemd omhoog waardoor de zachte witte huid van haar onderbuik bloot kwam. Hij vroeg haar: 'Dus jij wilt een oordeel van de rechter aan je laars lappen?'

Niet bepaald, maar ze kon altijd een beroep doen op zijn eergevoel. 'Alleen als dat oordeel ook op mij van toepassing is.'

Hij staarde haar onzeker aan toen zijn vingers onder het elastiek van haar nylon panty uit het derde millennium glipten. 'Ook op jou van toepassing is?'

Ze negeerde de hand in haar broek en fluisterde hees in zijn oor: 'Als Maria schuldig is, dan ben ik net zo schuldig omdat ik haar uit de greep van de wet heb bevrijd.'

'Wat?' Zijn vingers stopten en hij keek haar verward aan.

'Een vluchteling helpen en medeplichtig aan moord,' hielp ze hem herinneren en ze duwde zijn hand omhoog om hem te laten voelen wat er op het spel stond. 'Als er voor Maria geen gerechtigheid is, dan is die er ook niet voor mij, begrijp je?'

'Wees niet bang,' verzekerde Edward haar droogjes, 'het is me allemaal heel duidelijk.' Gerechtigheid voor de zwakkeren en machtelozen was bepaald niet in zwang bij de aristocratie, maar Edward was niet op zijn achterhoofd gevallen... trouwens, zij was een van de weinige dingen geweest waarvoor hij moeite had moeten doen. Het had hem maanden hofmakerij gekost voordat hij haar had waar hij haar hebben wilde, in zijn bed en zijn armen. Dat was hem niet vaak overkomen, dus Edward zou dat niet licht vergeten. In vergelijking met de moeite die hij had gehad om haar het bed in te krijgen, was de overwinning op Londen en koning Hendrik een fluitje van een cent geweest. 'Als lord zal ik me persoonlijk met Maria bemoeien,' bezwoer Edward, 'in naam der gerechtigheid.'

Edward mocht misschien Maria zonder Naam overlaten aan een eerlijke rechter en rechtschapen jury, maar niet zijn lady en aanstaande gravin. Niemand had dat vertrouwen in de wet, en haar lord van March nog het minst. Hij kuste haar hand en drukte Robyn achterover op het zachte veren bed, legde zijn hand op haar schaamstreek en nam fysiek bezit van haar, een andere manier was er niet.

Blij dat haar held als was in haar handen was, sloot ze haar ogen en kuste hem terug, genoot van Edwards geruststellende kracht en zijn ferme lichamelijke belofte dat alles goed zou komen. Politiek was soms heel persoonlijk, en gerechtigheid was niet een geblinddoekte godin met een weegschaal, maar een stoere jonge krijger die je in je armen kon houden en met je tong kon voelen.

Zonder de kus te onderbreken, schudde haar omzwachtelde krijgsheer zijn bezwete hemd af en klom verlangend boven op haar. Zijn grote stevige lijf rook naar leer en paarden, en zijn mond smaakte naar gemberwijn. Uitermate kras en gretig voor een invalide die bijna voor dood in Smithfield was opgegeven. Door zwaard en lans geharde handen trokken haar nylon panty naar omlaag en een stevige vinger streelde langs de bovenkant van haar lies waardoor de rillingen over haar ruggengraat liepen. Haar heupen begonnen bijna als vanzelf te draaien toen die enkele vingertop langzaam over haar schaamlippen streek en toen in de vochtige holte ertussenin verdween, waardoor ze naar adem snakte van opwinding. Dit was wat ze wilde, wat ze allebei wilden. Wat had je eraan als je lady en lord was en je niet kon doen wat je wilde, of dat nu in een rechtszaal of in een satijnen hemelbed was?

Hitsig door de koele beweging van zijn vinger in de fluweelzachte vochtigheid, kronkelde ze nog heviger en duwde haar schaamstreek stevig tegen zijn handpalm waarmee ze zijn stijve vinger dieper naar binnen dwong. Ja, dat was veel beter, de Middeleeuwen hoefden helemaal niet zo akelig te zijn. Warme golven van genot stroomden door haar heen terwijl zijn vinger heen en weer ging, sneller en zekerder met elke streek. Ze waren nog steeds hevig verstrengeld in het beddengoed, de baljurk en elkaar toen de kamerheren op de deur klopten om te vertellen dat het bad van de lord gereedstond.

3

Lamastide

Zondag 27 juli 1460, Hoogzondag, Baynards Castle, Londen
Deirdre was lastiger dan anders, ze zei dat de zondag voor Lamas in
Ierland Hoogzondag werd genoemd en dat we een heuvel of berg moes-
ten beklimmen om voor de oogst te bidden. Niet eenvoudig in hartje
Londen. Buiten regende het pijpenstelen, niet al te best weer om bergen
te beklimmen, vooral als je bent geveld door een acute zondagochtend-
itis... je bent nauwelijks in staat om uit je bed te komen, laat staan uit
het kasteel. Na het bijna-fatale toernooi gisteren en die krankzinnige
uitbraak op Cheapside moet ik mijn zenuwen even tot rust laten
komen en van een laatste luie zondag in Londen genieten. Morgen
krijgen we een uitputtende tocht door de stortregen, we zijn te gast bij
de aartsbisschop van Canterbury, waar we Lamastide zullen vieren...
gekke koning Hendriks idee van een zomervakantie.
Toch moet ik er nog uit om Maria een bezoek te brengen, juist omdat
we morgen vertrekken. Als de zomer al zoveel werk is, hoe zal dat dan
in de winter zijn? Hopelijk ben ik tegen die tijd gravin...

Robyn stopte met typen en keek naar Deirdre, die uit het door regen
besproeide pijlgat naar de heuvels ten noorden van de stad zat te staren. Edward had een bijeenkomst met de prikkelbare Nevilles, van
wie het humeur er niet beter op was geworden nadat ze tijdens het
toernooi alle hoeken van de arena hadden gezien. Mooi. Daar was
Edward fantastisch in, hij kon als geen ander met de Nevilles praten.
Maar Robyn wilde één dag het lot van Engeland even vergeten, ze wilde onder redelijk hygiënische omstandigheden voedzaam eten klaarmaken voor onderweg en haar gescheurde rijkostuum en gehavende
geest repareren. Een aanvaring met rampspoed liet beurse plekken
achter, en wassen en drogen waren eindeloze klusjes met al die regen...
en van Deirdre had ze eerder last dan dat ze haar behulpzaam was.
'Morgen moeten we ons een weg naar Greenwich ploeteren,' bracht
ze haar meid in gedachten. 'Waarom kan zondag geen gewone rust-
dag zijn? Zo had God het bedoeld.'
     Deirdre was niet godsdienstig opgevoed dus zij zag het zo niet, voor
haar waren de seizoenen het allerbelangrijkste. 'Hoogzondag is voor
de oogst bedoeld,' drong Deirdre aan en ze draaide zich smekend naar
haar om. 'En hier in de buurt kan de oogst wel wat hulp gebruiken.'
     De dienstmeid had natuurlijk gelijk. Wat gebeurde er als de koning

morgen naar Greenwich vertrok? De mensen moesten toch eten. Hoe kon je in godsnaam de grillige gedachtegang van een krankzinnige Saksische koning met de oogst vergelijken? In het hier en nu moest je zomers voorbereidingen treffen voor de winter. Veldslagen, toernooien en koninklijke staatsbezoeken waren opwindende gebeurtenissen, maar brachten geen brood op de plank. Bovendien moest ze Deirdre tevreden houden, zij was haar trouwste metgezel. Zelfs Edward was haar niet zo toegewijd, in beslag genomen als hij was door zijn taken als jonge graaf en redder van het land. Deirdre hoefde zich alleen maar om haar meesteres te bekommeren. Zonder iets te zeggen, typte Robyn weer verder...

Oké, ik geef toe. Als deze dag voor de oogst bedoeld is, dan gaan we bidden. Maar er zijn grenzen aan die Ierse koppigheid. Er is geen sprake van dat we Londen uit gaan. We moeten al gauw genoeg over die verzopen wegen rijden. We zoeken een hoge, heilige plek in de stad, ergens dicht bij de hemel. Saint Paul's ligt het meest voor de hand, die staat boven op de Ludgate heuvel met een toren van vijftig verdiepingen, maar eigenlijk kunnen we de klokkentoren van de Saint Paul's niet gebruiken voor een heidens ritueel, in elk geval niet op zondag. Gelukkig weet ik een prima plek... onder ons gezegd dan.
Later meer...

Halverwege de ochtend zaten vrouwe Robyn en haar dienstmeid boven op de White Tower, de binnenring van de Tower van Londen, bijna driehonderd jaar oud en nog altijd het hoogste niet-kerkelijke gebouw in de stad. Gestoken in het rood-met-goud van Stafford en een doorweekte cape, was ze er vanaf kasteel Beynard per boot heen gegaan, door de waterpoort en de verraderspoort, voor het eerst sinds lord Scales' mislukte vluchtpoging uit de Tower met haar in zijn kielzog. Ze had toestemming van koning Hendrik om deze met bloed bevlekte koninklijke burcht binnen te gaan. Als smoes had ze gezegd dat ze in de Saint John's kapel haar dankbaarheid wilde betuigen vanwege haar recente vrijlating.

Ze liet de toestemming aan lord Fitzwalter zien, de nieuwe commandant van de Tower, ze deed met Deirdre haar dankgebed in de kapel en beklom toen de trap naar de hoogste borstwering. Daar hadden ze een adembenemend uitzicht over Londen, Wouthwark en de Bridge, Aldgate en de natte groene weilanden daarachter. Aan de ene kant van de stad stond de heilige Trinity Priorij, het grootste klooster van de stad. Aan de andere kant stonden de opeengepakte huizen van Portsoken, een verbannen gebied buiten de stadsmuren, daar fungeerde de prior van het Trinity klooster ook als schepen. In de Middeleeuwen leefden rijk en arm vaak vlak naast elkaar, maar toch was deze muur, een afscheiding tussen armoede en overvloed, wel heel navrant. De regen uit de hemel stortte erop neer, maar het dak van het klooster was er beter tegen bestand. Haar roodharige dienstmeid wist niet hoe ze het had, zei dat dit al haar verwachtingen overtrof. 'Maar niet zo hoog als een Ierse heuvel.'

'Willem de Veroveraar heeft zijn best gedaan.'

Witgewassen muren en torens, aan de basis ruim vier meter dik, torenden boven de stadsmuren uit, rezen op uit funderingen van kalk, vuursteen en Kents leisteen, bijeengehouden door specie en dierenbloed. Deirdre zei dat het ermee door kon.

Door de regen heen overzagen ze de oogst en het was duidelijk dat het de groene wereld achter de muren niet goed verging, de regen had het hooien belemmerd en het graan was er een speelbal van geworden. De gestage stroom waardoor ze zich naar Northampton hadden moeten waden, was naar verluidt tijdens haar gevangenschap in de Tower nauwelijks onderbroken geweest. Robyns vensterloze cel was zo diep weggestopt in de kerkers van de White Tower dat ze dag niet van nacht had kunnen onderscheiden en nog minder had kunnen zien wat voor weer het was. Nu keek ze neer op verdronken tuinen, kale boomtakken en stroompjes die door de meegesleurde bovenlaag als een modderige stortvloed de Theems in kolkten. Niet erg bemoedigend. Deirdre zuchtte, er klonk medelijden uit voor de Saksen. 'Dit is erg, maar ik heb het wel erger gezien. In Ierland is het nooit langer dan drie dagen achter elkaar droog.'

Hoe erg het ook allemaal was, een meid uit Wexford had het allemaal nog erger meegemaakt. Maar het was niet best als een wilde Ierse medelijden met je begon te krijgen. 'Er is altijd hoop,' herinnerde ze haar dienstmeid. 'Acht dagen lag ik onder deze zelfde stenen begraven, in een zwarte vensterloze cel zonder eten of drinken, de dood loerde om de hoek.' Hopeloos en zo. 'En kijk me nu eens.' Ze spreidde haar cape uit en deed een doorweekte regenpirouette. 'Levend en wel, en vijf pond lichter.'

Deirdre voer tegen haar uit: 'M'lady is veel te mager.' Haar meid had bacon en roereieren op het ochtendvuur gebakken. De torenslaapkamer had zich gevuld met ontbijtgeuren waardoor Robyn wel had moeten eten. Het zou Deirdre niet gebeuren dat m'lady honger leed. 'We moeten u een beetje vetmesten.'

'Misschien.' De eieren had ze opgegeten maar de bacon niet, die had ze naar Saint Martin gestuurd, naar Maria en Black Dick Nixon. Er aten meer mensen van haar bordje. Om te beginnen Deirdre, die werd dik van wat zij liet staan. Met een strenge winter voor de deur zou dat alleen maar erger worden.

Dat moest dan maar. Ze was al blij dat ze zover was gekomen en Robyn bad dat het zou ophouden met regenen, en voor de oogst, ze sprak zelfs recht in het gezicht van de neerstromende vloed een dankgebed uit. Toen vond ze dat de hemel genoeg had aangehoord, ze wendde zich tot Deirdre en zei: 'In die donkere kerker heb ik gezworen dat ik boven op deze toren een dansje zou maken... op dat moment klonk het wat pathetisch, maar ik kan nu de kans niet laten lopen.'

Ze schudde haar doorweekte cape van zich af en danste boven op de reusachtige stenen toren die haar gevangen had gehouden, draaide wilde cirkels in de regen. Londen, de Tower, Portsoken, de grijze wolken en de groene heuvels tolden in een natte werveling rond met haar in het middelpunt. Ze leefde! 'Dank u, Hecate, dat u me niet tot u hebt genomen!' En vrij! Het was de mannen die haar hadden gemarteld veel slechter vergaan. Lord Cales, voormalig slotvoogd van de Tower van Londen, was door Londense zeelui doodgeslagen. Haar vroegere cipiers, FitzHolland en Le Boeuf, zaten in de Newgate gevangenis in afwachting van hun executie, aanstaande dinsdag. Een spektakel waar iedereen naar uitkeek, maar waar Robyn niet bij wilde zijn. Deirdre begon mee te dansen, ze stak haar arm door die van haar meesteres en boven op de White Tower sprongen ze lachend rond, het leven dankend en biddend dat er een einde zou komen aan de regen.

En de regen liet zich inderdaad vermurwen. Tegen de middag begon de zon te schijnen, de dag warmde op en de glanzende plassen verdampten waardoor het condens in wolken van de natte daken waaide. Robyn greep de gelegenheid aan om Maria op te zoeken, ze wilde zeker weten dat het meisje haar bacon had gekregen, wat ook zo was. Black Dick Nixon had de zijne ook gekregen, aangenaam verrast dat een 'beschaafde zuidelijke dame' zich zijn lot had aangetrokken. Hij mocht denken wat hij wilde, zij had hem alleen maar wat bacon gestuurd, ze was niet in staat om meer dan één schurk tegelijk onder haar hoede te nemen. En Maria had echt haar hart gewonnen, maar Black Dick Nixon hoefde van haar niet meer dan een paar gouden munten en een goed paard te verwachten.

Ze reed terug via de Saint Paul's en kwam langs een spontaan geïmproviseerde straatmarkt waar mensen de regenpauze aangrepen om hun natte waren aan de man te brengen. Harpspelers en fluitisten speelden in de zon voor een halve cent, terwijl slagersjongens 'hete varkenspoten' en 'pauwenpastei' aanprezen, in beide had ze niet veel trek. Op de hoek van Carter Lane en Wardrobe Place stapte plotseling een potige kerel met lieslaarzen kordaat de straat op die haar plompverloren de weg versperde. Hij droeg een gevlekte blauw-met-gouden maillot en een geel doorstikt wambuis, hij knielde pal voor het paard op een modderige knie en nam zijn grote, slappe baret af.

Geschrokken hield ze de teugels in, ze was nooit eerder zo abrupt op straat aangeklampt, althans niet in Londen. Southwark was een andere kwestie. Gelukkig zaten haar ergste vijanden in het gevang, eigenlijk was ze bovenal bang dat deze vent de wet vertegenwoordigde en haar de recente fratsen in de wijkplaats van Saint Martin's betaald wilde zetten. Deirdre kwam naast haar staan, klaar om haar vrouwe te hulp te schieten.

Maar het was Matt Davye die grijnzend naar haar opkeek, hoed in de hand, zijn lichtbruine haar viel over zijn gezicht en zijn brede glimlach straalde jongensachtige humor uit. Hoewel ze elkaar meestal onder nogal alarmerender omstandigheden tegenkwamen, was de jonge man altijd blij haar te zien. 'M'lady Stafford,' smeekte hij, 'een ogenblik van uw tijd, alstublieft. Ik wil u graag bedanken.'

'Waarom?' vroeg ze en ze ging rechtop in haar zadel zitten. Ze had het gevoel dat ze hem juist dank verschuldigd was, en misschien ook een gouden rozennobel, voor dat prachtige schot in de roos bij de poort naar Saint Martin-le-Grand.

Matt Davyes glimlachte nog breder en hij liet een stel sterke witte tanden zien. 'Voor mijn vrijheid.'

Iemand moest hem iets hebben verteld over haar geheime getuigenverklaring. Matt Davye was een van graaf Hollands mannen in de Tower van Londen geweest toen ze in het wilde weg vuur op East Cheap hadden gegooid, waarin vrouwen en kinderen waren omgekomen, een misdaad die Londen hoog opnam. Zijn kameraden zaten op hun executie van aanstaande dinsdag te wachten, inclusief de bastaard broer van graaf Holland en Le Boeuf, Hollands gehate opperbeul. Vriend en vijand van de slachtoffers kwamen helemaal uit Sandwich en Newbury om te zien hoe Le Boeuf ervan genoot wanneer hij aan de goede kant van het mes stond en de ingewanden van zijn prooi blootlegde. Matt was gespaard gebleven omdat zij had gezworen dat hij medelijden met de gevangenen in de Tower had getoond door eten en dekens voor ze mee te smokkelen en ze te vertellen wanneer koning Hendrik weer terugkwam. Ze vroeg: 'Wie zegt dat je aan mij je vrijheid te danken hebt?'

'Graaf Warwick in eigen persoon, m'lady.' Matt knikte geestdriftig omdat hij zich achter de edelman kon verschuilen. 'Zijne hoogheid bezwoer me dat ik de lady moest gaan bedanken.'

Logisch. Warwick had de rechtszaken voorgezeten, wat heel goed paste bij zijn rancuneuze aard, en het moest de gevoelige Neville hebben gekwetst dat Matt Davye door haar getuigenis op vrije voeten kwam. Warwick deed graag alsof ze alleen maar een knap gezichtje was, maar in zijn trotse hart wist graaf Neville heel goed dat zij degene was naar wie Edward luisterde, en dat deed pijn. Een vrouw en iemand uit het gepeupel hadden tussen Warwick en zijn edelste bondgenoot gestaan en dat was voor de graaf een persoonlijke en politieke nederlaag geweest, had de spot gedreven met zowel zijn manlijkheid als zijn status. Dus Warwick had die draai aan het verhaal gegeven, hij schoof de clementie van Edward opzij en gaf zijn heksenminnares de schuld, waardoor Warwick zijn bloeddorstige mannelijkheid weer terug had.

Die arrogante Neville mocht zeggen wat hij wilde, in de Tower was geen laf blauw bloed gevloeid en geen van hen was gestraft, dus Matt Davye verdiende zeker een kans. Haar getuigenis zou geheimgehouden worden om haar, het slachtoffer, te beschermen. Waarom zou ze de hele wereld gaan vertellen welke verschrikkelijke dingen ze in de Tower had meegemaakt? Het was al erg genoeg dat ze het Warwick had moeten vertellen. 'Nu ik op vrije voeten ben,' stelde de jonge man in geel wambuis voor, 'kan ik u misschien ergens mee van dienst zijn, m'lady?'

Dus daar ging het allemaal om, Matt Davye zag zijn kans schoon om een baantje in haar 'huishouden' te bemachtigen. Zijn vroegere baas, Henry Holland, hertog van Exeter, was voor het laatst gezien toen hij verbannen werd, dus had Matt alle hoop opgegeven dat hij ooit nog bij de naaste neef van de koning zou kunnen dienen. Door Edwards en Warwicks meesterlijke overwinning bij Northampton was Matt gebroken en eenzaam in de straten van Londen achtergebleven. Toen Robyn triomfantelijk uit de Tower werd bevrijd en zich gelukkig kon prijzen met een onderkomen op Baynards Castle, was Matt Davye gearresteerd en met een verschrikkelijke dood bedreigd. Vervolgens was hij de regen weer in geschopt en daar kwam hij Robyn voor bedanken.

Geen wonder dat hij naar haar toekwam. Het sprak boekdelen dat ze in de Middeleeuwen een huishouden had. Vrouwe Robyn kreeg haar goud of waardering niet voor niets, de middeleeuwse maatschappij eiste daarvoor terug dat ze anderen daarin liet delen: dienstmeisjes om haar te kleden, slagers, koks en bakkers om haar maaltijden klaar te maken, wijnschenkers en hofmeesters om haar te bedienen, wasvrouwen, naaisters, staljongens voor de honden en paarden, en harpspelers om haar te vermaken. Verbazingwekkend dat het volk erom vocht om voor haar te werken, ernaar verlangde om op een riddergoed te wonen en 'te eten van de tafel van een vrouwe'. Deirdre had schaamteloos om haar baantje gebedeld. De gewone man wist hoe goed de adelstand het had, eigenlijk te goed, ze verspilden geld aan mooiigheid en uiterlijk vertoon, lieten hun huishouden uitdijen met mooie buitenlanders, onwettige familieleden, beruchte vrijbuiters en gewapende schurken. Tot dusverre had zij alleen Deirdre.

Ze keek naar haar dienstmeid om haar reactie te peilen en zag dat het Ierse meisje meesmuilend zat te grijnzen bij het voorstel van de Saks, ze was niet verschrikt maar ook niet opgetogen bij het vooruitzicht dat Matt Davye in het livrei van haar vrouwe zou rondlopen. Ze wendde zich weer tot de man die in de modder geknield zat en vroeg op zoete toon: 'Wil je de hoer van lord Edward eigenlijk wel dienen?'

Zo had Matt Davye haar de eerste keer genoemd toen hij de emmer in haar cel in de Tower kwam omwisselen. Ze had geleerd om het niet persoonlijk op te vatten, veel haar onbekende mensen noemden haar een hoer omdat zij en Edward niet getrouwd waren, en zouden haar net zo makkelijk gravin noemen als ze dat wel zouden zijn. Hoer was meer een titel, net zoals erfgename of prinses, je was het alleen niet door je geboorte, je moest het wel verdienen.

Matt Davyes grijns smolt weg en hij kwam er nu achter dat hij twee weken geleden voor zijn beurt had gepraat. Middeleeuwers moesten uitkijken met wat ze zeiden, zelfs tegen gevangenen die in een geheime cel in de kerkers van de Tower zaten opgesloten. Want het rad van fortuin was altijd in beweging, en de misdadige veroordeelde van deze week kon de zondag daarop de beste vriend van de koning zijn. Matt Davye negeerde de menigte die zich had verzameld en stond toe te kijken, hij omklemde zijn baret stevig en zei: 'Ik zou heel graag de vrouwe van lord Edward dienen.'

Dat zeg je, ja. Ze bestudeerde de jonge man die bij haar stijgbeugel geknield zat en zag dat hij sterk, gezond en niet onknap was. Middeleeuwers droegen hun cv's op hun gezicht en Matt Davye was een energieke man. Ze had wel eerder personeel aangenomen, maar dat was nooit zo persoonlijk geweest, leven of dood had er nooit van afgehangen. Als zij niets had gezegd, zou Matt nu in de cel zitten met FitzHolland en Le Boeuf, en hopen dat hij er met de strop vanaf zou komen. Zij had uren in die zwarte kerker van de Tower gelegen, gewanhoopt of ze ooit nog daglicht te zien zou krijgen, zich afvragend of Matt Davye haar mocht. En wat de extra kaas en deken betekenden, of hoeveel hij voor haar zou willen doen en tegen welke prijs. Gelukkig stond haar situatie er nu stukken beter voor en kon ze kieskeuriger zijn, ze hoefde niet meer haar hoop te vestigen op elke willekeurige man in de hoop dat hij haar niet al te wreed zou behandelen. Ze vroeg op effen toon: 'Is er iemand die je kan aanbevelen?'

Blij dat ze hem het woord 'hoer' niet langer kwalijk nam, begon Matt weer te grijnzen. 'Hertogin Anne van Exeter is lord Edwards zuster en zal mijn goede diensten bevestigen.' Slim van Matt om een vrouw uit te kiezen, graaf Warwicks woord was niet genoeg. Politieke

81

vetes dreven wel vaker een wig tussen het huwelijksbed en Edwards oudste zuster Anne was getrouwd met de gewelddadigste vijand van zijn familie. Niet het gelukkigste huwelijk van het land, en een beetje zieneres voorzag in de toekomst van hertog Holland een smoezelige scheiding.

Ze wendde zich weer tot Deirdre en vroeg in het Keltisch: 'Wat zal ik met hem doen?'

Haar dienstmeid bekeek de forse jonge vent die op een knie in de modder zat. Nu legers uit elkaar waren gevallen en edelen verbannen, waren er overal loslopende werkloze mannen, vrouwen hadden het maar voor het uitkiezen. 'Hij ziet er bruikbaar uit,' moest Deirdre toegeven, 'maar is hij te vertrouwen? Hoed u voor de hoorns van een stier, de hoeven van een paard en de glimlach van een Saks.'

Maar al te waar. Toch had Robyn bedienden nodig en vanaf het eerste ogenblik dat ze elkaar hadden ontmoet, had Matt Davye zich uitgesloofd om het haar naar de zin te maken, vaak zonder dat hij een redelijke beloning kon verwachten... waarom eigenlijk? Waarschijnlijk had hij zijn eigen redenen, geen al te beste, durfde ze te wedden. Maar ze moest toch iemand vertrouwen, dus waarom zou ze daar nu niet mee beginnen? Ze boog zich naar voren en wenkte hem uit de modder op te staan. Ze zei: 'Pas geleden heb je me prima holpen, bij Saint Martin's. Je hebt dus nog iets van me tegoed, en ook nog voor een paar warme dekens.'

Matt sprong gretig overeind, rekte zich uit en bracht haar vingers naar zijn lippen. Hij zei: 'Die dekens waren mijn geschenk aan lady Stafford.'

Ongetwijfeld. Ze heeft zich toen nooit afgevraagd waar ze vandaan kwamen. Had Matt Davye omwille van haar zelf onder een cape geslapen, toen zij een gedoemde gevangene in die kerkers was? Had hij ooit durven dromen dat het geluk hem zo plotseling kon toelachen? Misschien had hij het wel verwacht... maar dat bewees des te meer dat hij slim was. Wat zijn redenen ook mochten zijn, zijn steun aan haar werd royaal beloond. Ze trok haar hand terug, klopte Lily op de witte hals en vroeg: 'Hou je van paarden?'

Matts ogen klaarden op. 'Wie kan nou niet van zulke paarden houden?' Het waren allebei prachtige dieren – Lily, met haar brede witte voorhoofd en roze neus, en de sterke, geduldige Ainlee. Edward wilde voor haar alleen maar het beste.

'Ik heb hard een paardenmeester nodig,' verklaarde ze. 'Morgen gaan deze twee rijdieren samen met nog een paar pakpaarden per boot naar Greenwich, van daaruit rijden we over land naar Canterbury. Daar blijven we een paar weken en gaan dan dezelfde weg terug naar Londen. Ik heb iemand nodig die zorgt dat mijn paarden haver en vers hooi te eten krijgen, en dat ze goed worden schoongewreven en een droge stal krijgen. De pakpaarden moeten elke dag van hun last worden bevrijd en de bagage moet de volgende dag weer goed worden opgeladen. Kun je dat?'

'U heeft uw man gevonden, mijn vrouwe,' verklaarde Matt vol zelf-vertrouwen. Ze gaf hem de teugels en haar nieuwe paardenmeester begeleidde Lily naar Baynards Castle terug, ze merkte dat hij gevoel voor het paard aan den dag legde. Als Lily zich er goed bij voelde, dan kon zij dat ook.

Edward had stoutmoedig een feestje voor hun laatste avond in Londen georganiseerd, de drank vloeide rijkelijk en er werd gedanst, net alsof de zomervakantie werkelijk in het verschiet lag. Het was zondag, dus zelfs de bedelaars bij de poort werden binnengelaten om in de keuken wat te eten en naar de muziek te luisteren. Collin en Jo waren uit Southwark gekomen, samen met Bryn, Collins verloofde uit Wales. Voor hen was het ook een afscheidsfeest, want ze gingen weer terug naar Greystone in de Cotswolds. De schildwachten hadden ter ere van Collin de schede van hun hellebaarden met blauw fluweel bedekt en met zilveren nagels vastgezet, een bewijs dat Edward geen wraakgevoelens koesterde dat hij als een boerenpummel in de modder van Smithfield had gebeten.

Toen Robyn haar nieuwe paardenmeester voorstelde, begroette Edward hem bij zijn naam en zei: 'Matt Davye, welkom. Mijn zuster, hertogin Anne was tevreden over u.' Achteloos nodigde Edward zijn vroegere vijand in zijn huishouden uit, hij stond erop om hem de stallen te laten zien en hem voor te stellen aan zijn marshal, zodat hij zeker wist dat hij morgen een paard kreeg. Edward vond het fijn als hij zijn mannen kende, van gezicht, met naam en toenaam, en wat ze deden. Geen detail was hem te min, zeker niet als ze in beweging moesten komen. Met dezelfde snelle actie waarmee koning Hendrik bij Northampton in de val was gelopen, zou hij hen in recordtijd naar Canterbury brengen. Dus toen het dansen achter de rug was, ging Matt Davye aan het werk en bracht de nacht in de stallen door, het stro was er tenminste droog.

Vrouwe Robyn hoefde tegenwoordig goddank niet in het stro te slapen. Haar Hoogzondag zou in Edwards grote wit-met-gouden hemelbed eindigen, ze zou op reusachtige veren kussens liggen en een dik veren matras, net de prinses op de erwt, in haar mooiste blauwsa-tijnen jurk met een hoofd vol kruidige wijn. Wat haar het meest ver-baasde van de Middeleeuwen waren die stille momenten, wanneer dat gevoel van 'wat doe ik hier eigenlijk' het sterkst was. Ze haalde haar dagboek tevoorschijn, keek hoe laat het was – ma 28-07-60, 00:02:33 – en typte toen:

Maandag 28 juli 1460, middernacht, Baynards Castle, Londen
Alweer maandagochtend. En duizend dingen te doen, hoogstwaar-
schijnlijk in de regen. Bij het eerste hanengekraai opstaan, naar de
mis en ontbijten, dan kleren inpakken en Matt Davye op weg helpen
met de paarden. Maria en Black Dick Nixon opzoeken in Saint Mar-
tin's, dan verder inpakken, eten voor onderweg klaarmaken, inpakken
afmaken, belangrijke inkopen doen, dan als een haas naar Greenwich,
daar voegen we ons bij Edward en de koning in een kleine coaster.
Alweer een lange dag. Godzijdank hebben we Matt Davye, anders
hadden Deirdre en ik ook nog met de paarden moeten rondbanjeren.
Maar nu eerst slapen...

Ze hield even op met typen en staarde naar Edward die languit naast
haar lag. Hij was in bad geweest en rook naar zeep, hij droeg een eenvoudig zijden tuniek met driekwart mouwen die met een zilveren
gesp, met de valk en het D-vormige beenkluister, bijeen werd gehouden. Heel verleidelijk. Dit Romeinse slavenjongenskostuum moest
combineren met het barbaarse decor van ruwe eiken tafels, handgeweven wandtapijten en een beddensprei van marterbont. Ze verbeeldde zich dat ze de verwende prinses was met haar bevallige bediende en
typte verder.

Word ik oppervlakkig van Edwards aantrekkelijke uiterlijk? Ik hoop
het niet want ik vind hem heel knap. Als ik hem zo in zijn schaarse
tuniek naast me zie liggen raak ik al opgewonden. Je zou denken dat
het jaar 1460 al heftig genoeg is, ook zonder de fantasieën over prinses-
sen en slavenjongens. Zal wel door de wijn komen.
Bryn zag er als altijd adembenemend mooi uit, in die oogverblindende
jurk leek ze wel een Welse sprookjesprinses. Typerend, maar de Saksen
hadden wel een oogje op haar, werden er weer aan herinnerd waarom
ze überhaupt door Wales onder de voet gelopen waren. Gelukkig hoef
ik niet met haar te concurreren, niet nog een keer. Toen Jo haar een
afscheidskus gaf, had ze gefluisterd: 'Tot de naamdag van de Heilige
Januari,' wat dat ook moge betekenen. Moet aan een kalender zien te
komen. Meester Hastings gaat weer terug naar Burton Hastings, dus
kreeg hij tot zijn vreugde ook een kus. Beneden is het feest nog steeds
aan de gang. Muzikanten, lakeien en bedienden zijn aan het drinken
en dansen, die missen het gegoede volk totaal niet. Alleen Bryn mis-
schien...

Edward verschoof in bed, ze keek naar hem en merkte dat ze hitsig
werd van zijn lange, geurige, achteloos neergevleide ledematen. Ze
lachte veelzeggend en hij grijnsde terug boven de rand van zijn gouden

wijnbokaal. Toen nipte hij er lui aan en zei achteloos: 'Lord Clinton is aangekomen.'

'Waar aangekomen?' Lord Clinton was de vroegere meester van Deirdre, hij was met Edwards vader naar Ierland verbannen. Clinton was relaxed, charmant en platzak. Hij combineerde eerbare principes met een slechte smaak, maar hij had een goed oog voor de meisjes. Deirdre had geweldige herinneringen aan de tijd dat ze bij hem in dienst was, maar was ook blij dat ze naar een ander huishouden kon overstappen. Zelfs Robyn moest toegeven dat het een leuke man was.

'In Bristol.' Edward maakte een hoofdgebaar naar het westen, waar zijn graafschap van March de Welse heuvels knuffelde. 'Vader heeft bij Severn zijn schip in beslag genomen.'

'Schip in beslag genomen?' Het klonk alsof er eindelijk een eind aan lord Clintons geldproblemen was gekomen. 'Als je iemands schip op zee inneemt, noemen ze dat meestal piraterij.'

'Niet als het gebeurt op bevel van de Ierse onderkoning van onze goede koning Hendrik.' Edward hief zijn gouden bokaal als toost op zijn verbannen vader. 'Lord Clinton heeft zich van drie Franse schepen meester weten te maken, die allemaal de stichtelijke naam *Maria* dragen, het is zo goed als zeker dat mijn vader uit Ierland terugkeert.'

'Hoe gauw?' Ze keek niet uit naar een ontmoeting met Edwards vader, Richard, hertog van York, die over het Anglo-Ierse deel van de bevolking de scepter zwaaide. Hij trad op als vertegenwoordiger van de koning, liet zijn eigen munten slaan en had een Iers parlement gevormd, ook al was hij in Engeland een ter dood veroordeelde verrader. Toen een officier van de koning hem kwam arresteren, had hertog Richard de gezant van de Saksische koning voor hoogverraad terechtgesteld, laten ophangen en vierendelen, waarmee hij een hoop vrienden op het eiland had gemaakt. Als de Ieren zo dol op hem waren, waarom bleef hij dan niet in Dublin, in elk geval tot na hun huwelijk? 'Hoe lang nog voordat je vader hier is?'

'Een maand, misschien,' gokte Edward, 'op zijn hoogst twee. We roepen het parlement pas in oktober bijeen, dus hij heeft alle tijd.'

Ze merkte dat Edward ook niet gerust was op de terugkeer van zijn vader, aangezien geen van haar toekomstige schoonfamilie van haar bestaan afwist. Dezelfde jongensachtige graaf die koningen gevangen had genomen en nonchalant het parlement bijeenriep, aarzelde om zijn verloofde aan zijn adellijke ouders voor te stellen. Het leven van een tiener was niet makkelijk, ook niet als je kastelen en boogschutters bezat en je samenwoonde met je vriendin. Maar aan een familiereünie viel niet te ontkomen. Edwards moeder was net vrijgelaten uit haar chique gevangenis, Wallingford Castle, en als ze uit Canterbury terugkwamen, zou zij in Londen zijn. Gelukkig zou het nog tot de herfst duren voordat ze de beproeving moest ondergaan om 'de hele familie' te ontmoeten. Dat vond vrouwe Robyn prima, want tot nu toe had ze niet veel aan de zomer gehad. Los van een heerlijke onderbreking in Calais en een minder heerlijke week in de Tower, waren juni en juli opgegaan aan de succesvolle voorbereidingen en uitvoering van de invasie van Engeland. In augustus wilde ze niet ook nog eens alleen maar hoeven werken.

'Lord Clinton heeft brieven uit Dublin meegenomen.' Dat Edward zijn post door een piraat had laten doorsturen zei veel over Engelands complete beschermde postsysteem, dat zonder postzegels, postkantoren, brievenbussen, postcodes of huisadressen functioneerde. Brieven vonden hoe dan ook hun bestemming, werden door iedereen die dat wilde meegenomen: gewone bodes, monniken op doorreis, betrouwbare vagebonden, rondtrekkende minstrelen of elegante piraten. Hij nam nog een slokje en zei met een vals glimlachje: 'Mijn vader wil dat ik met een Schotse prinses trouw.'

'Welke Schotse prinses?' Ze keek of hij haar soms in de maling nam, ze had bloedstollende verhalen over Schotland gehoord, dat het nog barbaarser was dan Engeland en geregeerd werd door een verminkte tiran, koning James II. Die vertrouwde niemand, zijn edelen hadden zijn vader, oom en een paar jeugdvrienden vermoord, een aantal zelfs voor zijn ogen. Alleen zijn aangetrouwde familie niet.

'Ik geloof dat ze Maria heet,' antwoordde Edward luchtig, alsof voornamen er nauwelijks toe deden als je het over een buitenlandse prinses had. Ze was niet de eerste koninklijke bruid die zijn vader Edward had proberen op te dringen, tot nu toe met weinig succes. Eigenlijk moest ze zijn plagerijen als compliment opvatten. Een paar tellen geleden had ze zichzelf nog prinses Robyn gewaand en nu kwam Edward met een heuse Schotse prinses van vlees en bloed op de proppen. 'Warwick is het met vader eens,' voegde hij er met spottende ernst aan toe, 'zegt dat zo'n huwelijk voor ons allemaal goed is.'

Warwick wel. Die verderfelijke Neville schiep er satanisch genoegen in om haar te vernederen en ongetwijfeld hoopte hij dat haar greep op Edward door een staatshuwelijk zou verslappen. IJdele hoop, want Edward was niet van plan om politieke redenen te trouwen. Hij verlangde naar een zielsverwant, niet een nuttige buitenlandse alliantie. Wist Warwick dat ze verloofd waren? Waarschijnlijk niet. Zo goed waren Nevilles spionnen nu ook weer niet. Ze vroeg poeslief: 'Hoezo?'

Edward begon nu op dreef te komen. Hij gleed dichter naar haar toe en liet zijn vrije hand achteloos op haar zijden dij rusten om te kijken of ze jaloers werd. 'Koning James Stewart van Schotland, James met het vurige gezicht, wil vrede met ons sluiten, dat zegt hij althans.

Op die manier kunnen onze vijanden geen veilig heenkomen in Schotland zoeken.' Op dit moment waren de koningin en haar weerspannige hofedelen op de vlucht, op zoek naar een veilig onderkomen. Schotland kwam daarvoor als eerste in aanmerking, dat grensde aan het meest solidaire gedeelte van Engeland, de noordelijke landen van Percy, Darce en Clifford, allemaal taaie medestanders van de oude stempel. 'Als we de achterdeur naar Schotland op slot kunnen gooien, zou dat een wereld van verschil zijn,' legde Edward uit. 'We zouden dan minder kastelen in Northumberland nodig hebben en in het noorden zou er geen oorlog meer zijn.'

Of waar dan ook. Er zou dan gegarandeerd vrede zijn en dat scheelde een hoop levens. Dus offerde koning James Stewart zijn dochter op om een deal te sluiten, aangezien zijn gezworen eed niet goed genoeg was. Graaf James Douglas was uit Schotland weggevlucht nadat zijn broer tijdens een diner door koning James en zijn gasten was neergestoken, wat maar weer eens bewees dat je beduchter moest zijn voor een Schots feestmaal dan de bietensoep en *haggis*. Het slachtoffer was de neef van de koning en had een koninklijke vrijgeleide, die graaf Douglas aan de staart van een tochtig paard had gebonden en door de straten van Stirling had laten meesleuren voordat hij de stad had platgebrand en naar Engeland was gevlucht. Vergeleken bij Schotse burgeroorlogen waren Engelse krachtmetingen slechts chique, uit de hand gelopen feestjes. Robyn ging achterover in het ruisende zijde liggen, genoot van zijn vingers op haar dij en zei liefjes: 'Is zij net zo mismaakt als de rest van de familie?'

'Helemaal niet,' verzekerde hij haar op ernstige toon. 'Ik heb gehoord dat ze een knappe meid is.' Koning James met het vurige gezicht had zijn bijnaam te danken aan een grote, vlammend rode wijnvlek op zijn gelaat.

'Jammer.' Robyn schudde mismoedig haar hoofd en negeerde de hand op haar heup. 'Het zou misschien anders zijn geweest als ze een reusachtige moedervlek of hazenlip had gehad, niets is zieliger dan een prachtige, jonge prinses.'

'Hoezo?' Edward leek in de war, hij wilde juist graag een jonge en mooie prinses. Zijn warme hand begon haar jurk omhoog te schuiven. Haar kuit kwam tevoorschijn, toen haar knie en toen haar heup wat haar deed sidderen van genot.

Ze deed alsof ze het niet merkte en antwoordde quasi-verrast: 'Als de arme meid niet veel soeps is of mismaakt, dan kon ze tenminste nog aan een flitsende echtgenoot komen. Maar als ze zo aantrekkelijk is als je zegt, lukt het haar vast en zeker om in haar eigen land een geschikte man te vinden, ze is tenslotte een prinses.' Door de roes van de wijn ging ze stoer door: 'Er zou iets gedaan moeten worden aan die schokkende handel in onderdrukte prinsessen, met een koning als vader krijgen ze bepaald het gevoel dat ze alleen maar nuttig zijn als broedkip.'

'Onderdrukt?' Edward trok een wenkbrauw op, hier betekende het woord iets anders dan in de moderne tijd, hier was het meer iets als verkrachting.

'Ja, onderdrukte prinsessen.' Ze hield zijn hand met de hare tegen. 'Die worden als tiener of dreumes bij hun ouders weggehaald en kunnen opkrassen als er een huwelijk is geregeld, of er wordt met ze geleurd bij een toekomstige schoonfamilie. Ze worden door hun familie aangeboden.'

'Je maakt er handelswaar van,' antwoordde hij en hij probeerde zijn rondtastende hand te bevrijden zonder dat hij zijn wijnkelk hoefde neer te zetten.

Ze liet hem niet begaan. Ze hield met haar beide handen de zijne vast, bracht zijn vingers naar haar lippen, kuste ze licht en streek met haar tong langs de toppen, ze voelde de opgewonden spanning. Zolang hij de bokaal vasthield, kon hij haar niet aanraken. 'Alleen landen en titels tellen,' benadrukte ze zachtjes, ze genoot ervan hoe hij op de aanraking van haar tong reageerde. 'Waarom zou iemand anders met een kind trouwen?'

Edward gaf het op om haar met één hand te beteugelen en keek haar wantrouwig aan: 'Steek je de draak met me?'

'Hemeltje, nee!' wierp ze tegen. 'De Middeleeuwen zijn prachtig, als je de twijfelachtige hygiëne tenminste voor lief wilt nemen en het feit dat er ongeveer overal gebrek aan is...'

'Ik bedoel dat ik nog maar achttien ben.' Edward keek om zich heen en zag dat ze hem te slim af was, hij had zich te ver op het bed laten trekken. Nu kon hij de wijn niet meer op de vloer zetten, maar ook niet op het bewerkte eikenhouten nachtkastje. Hij moest de bokaal wel vasthouden anders zou hij de met kaneel gekruide wijn op zijn martersprei morsen.

'Kletskoek,' zei ze tegen hem. 'Op je achttiende ben je geen kind meer. Bij ons zou je volwassen zijn, oud genoeg om te vechten, te stemmen en te trouwen. Maar alcohol is uit den boze.' Ze liet hem met één hand los en tot zijn verbazing pakte ze hem zijn bokaal af en daarmee de gewraakte wijn.

'Wat?' Edward probeerde de wijn te grijpen, maar ze was hem te snel af. 'Oud genoeg om naar oorlog of parlement te gaan, maar niet naar de kroeg! Dat is absurd!'

'Exactement.' Ze nam een slokje en zette de kelk aan haar kant op de vloer, waar hij er niet bij kon. Maar nu had hij beide handen vrij en in een oogwenk lag hij boven op haar en pinde haar op het zachte veren bed vast, wat ze eigenlijk vanaf het begin al had gewild. Robyn relaxte, ze kusten elkaar lang en hartstochtelijk, zo vol liefde dat ze bijna van het bed omhoog zweefde. Hij had haar met al die scherts-praat over buitenlandse prinsessen alleen maar in vuur en vlam willen zetten. En het was hem nog gelukt ook. Zijn gewicht voelde warm en comfortabel aan, hij rook naar zeep en zweet tegelijk, hield haar veilig op haar plek terwijl zijn handen koortsachtig aan haar knopen pruts-ten. Hij pelde de baljurk af zodat haar blote huid tevoorschijn kwam wat een opgewonden prikkeling door haar heen joeg, haar heupen kronkelden genietend. Toen ze uitgekust waren, ging ze verder: 'En uiteindelijk wacht elke arme, gemarchandeerde prinses hetzelfde ver-schrikkelijke lot.'

'Welk verschrikkelijk lot?' Edward keek naar haar omlaag, zijn haar viel op zijn knappe gezicht. Hij was verrast dat ze zich zo solidair voelde met deze verre Schotse prinses die juist jaloeziegevoelens bij haar had moeten oproepen.

Ze rolde met haar ogen, het antwoord lag immers zo voor de hand, terwijl ze plat en half uitgekleed op haar rug in het bed van haar lord lag. 'Ze wordt als compleet onschuldig slachtoffer het bed in gejaagd van een of andere bruut die ze nooit eerder heeft gezien, die haar taal niet spreekt en haar alleen maar wil molesteren. Fokkoeien worden nog beter behandeld.'

'Ben ik dan een bruut?' vroeg Edward, ook al was hij nauwelijks in staat om een weerwoord te geven, hij was druk bezig haar jurk uit te trekken waarbij hij maar aan één ding kon denken. Ze voelde zijn harde ongeduld door de stof heen.

'Dat zijn alle mannen,' antwoordde ze stijf en ze buitte haar com-promitterende houding ten volle uit. Ze geloofde het niet echt, maar middeleeuwse mannen konden zich niet verweren tegen feministische argumenten, aangezien ze heimelijk veronderstelden dat ze een bruut waren en er alleen maar op uit waren om van vrouwen te profiteren. Een van de weinige kwesties waarover de Heilige Schrift en de manne-lijke hormonen het roerend eens waren. Wat hen verbaasde was dat vrouwen zich dat lieten aanleunen. 'Dan blijft er nog maar één ding over...'

Edward snoerde haar de mond met de zijne, die naar wijn smaakte, en sneed haar woorden af. Zijn hand glipte onder haar zijden onder-jurk, streelde langs de welving van haar borsten en met zijn duimen wreef hij over haar tepels. Met haar opengeknoopte jurk en zijn half weggezakte slavenjongenstuniek voelde ze de zachte rimpeling van zijn buik en de stevige verlangende lans tegen zich aan, popelend om naar binnen te komen. Edward rukte de laatste resten van haar bal-jurk af, ging rechtop zitten, onderbrak hun kus om zijn tuniek af te gooien waardoor zijn ingezwachtelde ribben en prachtige, opgewonden lichaam werd onthuld, welgevormde spieren van een meter tachtig lang, met een demonische dronken grijns erboven. Niet gehinderd door gebroken ribben of een hersenschudding stond zijn lordschap, de graaf van March, op het punt de toppen van genot te bereiken.

Ze slaakte een gemaakte, berustende zucht. 'Blijft er maar één manier over om jou ervan te weerhouden onschuldige prinsessen te ontmaagden...'

Gretige handen duwden haar naar beneden, Edward snoerde haar de mond met de volgende naar wijn smakende kus, wurmde één arm op haar rug en trok haar dichter tegen zich aan. Ze bedoelde trouwen, maar ze moest zich tevreden stellen met vrijen, zeker tot na de parlementsvergadering. De vrede was weliswaar in evenwicht, maar tegenstanders van die vrede hoopten dat de jonge graaf van March een misstap zou begaan en in diskrediet zou raken... bijvoorbeeld door met een heks uit de toekomst te trouwen. Merkwaardig dat haar privéleven regelrecht de politiek in werd getrokken. Met wie ze naar bed ging en of ze wel of niet met hem zou trouwen waren staatszaken geworden, met verregaande gevolgen voor de buitenlandse politiek. Verbazingwekkend. Niet dat Edward met trouwen wilde wachten. Ondanks al zijn plagerijen was deze tedere en liefhebbende jongen boven op haar een graaf met ordeband, in zijn eigen kasteel en in zijn eigen bed. Haar feodale opperheer, feitelijk en ook in naam, die alles naar zijn hand kon zetten.

Dat moest dan maar. Nu hunkerde ze ook naar hem. Blij dat zijn *droit de seigneur* nog een nacht van haar opeiste, spreidde ze als een gehoorzame vazal haar benen en nam haar vurige jonge heer nog een avond in haar op, ze genoot van zijn dierlijke overgave. Als een mannetjesdier lag hij boven op haar, hoofd naar achteren en ogen halfgesloten van genot, eiste de ontembare rebelse graaf haar volledig op. Haar ziel zou naar God gaan, maar haar aardse heer kreeg haar lichaam, godzijdank. Ze sloot haar ogen en liet zich volledig gaan, gaf zich helemaal over aan het intense verlangen, rolde met haar heupen toen Edward in haar deinde, in extase van zijn macht en opwinding. Vanaf het feest beneden klonk wilde fluitmuziek de trap op.

Ze sloeg haar benen om hem heen, haar dijen spanden zich op het ritme van de muziek, ze perste zich tegen Edwards liezen waarmee ze zijn stijve roede helemaal naar binnen dwong. Haar gewonde jonge graaf gaf geen krimp. Wat was het toch schitterend om vrij te zijn, overwinnaar en ongelooflijk verliefd. Beter kon gewoon niet. Golven van vreugde schoten door haar heen, pure witte bliksemflitsen van genot priemden onder in haar ruggengraat, schoten door naar haar liezen en explodeerden in een spastische flitsregen toen ze klaarkwam, de duisternis achter haar gesloten oogleden kwam in vuur en vlam te staan. Ze werd weggevoerd in een grootse extase, de climax ging nog veel verder dan genot en ging over in een volslagen krankzinnige overgave, elke kleine aanraking van huid op huid leek bijna ondraaglijk. Alleen Edwards stevige, solide lichaam hield haar plat op bed.

De genotsgolven trokken langzaam weg en er kwam een hol, gelukzalige pijn tussen haar benen voor in de plaats. Robyn was uitgeput en gelukkig, Edward hield haar nog steeds vast terwijl hun harten samen klopten. Het deed er totaal niet toe, maar ze realiseerde zich dat de muziek was opgehouden en het weer was gaan regenen. Seks bracht je net zo in vervoering als de heksenvlucht, hij tilde je omhoog en bracht je in hoger sferen, naar een andere wereld. Aardse zorgen moesten maar even wachten en het huwelijk was daar één van. Maar als het parlement eenmaal het vredesverdrag had geratificeerd en Edward vrijgesproken was van verraad, dan was alles mogelijk, dan zouden ze letterlijk kunnen doen wat ze wilden. Ze was jaren op zoek geweest naar haar prins op het witte paard, wie had kunnen denken dat ze hem in 1460 zou vinden?

Maandag 28 juli 1460, aan boord van de Maidenhead, voor het eiland Dogs
Gelukkig is Edward met koning Hendrik vooruitgegaan. Ik heb een bloedhekel aan die trage koninklijke optochten vol opgeprikte lords en lady's die allemaal om de voorrang vechten en zo dicht mogelijk in de buurt van de koning willen rijden. Maar op feestjes zoals dat van gisteravond, waarop alle rangen en standen eendrachtig op de muziek dansen, dan zijn de Middeleeuwen op hun vrolijkst. En het was ook helemaal niet verkeerd dat we zingend naar bed werden begeleid.
Bij het ochtendgloren had Matt Davye de paarden klaarstaan voor de rit naar de rivierboot, een veelbelovend begin. Deirdre heeft donkerroodkleurig beleg op Matts gele wambuis genaaid, waarmee mijn nieuwe paardenmeester duidelijk opviel te midden van Edwards purper-met-blauw. We zijn de stad nog even in geweest waar we een cape voor Matt vonden in precies de goede kleur rood, en in Saint Martin's hebben we afscheid genomen van Maria. Maria nam het heel kalm op dat haar redster de stad uitging, ze liet me alleen bij de Heilige Anna zweren dat ik weer terug zou komen. Makkelijk zat. Weer terug op Baynards Castle stond nog een beschermeling op me te wachten, de kleine Beth Lambert die door de Greys aan mijn zorg was toevertrouwd. Nog druk geweest met inpakken, de bedelaars bij de poort gedag gezwaaid en aan boord gegaan van dat niemendalletje in de kleuren van het rood-en-goud van vrouwe Robyn. Hiermee was de Maidenhead het eerste voertuig dat mijn kleuren voerde. Te gek. Voor

ik hier kwam, had ik niet eens kleuren.
En de Maidenhead verdient alle eer, een prachtige kleine eenmaster,
met aan weerskanten een brede overnaadse bolling die vooraan in een
scherpe punt uitmondde. Er was zowel een voor- als achterkasteel en
ik zit op een droge, pluche stoel hoog op het overdekte achterkasteel
over de door regen gepokte rivier uit te kijken. Veel veiliger dan een
open vissersboot of sloep, zeker in de regen. Stroomafwaarts kan de
rivier ruw en gevaarlijk zijn, met name als je onder de brug door-
schiet. Denk nog maar eens aan wat er met lord Scales is gebeurd...

Ze hield op met typen om haar scheepslading te bekijken, ze voelde zich al helemaal verantwoordelijk voor haar langzaam groeiende huishouden. Deirdre was op haar zestiende een ouwe zeerot, zij had twee keer te hoop gelopen tegen de blokkades van koning Hendrik. Maar op haar negende had de blonde Beth Lambert nog nooit in iets groters gevaren dan een roeibootje. De kleine Beth was bepaald niet onder de indruk, ze klom omhoog en ging in een schietgat van het versterkte achterkasteel zitten, ze slaakte opgewonden kreten bij alles wat ze zag. De trompetten schalden toen ze onder de ophaalbrug van de Londen Bridge door voeren en Robyn was bang dat het meisje overboord zou vallen, maar Beth riep alleen maar uit haar schietgat: 'Twee grote bierkarren, een vrouwe in een paardenstoel en een hele troep pelgrims die in de regen staan te wachten tot we voorbij zijn.' Alle ingrediënten om de dochter van een schepen te imponeren.

Beth was de dochter van John en Amy Lambert uit West Cheap, en was opgenomen in Edwards huishouden. Haar vader was een schepen en sheriff in Londen, zo'n man die de burgemeester zou kunnen opvolgen. Haar moeder heette vrouwe Lambert, zij had op de dag van de Heilige Anna vanaf het pluche naar het toernooi gekeken, maar was nog altijd opgetogen dat haar dochter in een adellijk huishouden mocht dienen. Niemand hier vond negen jaar te jong om het ouderlijk huis uit te gaan en een vak te leren. Er waren geen scholen voor intelligente, sterke meisjes, behalve dan een nonnenklooster of huis van een edele. In plaats daarvan zorgde je ervoor dat je bij een vrouw terechtkwam voor wie je bewondering had en die je vertrouwde. Zij leerde je alles wat je moest weten, of het nu voor vroedvrouw was of voor heks.

Onder de Bridge lag de Poel, een diepe wateroppervlakte dat door de sterke stroom vanaf de Bridge was uitgegraven, daar gingen schepen voor anker die geen tol wilden betalen. De plek lag vol eenmasters, coasters, graankolossen, grote galjoenen, Spaanse karvelen, Italiaanse galeischepen en kleine tweemasters die naar rotte vis stonken. Daarachter rees de White Tower hoog op, waarop zij en Deirdre gisterochtend in de regen hadden gedanst, duidelijk zichtbaar, zelfs nog toen de stadsmuren en het woud van scheepsmasten achter de groene uitgestrekte moerassen waren weggezonken. Ze type weer verder.

Morgen worden de mannen, die me in de spelonken van de White Tower hebben gemarteld, geëxecuteerd, des te meer reden om niet in de stad te zijn. Ik heb zelf met de dood in de ogen in een donkere cel gelegen en dat wens ik niemand toe, maar Gilbert FitzHolland en Le Boeuf hebben vanaf de eerste dag dat ik hier was letterlijk op me gejaagd. Ze hebben twee keer de honden op me losgelaten, de huizen waar ik logeerde geplunderd en in de Tower verschrikkelijke dingen met me uitgehaald. Le Boeuf is de ergste van de twee, een sadist die geniet van de wanhoop van zijn slachtoffers. Le Boeuf overkomt niets anders dan wat hij vrolijk ook anderen heeft aangedaan.
Over Gilbert FitzHolland maak ik me meer zorgen. Hij is angstaanjagend en wraakzuchtig, een fanatieke heksenjager die me verschrikkelijk gemarteld heeft. En vanwege mij zit hij nu achter de tralies op zijn dood te wachten. Maar ik heb dat killersinstinct niet dat zegt: 'Ieder die zijn handen aan mij brandt, moet worden verscheurd.' Hoeveel moorden FitzHolland ook op zijn geweten mocht hebben, bij mij is het niet gelukt, en dat maakt alle verschil van de wereld uit. Ik kwam tegen wil en dank uit het niets in FitzHollands wereld, lapte zijn gebruiken aan mijn laars, heb zijn gevangenen bevrijd en zijn koning van de troon geworpen. En nu zou FitzHolland een verschrikkelijke dood sterven, terwijl ik een luxeleventje leid, volgens middeleeuwse maatstaven althans. Gilbert FitzHolland zit in een cel in Newgate te midden van moordenaars en verkrachters en dat voelt voor mij als een warm bad. Maar bij zo'n publieke vernedering en marteling, gevolgd door een langzame, bloederige executie ten overstaan van een lachende, joelende meute, verlaag je jezelf naar hetzelfde niveau als dat van FitzHolland, al was het maar een beetje. Gelukkig hoef ik er niet naar te kijken.

Ze deed haar notebook dicht en deed een schietgebedje voor Gilbert Fitzholland, maar niet voor Le Boeuf. Niemand kon haar de schuld geven van de dood van beide mannen. Sinds Northampton streefde Edward naar gewetensvolle verzoening, hij zat met zijn vroegere vijanden in de Raad en had een generaal pardon uitgesproken over de lords die de Tower hadden bezet. Gedeeltelijk omdat hij dat aan haar had moeten beloven, nog voordat ze bij Sandwich waren aangekomen. Ze was niet van plan met hem naar Londen te gaan om vervolgens een bloedbad te veroorzaken. Anderen waren niet zo vergevingsgezind. Warwick had een lange lijst met mannen die hij ter dood wilde brengen. En Londen wilde wraak op de mannen die vuur vanaf de Tower hadden gegooid. Hun leiders werd gratie verleend, maar degenen die de misdaad hadden begaan, hadden ervoor geboet.

Ze zette de executies van de volgende dag uit haar hoofd en keek voor zich, ze zag hoe de *Maidenhead* het zuidelijke puntje van het eiland Dogs rondde en zo het Greenwich kanaal opvoer. Pleasance Manor kwam in zicht met zijn hoge wachttoren, toernooiveld en paleiselijke herenhuis te midden van tweehonderd acres besloten park en bosgebieden. Venstergalerijen, lange lage muren, boomgroepen, aanlegsteigers en particuliere werven waren zichtbaar langs de oevers van de rivier. De meisjes waren nog nooit in Greenwich geweest en riepen oh's en ah's. Deirdre wilde per se weten wie daar woonden.

'Wij.' Edward had voor haar privé-appartementen aan de rivier geregeld, op veilige afstand van de havenkroegen.

Weer werd er opgewonden oh en ah geroepen. Toen keek Deirdre haar aan en vroeg: 'Maar van wie is het allemaal?'

'Pleasance is een koninklijk paleis, maar dat is niet altijd zo geweest.' Ze had het verhaal van Jo gehoord en het was de moeite waard om het haar beschermelingetjes ook te vertellen, ze moesten weten hoe meedogenloos het koningschap kon zijn. 'Pleasance is gebouwd door de oom van koning Hendrik, hertog Humphrey van Gloucester, en kwam in handen van de koning toen de oude hertog op mysterieuze wijze om het leven kwam.'

'Hoe mysterieus?' vroeg Deirdre, overschakelend op Keltisch.

Ze antwoordde in het Engels, zodat Beth het ook kon verstaan. 'Hertog Humphrey had de koningin boos gemaakt.' Iedereen wist dat de woede van de koningin dodelijk kon zijn. 'Op weg naar het parlement werd de hertog gearresteerd en binnen een week was hij dood... niemand wist waaraan.' De officiële versie was dat hij in het Saint Saviour's ziekenhuis plotseling in coma was geraakt en een paar dagen later was overleden, maar dat geloofde bijna niemand. Zou een doorgewinterde krijgsheer – die oppermachtig in Frankrijk was geweest en steevast in stevige draf door de winterkou naar het parlement reed – zich echt zomaar beroerd voelen en na een paar dagen doodgaan? 'Sommigen zeggen dat hij aan een gebroken hart is gestorven.'

'Of in zijn bed is gestikt,' opperde Beth. Over hertog Humphreys dood deden in Londen nog lang de luguberste verhalen de ronde, dit was nog een van de aardigste.

Ze haalde haar schouders op. 'In elk geval was de grootste vijand van de koningin in het parlement uit de weg geruimd en daardoor vielen Pleasance en vele andere huizen in handen van de koning, samen met de uitgelezen bibliotheek met astronomische tabellen van de hertog. Alles werd verdeeld onder degenen die bevel hadden gegeven om de hertog te arresteren.' Vroeger zou het verraad zijn geweest als dit hardop werd gezegd, maar sinds Northampton waren de tongen een stuk losser geworden. 'Goede' hertog Humphrey van Gloucester was in het gunstigste geval een rokkenjagende oude oorlogshengst, altijd in voor een goed glas wijn en hij greep elke gelegenheid aan om de Fransen in de luren te leggen. Maar zijn dood had een hoop volk afgeschrikt, het bewees weer eens hoe ver de Franse koningin en haar vertrouwelingen bereid waren te gaan. Als de oom van koning Hendrik zo makkelijk vermoord kon worden, wie was er dan nog veilig?

'Had de hertog geen vrouw of erfgenamen?' vroeg Deirdre. 'Geen familie die wraak kon nemen?' Deirdre had niet veel vertrouwen in de Engelse wet, dus haar sympathie ging onmiddellijk uit naar familie en vrienden.

'Zijn familie was ook familie van de koning,' legde Beth uit. Als dochter van een Londense schepen had het meisje haar hele leven tussen de knieën van een hele stoet politici rondgelopen. 'Hij had wel een vrouw, een hertogin, maar zij...' Beth keek haar meesteres aan en wist niet goed hoeveel ze mocht zeggen.

'Alleen zij wat?' vroeg Robyn, ze wilde dat Beth het hardop zei.

'Zij was een heks,' fluisterde het meisje.

Dat was eruit. Deel van het leerproces van een heks was dat je erkende dat je er een was, dat had de Tower Robyn wel geleerd. Zij en Beth Lambert waren zuster-ingewijden, op een heksennacht afgelopen mei hadden ze samen deelgenomen aan de coven van de hertog van Bedford, maar Robyn was absoluut de oudere zuster, zo'n vijfhonderd jaar, waardoor het te berde brengen van onplezierige onderwerpen tot haar taken behoorde. 'Hertogin Eleanor was een heks die in de koninklijke familie trouwde. Ze heeft door middel van magie tegen de koning samengezworen omdat haar man de rechtmatige troonopvolger was. Toen hertog Humphrey stierf, zat hertogin Eleanor al voor levenslang vast in Beaumaris Castle op de uiterste punt van Anglesey, dat naar de Lavan Sands gericht staat, ver voorbij Wales. Ik heb de plek in Menai Strait gezien en het zag er godverlaten eenzaam uit.'

Robyn zong een strofe uit het populaire liedje:

'Vaarwel Londen, nog een prettige dag,
Ik ben vrij met het tij te verdwijnen
Vaarwel Greenwich, voorgoed en altijd
Vaarwel, mooi land langs de Theemse lijnen
Vaarwel alle rijkdom en de wereld zo wijd

Ik moet nu gaan, dat is mijn plicht
Bewaakt door mannen beid ik mijn tijd
Vrouwen pas op, let op uw zaak.

Inderdaad, pas op. Vooral aankomende heksen zoals haar beide jonge dienstmeiden. Zowel Beth als Deirdre waren bij haar geheime verloving geweest, en hoewel ze allebei opmerkelijk snel van geest waren en goed een geheim konden bewaren, moesten ze weten dat hun meesteres niet alleen een romantisch spel speelde. Een andere heks was uit het niets gekomen en met een nobel familielid van de koning getrouwd, ze werd de lady van zijn grote paleis aan de oevers van de Theems. Maar zij had alles verloren: titels, rijkdommen, edele echtgenoot, zelfs haar vrijheid. En de Heks van het Oog, die haar had geholpen, kwam op de brandstapel terecht. Ze eindigde haar verhaal met een vrijelijk bewerkt citaat van hun leerling-bard: 'Dus laten we ons in Greenwich gedragen, dan wordt ons geluk niet verstoord.'

Beide hoofden knikten instemmend. Robyn hoopte dat ze indruk had gemaakt en ze keek hoe Pleasance Manor steeds dichterbij kwam en zich over de heuvel vanuit zijn wachttoren uitstrekte. Daar zou eens de Greenwich sterrenwacht komen te staan die de eerste meridiaan zou markeren, lengtegraad nul. Maar Greenwich was nog niet het centrum van de wereld, er stond alleen maar een verrassend aangenaam koninklijk paleis, verkregen door moord en doodslag.

Woensdag 30 juli 1460, Pleasance Manor, Greenwich
Dit gaat eindelijk een beetje op vakantie lijken. Mijn kamer hier is groter dan die in Baynards Castle, met een apart bed voor Beth en Deirdre... très pluche. Matt Davye kwam ons begroeten, hij had de paarden veilig gestald. Er was een licht buffet opgediend, zure-bessengebak, groene appels, gekookt water, warm brood, pruimenjam en gemberwafels. Perfect. Schitterende kamer, bediening door knappe dienstmeisjes, lekkere hapjes en aparte bedden. Vrouwe Robyn is gearriveerd. Koning Hendrik moet met veel minder genoegen nemen, ik heb zijn vertrekken gezien. Geen wonder dat sommige vrouwen geen huishouden willen en alleen maar overal op bezoek gaan. Matt heeft als beloning een nieuwe rode baret gekregen.
Het is hier zo geweldig, hier zou ik wel willen blijven, in elk geval tot na Lamas. Edward is al met koning Hendrik vertrokken, over de modderige wegen in de richting van Canterbury. Ik mis hem, maar aan het hof kunnen we toch nauwelijks samen zijn. Edward is in lijn zijn naaste familielid, terwijl ik absoluut een niemand ben en geen enkele relatie heb, met wie dan ook. Als ik aan Edwards zijde ergens binnen-

kom, reageert de helft van de vrouwen beledigd, dus waarom zou ik naar hun soireetjes gaan als ik Edward alleen maar van een afstandje kan bekijken? Eens zullen deze mensen me moeten accepteren als de gravin van March, en uiteindelijk hertogin van York. Waarom zou ik een scène maken voordat we getrouwd zijn? Bovendien is al die pracht en praal godvergeten saai. Als vrouwe Frogbottom of Swamp-on-Mars urenlang wil staan kijken hoe koning Hendrik het helemaal niet naar zijn zin heeft, waarom zou ik haar dat willen beletten? Het is al moeilijk genoeg voor vrouwen die met een edelman zijn getrouwd, kijk maar eens naar hertogin Eleanor van Gloucester, die uiteindelijk in kasteel Beaumaris is beland, die door haar arrogantie en ambities de vrouwen in Londen van zich heeft vervreemd: 'Vrouwen pas op, let op uw zaak.'

Of koningin Margaret, de laatste keer dat ze was gezien, was ze beroofd van haar rijkdommen en juwelen en reed ze achter op het zadel van een jonge page, Coombe genaamd. Ze hield haar zoontje in de armen, met zijn drieën op weg naar kasteel Harlech, helemaal op het uiterste puntje van Wales. Ik heb meer dan genoeg vijanden, en ik zou er met gemak nog meer kunnen maken door vrouwe Frogbottom voor het hoofd te stoten, alleen maar omdat mijn vriendje een graaf is. De beste plek om naar een toernooi te kijken is vanaf het veld en het beste moment om in een paleis te zijn, is wanneer zijne hoogheid er niet is: de bediening gaat veel sneller, het eten is beter, er zijn minder karweitjes te doen en je hebt de kamers voor het uitkiezen.

En Lamasdag, de eerste augustus, is een reusachtig oogstfestival van zowel christenen als heidenen, dus in het Heilige Canterbury zal het een gekkenhuis zijn. Dan is het ook heksennacht, en ik voel me veiliger als we onze oogstrituelen op het rustige, regenachtige platteland houden, weg van de vijandige ogen aan het hof. De bedienden zijn opgetogen dat ik er logeer, hebben nu een excuus om goede wijn bij het eten te schenken, en minstrelen uit de stad te laten komen, wat natuurlijk zorgvuldig voor rekening komt van de graaf van March, zodat de boekhouding er een stuk beter uitziet. (God, ik ga al net zo denken als vrouwe Frogbottom.) Dus heb ik mijn ridder een afscheidskus gegeven en hem de regen in zien rijden, voor het eerst sinds mijn vlucht uit de Tower zijn we niet samen...

Toen ze aan de Tower dacht, hield ze op met typen, ze staarde uit haar glas-in-loodraam naar het gouden morgenrood boven de rivier, ze zag hoe haar kleuren zich over de Greenwich Reach uitspreidden, schitterend gewoon. Zwanen zwommen door de laatste slierten ochtendmist die over het lage moerasland lag. Beth en Deirdre sliepen nog en ze keek op haar horloge. Wo 30-07-60, 05:32:06. Twee dagen nog en dan was het Lamastide. Ze wilde dat ze nog wat kon slapen, maar nu het buiten al licht was, bleven haar gedachten maar malen. Ze typte weer verder.

FitzHolland is dood. En Le Boeuf ook. Ergens gisteren zijn ze uit New-gate naar Tyburn geleid en op afschuwelijk wijze geëxecuteerd. Ook al was het hun verdiende loon, ik had er toch last van. Het is één ding dat je met een getuigenverklaring een waardevol leven kon redden, zoals die hulpvaardige, knappe Matt Davye. Maar het is heel wat anders dat mannen tot een ellendige, pijnlijke dood worden veroordeeld. Vier maanden geleden leidden deze twee schurken nog hun middeleeuwse leven, moordden en ontvoerden ze dat het een lieve lust was, onder het mom van de wet. Toen kwam ik en nu zijn ze er niet meer, lijden ze in het vagevuur en zitten ze te wachten tot de hel zijn muilen opent. Hecate zij hen genadig. En nu ben ik hier in hun plaats en moet leren me middeleeuws te gedragen. Merkwaardig, als je er goed over nadenkt.

Dus er maar niet aan denken. Ze sloot het notebook over FitzHolland en Le Boeuf. Door haar geheime getuigenverklaring was hen ten minste één laatste vernedering bespaard gebleven. Ze had eerlijk gezegd dat ze niet was verkracht – geterroriseerd, gemarteld en misschien uitgehongerd, maar niet verkracht. Was dat wel zo geweest, dan waren FitzHolland en Le Boeuf publiekelijk het gewraakte lichaamsdeel kwijt geweest. Als het om verkrachting ging, waren de middeleeuwers net een stel furieuze feministen.

Nu Edward weg was, richtte ze haar aandacht op de meisjes, ze ging ervan uit dat hun opleiding voor haar rekening kwam. Thuis in Hollywood had ze een meedogenloos volwassen leven geleid: carrière, feestjes, flat, koken, gym, vriendjes, aandelen. Als enig kind zonder kinderen was ze nauwelijks met het moederschap in aanraking gekomen, totdat ze in de Middeleeuwen belandde. Nu speelde ze Wendy voor een hoop middeleeuwse verdwaalde kinderen, die hun liefde over haar heen sproeiden, tegen haar op keken en haar m'lady noemden. Ze hielden van haar, of ze dat nu wilde of niet. Beth en Deirdre kusten haar goedemorgen en welterusten. Edward wilde met haar trouwen. Technisch gesproken was dit een zomervakantie, maar ze begon de opleiding van de meisjes op Lamasdag, ook wel Lughna-sadh en Teltane genoemd. Na de ochtendmis nam ze hen mee voor een wandeling langs de rivier en zei: 'Vandaag is het Lamasavond. Weten jullie wat dat betekent?'

'Zwaan-kleef-aan-dag!' antwoordde Beth Lambert opgewekt.

'Zwaan-kleef-aan?' Soms kreeg de vertaling in haar hoofd geen aansluiting, helemaal als een normaal woord een geheel nieuwe, wilde betekenis kreeg.

'Op Lamasdag gaan we stroomopwaarts langs de Theems om zwanen te vangen en ze een merkteken te geven,' legde Beth uit, blij dat ze kon laten zien dat ze iets in haar blonde krullenkopje had zitten. 'Daarom noemen ze het zwaan-kleef-aan-dag.'

'Hoe geef je ze dan een merkteken?'

'Je kerft met een mes een inkeping in de snavel van de jonge zwanen. Elke niet-gemerkte vogel is wild en dus van de koning.'

Klinkt afschuwelijk. 'Stribbelen de zwanen dan niet tegen?'

Beth knikte. 'Heel erg soms. En ze zeggen dat ze vaak een vreselijk nat pak krijgen.'

'Wie?'

'Het Devote Gezelschap van Ververs en Wijnkopers.'

Robyn vermoedde dat hier drank achter zat, een volmaakt uitje voor een stelletje drinkebroers: rondspetteren in de stroomopwaartse ondieptes en voor de lol en winst angstige trompetterende zwanen bestormen. Blij dat ze daar niet bij hoefde te zijn, vroeg ze: 'En wat betekent Lamasavond nog meer?'

Deirdre zei: 'De laatste vastendag voor de oogst, Lugh de Lichtgod begraaft dan zijn pleegmoeder Tailtiu, zij gaat de grond in opdat ze een nieuwe oogst kan voortbrengen.'

'Exactement.' Ze probeerde de achtergronden ervan uit te leggen, vertelde de meisjes dat, of ze hem nu Teltane, Lamas of Lughnasadh noemden, er overmorgen een nieuw seizoen zou beginnen. Net als 1 mei, Halloween en Maria-Lichtmis tussen de zonnewende en de dag-en-nachtevening, midzomer en de overgang naar de herfst. 'En de seizoenen ontstaan door de schuine stand van de aardas tijdens zijn rit rond de zon.'

'Om de zon?' Deirdre keek achterdochtig bij de gedachte.

'Ja, de weg van de aarde om de zon heeft een afwijking. In de zomer zijn we naar de zon gericht, in de winter staan we van de zon af en in herfst en lente staan we in lijn.' De sterren hadden haar altijd gefascineerd, aan de hemel of op het scherm, en doordat ze een semester astronomiecollege had gelopen, was ze een wereldautoriteit op het gebied van kosmologie en astrofysica.

'Maar de zon draait om ons,' hield Deirdre koppig vol. 'Je ziet hem elke dag opkomen en elke avond in het westen ondergaan.'

'Dat lijkt alleen maar zo,' hield Robyn aan. 'Onze wereld, de aarde, is eigenlijk een reusachtige draaiende bal in de ruimte, en de zon is zelfs een nog grotere bal van vurig gas, zo onvoorstelbaar ver weg, dat het wel een heel jaar duurt om er een rondje om te maken.' Deirdre keek haar als verstomd aan, net als Beth Lambert, die nu haar eerste astronomieles kreeg, in het koninklijk park in Greenwich. 'Door die afwijking zijn de seizoenen over de hele wereld verschillend. Bij ons is het hoogzomer, maar in Australië is het hartje winter.'

'Australië?' Deirdre zocht haar geheugen af over de verhalen van de toekomst. 'Die zwarte mensen aan de andere kant van de wereld, die naakt op zijn kop rondlopen... alleen voor hen lijkt het alsof ze recht-op lopen?'

'Inderdaad. Op dit moment zijn zij van de zon afgekeerd en daar is het nu hartje winter.'

'Winter? In juli?' Haar meid klonk verbaasd.

'Augustus eigenlijk,' legde vrouwe Robyn uit, 'in Australië is het al morgen.'

'Ho, en dan noemen ze Ieren leugenaars.' De roodharige geloofde het duidelijk niet en als Deirdre al deed alsof, dan deed ze dat voor vrouwe Robyn. In een wereld vol wonderen klonken eenvoudige waarheden als de wildste fabeltjes, maar Robyn modderde gewoon door, mengde er wat magie en moderniteit doorheen in de hoop dat ze niemand zou beledigen, maar ze wist dat het kon. De meeste middel-eeuwers waren verrassend ruimdenkend, een aantal afgrijselijke uit-zonderingen daargelaten. Helaas moest ze voor die uitzonderingen op haar hoede zijn.

Lamasdag begon in de gemeentekerk van Saint Alphege met een echt Agnus dei, het afsmeken van de zegening over de dieren, en ein-digde met een middernachtsritueel. Robyn koos voor de stallen om dichter bij de dieren te kunnen zijn. Ze knielden bij een kandelaar met een lange, groene kaars in een schaal voor Lily's open stal. Ainlee keek toe vanuit de stal ertegenover, net als de stalkat die dicht tegen haar kittens aan lag. Ze had de staljongens een vaatje kruidige wijn gege-ven om wat privacy te hebben, en Matt Davye was op Lamasnacht vrij. Er zat al een alziend oog in de deurpost van de stal gekerfd, de plek was dus al eerder gebruikt. Heksen hielden van vertrouwde plaatsen, zo werden ze met vrouwen en levens uit het verleden ver-bonden, en toen hertogin Eleanor nog het paleis in haar bezit had, was haar covenleidster de Heks van het Oog.

Ze knielde in het groen-geurige hooi en hoorde de duiven zachtjes vanuit de donkere dakranden koeren, het was niet moeilijk om je met de dieren één te wanen. Het was vrijdag, dus niemand had vlees gege-ten en los van de duiven was geen van de dieren op weg naar de kook-pot, zodat ze hen eenvoudigweg al het goede in de wereld kon toe-wensen zonder zich al te schijnheilig te voelen. Voor mensen waren de Middeleeuwen een beproeving, maar voor dieren waren ze absoluut ellendig. Maar niet voor deze dieren, niet vannacht. Robyn zong voor ze in haar lied en bezwoer dat ze dit jaar geen duivenvlees meer zou eten... als het even kon. Ze opende met een oogstgebed uit het West Country dat Jo haar had geleerd:

Zegen elke dienstmeid en elk kind
Elke vrouw en ted're jongeling
Bescherm ze onder uw sterke schild
En leid ze naar het huis der heiligen
Leid ze naar het huis der heiligen

Wijs elke geit, schaap en lam de weg
Elke koe en elk paard, elk dier voor de slacht
Omgeef u met kudden en roedels
En breng ze naar een vriend'lijk thuis
Breng ze naar een vriend'lijk thuis

Omwille van Michiel, gastheer van al,
Van Maria's blanke, gracieuze loot
Van de gladwitte, weelderige lokken van de Bruid
Van het Columbia van graven en tomben
Van het Columbia van graven en tomben.

Ze begon met de jongste dieren, aan elk van hen offerde ze iets speciaals 'voor de oogst', betrok ze in haar gebed en vertelde dat het ernst was met de komende winter. Beth offerde een lievelingslappenpop en zei haar kindergebedje. Toen hield ze het bij de groene kandelaar tot de lappen vlam vatten. Toen de vlammen te heet werden, liet Beth de pop in de schaal vallen. Deirdre offerde een stukje Ierse aarde, haar krachtigste tovermiddel, net zo werkzaam als de hoorn van een eenhoorn tegen gif en venijn. Ze strooide het langzaam in de vlammen terwijl ze het lied herhaalden. Robyn scheurde een van haar onvervangbare instant moccapakjes open en voerde de inhoud ervan aan de vlam, waardoor de stal zich met de geur van verbrande koffie vulde. Nog maar drie pakjes over. Tegen de tijd dat ze in Canterbury aankwam, zou ze er nog maar twee over hebben.

Zondag 10 augustus 1460, feestdag van de Heilige Laurentius, Canterbury
Het was heerlijk om Edward weer te zien. Tien dagen zonder hem hadden langer geleken dan ik had gedacht. Ook al moet ik hem met het hof delen, het is een feest om hem elke dag te kunnen zien, van zijn ochtendglimlach tot zijn warme aanraking 's nachts. Moeder Maria, is er ooit iemand zo hopeloos verliefd geweest? Ik zou in elk geval niet weten wie.

De Heilige Canterbury was een behoorlijke anticlimax. De laatste keer was ik er met het rebellenleger, de dag nadat we bij Sandwich waren aangekomen. We waren recht door de stadspoorten naar de kathedraal gemarcheerd, door het hoge schip en langs het koor. Bij de gouden tombe van Saint Thomas à Becket waren we op onze knieën gevallen om hem uit de grond van ons hart te bedanken. Bij elke stap die we deden werden we door de burgers van Canterbury toegejuicht. Niet te volgen wat we toen hebben gedaan, maar nu heb ik vooral een vakantiegevoel. Canterbury is sowieso een toeristenstad, met tientallen abominabele herbergen en een bruisende religieuze industrie, gewijd aan heilige gedenkwaardigheden – alles, van geurige votiefkaarsen tot haren van heiligen, botsplinters en vingernagelflintertjes. Edward heeft een groot huis gehuurd vlak bij Castle Street, naast de oude kerk van Saint Mildred, ver weg van de drukte van het hof. Mijn kamer is klein, maar fris, op de bovenste verdieping met een prachtig uitzicht op de kathedraal van Canterbury, die boven de daken van Mercery Lane uittorent, voorbij de botermarkt en de afpaling waar de honden-stieren-gevechten worden gehouden. Ik heb vlees afgezworen – in elk geval tot we weer terug zijn in Londen – maar de vleesminnende Middeleeuwen zijn vriendelijk voor vegetariërs, er is zoveel vis, het lijkt wel of ze aan de bomen groeien. Deirdre zweert erbij dat dat ook zo is, maar alleen in Ierland. Er is een stinkende vismarkt, met emmers vol verse vis en levende vangst uit de Stour-rivier.

Koning James met het vurige gezicht wil nog steeds dat Edward zijn schoonzoon wordt en valt Roxburgh aan om zijn eis kracht bij te zetten, momenteel een van de laatste Engelse bolwerken in Schotland. Arme lieve Edward, dat hij zo op de huid wordt gezeten door die ruwe, amoureuze Schotten. Warwick wil zich eruit draaien door een buitenlands flitshuwelijk met de jonge tienerprinses te arrangeren, ze is nagenoeg Edwards nicht. Maar dankzij mij zal Warwicks achterbakse zuidelijke oplossing niet gaan werken, dus Edward zal zich terughoudend, maar als een niet te kraken noot moeten opstellen. Ik heb beloofd hem erbij te helpen. Vandaag is het feest van de Heilige Laurentius, een martelaar die boven een vuur is geroosterd, van wie wordt gezegd dat hij tot het laatste toe zijn humor had weten te bewaren. Hij maakte grapjes met zijn folteraars, zei dat hij aan één kant gaar was en dat hij gedraaid moest worden. Voor de middeleeuwers is hij de beschermheilige van kookkunstenaars.

Vrijdag 15 augustus, de avond voor Maria Hemelvaart
Roxburgh is gevallen. Maar elk gevaar van een Schots huwelijkskanon op Edward is geweken. Volgens graaf Douglas had de bloeddorstige koning James een voorliefde voor reusachtige kanonnen waarmee hij

zijn baronnen en buren schrik aanjaagt. Zijne hoogheid heeft de kanonnen die Roxburgh hebben overweldigd, persoonlijk bezocht en het grote koepelvormige geschut, dat de bijnaam Leeuw draagt, aan de dames gedemonstreerd. Het ding blies zichzelf aan gort en heeft koning James met zich meegenomen. De nieuwe koning James is negen jaar oud, en het is niet aannemelijk dat hij een leger naar het zuiden stuurt met de eis dat Edward zijn zuster trouwt. Ik verzekerde Edward ervan dat het zo het beste was, aangezien de Engelsen toch niets in Schotland te zoeken hebben. Vraag het maar aan elke Schot die je tegenkomt.

Gisteren heeft de bisschop van Canterbury gepreekt en ons beloond met een aflaat van veertig dagen, alleen al omdat we hebben geluisterd, wat heel handig zou kunnen zijn mocht ik ooit in het vagevuur terechtkomen. Koning Hendrik heeft zijn tijd biddend gedood, en keuvelend met zijn bisschop, maar hij verscheen wel in de processie, tijdens de hoogmis en vespers, wat de toeristenhandel in deze vochtige en bedrukte zomer een enorme opsteker gaf. Wij moeten binnenkort op Hendrik passen. Met Schotland veilig onder de hoede van een negenjarige is Warwick op weg naar Calais, waar de kastelen van Guînes en Hammes nog steeds in handen zijn van onze tegenstander, de onverschrokken jonge hertog Somerset. Dat betekent dat wij verantwoordelijk zijn voor Hendrik, de vrede van Engeland hangt nog altijd af van deze merkwaardige, kwetsbare man en van zijn veilige terugkeer naar Londen. Met de zorg voor koning Hendrik, en het grote zegel en houten stempel voor de koninklijke handtekening, betekent dat je feitelijk het land regeert. Godzijdank zal onze regeringsperiode slechts kort zijn aangezien Warwick snel weer terug zal zijn. Dan arriveert Edwards vader, samen met het nieuwe parlement. Maar het staat wel goed op je cv.

Op maandochtend begaf ze zich weer op de modderige wegen. Vroeger moest ze op maandag altijd de strijd aanbinden met het verkeer in L.A., op weg naar de studio. Vandaag moest de koning van Engeland naar Londen worden teruggebracht, samen met een massa lords, geestelijken, minstrelen, krijgslieden, jachthonden, haviken, karren en pakpaarden. Maar nu reed ze met Edward vooraan, ze leidde Lily door Canterbury's torenhoge Westgate en over de ophaalbrug over een gezwollen zijarm van de Stour. Daar ging Saint Peter's Street over in Londen Road die werd geflankeerd door goedkope herbergen, voor de pelgrims die nog arriveerden nadat het valhek al voor de nacht was neergelaten. Reizen met koning Hendrik betekende dat je over de weg voort moest ploeteren met wagens vol veren bedden, het fijnste porselein, felgekleurde kleden, zelfs de koninklijke kapel, die tot hun assen in de modder wegzonken. Toen ze net in de Middeleeuwen was aangekomen, was ze er onder andere van geschrokken dat er nergens asfalt lag. Op een paar Romeinse wegen na die het hadden overleefd, was alleen in de stadjes en grote steden bestrating te vinden. De landwegen bestonden slechts uit ruiterpaden. De aanhoudende regen van de afgelopen weken had zelfs het welige Engelse landschap uitgeput. Ze wachtte in het zadel toen zwetende en vloekende mannen de bagage over weggespoelde oversteekplaatsen en in stromende beekjes veranderde wegen werkten. Edward verontschuldigde zich voor het Engelse klimaat en beweerde: 'Zo erg is het niet altijd, hoor. In de zomer komen er hordes vakantiepelgrims naar Canterbury.'

'Het is augustus,' wees ze hem terecht terwijl ze toekeek hoe iemands bundel met de stroom werd meegevoerd.

'Inderdaad,' gaf Edward meesmuilend toe.

Ondanks het verschrikkelijke weer worstelden de boeren om de restanten van hun verdronken oogst binnen te halen. Voor een paar centen per dag braken ze hun rug met sikkel en zeis... als ze er überhaupt al iets voor kregen. De binders kwamen achter de maaiers en bonden de korenhalmen bijeen, daarachter volgden de arenlezers, kinderen en bejaarden die op hun knieën elke kostbare korrel uit de modder opraapten. Toen hun koninklijke meester te midden van zijn schitterende hofstoet van lords, lady's, ridders, herauten, dienaren in livrei en vazallen langsreed, zag Robyn dat ze hun meedogenloze arbeid staakten en zonder hoofdbedekking, onder de modder, met nederig ontzag neerknielden. Geen wonder dat koning Hendrik werd verteerd door schuldgevoelens en zijn dagen biddend doorbracht, Gods genade en vergiffenis afsmekend. Dat zou iedereen met een beetje gevoel toch hebben? Robyn zei een vurig gebed op voor de oogst en de mensen die hem moesten binnenhalen.

Bij Greenwich kwam er een einde aan de modder en het gezwoeg. Boten getooid met de koninklijke wimpels lagen voor anker in de Theems om ze bij het ochtendtij naar Londen terug te brengen. Zodra de zon weer ging schijnen, probeerde Robyn nog elk greintje vakantie uit de verbleekte dag te halen. Ze ging 's middags met haar kleine huishouding picknicken in Pleasance Park, Beth zat bij Matt Davye achter op het zadel. Ze hielden halt bij het hoogste gedeelte van het park, waar de wachttoren op Greenwich Reach neerkeek en aan de andere kant je uitzicht had over de beboste heuvels naar Blackheath. Robyn liet de paarden aan Matt over terwijl zij Deirdre en Beth meenam naar de plek waar het observatorium ooit zou komen. Ze trakteerde ze op petitfourtjes en visballetjes, ze vertelde hoe het oude koninklijke observatorium in het ververwijderde derde millennium zou kijken, waar de eerste meridiaan zich in gegraveerd koper en glanzende optische instrumenten zou ontrollen, recht door gebouwen en binnenplaatsen sneed en de wereld in twee helften verdeelde. Uiteindelijk werd die een dunne, groene laserstraal die zich door de Theemsvallei groef en uiteindelijk naar Essex zou verdwijnen.

Deirdre staarde naar omlaag, naar de grote, schitterende rivier waar de Theems zich om het eiland Dogs krulde. 'O, wat is dit wonderbaarlijk.' Robyn had zich erbij neergelegd dat de toekomst voor hen een soort ver sprookjesland was. Elke poging om die wonderen als iets natuurlijks en normaals af te schilderen maakte het derde millennium des te verbazingwekkender en mysterieuzer, alsof je een mol probeerde uit te leggen wat kleuren waren. Het zou beter zijn geweest wanneer ze had gezegd dat de Maagd Maria met haar vinger de eerste meridiaan had getrokken.

Deirdre wees de heuvel af en zei: 'Er komen ruiters aan, m'lady. Twee koninklijke lakeien en een stedeling met slechtzittende laarzen aan.'

Op ongeveer een kilometer afstand kwamen drie mannen van het paleis aan gegaloppeerd. Twee van hen waren lakeien in het livrei van koning Hendrik, maar de derde was ouder. Hij droeg het lange gewaad met capuchon van een stedeling en doodgewone zwarte laarzen en leggings. De kleine Beth herkende hem onmiddellijk: 'M'lady, het is de koning!'

Inderdaad. Koning Hendrik begroette hen en steeg af. Hij was voor in de veertig, maar leek eerder vijftig, hij zag er afgetobd en zorgelijk uit, helemaal niet als een koning. Door de eenvoudige cape en de boerenlaarzen met ronde neuzen die haar vorst aanhad, voelde Robyn zich overdressed in haar glanzende zilveren rijkostuum met de koninklijke blauwe strepen, afgezet met kantwerk. Maar koning Hendrik hield niet van gedoe en maalde er niet om, als het even kon bleef hij er verre van. Een van de redenen waarom zij en Hendrik het zo goed met elkaar konden vinden, was dat Robyn er moeite mee had hem als een koning te behandelen.

Hendrik liet zijn lakeien op de paarden letten en nodigde haar uit voor een wandeling rond de wachttoren. Hij wilde het uitzicht bewonderen, ongehoord voor de verlegen, in zichzelf gekeerde koning. Ze stemde onmiddellijk in en samen wandelden ze weg. Ze zorgde er wel voor dat haar dienstmeid haar kon zien... niet dat ze iets aan Deirdre had als chaperonne, maar Robyn wilde dat de koning zich zoveel mogelijk op zijn gemak zou voelen, ze wist dat Hendrik er een hekel aan had als het fatsoen ook maar een greintje in het geding kwam. De normaal zo zwijgzame vorst ging vast ergens onder gebukt, hij hield meestal niet van het gezelschap van vrouwen en had het niet graag over politiek, de twee belangrijkste zaken waar een middeleeuwse prinses zich mee bezig moest houden.

Onder het wandelen praatten ze over hoe mooi de Theems wel niet was en dat het zo fijn was dat de regen even was opgehouden. Ondanks dat ze het goed met elkaar konden vinden, hield ze tijdens het gesprek met de koning haar ogen neergeslagen en lette ze goed op wat ze zei. Niet alleen omdat Hendrik de koning was, maar ook omdat ze hem niet met de waarheid wilde belasten. Edward vond het wel spannend dat ze uit de toekomst kwam, was gevleid dat hij een mysterieus, magisch liefje had, vond haar verbijsterende verhalen geweldig. Hendrik zou het waarschijnlijk niet zo goed opnemen. Bij Hendrik wilde ze niet meer lijken dan ze was, een mooie en beschaafde jonge dame die aan het hof rondhing en graag een lady wilde worden, maar kennelijk geen middelen van bestaan had. Koning Hendrik zou ongetwijfeld schrikken van haar verleden en haar huidige positie, dus waarom zou ze dat te berde brengen? De koning zou er alleen nog maar meer grijze haren van krijgen. Hendrik kapte plompverloren het gesprek over koetjes en kalfjes af en vroeg: 'Wat vind je van onze jonge neef, Edward van March?'

Dat was me nogal een vraag. Wist Hendrik dat ze minnaars waren? De laatste keer dat ze haar seksleven had besproken, had ze Hendrik eerlijk opgebiecht dat ze een platonische verhouding had met een jonge man met wie ze misschien wel zou trouwen, maar dat was inmiddels achterhaald. Wist Hendrik dan niets van het meest opzienbarende bedverhaal van Londen? Mogelijk. Deed het er toe?

Ze keek in de afgetobde bruine ogen van haar koning. Hendrik zat in een verduiveld lastige situatie, hij had met graagte het landsbestuur aan zijn koningin, haar trawanten en schofterige familieleden overgelaten, voornamelijk de Somersets en Tudors. Nu moest hij wel weer koning zijn, onder ongelooflijk moeilijke omstandigheden. Zijn voormalige nemesis, Warwick, zat in de Koninklijke Raad, de man die Hendriks loyaalste lords om zeep had geholpen. Tot tweemaal toe. En die Hendrik verantwoordelijk hield voor zijn eigen pijlwond bij Saint Albans. Dus nu Warwick weg was, wilde Hendrik wanhopig graag zijn 'jonge neef' van March uithoren, erachter komen wat Edward dacht en of hij zijn steun had, dat hoopte hij althans. En Hendrik deed een beroep op de enige vrouw, de minste van zijn onderdanen, die kennelijk wist wat er in Edwards hart leefde.

'Hij is loyaal en eerlijk,' verzekerde ze hem, 'wil slechts uwe majesteit dienen en de eer van zijn koning beschermen.' Helaas, dat betekende ook dat hij Hendrik tegen zijn koningin en graaiende familieleden moest verdedigen, maar daar was niets aan te doen. 'Om die reden heeft hij zijn leven en eer op het spel gezet, zich een weg door de vijand gevochten en zijn zwaard aan uw voeten gelegd.' Hendrik knikte ingetogen. In Northampton was Edward als eerste de koninklijke tent binnengegaan, op zijn knieën gevallen en had trouw gezworen aan de koning die hij zojuist had verslagen. Ze zag dat zijne hoogheid er nog niet helemaal gerust op was en vertelde dat zij persoonlijk ook loyaal was aan Hendriks koningschap. Ze bezwoer hem dat ze haar uiterste best zou doen om 'de liefde van lord Edward voor zijn vorst te behouden en te koesteren'.

Ondanks al zijn gebreken wilde ze graag dat Hendrik koning was, juist omdat hij er zo'n puinhoop van had gemaakt. Hij haatte het om beslissingen te nemen, hij vond devotie en religie belangrijker dan politiek. Hendrik liet het echte regeren graag aan anderen over, zo werd hij het volmaakte boegbeeld, hij hield niet van vechten en wantrouwde Warwick, allebei prachtige eigenschappen, van welke koning dan ook. Als Hendrik op de troon zat, dan moesten het parlement en de Koninklijke Raad het land regeren, niet bepaald democratisch, maar het was een begin. Haar soeverein straalde, was blij dat hij haar loyaliteit had verworven zonder dat hij wist waarom. Hij begon te zeggen: 'Vrouwe Robyn, je bent het liefste...'

Deirdre kwam aangelopen en onderbrak ruw de koning: 'Meer ruiters, m'lady,' en ze wees naar Blackheath.

Lèse-majesté en nog wat, maar wat kon je van Ieren verwachten? Robyn waardeerde Deirdre juist zo omdat ze alert was, niet vanwege haar manieren. Ze keek om zich heen en zag dat Matt Davye weg was, evenals een van de lakeien. Wat erger was, er kwamen gewapende ruiters uit de richting van Blackheath, minstens een stuk of twintig, grote kerels met helmen op, in halve wapenrusting met de rode overmantels en het witte andreaskruis van Neville. Toen ze naar Pleasance Manor keek, zag Robyn nog meer in staal gestoken ruiters uit de bomen tussen hen en Greenwich tevoorschijn komen, allemaal uitgedost met het andreaskruis van de Nevilles. 'Krijg nou wat!' riep ze uit, de krachtigste vloek die Hendrik in zijn bijzijn tolereerde. 'De aanblik van die Nevilles bevalt me helemaal niet.'

Zeker niet. Bovenal omdat er een blond bebaarde, streng ogend spook op kop reed: Gilbert FitzHolland, die op Tyburn drie weken geleden was opgehangen, onthoofd en in stukken gehakt, en er ongelooflijk heel en gezond uitzag. Robyn was doodsbang en kon nauwelijks geloven wat er gebeurde, ze zag het gewapende schrikbeeld naar zich toe galopperen en hoe ze in een oogwenk van Edward in Pleasance Manor werd afgesneden. De opvliegende halfbroer van de gekke hertog Holland was sinds dag één in de Middeleeuwen haar persoonlijke kwelduivel geweest. Met haar brutale houding en onverholen morele superioriteitsgevoel had ze FitzHolland geweldig beledigd, vanaf het allereerste moment dat ze elkaar waren tegengekomen. En daar was hij dan, opgestaan uit de dood, de man die in Smithfield had gezworen haar op de brandstapel te zetten. Hij kwam de Greenwich heuvel op stampen met een stel gewapende ruiters achter zich, waarmee zij, de meisjes en koning Hendrik in FitzHollands genadeloze handen zouden vallen, tenzij ze nogmaals met een middeleeuws wonder op de proppen kwam.

4
Arrogante Cis

Elke seconde telde en ze moest duizend dingen tegelijk doen. Eerst keek ze naar het kind dat ze onder haar hoede had en ze zag dat kleine Beth Lily's teugels vasthield. Als braaf middeleeuws kind wachtte ze de orders van haar zuster-ingewijde af. Ze glimlachte goedkeurend naar Beth, wierp toen een strenge blik op haar dienstmeid en zei tegen Deirdre: 'Verdwijn... je gedraagt je onvergeeflijk,' en ze voegde er in haastig Keltisch aan toe: 'en kom terug met Edward.'

Na een snel knicksje was Deirdre vertrokken. Ze sprong op Ainlee en galoppeerde de groene heuvelrug af in de richting van de manor. Robyn wendde zich tot de verwarde koning, greep de plooien van haar zilveren gewaad bijeen en maakte zelf een korte revérence. Ze vroeg Hendrik geduldig te zijn en het haar vrijmoedige dienstmeid te vergeven. 'Ze is een rare en Ierse bovendien, maar ik vrees dat deze Nevilles ons kwaad zullen doen.'

Hendrik knikte verschrikt, hij wist niet welke koninklijk bevel hij nu moest geven. Hendrik was nooit op zijn best wanneer er gewapende mannen op hem af kwamen, maar voor de Nevilles moest hij vooral beducht zijn, zij gaven hem de schuld van de pijlwond bij Saint Albans en omdat zijn koningin bij Blore Heath was verslagen.

Niet dat dit echt de Nevilles waren, dat geloofde ze geen moment. Die dansten niet naar de pijpen van Gilbert FitzHolland, die zich bij Saint Albans en Blore Heath met hand en tand tegen de Nevilles had verzet, en beide keren hadden ze verloren. Deze ruiters droegen alleen maar de Neville-kleuren omdat ze hun eigen kleuren niet durfden te voeren. Elke naaister kon witte kruisen op rode overmantels naaien en de andreaskruisen van de Nevilles waren voor gewapende vreemdelingen in Blackheath een uitstekende dekmantel. Nu Warwick op reis was, zouden ze beweren dat ze zijn mannen waren. Als ze niet snel iets zou doen, kon koning Hendrik niet in slechtere handen vallen. Mannen aan de bedelstaf die de burgeroorlog weer nieuw leven in wilden blazen, vooral om er zelf van te kunnen profiteren. 'Als het uwe majesteit behaagt,' ze bewoog zich in de richting van de wachttoren, 'voel ik me een stuk veiliger in die stevige toren daar.'

Hendrik zag onmiddellijk dat dat een verstandig idee was en beval zijn overgebleven lakei op de deur te bonzen en te roepen: 'In naam van de koning, laat ons binnen, laat ons binnen.'

De wachtposten zwaaiden de deur verrast open en maakten een

diep buiging toen ze hun angstige vorst zagen. Ze keek snel om zich heen en zag dat de andere lakei in geen velden of wegen te bekennen was, en Matt Davye evenmin. Ze was er totaal niet gerust op dat die twee weg waren. Iemand had FitzHolland getipt dat Hendrik stiekem alleen in de paleistuin wilde gaan wandelen, en slechts een paar dienaren bij zich zou hebben. En wie had dat beter kunnen doen dan een van zijn lakeien? Maar dat Matt Davye ook weg was, voelde ze als een persoonlijke nederlaag. Was Matt alleen maar bij haar om een baantje komen bedelen om verraad te kunnen plegen? Verdomme, ze had het leven van de man gered.

Ze duwde iedereen, inclusief de paarden, in de ruimte op de begane grond van de toren. In de verwarring lette ze erop dat de deur op slot ging en ze stopte de grote ijzeren sleutel in haar zak. Niemand kon de deur openmaken zonder haar te fouilleren, wat de preutse Hendrik nooit zou toestaan. Toen smeekte ze haar soeverein of ze om hulp mocht vragen. Ze zei: 'Sire, sta me toe om een vlag te hijsen en om hulp te roepen. Ondanks deze stenen muren ben ik nog steeds doodsbang.'

Haar koning stemde in. Hendriks mooiste eigenschap was wel dat hij een steeds grotere hekel begon krijgen aan de gewapende strijd. Bij Saint Albans had hij geprobeerd de gepantserde held uit te hangen door zijn troepen, die ver in de minderheid waren, te hergroeperen en opnieuw slag te leveren. Dat leverde hem een pijl in zijn keel op en hij hield er een afkeer van veldslagen aan over. Ze had tijdens de korte slag om Northampton naast de koning gezeten, had Hendrik veilig in zijn tent gehouden. Net als elke weldenkende prins gaf zijn instinct hem in dat hij moest blijven waar hij was en dat het staatshoofd beschermd moest worden tot er hulp kwam opdagen. Met Hendriks toestemming beklom ze de trap naar de top van de toren met de sleutel in haar zak. Vanaf de borstwering zag ze in alle richtingen kilometers grasveld voor zich uitstrekken, een wijd parklandschap dat overging in bossen en velden, doorkliefd door de grote, glanzende bochten van de Theems. Boven op de hoofdtoren verrees een kleinere vlaggentoren waar de vlaggenmast op stond. Aan de voet van de mast rende een jongen energiek met een rode banier heen en weer, stuurde driftig signalen naar het paleis onder hen.

Ze zag dat ze de jongen niets hoefde uit te leggen en wendde zich in de richting van Pleasance Manor op zoek naar tekenen van alarm... en zag niets. Waren ze blind? Zo'n veertig rode ruiters kwamen bij de wachttoren samen, maar de meeste kwamen uit het zuiden, bij Blackheath vandaan, ze werden voor het huis door de heuvel aan het zicht onttrokken, vandaar die wachttoren. Deirdre was al halverwege de heuvelrug naar het paleis, maar rode ruiters gingen haar achterna om haar de pas af te snijden.

Robyn keek naar beneden toen de eerste ruiters bij de toren aankwamen. FitzHolland reed hard voor de rest uit, zijn blonde baard was netjes geknipt, zijn hoofd stond nog steeds stevig op zijn schouders. Hij riep: 'In naam van koning Hendrik, doe open!'

'Ammenooitniet,' schreeuwde ze terug, ze leunde over de borstwering zodat hij haar kon zien. Ze moest hem antwoorden, voordat iemand anders het deed. Als ze een minuutje met hem kon praten, werd vanzelf duidelijk dat dit niet de Nevilles waren, maar vrienden van Hendrik en zijn koningin, met een bastaardneef aan de leiding. 'Niet voor een nep-Neville en verrader.'

'Jij!' FitzHolland leek verbijsterd. Ze kwamen elkaar inderdaad op de meest ongelegen momenten tegen, het begon een verontrustende gewoonte te worden. 'Wat ben je toch een verbazingwekkende hoer! Had nooit durven hopen dat ik jou ook nog te pakken zou kunnen nemen.'

'Fijn te zien dat het zo goed met je gaat.' Ze meende het half en half... doordat FitzHolland nog leefde voelde ze zich heimelijk een beetje minder schuldig. 'Je bent tenminste nog heel.'

'Alsof jou dat iets kan schelen,' spuugde FitzHolland terug. 'Je zit me voortdurend in de weg.'

'Jij was degene die achter mij aanzat,' wierp ze tegen. En het was allemaal begonnen met een picknick in Pleaseance Park.

'Nog bij lange na niet genoeg,' verklaarde FitzHolland woedend. Hoe kwam de man zo verachtelijk? Misschien een slechte jeugd gehad. Het moet niet eenvoudig zijn geweest om als bastaard te worden opgevoed door een familie van moordzuchtige sadisten. FitzHollands grootvader had al jong een carrière van verminking en moord achter de rug voordat hij werd terechtgesteld voor rebellie, en de pijnbank in de Tower van Londen werd Hertog Exeters Dochter genoemd, naar FitzHollands rokkenjagende vader. Ze keek weer naar het paleis, maar het enige wat ze zag was Deirdre die door een paar gewapende ruiters werd ingesloten. Haar roodharige dienstmeid stribbelde nog tegen, maar gaf zich toen over... van die kant viel geen hulp te verwachten.

Plotseling greep iemand haar bij haar been. Ze keek omlaag en zag dat het Beth Lambert was, haar zuster-ingewijde. Beth fluisterde oprecht: 'Kan ik misschien iets doen, m'lady?'

'Hou je alleen maar gedeisd,' raadde ze haar aan en ze legde een arm om de smalle schouder van het meisje. 'En het kan nooit kwaad om te bidden.'

FitzHolland schreeuwde haar toe: 'Moet je horen, snol, ik eis een ontmoeting met koning Hendrik.' Meer ruiters van FitzHolland kwamen bij de toren aan, ze waren helemaal omsingeld. Een paar mannen stegen af en probeerden de deur, sloegen met hun zwaardgevesten op het hout, maar zolang zij de sleutel had, konden ze er niet in... niemand had eraan gedacht om ladders mee te nemen, of een stootram.

'Zijne majesteit houdt op dit moment geen audiëntie,' antwoordde ze brutaalweg, ze moest tijd zien te rekken, alles uit de impasse zien te halen wat erin zat, totdat er hulp kwam opdagen. 'Schoelje en verraders worden altijd op donderdag ontvangen.' Beth giechelde achter haar zilveren mouw.

FitzHolland zag er de humor niet van in en beval zijn mannen harder op de deur te bonzen. Hij zei: 'Verdomme, helleveeg, doe open. Ik ben wachtmeester van de koning.'

'Je wás wachtmeester van de koning,' sneerde ze terug. 'Nu ben je alleen maar een schurk.'

'Vervloekt ben je, achterlijke, onwaardige vrouw. Doe wat ik zeg.' FitzHolland kwam in zijn zadel overeind en schudde met zijn gepantserde vuist naar boven. 'Of ik zal je in naam van de hemel...'

'Of wat? Me op de pijnbank leggen en verbranden?' Ze kon het niet laten dat laatste eraan toe te voegen. De man was van plan haar op een verschrikkelijke manier om te brengen, ook als ze hem zou gehoorzamen en het venijn uit haar woorden weg zou laten. Maar blaffende honden beten niet.

FitzHolland kon haar alleen nog maar met een scheldkanonnade antwoorden, maakte haar uit voor hoerenmadam en slet. Ze hoopte dat koning Hendrik dit hoorde... zijn ergste krachtterm was 'krijg nou wat'. Ze riep beleefd en opgewekt terug: 'Bied je petitie aan, net als iedereen, of wacht op de audiëntie voor het volk.'

En weer moest Beth giechelen, maar het voorstel lokte alleen maar meer bedreigingen van beneden uit wat culmineerde in het bevel om onmiddellijk open te doen. 'Of je zult te maken krijgen met de ijzingwekkende en dodelijke gevolgen.' Ze hoorde voetstappen op de trap achter haar en de wachtcommandant kwam behoedzaam tevoorschijn. Iemand beneden moest zich hebben gerealiseerd dat zij de sleutel had.

De sergeant deed een malle poging om een buiging te maken en vroeg: 'M'lady, als u zo vriendelijk wilt zijn? Zijne majesteit wenst met u te spreken.' Achter hem bleef de rode seinvlag maar op en neer gaan.

Beth greep haar steviger vast. Hoewel ze haar dood tegemoet ging als ze de deur zou opendoen, kon ze slechts tijdelijk tegen een direct bevel van koning Hendrik ingaan, die er al snel achter zou zijn dat dit geen absurde woedeuitbarsting van de Nevilles was. FitzHolland had het ook in de gaten en onderbrak zijn getier. Hij schreeuwde luid en duidelijk: 'Genoeg onzinpraat. In naam van koning Hendrik, doe open.'

'Kijk, m'lady.' Beth wees in de richting van de rivier. 'Kijk daar.' Ze volgde de vinger van het meisje.

'Breng me bij de koning,' drong FitzHolland aan. 'Ik zal zijne majesteit bewijzen dat ik geen verrader ben.'

'Te laat.' Ze zwaaide triomfantelijk naar Pleasance Manor, waar eindelijk mannen uit de hoofdgebouwen en stallen tevoorschijn kwamen. 'Kijk maar eens achter je.'

FitzHolland draaide zich in zijn zadel om en vloekte hartgrondig. Zo'n vijftig ruiters in purper-rood en blauw stampten het paleis uit, gevolgd door een drom boogschutters. Edward had zijn eigen gewapende dienaren – en bovendien nog de lords die voor de koning verantwoordelijk waren – maar de werkelijke dreiging lag in de meute boogschutters die de beschikking hadden over machtige, razendsnelle vuurpijlen. Mijlen in de omtrek had elke boerenhoeve zijn eigen pijl en boog, en luid protest zou algauw het hele platteland in rep en roer brengen. In de omliggende county's zou het zomaar wemelen van de boogschutters op jacht naar verraderlijke vluchtelingen of wie ook gevangen moest worden genomen. Warwick had persoonlijk FitzHolland ter dood veroordeeld en zijn nep-Neville overmantel zou hem niet kunnen redden. 'Ze zien erg uit naar een ontmoeting.'

FitzHolland keek naar haar omhoog, onder aan de afgesloten wachttoren kookte hij van machteloze woede. Nu kon hij niet anders dan op de vlucht slaan. Op een of andere manier had de voormalige wachtmeester zijn enkele reis naar Tyburn weten te ontlopen, maar als deze mannen hem te pakken zouden nemen, zouden ze het vonnis stante pede uitvoeren. Ze waren zelfs van mening dat ze de veroordeelde nog een dienst bewezen, hij zou snel en waardig worden onthoofd, in aanwezigheid van koning en adel, en na afloop zouden ze het glas heffen. Dat veel liever dan een pijnlijke dood voor een joelende Londense meute. FitzHolland wendde zich van de wachttoren af en beval zijn mannen naar de bossen rondom Blackheath te vluchten. Naar haar schreeuwde hij nog een haastig au revoir: 'Vervloekt ben je, obscene heks, maar ik kom terug.'

Een geruststellende gedachte. Ze kon er niets aan doen dat ze Fitz-Holland in de weg had gestaan, dat was helemaal niet vooropgezet geweest en al helemaal niet door haar. FitzHolland was de laatste man die Robyn ooit nog had willen zien, sterker nog, ze had gedacht dat hij veilig dood was. Ze greep zich aan de borstwering vast en was dankbaar voor het harde koude steen dat tussen haar en hem in stond. Dankzij FitzHolland wist ze maar al te goed hoe het was om door kerels te worden gegrepen en vastgehouden, die haar wilden vermoorden, maar vast van plan waren haar eerst mentaal te breken. Ze trilde van opluchting, ze hoopte dat ze de man nooit meer hoefde te zien, dood of levend.

Achter haar kuchte de wachtcommandant verlegen en zei onhandig: 'M'lady, zijne majesteit wacht beneden.' Dat wist ze ook wel, het kon haar alleen niet schelen, niet nu. Ze moest zich eerst bij elkaar zien te rapen, Hendrik en ieder ander zouden dat wel begrijpen. Middeleeuwers zouden je niet ophangen omdat je een beetje aan de late kant was, hier ging immers de tijd volgens de zonnewijzer. Hendrik weigerde soms wel een anderhalf jaar om iemand te ontvangen of vragen te beantwoorden.

'Hé, toren,' riep een warm vertrouwde stem. 'Is zijne majesteit in veiligheid?' Ze keek omlaag en zag Edward. Ongelooflijk aantrekkelijk zat hij in zijn glanzende halfpantser, zijn wapenrok en leren lieslaarzen op zijn grote zwarte Fries, omringd door een groep opgewonden ruiters die zijn kleuren voerden. Wat zag die jongen er altijd goed uit, zelfs in tijden van nood. Matt Davye was bij hem, en Deirdre ook, twee rood-met-gouden spatten in de menigte purper-en-blauw. Robyn zag nergens de trouweloze koninklijke lakei, die waarschijnlijk met FitzHolland was weggevlucht, maar Hecate zij dank was verder iedereen in veiligheid. Edward ging rechtop in zijn zadel zitten. 'Vrouw Robyn, is de koning bij u?'

Alweer koning Hendrik. De mensen hadden een ongezonde obsessie voor Hendrik – waar hij was, zijn geestelijke gezondheid, zijn familiezaken en huwelijksbanden… allemaal veelbesproken, nationale gespreksonderwerpen – geen wonder dat de arme kerel gek werd. Robyn was zowat een niemand, en zij vond al dat haar privé-leven veel te veel in de schijnwerpers stond. Ze omklemde haar holle maag met een hand en riep naar Edward: 'Koning Hendrik is hier, en hier is de sleutel.' Ze haalde de zware ijzeren sleutel uit de verborgen zak van haar zilverblauwe jurk en gooide hem naar beneden. Met nog altijd Beths hand stevig in de hare draaide ze zich om, stoof langs de verbijsterde wachter heen, tilde de zilveren zoom van haar jurk op en liep de trap af om gehoor te geven aan het bevel van de koning.

Tegen de tijd dat Edward de deur open had, maakte ze met Beth naast zich haar beste revérence voor koning Hendrik en bekende ze dat ze de sleutel niet langer in haar bezit had. Edward knielde op een knie voor zijn koning, informeerde naar de gezondheid van de majesteit en bood hem een escorte aan, terug naar Pleasance Manor. Hendrik accepteerde dat en ze reden allemaal de heuvel af, omringd door een meute vrolijke boogschutters die met hun bogen zwaaiden en victorie kraaiden dat het allemaal zo makkelijk was gegaan.

Robyn reed verdwaasd de heuvel af, haar dienstmeid reed naast haar en Beth zat achter Deirdre in het zadel. Ze was blij dat ze Hendrik aan Edward kon overlaten. Aflossing van de oppaswacht. In plaats daarvan luisterde ze naar Deirdres ademloze verhaal hoe ze de nep-Nevilles had weten af te leiden. Het meisje sprak er zo luchthartig over dat ze door gewapende mannen gevangen was genomen, dat Robyn er de rillingen van kreeg. Edwards boogschutters hadden Deirdres overweldigers weggejaagd, maar haar meesteres had de tiener wel om een levensgevaarlijke boodschap gestuurd, terwijl Deirdre gelijk al wist dat het onbegonnen werk was. De impulsieve gedachte om haar Edward te laten halen, had Deirdres dood kunnen betekenen, afhankelijk van welke mannen haar te pakken hadden gekregen. Robyns verblijf in de Tower had haar wel geleerd dat de Engelse ridderlijkheid niet gold voor iemand die er totaal niet toe deed. Als Ierse wist Deirdre dat maar al te goed. Robyn bleef op haar qui vive totdat koning Hendrik veilig en wel voor vespers in de kapel was, eerder was ze er niet gerust op. Pas toen durfde ze zich dankbaar te laten gaan.

Na de vespers stortte ze in Edwards weelderige vertrekken in op een vensterbank met kussens, in shock omdat ze Gilbert FitzHolland had gezien – en met hem had gepraat. En zij maar denken dat hij veilig dood was. Ze had nu toch moeten weten dat het verleden niet voor altijd begraven kon blijven. Edward had haar actie geweldig gevonden en reikte haar een zilveren bokaal met warme kaneelwijn aan. Hij vroeg: 'Gaat het wel met je?'

'Ik denk het wel.' Ze nam een vertroostend slokje. De helft van Engelands problemen werd bovenal veroorzaakt door een aristocratie die alleen maar wijn en bier dronk, en daarmee letterlijk een nuchtere regering dwarsboomde. Het moest toch verbazingwekkend zijn dat je na het uitslapen van je roes erachter kwam dat je over de halve wereld heerste. Geen wonder dat de Victorianen thee hadden uitgevonden, al was het maar om te voorkomen dat iedereen nog voor de middag totaal in de lorum was.

Edward was naast haar gaan zitten, hij had zijn wapenrok uitgedaan en droeg alleen een witte tuniek met wijde, met goud afgezette mouwen, heel koorjongensachtig.... maar ga bij een man nooit af op zijn verpakking. Hij legde een arm om haar heen, snuffelde teder in haar hals en kuste haar wang. 'Ongelooflijk. Je bent een held dat je koning Hendrik uit de klauwen van twee eenheden ruiters hebt gered.'

'Dat zal wel.' Ze nam nog een slokje, ze was nog steeds verschrikkelijk geschrokken. Edward deed alsof ze in haar eentje de ruiters had weggejaagd, terwijl ze alleen maar de deur op slot had gedaan. En Hendrik was geen moment in gevaar geweest. FitzHolland zou zijn koninklijke neef naar een vriendelijk kasteeltje hebben meegenomen en hem vervolgens waarschijnlijk het land uit hebben gesmokkeld. Engeland was in gevaar, en zij ook, Hendrik zou alleen per ongeluk iets overkomen. Hoewel de hemel mocht weten dat de koninklijke familie haar portie welkome ongelukken wel had gehad.

Edward prees ook Matt Davye de hemel in. 'Je nieuwe paarden-meester heeft het heel goed gedaan. Toen koning Hendriks lakei weg-glipte, heeft Matt hem op een afstandje gevolgd. Hij kreeg de nep-Nevilles in het oog en is rechtstreeks hiernaartoe gekomen. Hij wilde per se de boodschap alleen aan mij overbrengen.' Edward hield van intelligente bedienden met initiatief, gehoorzamen kon iedereen, maar slimme ondergeschikten wisten wanneer ze de regels moesten overtreden. 'Aan hem heb je een sluwe vent gevonden.'

Ze had Matt Davye helemaal niet gevonden. Matt had in haar cel in de Tower de poepemmer moeten legen, maar ze vond het toch een compliment. Het voelde goed om gewaardeerd te worden, ook al was het om de verkeerde redenen, en ze was blij dat Matt zo'n succes was. Ze raapte haar moed bij elkaar met nog een slokje kaneelwijn en zei tegen haar aanbidder: 'Ik heb een van hen herkend.'

'Herkend? Wie dan?' Edward ging dichter bij haar zitten, helemaal in de startblokken om haar persoonlijk te bedanken, het had immers maar gevaarlijk weinig gescheeld of hij had zijn koning verloren – een onvoorstelbare catastrofe – terwijl hij verantwoordelijk voor de koning was. Paps en Warwick zouden het hem nooit hebben verge-ven.

Genietend van zijn stevige geborgenheid liet ze haar hoofd op zijn met goud afgezette schouder rusten en zei: 'Die nep-Nevilles stonden onder bevel van Gilbert FitzHolland.' Edward was de enige aan wie ze het vertelde, voor het geval het Hendrik ter ore zou komen dat zijn bastaardneef het bevel had gevoerd over de 'Nevilles'. Matt Davye was niet de enige die een geheim kon bewaren.

'Gilbert FitzHolland?' Edward keek verbijsterd. 'Maar de man is dood. Opgehangen, op de pijnbank gelegd, onthoofd in Tyburn.'

'Dat hoopten we, ja.' Over die doodstraf had ze geen goed gevoel gehad, maar nu dat stukje schuldgevoel verdwenen was, had FitzHol-land zijn hervonden vrijheid onmiddellijk misbruikt om de vrede aan te vallen, en haar. 'En toch was het FitzHolland, hij wist ongelooflijk goed uit zijn woorden te komen voor iemand die opgehangen en ont-hoofd is bovendien.'

'Wat zei hij?' Edward werd plotseling ernstig, was duidelijk bang voor haar.

'Vooral "vervloekt ben je en doe die deur open". En dat soort din-gen.' Ze lachte even en nipte nog eens van haar wijn, blij dat Edward zich haar zorgen onmiddellijk aantrok. Zodra ze zich ongerust maak-

116

te, was hij er voor haar. 'En nog wat smerige scheldwoorden die ik niet wil herhalen.'

Edward schudde zijn hoofd. 'Wat afschuwelijk. Iemand moet hem hebben bevrijd, met genoeg goud om de deuren van Newgate te openen en hem ook nog mannen ter beschikking te stellen.'

Om het nog maar niet te hebben over Nevilles overmantels. 'Fitz-Holland heeft dit misschien al in zijn cel bedacht, bovendien heeft iemand hem Hendriks dagschema doorgebriefd en hem in contact gebracht met de vermiste lakei.'

Edward was het daarmee eens. Hij ging in gedachten de verdachten na en zei: 'Iemand die heel dicht bij de koning staat.' Edward kende iedereen die toegang had tot koning Hendrik bij naam en toenaam, van koks tot geestelijken, hij had oog voor dat soort details, al of niet in benevelde toestand.

'Maar niet koning Hendrik zelf,' legde ze uit. 'Zijne majesteit was royaal geschokt door de hele zaak.'

Edward kuste haar nogmaals en was blij dat te horen, want het zou een stuk moeilijker zijn om op de koning te passen als Hendrik zelf van plan was te ontsnappen. 'Waarom was jij eigenlijk bij de koning?'

'Dat was geen toeval,' pochte ze. 'Hendrik kwam naar mij toe.'

'Waarom in hemelsnaam?' informeerde Edward. 'Los van de voor de hand liggende reden, althans.' Zijn arm sloot zich bezitterig om haar heen, zelfs een charmante jonge graaf kon jaloers zijn op zijn koning.

'Helaas ging de koninklijke aandacht niet echt naar mij uit,' gaf ze toe en lichtelijk aangeschoten nam ze nog een slokje. Hendrik was daarvoor veel te devoot en verlegen, toen hij zijn vrouw zwanger had gemaakt, was hij bijna in coma geraakt. 'Zijne arme, dwaze hoogheid wilde weten hoe je je voelde. De hemel mag weten waarom.'

'Dus ging zijne majesteit recht naar de bron.' Edward nam haar vrije hand in de zijne, kuste haar vingers en legde hem toen tegen zijn borst. 'En dan durven de mensen nog te beweren dat de koning gek is.'

Zijn hand voelde prettig aan, zo warm gesloten om de hare. Ze zei tegen hem: 'Op de koning passen is minder leuk dan ik had gehoopt.'

'Op de koning passen?' Hij keek haar verward aan.

'Voor koning Hendrik zorgen. Daar heb je weer zoiets – net zoiets als eenzaam op een onbewoond eiland zitten – het klinkt als een groot avontuur, maar uiteindelijk blijkt het een doodernstige zaak en bovendien doodsaai.' Middeleeuwers waren dol op die pracht en praal, onderbroken door mateloze drinkgelagen en copieuze maaltijden. Als ze eenmaal hertogin van York was, kon ze er niet onderuit, maar tegen die tijd hoopte ze met Edward op het platteland te wonen, dan zou ze kinderen krijgen en het kasteel gaan inrichten.

Edward moest lachen: 'Vrees niet, onze "oppasbeurt op de koning" zal niet lang duren. Geniet ervan nu het nog kan.'

Op Baynards Castle was er al van alles veranderd. Het kasteel wemelde van de hofdames in wit-met-goud die zich naar buiten haastten om hun triomfantelijke intocht te vieren. Edwards moeder was aangekomen, de huidige hertogin van York. Tot nu toe had Edward nauwelijks hofdames gehad, als je tenminste de wasvrouwen, naaisters en huisgenoten als Robyn en Deirdre niet meetelde. Nu was het huishouden van een hertogin bij hen ingetrokken, tot grote vreugde van de mannen, die vonden dat de bevrijding van Londen prima verliep. Eerst hadden ze Baynards Castle terug en nu waren de vrouwen ook weergekeerd.

En niet alleen vrouwen, ook kinderen. Ze kwamen naar hen toe gerend om ze te begroeten, en Edward stelde zijn jongere broers en zuster voor: Margaret, een jonge vrouw van veertien, blond en net als haar moeder vroom, en zijn twee broers – George, ongeveer net zo oud als Beth, heel charmant en vol van zichzelf, en de jongste, de kleine donkere Richard. Hier zat de helft van de uiteengevallen familie, de meesten waren voor het eerst in bijna een jaar weer bij elkaar. De laatste keer dat Edward die kinderen had gezien, was hij een banneling geweest en had hij moeten vluchten, terwijl de kinderen aan de genade van de koningin en het hof waren overgeleverd. George vroeg aan zijn oudere broer: 'Heb je inmiddels strijd geleverd?'

'Twee keer,' zei Edward hem, 'te land en ter zee. En beide keren was vrouwe Robyn erbij.'

Ze steeg een eind in het aanzien van de beide jongens. George maakte een volwassen buiging en Richard staarde haar vol ontzag aan. Geschrokken zei Margaret: 'Toch niet in wapenrusting, hoop ik!'

'Hemeltjelief, nee,' stelde Robyn het meisje gerust. 'De mannen waren in wapenrusting, ik droeg een fluwelen jurk. Maar ik geloof niet dat ze dat erg vonden.' Margaret glimlachte verlegen, wist niet wat ze met haar aan moest. Jammer dan. Voor kinderen en tieners was Robyn makkelijk in de omgang, ze gaven maar wat graag antwoord op vragen over alles wat iedereen zou moeten weten. En ze klapten voor de moeite die ze deed om nog middeleeuwser te lijken, nog Engelser. Of in Deirdres geval, nog Ierser. Met Margaret moest ze op haar hoede zijn, want alles wat ze zei zou ongetwijfeld rechtstreeks aan mammie worden overgebriefd.

Edward ging met zijn broers en zuster zijn moeder begroetten, die hij niet meer had gezien sinds hij en paps haar bij de vijand hadden achtergelaten. Robyn trok zich in haar torenkamer terug en vroeg om heet badwater. Ze voorzag dat ze nauwlettend zou worden geïnspecteerd en voor hertogin Cecily wilde ze er op haar paasbest uitzien.

Terwijl Robyn in bad zat, legde Deirdre op het bed jurken klaar en gaf raad bij de kleurkeuze. Purper-rood en blauw konden niet. En zelfs haar goud-met-rode jurk kon er niet mee door, aangezien haar aanspraak op het Stafford-livrei meer een propagandastunt was. De meeste mensen zagen de erfgenaam uit York liever met een vrouw in de Lancaster-kleuren, maar Edwards moeder kon ook dat helemaal verkeerd opvatten. Dus hield Robyn zich bij het blauw-met-zilver van Collin, waarmee ze haar verwantschap met de Greys aantoonde, haar middeleeuwse pleegfamilie. Helemaal opgedirkt en klaar ging ze zitten wachten tot ze iets van de hertogin hoorde.

Maar ze werd helemaal niet bij hertogin Cecily geroepen en ze voelde zich eerder opgelucht dan beledigd. Deirdre kwam van haar karweitjes terug en vertelde dat de hertogin zich in de meestersuite had geïnstalleerd, en Edwards slaapkamer, zijn garderobekast en audiëntievertrek had ingepikt. Geen galafeestjes meer en ze zouden ook niet meer naar hun slaapvertrekken worden gezongen. Haar dienstmeid grinnikte vals. 'Je verloofde heeft geen kamer meer, tenzij we hem hier opnemen.'

'En het is al zo vol,' zei ze sarcastisch tegen Deirdre. Middeleeuwse rangen, standen en vormelijkheid begonnen zich om haar heen te sluiten, grepen in haar privacy in, en ze had haar toekomstige schoonmoeder nog niet eens ontmoet.

Het diner was een grotere beproeving dan anders. Na drie weken aan het hof was ze eraan gewend geraakt om apart te zitten en Edward aan de hoge tafel te zien eten, maar ze was ervan uitgegaan dat dat voorbij zou zijn als ze eenmaal weer thuis waren. Nu zag ze wel in dat dit zou duren totdat hun verloving bekend was gemaakt. Ze kon mams wel goed bekijken, tenminste, die glitterde prachtig in een gouden jurk afgezet met wolken wit kant terwijl ze geanimeerd aan tafel met haar zoon zat te praten. Blond en statig, en voor haar vijfenveertig jaar nog steeds knap – geen sinecure in de Middeleeuwen – was Cecily van York een geboren Neville, zuster van Salisbury en de tante van Warwick. Je kon goed zien van wie Edward zijn lange aantrekkingskracht en kleur had, een beetje van Cecily en een beetje van zijn vader, van wie werd gezegd dat die klein en donker was, net als kleine Richard. Ook was overduidelijk van wie hij zijn trotse kracht had en waardoor hij zo goed kon luisteren. Nippend aan zijn wijn hoorde hij hertogin Cecily aan die de standpunten van Saint Bridget uiteenzette. 'De mensen noemen haar "Arrogante Cis",' fluisterde Deirdre in het Keltisch, 'en ze zeggen ook dat ze een fortuin aan kleren uitgeeft.'

Die geruchten wilde ze wel geloven. Vroeger verbaasde het haar dat Edward zoveel waarde aan Robyns mening hechtte, bijna vanaf het allereerste begin. In het gunstigste geval wilde hij haar op die manier het in bed krijgen, makkelijk zat, maar zo was het niet. Toen ze Edward met zijn wilskrachtige moeder zag lachen en grappen, realiseerde ze zich dat hij van jongs af aan had geleerd de mening van vrouwen te respecteren. Hij was door zijn moeder, een kindermeisje en zijn oudere zuster opgevoed, niet door zijn vader die het altijd te druk had. Ze werd kalm bij de gedachte dat zij waarschijnlijk de eerste vrouw was met wie hij alleen was geweest sinds hij het huis uit was gegaan – en ook nog onder invloed van een betovering.

Na het diner nodigde Edward haar in de privé-vertrekken van Arrogante Cis uit, hij verontschuldigde zich al bij voorbaat. 'Moeder kan ongelooflijk uit de hoogte doen, en wanneer de familie in het geding is, gaat ze door roeien en ruiten. En begin niet over godsdienst, want dan ben je morgenochtend nog niet van haar af.' Edward leek zich ongerust te maken, zo had ze hem zelfs niet meegemaakt toen hij in de val zat in een schip dat door Ierse piraten werd aangevallen, of toen hij het in zijn eentje tegen drie ruiters had moeten opnemen. Vergeleken met haar kennismaking met zijn moeder waren dat maar doodordinaire voorvallen geweest. De geschiedschrijvers die de middeleeuwse vrouw altijd maar afschilderden als een hulpeloze marionet van hun vader, zoon en echtgenoot moeten mannen geweest zijn.

'Zeg eens iets vrolijks,' opperde ze. Ze had Edward niet zo bezorgd gezien sinds hij voor de slag om Northampton alleen op pad ging voor een ontmoeting met Collin, in het vijandelijke kamp.

Edward dacht een ogenblik na, toen klaarde zijn gezicht op. 'Moeder heeft ooit Warwick een pak op zijn blote kont gegeven met een wilgentak.'

'Geloof ik niet!' Ze liep de slottrap af, ze droeg haar glanzende blauwe jurk afgezet met zilverband, maar bij dat beeld bleef ze abrupt staan. Edward verzon maar wat. 'Richard Neville, graaf van Warwick?'

'Met zijn broek op zijn enkels en lange rode strepen op zijn achterste. Dat heb ik tenminste gehoord, ik ben er zelf niet bij geweest. Hij was nog maar een jongetje, moeder was op bezoek bij haar broer Salisbury en ze betrapte hem erop dat hij de andere kinderen stond te koeioneren.'

'Niet de edele Warwick!' spotte ze. Eigenlijk typisch iets voor die afschuwelijke Neville. Ze liep weer verder, bereid om hertogin Cecily een kans te geven.

'Toen was hij natuurlijk nog geen edele Warwick,' herinnerde Edward haar eraan. Warwick had zijn graventitel via zijn vrouw gekregen.

In dezelfde audiëntiekamer waar Edward en zij vroeger in bad waren gegaan, maakte ze een diepe revérence en wachtte tot ze van hertogin Cecily weer overeind mocht komen. Er hingen nieuwe wandkleden aan de muren en de badkuip was vervangen door een pluche tapijt. Arrogante Cis hechtte kennelijk meer waarde aan uiterlijk vertoon dan aan hygiëne.

'Sta op, kind.' Hertogin Cecily was oud genoeg om haar moeder te kunnen zijn, maar niet veel ouder. Ze zat in een stoel met hoge rug, droeg een met gouden linten afgezette jurk en pronkte met het zilveren valk-en-beenkluisterembleem van haar man. Robyn moest denken aan de eerste keer dat ze van dat ordeteken had gehoord. Ze stond in het Wales van de eenentwintigste eeuw te liften en vond het toen maar raar. Nu was het verre van raar, nu ze voor een hertogin stond die het in het kasteel van haar echtgenoot droeg, terwijl zij verloofd was met haar zoon. Wat deed ze hier eigenlijk?

Edward stelde haar voor als vrouwe Robyn Stafford, zonder erbij te zeggen wat voor vrouwe ze dan wel was, en sprong onmiddellijk door naar het verhaal hoe ze hem had gered toen hij gevangen werd gehouden aan boord van de *Fortuna* die door Ierse piraten bezet werd gehouden. Hij liet de magie weg, die had trouwens toch niemand gezien. Edward trof precies de juiste, enthousiaste toon van 'kijk eens wat ik nu heb gevonden', getemperd door de noodzaak dat hij zijn moeder niet de hele waarheid kon vertellen. Hij zei: 'Ze nam het op tegen Owen Boy O'Neill in eigen persoon, ze herinnerde de bandiet aan zijn christelijke plichten tegenover de onderkoning, en ze sprak zulke moedige woorden dat ze de barbaar uiteindelijk wist te overtuigen.'

Hertogin Cecily keek haar ongelovig aan. 'Spreek je hun taal dan?' Edwards moeder had jaren in Ierland gewoond – de knappe George was zelfs in Dublin geboren – maar hare hoogheid had er nooit aan gedacht om Keltisch te leren spreken. 'Hoe lang ben je in Ierland geweest?'

'Een dag of zo,' moest ze toegeven, wanneer ze de magie uit haar leven wegliet, klonk het allemaal krankzinnig.

Hertogin Cecily keek haar effen aan. 'En je hebt hun taal leren spreken?'

'Ze heeft de gave der tongen,' legde Edward uit. Robyn had het gevoel dat ze een sprekend lot uit de loterij was en hoopte maar dat de hertogin haar niet zou vragen een show weg te geven.

Maar hertogin Cecily had genoeg Keltisch gehoord. 'Stil, mijn zoon, ze lijkt wel een papegaai zoals je over haar praat. Dit is absoluut een wonder. Geef toe, liefje, je hebt vast ook visioenen gehad.'

Ze keek naar Edward die alleen maar met zijn ogen rolde. Toen bekende ze: 'Diezelfde avond nog, uwe hoogheid.' De eerste geest die ze had weten op te roepen was een Anglo-Iers wezen, John-Amend-All genaamd, die had haar geholpen om Owen Boy O'Neill over te halen.

'Zie je wel.' De hertogin lachte nu voor het eerst, een grijns die opmerkelijk veel weg had van die van Edward. En net als Edward was zijn moeder niet achterlijk, ze had de zaken al behoorlijk goed in de gaten, Robyn begon zich ongemakkelijk te voelen. 'Dank je wel dat je mijn zoon hebt gered.' Arrogante Cis klonk oprecht dankbaar en voegde eraan toe: 'Daar was moed en karakter voor nodig. Je bent jong en onwetend, en toch heb je een zienersoog en een rudimentair gevoel voor godsdienst, en bovendien geen middelen van bestaan. Kun je lezen en schrijven?'

Ze gaf toe van wel, zonder erbij te zeggen dat ze dat in elke taal kon die hertogin Cecily maar wilde.

Hare hoogheid concludeerde: 'Dan ben je bij uitstek geschikt om non te worden, zo'n talent mag niet worden verspild.'

Gij zult in een klooster wonen. Ze kon niet anders dan de koele, nonchalante arrogantie waarmee het werd gezegd bewonderen. Nu ze uit haar gevangenschap was bevrijd, was Arrogante Cis kennelijk vastbesloten om alles naar haar hand te zetten. Als hertogin Cecily wist dat haar zoon verloofd was met dit jonge niemendalletje uit ver-weggistan – die erom bekendstond dat ze visioenen kreeg en in bar-baarse tongen kon spreken – zou hare hoogheid uit haar dak gaan. Maar binnenkort zou Arrogante Cis het toch te weten moeten komen en nu was het maar het beste dat Robyn geen blad voor de mond nam. 'Ik ben bang dat ik geen beste non zal worden.'

'Vrouwen kunnen wonderen verrichten, als ze dat willen,' verze-kerde de hertogin haar. 'En ik ben er absoluut van overtuigd dat je de gave hebt om te verbazen.'

Hertogin Cis was sluw en bekrompen, maar Robyn had meer ver-wacht van deze aanstaande mystieke, aristocratische schoonmoeder. Na het ongemakkelijke gesprek zat ze in haar kleine torenkamer te naaien en vroeg zich af wat ze eigenlijk aan het doen was, waarom ze het al die mensen zo wanhopig graag naar de zin wilde maken. Met al hun idiote vooroordelen en achterdocht kon ze toch zeker geen goed doen? Bij niemand die ze kende, zoveel wist ze wel. Het had haar eigen moeder geen bal kunnen schelen dat Edwards familie een stelle-tje dweepzieke katholieke hillbillies in wapenrusting was, voormalige veroordeelden en vluchtelingen die nog nooit van een afvoerpijp had-den gehoord. 'Als je maar van hem houdt, liefje.' Haar vingers streken het fijne satijn glad, elke steek fabriceerde ze zo strak en recht als ze maar kon. Er viel hier nog heel veel te genieten, van mysteriën en toverkunsten, ze kon prachtige handwerken, dat kon Arrogante Cis haar niet beletten. Robyn zou gewoon genoegen moeten nemen met hertogin Cecily's losbandige tienerzoon.

Edward waaide als geroepen binnen, hij complimenteerde haar met haar naaiwerk en kondigde aan dat hij naar de grote slotslaapkamer was verhuisd, die vroeger door de kasteelheer werd gebruikt voordat de grote hal werd gebouwd. 'Dat betekent dat we nog dichter bij elkaar zijn.'

Ze merkte dat hij de zaken per se van de zonnige kant wilde blijven zien. Edward was niet gek, en hij was ook niet iemand die het tactische voordeel wilde opgeven – stomweg het probleem erkennen, alleen dan kon hij er wellicht iets aan doen. Maar zo makkelijk kwam hij niet van haar af, en Arrogante Cis ook niet. Ze zag al aankomen dat het 'mij of moeder' zou worden – hertogin Cecily was niet van plan haar zoon en erfgenaam zonder slag of stoot op te geven. Ze legde haar naaiwerk weg en knikte nadrukkelijk naar Deirdre, die zich plotseling herinnerde dat ze nog een karweitje te doen had en maakte dat ze weg kwam. Ze draaide zich weer naar Edward om en vroeg: 'Kunnen we het haar niet gewoon vertellen? Je moeder komt er gauw genoeg achter.'

'Mijn moeder wat vertellen?' Edward speelde de vermoorde onschuld.

'Dat we verloofd zijn,' bracht ze hem in herinnering.

Hij keek haar met afgrijzen aan. 'Lieve god, dan gooit ze me er onmiddellijk uit.'

'En wat dan nog?' Ze had het gevoel dat ze die ongelooflijke verwaande clan opperrechters moest vertellen dat ze hun waardeloze hertogdom konden houden, met zijn overstroomde wegen en comfort uit de ijzertijd. Ze had een fantastische studiobaan opgegeven om hier te komen en die betaalde verdomd goed in deze stuivereconomie. Ze glimlachte naar haar grote liefde. 'Ben ik dat niet waard, soms?'

'*Certainement!*' Hij nam haar handen in de zijne en zei: 'Natuurlijk ben je dat,' hij constateerde het als een feit, niet als vleierij, meer de bevestiging dat ze veel beter was dan hij verdiende. Het beste wat hij kon doen was haar gravin maken. 'Moeder oordeelt alleen naar status en godsdienst,' klaagde hij met jeugdig ongeduld, boos op volwassenen die maar in het verleden bleven rondmodderen. 'Mijn moeder stamt af van koningen en heeft van huis uit meegekregen haar wil door te drukken, toch gaat zij me niet voorschrijven wie mijn bruid zal zijn.'

Ze zag dat hij het meende. Dit gevecht zou Arrogante Cis verliezen. 'Maar ons huwelijk moet wachten tot na de parlementsvergadering,' voegde Edward eraan toe. 'Tot dan sta ik nog te boek als een ter dood veroordeelde verrader, al mijn bezittingen en titels zijn verbeurd verklaard. Hoe kan mijn liefste met een landloze, veroordeelde misdadiger trouwen?'

Hij verschuilde zich achter zijn doodsstraf. Sommige mannen zouden zich liever nog laten hangen, zich laten uitrekken en vierendelen dan te trouwen. Maar Edward had gelijk. Zijn vijanden zouden haar maar al te graag tegen hem gebruiken. Ze konden onmogelijk trouwen voordat het parlement zijn rechten in ere had hersteld. Als de mensen het dan verkeerd zouden opvatten, konden ze altijd nog naar zijn graafschap in March vertrekken. Daar had hij kastelen, paleizen en duizenden boogschutters onder zijn bevel. Dan kon Engeland zonder hen voort hobbelen. 'Je moet je mijn moeders trots niet zo aantrekken,' smeekte hij en zijn bruine ogen liepen over van berouw. 'Ik moet haar de grote hal wel geven, maar wij houden de burcht.'

De burcht van Baynards Castle bestond uit een grote centrale toren met daarin een eigen hal voor de lord, een audiëntievertrek en slaapkamers. Niet zo comfortabel als de grote hal, maar een beter onderkomen dan de meeste middeleeuwers hadden. Dus kon ze moeilijk ontevreden zijn nu haar vriendje zo zijn best deed, ze had wel in slechter oorden geslapen. Maar hij vormde een aantrekkelijk schouwspel, haar vergeving vragend in zijn donkere fluwelen wambuis met lange puntmouwen die purper-rode strepen onthulden. Tot dusverre hadden Edward en zij geen ruzie gehad en hadden ze zonder een onvertogen blik of woord gewapende schermutselingen, zeegevechten en steekspelen overleefd. De hemel mocht weten waarom, maar ze was nog nooit zo verliefd geweest. Ze zei dat het niet uitmaakte waar hij sliep, maar voegde er snel ondeugend aan toe: 'Je kunt ook bij mij intrekken, hoor.'

Hij keek de kleine kamer rond en lachte. 'En dan zeker Warwick in jouw slaapkamer een ontvangst bereiden?'

Ze haalde haar schouders op. 'Hij verdenkt ons er toch al van.' Over Warwich maakte hij zich nog het minst zorgen.

'Dit gaat allemaal voorbij,' beloofde Edward. 'Er staan opwindende dingen te gebeuren.'

Ze trok vragend een wenkbrauw op. 'Hoe opwindend?'

'Heel erg, meer mag ik er niet over zeggen, want het gaat om de koning.' Hij maakte met een kus een einde aan het gesprek en liet haar verwonderd achter over wat er aan de hand kon zijn. Eerst zijn moeder en nu gekke koning Hendrik? Ze dacht dat zijne hoogheid veilig in Westminster zat, dat iemand anders op dit moment op hem paste. Als het iets met Hendrik te maken had, kon het bijna van alles zijn. Denk nog maar eens terug aan hoe haar laatste 'privé'-gesprekje met de koning was verlopen.

Eerlijk gezegd had ze belangrijker problemen aan haar hoofd.

Arrogante Cis zou hier nog wel een tijdje blijven, maar Maria in Saint Martin's had haar onmiddellijk nodig. Die ochtend vroeg had ze dame Agnes in Edwards audiëntievertrek ontvangen met zijn witte leeuw als achtergrond. Als je in een kasteel woonde, had je de gelegenheid om mensen in grootse stijl te ontvangen, met livreiknechten en een zijtafel vol zilveren schalen met noten, wijn, kaas, rozijnen, gekonfijte pruimen en gembersnoepjes, allemaal ten behoeve van haar gasten. Gepast onder de indruk wilde dame Agnes maar al te graag uitweiden over de Londense gevangenissen, als vrouwe Stafford haar tenminste haar gang had laten gaan. FitzHollands ontsnapping was eenvoudig genoeg geweest, volgens dame Agnes. 'Drie gemaskerde mannen hebben midden in de nacht de cipier overvallen. Ondanks het late uur was FitzHolland nog op en hij zat op hen te wachten, wat bewees dat hij door zijn gevangenbewaarders was gewaarschuwd. Hij en zijn celmaat verdwenen in de nacht en zijn sindsdien niet meer gesignaleerd.'

Totdat ze drie weken later in Greenwich opdoken. 'Wie was zijn celmaat?'

'FitzHolland zat met een voormalige beul in een cel, ook ter dood veroordeeld, degene die ze Le Boeuf noemen. Vol eigendunk gedroegen ze zich uitdagend, totaal niet angstig. Ik had gedacht dat het moedige schurken waren, die hun lot zouden tarten,' gaf dame Agnes meesmuilend toe. 'Nu blijkt dat ze gewoon goed op de hoogte waren.'

Le Boeuf dus ook. Logisch. Je kon de stadsgevangenissen dus niet vertrouwen, wat haar niet verbaasde. Niemand had er zelfs maar aan gedacht om aan Edward te melden dat FitzHolland weer op vrije voeten was, zo zag je maar weer hoe communicatie in de Middeleeuwen van toevalligheden aan elkaar hing. 'Wie heeft ze geholpen, denk je?'

'Gilbert FitzHolland was wachtmeester van de koning, hij heeft overal vrienden. Sommigen zijn hoogwaardigheidsbekleders en anderen staan bij hem in het krijt, tot op het hoogste niveau,' voegde dame Agnes er nadrukkelijk aan toe. Binnen de stad Londen was de burgemeester de eerste gezagsdrager na de koning, en burgemeester William Hulyn was een aanhanger van het oude regime, toen FitzHollands edele zuster in Londen nog de scepter over leven en dood zwaaide. Hulyn had met Warwick bij de Guildhall-processen gezeten, maar hij kan net zo goed met de doodstraf hebben ingestemd omdat hij de zaak heimelijk weer recht kon breien. Dat betekende dat burgemeester Hulyn in de gaten gehouden moest worden, hoewel het aan Londen was om hem te laten vervangen.

Robyn had genoeg gehoord en stapte over op een ander onderwerp. 'Hoe zit het met Maria's misdaad?'

Dame Agnes zei dat het schokkend was, zelfs naar de maatstaven van Cock Lane. 'Haar stiefvader was een duivelse kerel en is op een duivelse manier aan zijn eind gekomen, hij is voor zijn eigen haard met een gloeiende bijl in stukken gehakt.'

'Hoe komen ze erbij dat Maria het heeft gedaan?' Dat kon ze nog steeds niet bevatten.

Toen de mensen de ijzingwekkende kreten van de man hoorden, hebben ze er een diender bij gehaald, die heeft de afgesloten deur ingeslagen en haar dode stiefvader gevonden. Maria zat helemaal onder zijn bloed. Er was niemand anders in de kamer, zelfs de kat niet.'

Niet best, maar nauwelijks overtuigend. 'En wat was er volgens Maria gebeurd?'

Dame Agnes schudde haar hoofd. 'Het meisje wilde niets zeggen, weigerde ook maar enige uitleg, zelfs niet om haar eigen hachje te redden.'

'Helemaal niets?' Maria was bij haar anders spraakzaam genoeg geweest.

'Alleen dat ze onschuldig was.' Dame Agnes keek bezorgd, ze kon kennelijk niets meer bedenken wat Maria nog kon helpen.

'Was er nog een andere uitgang in of buiten de kamer?'

Daar had dame Agnes duidelijk nog niet aan gedacht, ze schudde haar hoofd en zei: 'Het regende, dus de luiken zaten waarschijnlijk voor de ramen. Misschien brandde er zelfs wel een vuur in de haard.' Misschien, als iemand eraan had gedacht daarop te letten. Er waren veel te weinig middeleeuwers die Agatha Christie lazen, of zelfs Nancy Drew. Ze bedankte dame Agnes voor haar hulp en beloofde dat ze zich persoonlijk met Maria's zaak zou bezighouden.

Ze moest Maria's kant van het verhaal te horen krijgen, in de kleine cel van het meisje in Saint Martin-le-Grand. Maria had geen toeters en bellen of een groot buffet nodig om onder de indruk te raken, maar ze at alle noten en gekonfijt fruit die Robyn mee had genomen met graagte op. Tussen de 'steekpenningen' door smeekte Robyn Maria om haar kant van het verhaal te vertellen, maar het meisje schudde alleen maar haar hoofd en hield vol: 'U zult me toch niet geloven.'

'Ik zal het proberen,' beloofde ze. Toch wilde het meisje nog steeds geen antwoord geven, dus ging Robyn over op een andere tactiek. 'Zweer je dat je hem niet hebt vermoord?'

Maria stemde zwijgend knikkend in.

'Maar je was er wel bij?' Duidelijk.

Maria knikte ellendig, ze wilde wel antwoord geven, maar niet praten.

Toch was dit een begin. 'Dus dan weet je wie hem wel heeft vermoord?'

Maria schudde haar hoofd. Niet uit het veld geslagen leidde ze haar getuige stapje voor stapje verder. 'Viel je stiefvader je aan?' Dat leek een veilige veronderstelling.

Weer een knik.

'Met de bijl?' suggereerde Robyn.

'O, nee,' zei het meisje met nadruk. 'Hij bewerkte me liever met de blote vuist, soms met een twijg.'

'Dus hij kwam met lege handen op je af?'

Nogmaals een knik. Het leek wel een raar spelletje *Twenty questions* op zijn middeleeuws. Robyn trok het meisje dichter naar zich toe en probeerde haar meer op haar gemak te stellen terwijl ze de waarheid uit haar probeerde te wurmen. 'Heeft hij je aangeraakt?'

De tiener schudde haar hoofd.

'Waardoor hield hij dan op? Wie heeft hem vermoord?'

Maria liet haar hoofd op Robyns fluwelen schouder rusten en fluisterde zachtjes: 'Zijn bijl.'

Ja, vanzelf. 'Maar wie heeft ermee rondgezwaaid?'

Nog zachter fluisterde ze: 'Niemand.'

'Niemand?' Robyn keek verbijsterd en zei: 'De bijl vloog gewoon door de kamer en hakte helemaal vanzelf op hem in?'

'Ja, m'lady.' Maria knikte driftig, blij dat ze eindelijk begrepen werd. Welkom in de Middeleeuwen. Hoe had Robyn ooit kunnen denken dat geduld en begrip een zinnig antwoord zouden opleveren? Maria glimlachte behoedzaam naar haar en vroeg: 'Gelooft u me?'

Het bleek maar weer eens hoe middeleeuws ze al geworden was, want ze knuffelde het arme kind tegen zich aan en fluisterde: 'Ja, natuurlijk geloof ik je.'

Maria bedankte haar omstandig en benadrukte nog eens dat ze de bijl nooit had gevraagd om haar te verdedigen. Het logge hout-met-ijzeren voorwerp was vanzelf omhoog gevlogen, zonder enige plichtpleging. Maria had met afgrijzen naar het tafereel gekeken, er zeker van dat als ze dat aan iemand zou vertellen, ze voor ketterij op de brandstapel terecht zou komen, en anders wel voor hekserij. Beschuldigd van het oproepen van duistere machten om zichzelf te redden. Robyn hield Maria stevig vast en vroeg zich af wat ze nu zou doen. Gedaan met de middeleeuwse Nancy Drew, je kon nog zoveel de plaats delict op aanwijzingen onderzoeken, hier haalden moderne politiemethoden ook niets uit. Ze probeerde zich het nieuwe proces voor te stellen dat Edward had beloofd. Zou iemand naar zo'n getuigenis luisteren? Waarschijnlijk niet.

Zaterdag 23 augustus 1460, de vooravond van Sint-Bartholomeus, Baynards Castle, Londen
Vandaag precies vier maanden in de Middeleeuwen. Edward heeft

gezegd dat hij een verrassing voor me heeft om het te vieren, alsof ik die dag zou vergeten. Vier maanden geleden stond ik naar omlaag te kijken op de groenstrook van Cam Long Down – ik voelde me als de 'Fool on the Hill' – ik zag dat de M5 was vervangen door diep omgeploegde, middeleeuwse velden waar grote kudden vee op graasden. Afgrijzen streed met ontkenning om de voorrang. Wat was dat een dag, zeg – Sint-Jorisdag – woensdag 23 april 1460. Op dezelfde dag maakte ik kennis met Gilbert FitzHolland, Le Boeuf, lord Scales en sir Collingwood Grey, en belandde ik uiteindelijk in de kerkers van kasteel Berkeley. Ongelooflijk dat ik niet ter plekke door een cultuurschok dood ben gebleven. Nu moet ik me erbij neerleggen dat ik hier de enige persoon ben die zich de techno-industriële beschaving kan voorstellen. Die in 'New' York en 'New' England is geweest. Die Shakespeare kan citeren en de namen van alle vier de Beatles kent.

Edward heeft plechtig beloofd dat hij het goed zou maken, gezegd dat ik mijn rood-met-gouden jurk moest dragen, die ene, afgezet met zilverdraad, en de hoofdtooi met parels die hij me bij onze verloving had gegeven. De jongen heeft kennelijk plannen...

Edward had een ivoorwit galeischip geregeld dat aan de aanlegsteiger van het kasteel lag te wachten. Het voerde de rood-met-gouden Stafford-kleuren op de achtersteven, de tweede keer dat ze haar kleuren op iets groters had gezien dan een baljurk. En naast deze slanke, glanzendwitte galei, met karmozijnrode roeiriemen en verguld lijstwerk, leek de *Maidenhead* maar armetierig. Edward wist wis en waarachtig hoe hij zijn date moest imponeren. Ze draaide zich met een verwarde glimlach naar hem toe en vroeg: 'Waar gaat dit over?'

'Dit is natuurlijk voor mijn vrouwe,' antwoordde hij onschuldig en bood haar de helpende hand om aan boord te stappen. 'Herken je de kleuren? We moeten naar koning Hendrik op Westminster.'

'Moet dat?' Dit was haar gedenkdag, en de eerste warme, zonnige zaterdag sinds de naamdag van Sint-Anna. Een bezoek aan koning Hendrik leek haar veel te veel op werk. Hendrik kon alle plezier bederven – ook al was hij een geboren koning – een boot-picknicktochtje op de Theems zou tien keer leuker zijn geweest.

'Kom op, doe het voor mij,' smeekte Edward en hij gaf een kneepje in haar hand. 'Ik heb een speciale verrassing voor je. Voor mij is het net als een viermaandelijkse verjaardag, vier maanden geleden werd je in mijn wereld geboren.'

Waarheid als een koe. Toen ze hier net was aangekomen, had Jo haar een *Babee Boek* gegeven, zodat ze kon leren hoe ze zich in een ridderlijk paleis moest gedragen. Hoe ze zich nederig moest opstellen, en elegant en beleefd met haar handen moest eten. 'Hoe weet je dat het niet mijn echte verjaardag is?'

128

Edward keek verschrikt. Ze wist wel wanneer hij was geboren – 28 april 1442 – maar hij had er nooit aan gedacht het haar te vragen. 'Is dat dan zo?' vroeg hij. 'Dat zou helemaal verbijsterend zijn.'

Veel te verbijsterend. 'Eigenlijk,' gaf ze toe, 'ben ik op de eerste lentedag geboren, 21 maart, daarom hebben ze me Robyn genoemd.'

Hij lachte en beweerde dat hij dat wel had kunnen raden. Zo aan boord onder de heldere hemel voelde het alsof het werkelijk een weekend in augustus thuis was, een geweldig voorteken. Niet zo heet als een augustus in Montana, meer zoals in Californië. Met twintig man in rood-gouden livrei aan de riemen roeide de galei snel de Theems op, langs de met rozen overdekte Templetuinen en hoge herenhuizen met grote groene grasvelden en privé-steigers. De karmozijnrode natte roeispanen flitsten in de zon op, manoeuvreerden tussen de scheepvaart door op de bovenrivier en lieten grote golvende roeistrepen in hun kielzog achter. Bootmannen in kleine schommelende skiffs voerden langs en juichten toen ze het rood-met-goud van Stafford naast de Witte Leeuw van March zagen wapperen.

De hele weg lang wilde Edward niet zeggen wat haar te wachten stond, dus met gekke koning Hendrik kon ze ongeveer alles verwachten. Elke vorst, zelfs een krankzinnige, kon rechtspreken, levens redden, titels toekennen, misdaden kwijtschelden en ziektes genezen, dat dachten de middeleeuwers althans. Edward genoot zichtbaar van een mysterieuze koninklijke verrassing.

Toen ze bij Westminster aankwamen, met zijn grote abdij en vergulde engelen, begeleidde Edward haar naar de koning in zijn reusachtige hal met balkenplafond, een van de weinige keren dat ze samen aan het hof waren met al zijn pracht, praal en protocollen. Niet dat koning Hendrik tegenwoordig veel staatsie voerde. Hij had slechts een handvol lords om zich heen te midden van een menigte dienaren en lakeien, sommigen waren pas na de feesten en de processie in Canterbury gekomen. En het leek al helemaal niet op de hofhouding zoals de koningin in Kenilworth placht te voeren. Schitterend uitgedoste mannen in met zilver afgezet satijn en juweel met split stonden om hen heen, en een paar vrouwen die probeerden op te vallen, maar elk hof zonder koningin was gedoemd te verslonzen. Warwick en het merendeel van zijn mannen waren nog steeds in Calais, of naar het noorden om te onderhandelen. De enige edelen die ze herkende waren vriendelijke heerschappen zoals Collins buurman, lord Saye, en James Douglas, de Schotse graaf in ballingschap. Beiden waren blij haar te zien. Toen Edward en zij naar binnen gingen, viel het kleurrijke hof stil en keken de menselijke pauwen naar de slechtst geklede man in het vertrek, de morsige, duistere gestalte op de troon. Op aanwijzing van Edward maakte ze een revérence voor de koning.

Hendrik glimlachte futloos en knikte toen naar een heraut die de Engelse leeuwen en de Franse lelies droeg. De heraut ontrolde een stuk perkament, deed een stap achteruit, hield zijn hoofd schuin en begon stotend elk woord uit te spreken. Hij kondigde luidkeels aan dat op deze drieëntwintigste augustus koning Hendrik van Windsor, de zesde met die naam, uit naam van de Genadige Goddelijke vorst van Engeland, Ierland en Frankrijk, 'vrouwe Robyn wil belonen voor haar loyaliteit en steun aan de koning in Greenwich Park en voor haar moed bij Northampton, beide keren oog in oog staand met zijn gewapende vijanden...' Voor deze diensten kreeg ze het vruchtgebruik van het leengoed Pontefract, 'inclusief de steden Bradford, Leeds en Haworth, en de koninklijke paleizen Pontefract, Sayles, Ferrybridge, Castleford, Skelbrooke en Barnsdale, alsmede de huuropbrengsten van de huurwoningen in Stubbs, Norton en Fenwick, zo lang als ze leeft.' En ongetrouwd zou blijven. Er was een strikt voorbehoud in opgenomen dat als ze zou trouwen, de huuropbrengsten en revenuen naar de kroon zouden terugvloeien en dat haar man dan voor haar zou moeten zorgen... een vrouw kon immers niet twee heren dienen.

Toen ze de lange lijst paleizen aanhoorde, was ze allemachtig verbaasd, meer nog dan over de beloning zelf. Ze had wel verwacht dat ze iets zou krijgen – om die reden kwamen de mensen naar Westminster – maar ze dacht meer dat het zoiets zou zijn als een schouderklopje en een beurs vol gouden rozennobels. In plaats daarvan merkte ze dat ze op haar knieën zat, dat ze, met haar hand tussen die van koning Hendrik ingeklemd, eer en trouw aan hem beloofde. Ze gaf met hart en ziel haar woord aan gekke koning Hendrik, en aan elke andere man, dood of levend. Toen liet hij haar opstaan en zij herhaalde haar eed op een heilig relikwie, dezelfde martelaarstand waarop Edward trouw had gezworen na de slag om Northampton. Nu waren Edward en zij allebei in dienst van gekke Hendrik, wat ze nooit had gedacht toen ze twee maanden geleden uit Calais vertrok om het tegen de koning op te nemen.

Haar meest bizarre middeleeuwse ceremonie tot nu toe, merkwaardiger nog dan een heksennacht in een stal. Gekke koning Hendrik nam christelijke liefdadigheid letterlijk, gaf titels weg, landerijen, pachtovereenkomsten, geld, functies, kwijtscheldingen en gratie, zonder rekening te houden met iemands verdienste, eerdere beloningen of de eventuele politieke repercussies. Hij dreef daarmee de Koninklijke Raad tot waanzin totdat ze inzagen dat ze de toegang tot de koning moesten beperken, zodat hij geen afspraken kon maken of petities in ontvangst kon nemen. Daarmee werd Hendrik volkomen afgesneden van de regeringsperikelen, wat hij waarschijnlijk sowieso het liefste wilde. Maar nu had hij zichzelf overtroffen. Op weduwes en erfgenamen na, hadden vrouwen meestal geen eigen paleis. Zij kreeg alleen de netto-inkomsten, wat overbleef nadat de koning de kosten ervan af had getrokken. De herenhuizen en het koninklijk paleis in Pontefract bleven onder toezicht van de koning, een verstandige voorzorgsmaatregel want Robyn wist totaal niet hoe ze een middeleeuws landgoed moest bestieren. Ze kon zich geen enkele voorstelling maken van hoeveel het in totaal was, maar deze 'inkomsten' kreeg ze haar leven lang, zolang ze maar ongetrouwd bleef. Aangezien ze niets aan haar echtgenoot of kinderen kon overdragen, verloor de kroon alleen de lopende inkomsten, toch nog een paar honderd pond per jaar. Met een enkele koninklijke handtekening was haar toekomst verzekerd... die macht hadden koningen. Zelfs gekke.

Plotseling was ze een onafhankelijke vrouw en hoefde ze niet meer op de zak van Edward te teren, hoewel dat er nauwelijks toe deed nu ze zo wanhopig verliefd waren. Over een paar maanden zou ze het allemaal opgeven om gravin van March te worden, dan zou het leengoed Pontefract er niets meer toe doen. En toch werd ze door de koninklijke beloning opeens een vrouw met wie rekening gehouden moest worden, ze kon zelfs nee tegen Edward zeggen. Als Arrogante Cis het te gortig maakte, kon ze naar een huis in de stad verhuizen. Of zich op haar paleis in Pontefract terugtrekken, dat ergens ten noorden van Nottingham in Yorkshire lag – ze kende het van Shakespeare – niet erg waarschijnlijk, maar ze had tenminste een alternatief. Was dat wat gekke koning Hendrik wilde, in armoedige stilte op zijn troon zetelen? Was dit Hendriks merkwaardige, achterbakse manier om naar haar gunsten te dingen? Hoopte hij soms dat zij de jonge Edward van March trouw hield aan zijn koning, door hen beiden op diezelfde heilige tand te laten zweren?

Edward had er allemachtig veel plezier in, hij boog enthousiast naar zijn vorst en was duidelijk blij voor haar. Normaal gesproken was Edward blasé over titels, hij haalde ze makkelijk door elkaar, leek er niks om te geven dat hij met een niemand was verloofd. Maar hij had van haar altijd al een 'lady' willen maken, dat had hij gezworen op de eerste dag dat ze elkaar tegen waren gekomen. Toen had ze hem volslagen krankzinnig gevonden. Nu was ze lady Robyn Stafford van Pontefract, dat sprak je uit als *Pomfret*, net als de cakejes.

Vrouwe Pomfret bedankte haar soeverein nederig, voelde zich wat beschaamd dat ze zoveel geld voor niets kreeg, maar ze vergoelijkte haar schuldgevoel door zichzelf eraan te herinneren wat ze er allemaal voor had moeten doormaken. Engeland was haar dan wel geen bestaansrecht verschuldigd, maar deze mannen waren dat wel. Bovendien ging dat in de middeleeuwse economie nu eenmaal zo. Bijna niemand had een normale baan. De meesten waren keuterboertjes, en velen waren lid van de clerus. Alleen in Londen en de grotere steden werkten veel mensen voor loon, en heel veel werkten voor een lord of lady, die van huuropbrengsten en het platteland leefden. Het enige wat ze met het geld kon doen was het letterlijk aan iemand besteden.

Hendrik hoorde haar dankwoorden aan en fleurde helemaal op – hij was blij haar gelukkig te zien. Dingen weggeven was het hoogtepunt van de koninklijke dag en als zijn bewaarders dat toestonden, wilde Hendrik dat elke dag wel doen. Hij gaf hele provincies aan de Fransen weg en had Eton College gesticht, maar niet al zijn impulsieve daden waren even fortuinlijk. Voor haar was het allemaal geweldig, maar voor hem betekende het nagenoeg niets, wat koninklijke aalmoezen die altijd weer aan de kroon werden teruggegeven. Totdat Edward en Warwick hem beteugelden, had Hendrik regelmatig vijf keer meer dan zijn normale inkomen aan de koninklijke hofhouding uitgegeven, hoewel hij zichzelf in een boetekleed hulde. Hij zat rechtop in zijn sjofele zwarte jas, spreidde zijn versleten laarzen en grijnsde goedhartig, haar vorst vroeg haar of hij nog iets voor haar kon doen. Hendrik was duidelijk in de stemming om te behagen.

Ze greep de kans van een onderonsje met de monarch onmiddellijk aan en antwoordde snel: 'Niet voor mezelf, majesteit, maar er zit een meisje in de wijkplaats van Saint Martin-le-Grand, ze is tot de brandstapel veroordeeld – ik zet mijn eigen vrijheid op het spel voor haar onschuld.'

Hendrik vroeg naar de details, en ze gaf een middeleeuwse versie van een geval van aanranding, vooral gebaseerd op de tekortkomingen van de stiefvader annex echtgenoot en Maria's complete machteloosheid daarbij. Ze beriep zich op wonderen waar ze zelf niet echt in geloofde, een bijl die door de kamer rondvloog en die de akelige schurk in stukjes had gehakt. Zou kunnen. Sinds ze in de Middeleeuwen was aangekomen, had ze wel gekkere dingen gezien, veel gekkere dingen – alleen al haar aanwezigheid in dit tijdsgewricht sloeg alles, dus zeker elk vliegend antiek dood voorwerp.

Zijne hoogheid smulde ervan, vanzelf. In de obscene insinuaties die in zoveel vrome zedenlessen werden gepredikt, wemelde het van seks en geweld op Cock Lane. Het was bijna niet bij te houden, het soort roddelverhalen waar Londen zo naar hunkerde, maar dat nog niet wist. Hendrik beval zonder meer dat Maria gratie moest krijgen, hij kon nauwelijks geloven dat een gerechtshof voor zulk wonderbaarlijk bewijs zo blind kon zijn. 'Hij die hemel en aarde kan scheppen, kan zeker een bijl laten hakken.'

Het hof applaudisseerde om haar nederige verzoek ten overstaan van zo'n schandalig genereuze koning, en omdat hij omwille van haar

132

een gunst verleende aan een slachtoffer. Onbeschaamde nietsnutten moesten niet nog meer verlangen – zo was het wel genoeg, ze moesten maar nemen wat ze konden krijgen. In een paar maanden tijd zouden deze mensen moeten slikken dat ze gravin werd en uiteindelijk hertogin van York. In feite zette ze hier de eerste stap op de maatschappelijke ladder, en was dit de eerste proeve van haar populariteit. Zo te horen aan het beleefde applaus was ze geslaagd.

Later, uit het zicht van het hof, wreef ze zich in de handen. Ze zat op de achtersteven van de ivoorwitte galei, haar kleuren wapperden in de wind en ze vroeg Edward naar de details. 'Hoe lang weet je hier al van?'

'Sinds we uit Greenwich terug zijn,' gaf hij onverwacht toe. Hij was dus heel goed in staat iets voor haar geheim te houden, dit had ze nooit zien aankomen. 'Het was koning Hendriks idee en hij bezwoer me dat ik niets tegen je mocht zeggen.' Vanzelf, maar ongetwijfeld waar. Hendrik was dol op geheimen en spioneren, zeker als het om vrouwen ging, een gevolg van het feit dat hij het zo jong zonder moeder had moeten stellen. Zijne hoogheid had overal spionnetjes in het paleis. Toen zijn aanstaande bruid, Margaret, uit Frankrijk was aangekomen, had hij zich als page verkleed om haar te kunnen beloeren. Die geheimzinnigheid vertederde haar nog meer dan de beloning zelf. Hendrik mocht haar graag, zo graag dat hij ging rondneuzen en verrassingen voor haar verzon.

'Waar is dat leengoed Pontefract?' Ze had Pontefract nog nooit gezien en slechts een flauwe notie van waar het lag. In de afgelopen vier maanden was ze heel Wales door geweest, ze had iets van Kent en de Midlands gezien, maar Yorkshire was voor haar nog terra incognita.

'In de West Riding, vlak bij mijn vaders kasteel, Sandal. Prachtig landschap,' herinnerde Edward zich, 'hoewel ik het ten zeerste betwijfel of je er op korte termijn heen kunt.'

Alleen al de royale revenuen. Ze zette de politiek even opzij en koesterde zich in dat glorieuze moment, de vrijheid die geld haar bood. Sinds die eerste dag, vier maanden geleden, was het een dagelijkse zorg geweest waar ze moest eten of slapen. Mensen waren meer dan vriendelijk voor haar geweest, hadden haar het kleine beetje eten dat ze hadden uit eigen mond gespaard, en hun van luizen vergeven bedden met haar willen delen. Maar Edward spande de kroon, hij ging zelfs omwille van haar in bad, hoewel ze hem ervan verdacht dat hij het alleen maar voor de seks deed. Maar nu had ze haar eigen inkomen en een eigen huis, en kon ze doen wat ze wilde. Dat had ze nog het meest uit het derde millennium gemist, meer dan MTV en popcorn uit de magnetron. Ze kon nu haar eigen huishouden inrichten en was niet meer slechts de 'trouwe vriendin' van Edward.

Ze zag hoe de ommuurde stad aan haar trok, ze realiseerde zich wat een opwindende tijd dit was om Londen mee te maken, ook wanneer ze niet in een ivoorwitte galei over de Theems bij Westminster vandaan werd geroeid, maar wel met een koninklijke toelage in haar zak. Deze kleine stad zinderde van leven en mogelijkheden, trok de beste mensen uit Engeland aan en vrijbuiters uit het buitenland. Misschien kon ze een drukkerij beginnen? Ze had op het vasteland al boekdrukkunst gezien, maar kranten waren nog niet in druk verschenen. Dit pas bevrijde Londen had een nieuwe stem nodig. Natuurlijk bestonden er nog geen copyrightwetten. Ze kon Christine de Pizan herdrukken en oude uitgaves van *Saturday Night Live* – hier waren alle grappen weer nieuw. Ze had gezien hoe enthousiast Hendrik op haar roddelverhaal reageerde, ze kon zelfs een krant beginnen. Als het te politiek werd, zou dat als verraad worden beschouwd, maar ze hoopte dat ze dat kon veranderen.

Een andere vrouw had ook haar vrijheid teruggekregen. Ze zei tegen Edward: 'Ik moet onmiddellijk het goede nieuws aan Maria vertellen.'

'Maar ik heb de hele dag de boot,' klaagde Edward. Ze zag dat hij haar plaagde en dat hij niet van plan was om met haar op de rivieroever, onder het oog van twintig wellustige roeiers, te gaan picknicken.

'Misschien,' stelde ze voor, 'kunnen we daarna ergens gaan picknicken, zonder de bemanning.' Het duurde nog ruim een week voor Maria's veertig dagen om waren, maar het meisje moest het meteen te horen te krijgen, daar had ze recht op. Wat moest ze met Maria aan? Waar moest het meisje slapen? Haar kleine torenkamer kon niet haar groeiende huishouden herbergen, dat was wel duidelijk. Jammer dat Arrogante Cis het halve kasteel had ingenomen. Misschien kon ze een huis in de stad huren. Gisteren zou dat ondenkbaar zijn geweest, vandaag kon ze zich dat makkelijk veroorloven.

Op Baynards Castle ging ze rechtstreeks naar de kapel en sprak inwendig een dankgebed uit. Deze gedenkdag, vier maanden geleden was ze immers in de Middeleeuwen beland, was werkelijk een gedenkwaardige dag geworden. Ze wist een paar dankgebeden uit te brengen, brandde een stuk of tien kaarsen voor de Maagd en ontsnapte voordat hertogin Cecily met haar vrouwen voor het middaggebed binnen zou komen.

Ze gaf Matt Davye opdracht om Lily en Ainlee te zadelen, schoot in een groen rijgewaad en ging toen met Deirdre op weg naar Saint Martin-le-Grand. Praktische zorgen streden met haar opwinding om de voorrang toen ze door de drukke straten reed, waarbij ze oplette of ze een huis kon ontdekken dat ze misschien kon huren. Voorbij Wardrobe Place zag ze een paar die volmaakt geschikt leken, hoewel iets in Cheapside misschien beter was. Haar drukkerij kon dan beneden en de kamers boven, dicht bij de boekenmarkt op het kerkplein en de gerechtshoven, zodat ze zeker was van genoeg klandizie. Bij de wijkplaats van Saint Martin gaf ze Black Dick Nixon een zilveren muntstuk, zodat Lily niet zou worden gestolen. Buigend bezwoer de schurk dat hij zijn best zou doen. Ze bedankte de vagebond voor zijn trouwe dienst en realiseerde zich dat er een eind zou komen aan hun relatie. Weldra zou hij zijn paard krijgen en op weg zijn.

Toen ze met Deirdre de grote stenen kerk binnenging, kwamen opgewonden nonnen naar haar toe gefladderd en zeiden: 'M'lady, m'lady, hebt u van het wonder gehoord?'

'Welk wonder?' Tranen van ontroering rolden over de wangen van de nonnen terwijl ze koortsachtig aan hun rozenkranskralen frunnikten en het verhaal probeerden te vertellen, ze kon er nauwelijks wijs uit. Hadden ze al gehoord dat koning Hendrik haar clementie had verleend? Dat zou wel ongelooflijk snel zijn, zelfs voor het roddelcircuit in Londen.

'Maria is verdwenen,' zeiden de nonnen in koor. 'Ze is naar God. Toen zuster Eudocia haar voor het middaggebed wilde halen.'

'Waar is ze naartoe?' Ze begreep er helemaal niets van.

'Ze is naar God!' hielden de zusters vol, en ze klonken plotseling blij. 'We dachten dat u ervan had gehoord en daarom hier bent.'

'Is ze dood?' Wat een ramp. Die nonnen hadden er geen idee van dat ze haar kwam vertellen dat ze gratie had gekregen van de koning.

'Niet dood,' zeiden ze. 'Weg! Zuster Hildegard zat met haar te naaien. Zuster Eudocia kwam ze voor het middaggebed halen, zuster Hildegard deed de deur open en verwachtte dat Maria mee zou komen, zoals elke middag. Toen Maria niet tevoorschijn kwam keken beide zusters de cel weer in en toen was die leeg!'

Langzaam begon hun verhaal tot haar door te dringen, rond de tijd dat ze in de kapel van Baynards Castle dankbare kaarsjes voor de Maagd aan het branden was geweest, was Maria verdwenen. Bijna voor de ogen van deze nonnen compleet weggevaagd. 'Nee, ik had het nog niet gehoord,' zei ze tegen hen. 'Ik kwam haar vertellen dat de koning haar gratie heeft verleend.'

'Dat heeft hij zeker,' stemden de zusters blij in en telden nog steeds hun kralen. 'Niet koning Hendrik, maar onze Koning daarboven.'

5

Halloween

'Wat denk je ervan?' vroeg Deirdre in het Keltisch toen ze veilig uit de buurt van de Saksen naast elkaar langs de Saint Paul's reden.

'Ik probeer niet te denken,' gaf Robyn toe en ze staarde niets ziend naar de zaterdagmarkt rondom de Saint Paul's, ze liet Lily zelf haar weg naar huis vinden.

Ze was niet bereid om onmiddellijk van een wonder uit te gaan, zoals de gemiddelde middeleeuwer wel deed. Ze had snel rondgekeken voordat ze in Maria's cel een dankgebed uitsprak, zag vier kale muren en een venster zo hoog dat alleen een winterkoninkje erdoorheen kon. Dak en vloer leken stevig genoeg, dus kon ze alleen door de deur waar de nonnen hadden gestaan. Robyn dacht altijd besmuikt dat mensen niet zomaar konden verdwijnen, maar het was haar zelf ook overkomen. Er zat magie achter Maria's verdwijning, machtige magie, reusachtige toverkunsten die bijlen door de lucht laten vliegen en tienermeisjes uit stenen cellen wegkaapten. Ze had geen idee wie of wat achter de magie zat, zelfs niet met welke bedoeling. Vrouwe Robyn bracht haar meid in herinnering: 'Dit is een feestdag.'

'Geloof jij dat Maria in de hemel is?' Er klonk twijfel in Deirdres stem door.

'Misschien.' De meeste middeleeuwers beschouwden willekeurige wonderen des te meer een bewijs van Gods onnavolgbare wegen, maar zo naïef waagde ze niet te zijn, zij was immers ook hier terechtgekomen. 'Maar we kunnen er niet al te gerust op zijn.'

'Hoezo?' Deirdre wierp een voorzichtige blik op de zaterdagmarkt op de begraafplaats, maar zag niets onheilspellenders dan verleidelijke koopjes, geurwaskaarsen, kanten waaiers en strengen zoete vijgen. Plotseling hadden vrouwe en dienstmeid geld te besteden.

'Omdat dit soort dingen niet voor niks gebeuren.' Alsof vrouwe Robyn dat nog niet wist. Op de kop af vier maanden geleden had ze op een groene heuvel in het Engeland van de eenentwintigste eeuw gezeten. Ze was uitgenodigd om aan een mal ritueel mee te doen, zij dacht van een paar amateur-heksen, en was vervolgens hier beland. Dat raadsel had ze nog steeds niet opgelost en Maria was een nog groter mysterie. 'Zolang we het waarom niet weten, moeten we op onze hoede zijn.'

'Er is vast een logische verklaring voor,' opperde Deirdre. 'De vermoorde man was een monster en Maria is nu waarschijnlijk op een betere plek.' Dat hoopten ze allebei maar.

'Misschien, maar wij zijn erbij betrokken, en dat is verdacht.' In haar hoofd liep ze de gebeurtenissen na van de naamdag van de Heilige Anna, maar alles leek te draaien om haar triviale besluit om de stad in te gaan en via Cheapside en Newgate om te rijden naar Smithfield. Daarna had ze geen invloed meer op de gebeurtenissen gehad, leek het wel, ze had gewoonweg niet anders gekund en dat was tot op de dag van vandaag doorgegaan. Ze had immers Maria's zaak bij koning Hendrik bepleit. 'We hebben magische vijanden, bedreven in valstrikken voor degenen die niet opletten.'

'Bedoel je soms hertogin Wydville?'

'Onder anderen.' Hertogin Wydville had haar op verschillende momenten in de val willen laten lopen, en ze was overal ingetrapt: die dag op de heuvel boven Cam Long Down, toen voor de kust van Ierland en ten slotte in de Tower. Elke keer was ze er blindelings in gelopen, had ze met een glimlach om de lippen en een blijmoedig hart overal op vertrouwd. En elke keer was ze ruw voor haar inspanningen bestraft. Ze was naar de Middeleeuwen gestuurd, had als lokaas gefungeerd en was toen in een zwart gat in de kerkers van de Tower achtergelaten. Wat een dwaas. De volgende keer zou ze dat beter doen. 'Hertogin Wydville is niet de ergste.'

'Jammer voor mij,' verklaarde Deirdre, die de hertogin vanaf het begin hartgrondig had gewantrouwd. Robyn knikte instemmend. Ze had wel geleerd om op Deirdres argwaan te vertrouwen, gebruikte dat als een tijdige alarmbel. Robyn had zich bij hun eerste ontmoeting wat makkelijk laten inpakken door de charmes van hertogin Wydville, ze had er geen moment aan gedacht dat die vriendelijke, oude lieverd haar kwaad zou willen doen. Moest je zien wat er toen gebeurde. Ze miste Maria nu al en hoopte dat het goed met haar was.

Deken Stillington van Saint Martin's twijfelde er niet aan dat Maria's verdwijning een wonder was, maar hij liet toch doorschemeren dat de nonnen na een poosje wel weer met het meisje op de proppen zouden komen. Dat kon natuurlijk altijd. Het was vast niet makkelijk om een godshuis vol monniken, nonnen, dieven, pooiers, moordenaars en politiek vluchtelingen te runnen, dat was op zichzelf al een wonder. Dus zei ze tegen Black Dick Nixon dat hij moest zien uit te zoeken wat er precies met Maria gebeurd was, en ze beloofde dat ze met hem zou komen praten. 'Maandag na de Sint-Bartholomeusmis.'

'Zoals het m'lady belieft,' antwoordde hij met een kwaadaardige grijns. 'Ik ga heus nergens naartoe.' Haar bezoekjes hadden hem geen windeieren gelegd.

Maandag was er nog niets bekend over Maria, niet bij de nonnen en ook niet bij Nixon. Dus schikte ze zich in het onvermijdelijke, ze beloonde Black Dick Nixon voor zijn diensten: ze zorgde ervoor dat hij veilig de Aldersgate uitkwam in de richting van Barnet en de Grote Weg naar het noorden. De Venetianen wilden haar maar al te graag geld lenen nu ze inkomsten uit haar paleizen had. Ze had nu een goedgevulde beurs, genoeg zilver om een prachtig paard voor hem te kopen, een grote, gladde hengst die zo te zien slim en sterk was. Nixon vond hem ook mooi en zei: 'M'lady heeft wel kijk op paarden.'

'Ik ben met paarden opgegroeid,' vertelde ze hem, 'en met vee.'

'Ik ook,' antwoordde Black Dick glimlachend, hij kwam uit een beruchte veedievenfamilie. 'We hebben veel gemeen, m'lady.'

'O ja?' Er waren maar weinig middeleeuwers met wie ze zich minder verwant voelde dan Black Dick Nixon, huurmoordenaar en grensbandiet.

'Zeker weten, m'lady, we spreken beiden het mooie Northumberlands, in tegenstelling tot deze zuiderlingen.' Ze had als vanzelf met hem in zijn eigen dialect gesproken. 'En ik herken u aan die typische Northumberlandse oneerlijkheid.

'Echt waar?' Het kwam door de betovering, een halsmisdaad.

'Maakt niet uit,' haastte Nixon haar gerust te stellen. 'Ik ben mijn eigen Northumberlandse oneerlijkheid behoorlijk tegengekomen, dus dat betekent dat we allebei geboren schurken zijn.'

'Ik begrijp het,' antwoordde ze uit de hoogte. De Nixons waren beruchte grensstruikrovers, leerden van kinds af aan stelen, waardoor Nixon net zo makkelijk een misdadiger als een tovenaar kon zijn.

Black Dicks grijns werd breder. 'Als die mooie heren u doorkrijgen en zich tegen u keren, vindt u een toevluchtsoord in Tynedale. U hoeft alleen maar de North Tyne te volgen totdat u bij Kielder aankomt, vraag dan naar de Nixons of de Crosers, dan nemen we u onder onze hoede... want u bent een aantrekkelijke dame en u hebt een hoop voor me gedaan.'

Je wordt bedankt. Wat hadden die middeleeuwse mannen toch, dat ze steeds maar van alles voor haar bedachten? De devote koning Hendrik wilde dat ze trouwde en dat iemand voor haar zorgde terwijl hij haar ondertussen met allerlei inkomsten overspoelde. De galante jonge Edward had haar onmiddellijk tot zijn lady gebombardeerd. Sadisten zoals Scales en FitzHolland konden niet wachten om haar voor haar zonden te straffen en nu wilde deze voortvluchtige misdadiger haar in zijn dievenbende opnemen. Dat was het grote dilemma van de heksenjager: in weerwil van zichzelf hield zelfs de slechtste kerel eigenlijk wel van een heks, als ze maar mooi was, prettig in de omgang en attent. En al helemaal als ze zijn taal sprak en zijn zakken vulde. Ze bedankte de voortvluchtige schurk en beloofde dat ze zijn aanbod in gedachten zou houden als de grond onder haar voeten te heet werd. Toen gaf ze hem een beurs met zes gouden halfnobels en wenste hem succes.

Nixon knielde in de modder neer en kuste haar hand, zo dankbaar als alleen een zakkenroller kon zijn die net van iemand een zak goud heeft gekregen. Toen klom Black Dick op zijn paard en zei: 'Veel geluk met die jonge graaf van u. En als hij het laat afweten, heeft m'lady een veilige plek in Tynedale.'

Toen was hij verdwenen, schaamteloos reed hij in noordelijke richting Aldersgate Street door, een grensschurk met een baard van een dag oud, zijn laarzen staken door de stijgbeugels, er hing een breedzwaard over zijn rug en door zijn tanden floot hij een liederlijk deuntje. En zo eindigde een merkwaardige, toevallige ontmoeting die begon in het bakstenen dorp Hardingstone, met het gotische Eleanorakruis langs de weg naar Northampton. Black Dick Nixon had daar op de deur van een boerderij staan bonzen, samen met Maria's Jock, Sweet-milk Selby en Bangtail Bell, ze waren van plan de boel te plunderen, maar in plaats daarvan troffen ze haar daar aan. Dat heeft Black Dick haar overigens nooit kwalijk genomen, ondanks haar rol bij de dood van zijn heer, het verlies van Northampton en het feit dat hij in de wijkplaats terecht was gekomen. Hij wilde de relatie in stand houden, had op haar deur gebonsd en op haar paard gepast. Zij op haar beurt had hem die dag ervan weerhouden Hardingstone te plunderen en nu stuurde ze hem met een zak goud naar huis, waarschijnlijk de enige Percy grensruiter die profijt had van zijn trip naar het zuiden. Vreemd, maar het klopte op de een of andere manier wel.

Op Baynards Castle ging ze aan de hoge tafel zitten en mengde zich in de levendige conversatie aan tafel. Nu vrouwe Robyn rijk was, mocht ze met hertogin Cis en haar vrouwen mee-eten, zonder dat ze bang hoefde te zijn dat ze hen besmette met haar lage afkomst. Bij de gebakken paling en zeebrasem behandelde hertogin Cecily haar als een kruising tussen een vrouwe-in-opleiding en een eigenzinnig dienstmeisje dat een kiekeboespelletje met haar zoon speelde. Ze mochten het alleen maar over religie hebben, zowel veilig als leerzaam. 'Je bent nog jong,' gaf hertogin Cis haar te verstaan, 'en ongetwijfeld naïef. Heb je ooit de bijbel gelezen?'

'Gedeeltelijk.' Maar dat was alweer een tijdje geleden. Ze had zich meer verdiept in de rituelen van het middeleeuwse katholicisme dan in de bijbel, maar ze had meegewerkt aan de productie van *De tien geboden* en *Jezus Christ Superstar*.

'En de kerkvaders?'

'Weet ik nauwelijks iets van,' gaf Robyn toe.

Hertogin Cecily glimlachte breed. 'Verbaast me niets. Geeft niks, hoor, liefje, vrouwen krijgen zo beroerd onderwijs. Gelukkig willen we heel graag leren, veel meer dan mannen willen toegeven.' Haar hofdames giechelden even nerveus. Ze hadden de hoge tafel voor zichzelf, aangezien Edward bij graaf Douglas dineerde, de enige mannen die er waren serveerden dadelcompote en gezouten dolfijn. 'Kijk nou, je hebt nauwelijks iets geleerd en toch krijg je visioenen.'

Pas sinds ze hier is. Ze knikte beleefd en had het gevoel dat ze een of andere spirituele idiot savant was. De meeste middeleeuwers waren heel zeker van hun zaak als het om godsdienst ging, er was immers nauwelijks concurrentie. De wetenschap bestond slechts uit ruwe astrologie en amateurscheikundigen deden wanhopig hun best om steen in goud te veranderen. De meeste mensen hadden veel meer vertrouwen in magie. Hertogin Cecily keek haar bedachtzaam aan en zei: 'Je moet niet te licht over de vrouwelijke mystiek denken, onze gevoelens gaan veel dieper en breder dan die van mannen, bovendien zijn ze veel grilliger. We moeten dieper in onszelf afdalen en de kronkelige zijpaden onderzoeken om tot het goddelijke te komen.'

Kronkelig, me hoela. Vanavond was het heksennacht, maar ook de feestdag van Johannes de Doper. Arrogante Cis deed haar aan hertogin Wydville denken, de een was een christelijke mystica en de ander was een heksenhertogin uit Bedford, maar beiden waren er als de duivel van overtuigd dat zij een rechtstreeks lijntje naar het hiernamaals hadden, en als ze dat nodig vonden, wroetten ze in elk willekeurig leven rond. Hertogin Cecily zei tegen haar: 'Jouw vroeg ontwikkelde spiritualiteit herinnert me aan de jonge Catherina van Siena, zij kon lezen noch schrijven maar heeft als een heilige geleefd. Je hebt net als zij een neiging tot zelfopoffering en dienstbaarheid, maar ook haar verstand en vastberadenheid, en je oefent aantrekkingskracht uit op mensen. Zowel op vrouwen als op mannen, waar of niet?'

Robyn knikte. Maar al te waar. Iedereen, van Black Dick Nixon tot de hertogin van Bedford, was overbezorgd over haar fysieke en spirituele welzijn. Nog voordat ze voet aan land had gezet, had Owen Boy O'Neill al een eerbaar meisje van haar willen maken.

Hertogin Cecily glimlachte triomfantelijk en voegde eraan toe: 'Verlang je ook naar zelfkastijding?'

'Soms,' gaf ze toe, maar niet op haar betere dagen.

'Ik zie het aan de manier waarop je eet, je neemt nauwelijks iets van je zeebrasem, en de gebakken paling en gezouten bruinvis heb je niet eens aangeraakt. Je eet nauwelijks en je bent er erg op gebrand dat water gekookt en groenten gewassen wordt, daar spreekt een morbide angst voor de dood uit.'

Of voor middeleeuws voedsel en de middeleeuwse hygiëne. Het was vrijdag, dus zette hertogin Cis alleen vis op tafel, maar Robyn walgde van paling, en gezouten dolfijn was niet zo erg als het klonk – het was een bruinvis, niet Flipper – maar veel trek had ze er niet in. 'Door je angst vernietig je jezelf,' concludeerde hertogin Cis, 'je wordt gevaarlijk mager. Zelfopoffering is een tweede natuur van je, zo erg dat je jezelf voortdurend in gevaar brengt terwijl je iedereen vertelt dat je het voor de ander doet.' Veel van wat ze zei was ergerlijk accuraat, maar Robyn was niet van plan haar hart bij Arrogante Cis uit te storten. Ze miste Jo, die ver weg in de Cotswolds zat, die over alles en niets kon praten, zonder angst of beperkingen. Hoe kon ze serieus haar leven in ogenschouw nemen als ze voortdurend leugens moest rondstrooien? Hertogin Cecily vroeg: 'Heb je de Maagd al gezien?'

Ze bekende van niet. 'Voorzover ik weet niet, althans.'

Hare doorluchtigheid knikte goedkeurend dat ze aan haar zintuigen twijfelde. 'Dat komt nog wel.'

En snel ook, zo te horen. Ze ontvluchtte de eetkamer en trok zich in haar torenkamer terug, ze wilde dat prins Charming iets aan mammie deed, maar hij had het veel te druk met Engeland te runnen. Een excuus van niks. Erger nog, ze kon nog niet eens fatsoenlijk zitten mokken, want ze moest de kamer met Deirdre en kleine Beth delen, die allebei tot het impertinente toe hun meesteres probeerden op te vrolijken. Eerste regel in het *Babee* boek: Houd verhalen paraat om de lord of lady te kunnen behagen. Ze had meer ruimte nodig. Je kon geen huishouding hebben zonder huis.

Maandag 1 september 1460, Dag van de Arbeid, Baynards Castle, Londen

Eén september. Thuis vieren ze de Dag van de Arbeid. Einde van de zomer, een laatste picknick en dan gaan de kinderen weer naar school. Hier duurt het nog weken voor het herfst is, en hele families werken non-stop om de verzopen oogst binnen te halen. Kinderen binden de korenschoven op die hun ouders hebben gemaaid, al doende leren ze. Nu de nog staande oogst dreigt te verregenen, is elke hand nodig om te redden wat er te redden valt. Londen kan graan uit het buitenland importeren – en dat kost – maar de meeste mensen leven van wat ze zelf verbouwen of verkopen. Deirdre zegt dat het in Kent zo hard heeft geregend dat er dorsters op de akkers zijn verdronken. De winter zal nog strenger worden.

Daarom ben ik naarstig op zoek naar een huis, ik stel me dat niet alleen voor, maar ik kijk in alle ernst uit naar een huurhuis. Als ik er nog langer mee wacht, is het te laat. De volgende maand komt het parlement naar de stad en dan zit Londen vol lords, lady's en parlementsleden van buiten de stad, en dan heb ik het nog niet over wie ze allemaal meenemen om het ze naar de zin te maken. Ik ben in Cheapside

141

en rond de Saint Paul's wezen kijken. Zelfs in Saint Bride's, voorbij de
stadswal, geknipt voor een drukkerijtje, hoewel ik liever in Londen zit,
of tenminste in Southwark.

Maandag 8 september 1460, geboortefeest van de Heilige Maagd, Bay-
nards Castle, Londen
Vrijdag zou Maria eenenveertig dagen in de wijkplaats hebben geze-
ten, en aangezien het heksennacht was, heb ik voor haar gebeden.
Geen antwoord. En ook tijdens de mis ter gelegenheid van de geboorte-
dag van de Maagd. Maar weer geen antwoord.
Edward heeft me bezworen dat hij me hier weghaalt, tenminste zover
als Southwark Fair. Hij heeft me weer een verrassing beloofd. We zul-
len zien...

Southwark Fair bleek een laag-bij-de-grondse, smerige bedoening van
ritselaars en straatventers. Edward was kennelijk blij dat hij aan de
vrome greep van zijn moeder kon ontsnappen, hij miste duidelijk de
goeie ouwe tijd toen Londen pas bevrijd was, en ze te pas en te onpas
wilde feestjes en gratis toernooien konden organiseren. Southwark
had nog steeds dat bevrijdingsgevoel, met zijn bonte bevolking van
marskramers, straatspelers, prostituees en vrijbuiters die onder gezag
van de milde hand van de Winchester bisschop stonden. Ze zag een
schitterend poppenspel en een aapje dat acrobatische toeren uithaalde
op een koord. Het droeg een rok en een mand vol eieren. Op de
straathoeken werd vlees geroosterd en dat rook zo hemels dat ze zich
niet meer kon inhouden en zo een stuk van het spit at. Het was heerlijk en goed doorgebakken. Edwards jongere broers George en
Richard gingen met hen mee. Zij waren op het platteland opgegroeid,
dus waren ze verschrikkelijk opgewonden, ze staarden met wijdopen
ogen naar de acrobaten en hoeren.

Vrouwe Robyn keek heimelijk naar een groot, leegstaand huis van
drie verdiepingen, voor de helft met houten beschieting. Op de begane
grond was een winkel met daarboven de woonvertrekken. Ze vroeg
zich af van wie het was en waarom het leeg stond, ze besloot zonder
Edward navraag te doen.

Hij voerde haar langs herbergen, waar pelgrims verbleven, en langs
openbare badhuizen naar Falstaff's Place. Dat was het paleis in Southwark waar de Greys verbleven en waar zij in juli had gelogeerd toen
de rebellen van Sandwich waren opgemarcheerd en ze door Southwark waren verwelkomd. Falstaff's Place besloeg bijna een heel blok,
met een omheinde binnenplaats, stallen en badruimtes die bij het statige herenhuis hoorden, dat veel te duur voor haar was. Vanuit de
huurhuizen ervoor rezen warme bakgeuren op.

Edward had ervoor gezorgd dat ze in de grote hal konden dineren, met zijn houtbewerkte meubels, livreiknechten en levende muziek. Er gebeurde altijd iets onverwachts als ze er met Edward opuit ging. Vroeger waren dat veldslagen en waaghalzerijen, nu ging het om koninklijke toelages, gemaskerde bals en verrassingsetentjes. Verschrikkelijk inventief. Hij zat achterover in zijn bewerkte eiken stoel, was gekleed in zijn eigen purper-met-blauw en vroeg: 'Wat vind je ervan?'

'Absoluut geweldig,' verklaarde George, zijn hele edele gezicht zat onder de bessenjam. De jonge Richard was het daarmee eens. Zij dachten aan de wijk Southwark, met zijn biertuinen en berenbijten.

Robyn glimlachte. 'Vanaf het eerste moment dat je me hier mee naartoe nam, heb ik van dit huis gehouden, vanuit mijn raam kon ik Londen zien.' Hier had ze haar eerste onstuimige julidagen doorgebracht, voor de slag om Northampton, en ze had er geweldig van genoten. Het merkwaardige was dat de vroegere eigenaar – de overleden sir John Falstaff – een van de weinige vijftiende-eeuwse mensen was van wie ze voordat ze hier kwam had gehoord. Falstaff was een personage uit Shakespeare, er was zelfs een heel toneelstuk over hem geschreven, *The Merry Wives of Windsor*, en hij had verschillende paleizen in de buurt bezeten, van dit mooie herenhuis tot de herberg De Drakenkop toe. De oude ridder was een paar maanden voordat zij aankwam gestorven, en nu was het paleis in handen van zijn advocaten, de Pastons, die tot de lage landadel van Norfolk behoorden en zich nu bij Edward probeerden 'in te likken'. Door het scherpe contrast tussen dit weelderige paleis van de succesvolle oude krijger en Shakespeares beschonken hansworst, werd ze er weer op gedrukt dat ze de Middeleeuwen niet mocht veroordelen. Hier was letterlijk alles mogelijk. Ze zei tegen Edward: 'In deze hal liggen warme herinneringen.'

'Mooi,' verklaarde Edward en hij schonk zichzelf wat wijn in, 'want ik heb Hansson, de agent van de Pastons, gevraagd of ik erover kan beschikken, tot Sint-Michiel.'

'Voor mij?' Dat kon toch niet waar zijn, dit paleis was veel te duur voor vrouwe Pomfret. In de hal kon je een partijtje handbal spelen, er hingen religieuze wandkleden en veroverde strijdbanieren, en bovendien genoeg kunstvoorwerpen om een museum te beginnen. Al mocht ze er gratis wonen, van het onderhoud alleen al zou ze failliet gaan.

'Voor jou? Waarom in hemelsnaam?' Edward keek haar aan alsof ze gek was. 'Voor mijn moeder, de hertogin.'

'Je moeder?' Arrogante Cis, de hertogin van York, in Southwark, midden tussen de kroeghoeren en Winchester Ganzen? Zou ze dat echt doen?'

'Ja,' antwoordde Edward achteloos. 'Ik denk dat moeder zich hier veel gelukkiger voelt dan in dat koude, vochtige kasteel. De winter komt eraan en dit is een schitterend mooi paleis. Bovendien is het ten zuiden van de rivier een stuk levendiger, en daar houdt mijn moeder wel van. Denk jullie ook niet, jongens?'

Broer George ging onmiddellijk akkoord. 'O ja, moeder zal het prachtig vinden, met al die muziek en dat dansen.'

Kleine Richard reageerde wat terughoudender en zei: 'Er zijn hier een hoop verbazingwekkende mensen, maar een aantal is wel van een heel laag allooi.'

Robyn verborg haar grijns en was het roerend met hem eens. 'In Southwark wonen zeker een heleboel zieltjes die snakken naar wat godsdienstbijles.' De rumoerige middeleeuwse markt ging buiten door en het drinkgelag, gokken en de hoererij waren een volmaakt decor voor een serieus onderzoek naar de godvruchtige mystiek van vrouwen.

'Exactement!' verklaarde Edward, blij dat iedereen het ermee eens was. 'En dat allemaal onder de vriendelijke hoede van William Waynflete, de bisschop van Winchester. Ik denk dat moeder niet gelukkiger zijn kan.'

'Maar denk je dat ze het doet?' Arrogante Cis was niet het type dat met zich liet sollen.

'*Absolument,*' verzekerde Edward haar, 'het parlement komt binnenkort en daarvoor moeten we het kasteel in gereedheid brengen.' Slim om de politiek zo in te zetten. Het parlement kon confronterend zijn als de verslagen lords vijandige volgelingen mee naar de stad zouden nemen, dus natuurlijk moest het kasteel in staat van verdediging worden gebracht. Bovendien kon elke jongen die zijn koning gevangen had genomen, zeker mams buiten spel zetten. Edward voegde er zachtjes aan toe: 'En dank je wel dat je zonder klagen moeders religieuze lessen hebt aangehoord, alleen al daarom ben je een heilige.'

Ze moest lachen. 'Valt wel mee, ik ben al een week bezig om naar een huis in de stad uit te kijken. Als je ma niet tegen Sint-Michiel weg zou zijn, dan was ik dat wel geweest.'

'Dan is het maar goed dat ik op tijd heb ingegrepen.' Edward proostte op zijn succes. In zekere zin was dit net zo'n behendige operatie als zijn aankomst in Sandwich of zijn opmars naar Northampton: snel, met een goede timing waardoor hij zelfs zijn familie verraste. Nu had hij zijn snelle vernuft bij zijn huishoudelijke perikelen ingezet, en dat was uitermate goed gelukt. Edward wilde haar tot zijn gravin maken, ondanks familiegevoeligheden en feodale tradities. Als het middeleeuwse Engeland daar niet mee overweg kon, dan moest het land maar eens met zijn tijd leren meegaan.

Donderdag 18 september 1460, de vooravond van Sint-Januari, Baynards Castle, Londen

Hertogin Cecily en haar hofdames zijn in Southwark en ik heb mijn kasteel terug. Edward bezoekt plichtsgetrouw elke dag zijn familie, tien keer gelukkiger nu de brede Theems tussen hem en mams stroomt. Het leven hier heeft zijn normale routine weer opgepakt van spontane feestjes, een geurig bad op de late avond, heidense Ierse volksliedjes en heksensabbats. Morgen is het de laatste heksennacht van de zomer en daarna krijgen we de herfstnachtevening. Nu Arrogante Cis veilig aan de overkant van de rivier zit, hoeft de seizoensovergang niet zo'n vrome goochelbedoening te worden. Hertogin Cecily heeft duidelijk wat aan haar christelijke geloof, en ik ben nu christelijker dan ooit, maar ik wil ook mijn eigen vrouwenmystiek kunnen beoefenen.

Joost mag weten hoe lang deze idylle nog duurt. Edwards vader is eindelijk in Chester aangekomen en zal weldra op weg zijn naar Londen. En vergeet niet dat we wel in het optrekje van die goeie ouwe hertog wonen. Het lijkt me niet meer dan normaal dat de tiener met wie ik verkering heb zijn vader om de sleutels van het kasteel moet vragen. Edward blaakt van optimisme, zegt dat er in het westen zoveel te doen is en dat de wegen helemaal zijn verregend... dus paps zal waarschijnlijk niet voor de parlementsvergadering aankomen. Edward is te beleefd om het te zeggen, maar hij reist een stuk sneller dan zijn vader. De hertog had ruim een maand nodig voor de korte zeeoversteek vanuit Ierland. Diezelfde overtocht naar Calais deed Edward met ons in een paar dagen, waarna hij Sandwich binnentrok, naar Londen marcheerde en de koning in de kraag had gevat, allemaal in minder tijd dan paps nodig had om in Chester te komen.

Edward beweert dat we na het parlement kunnen doen wat we willen. We zullen wel zien. Ik ga dame Agnes vragen of zij vrouwen weet voor mijn ontluikende huishouden. Ze bouwen een heel nieuwe vleugel aan Ludgate, alleen maar voor een hele meute gevangenen die hun schulden niet kunnen betalen... daar heeft vast wel iemand een baantje nodig...

Vrijdag was de naamdag van de Heilige Januari. Ze vierde met Beth en Deirdre haar heksennacht, in witte hemden zaten ze met zijn drieën in de donkere torenkamer rond een enkele kaars geknield. Ze vroeg haar aspirant-heksen: 'Waarom wordt Sint-Januari in september gevierd?' Geen van de leerlingen wist het, ze schudden traag hun hoofd die gekroond was met een krans van korenhalmen.

'Sint-Januari was een christelijke bisschop en een martelaar,' legde Robyn uit, 'maar vroeger was hij een Romeinse god, Janus, de god van het begin en het einde. En daarvoor was hij Diana, de heksengodin van geboorte en dood – het allereerste begin en het absolute einde. Daarom begon het Romeinse jaar ook in januari, met geschenken en winterfeesten.'

Ze knikten allebei ernstig, maar Beth merkte op: 'Ons jaar begint met Pasen.' De wederopstanding van Christus was belangrijker dan de geboorte van een nieuw jaar.

'Maar dat blijft niet zo,' legde Robyn uit, 'in de toekomst zal het nieuwe jaar weer in januari beginnen.' Die voorspelling zou zeker uitkomen. 'En zoals januari de overgang markeert van het ene naar het andere jaar, zo markeert aanstaande zondag, de herfstnachtevening, de overgang van zomer naar winter. Dit is de laatste heksennacht van de zomer en de laatste nacht dat we wit dragen. Na vanavond trekken we de zwarte onderjurken van herfst en winter aan.'

Ze voelde dat ze huiverden. De winter kon zo nu en dan beestachtig koud en vraatzuchtig zijn, met ijzige klauwen en vriezende slagtanden. Kinderen, zieken, bejaarden, ongelukkigen en de onvoorzichtigen zouden erdoor worden verzwolgen, en de komende donkere, natte winter leek nog strenger te worden dan anders. Maar zover was het nog niet, bracht ze hen in herinnering. 'Op dit moment is het wiel van het jaar in evenwicht, we hebben evenveel uren daglicht als duisternis, en dat noemen we de evening. Maar de duisternis is aan de winnende hand. Elke nacht wordt een beetje langer en elke dag een beetje korter. Daar kunnen we niets aan veranderen, net zomin als we de zee met onze handen kunnen tegenhouden. Maar we kunnen ons er wel op voorbereiden, we kunnen de winter verwelkomen, en de duisternis ook.'

Door dit soort praat konden heksen zich behoorlijk in de nesten werken. Eerlijk volk was terecht bang voor het donker, met zijn dood en demonen. Heksentaal als 'de duisternis verwelkomen' of 'de nacht terugnemen' klonk alsof ze de duivel aanriepen, proefde naar een pact met satan. Ze vroeg haar pupillen: 'Waar moeten we blij mee zijn in de winter?'

'Voedsel,' opperde Deirdre, en keek naar de noten, bessen en het versgebakken brood dat als teken van de oogst om de kaars gedrapeerd lag.

'Ja.' Robyn knikte ernstig. 'Daar bidt heel Engeland voor. En wat hebben we nog meer nodig?'

'Warmte.' Beth knikte naar de berg zwarte stof die klaarlag voor hun wintertenue. 'En vrienden en familie,' voegde de dochter van de schepen eraan toe, die net als de meeste middeleeuwers warmte in verband bracht met intimiteit.

'Voedsel en warmte kunnen we offeren. Vrienden en familie kunnen we oproepen,' vertelde Robyn, of wat zo dicht mogelijk je familie benaderde. Robyn trok een cirkel en begon hartstochtelijk een lied te zingen om Joanna Grey op te roepen, ver weg in de Cotswolds. Die had haar leren zingen en haar in juli beloofd dat ze elkaar aan de vooravond van de Heilige Januari zouden zien. Deirdre was nog niet aan een heksenvlucht toe, maar misschien konden de Cotswolds naar hen toekomen. De beide meisjes begonnen mee te zingen en het lied wervelde door de kleine cirkel terwijl ze zich met ernstige gezichten op de kaarsvlam concentreerden. Donkere schaduwen flakkerden achter hun met korenhalmen bekranste hoofden op de muur.

In de duisternis begon de vlam langzaam te groeien, hij verbreedde zich en leek wel een ver nachtvuur dat in de lucht tussen hen in zweefde. Zonder de meisjes uit hun trance te halen ging Robyn luider zingen, ze vulde de kleine torenkamer met haar lied, duwde de muren opzij en liet de nacht binnen. Zwarte lucht kwam uit het niets naar binnen gewerveld en de kaarsvlam wakkerde verder aan.

De vlam werd nog groter, vormde een vuur, maakte de cirkel wijder en wierp grotere, grilliger schaduwen op de muur. Er verschenen vrouwen in de schaduwen, ze droegen witte jurken en zongen met hen mee. Robyn zag Jo en Joy op de voorste rij zitten, hun lange zwarte haar stak af tegen hun helderwitte onderjurken. Achter hen kon ze vaag een donkere heuveltop onderscheiden en ze herkende Shenberrow Hill op de Cotswolds Edge, waar ze Meiavond had gevierd met de vrouwen van het Greystone paleis. Achter Jo herkende ze een aantal van hen, hun gezichten werden scherp en vervaagden dan weer. Jo's dochter, Joy, zat voor haar moeder en hield iets geels in haar schoot vast, een dunne bundel stro en stof.

Jo's krachtige stem overbrugde de afstand tussen hen, helemaal vanaf de Cotswolds, en sneed door het indringende lied. 'Gooi je offers in het vuur.'

Joy stak haar hand uit en legde de bos stro in het vuur waardoor dat nog hoger opflakkerde. Zo hoog, dat Robyn de hitte ervan op haar gezicht kon voelen. Haar ogen deden pijn en staken, haar lied veranderde.

Onmiddellijk flakkerde de vlam even op en ging toen uit, en de torenkamer werd in duisternis gedompeld. Beth en Deirdre kregen een hartverzakking en kropen dapper weg in de zwarte ruimte. Robyn bleef doorzingen, ze frunnikte in haar hemdjurk naar haar aansteker. In het donker ontstak ze opnieuw de kaars.

Te laat. Jo en Joy waren weg, samen met Shenberrow Hill en Cotswolds Edge. Ze was weer terug bij Deirdre en Beth in haar kamer op Baynards Castle, maar op het kleed naast de kaars lag een strooien oogstpop.

'Kijk,' Beth wees naar de pop, 'dat is de stropop die Joy in het vuur heeft gegooid.' En nu lag 'ze' op een kasteeltapijt in Londen, een kleine tweehonderd kilometer bij Shenberrow Hill vandaan. Er zat zelfs geen schroeiplekje op.

Robyn pakte de stropop uit de Cotswolds op die koud aanvoelde in haar hand, alsof hij zo van een kille heuveltop was gekomen. Hiermee werd de kwantumfysica grof geweld aangedaan, en oorzaak en gevolg totaal werden compleet weggevaagd.

Deirdre wees naar hun cirkel met oogstvoedsel en zei: 'Er missen twee broden.' Haar meid had gelijk, twee van hun broodjes waren weg. Ver weg boven op Shenberrow Hill zagen de vrouwen van Greystone dat hun heksenvrouwe met haar dochter een stropop op het vuur hadden gegooid en er twee versgebakken broodjes voor hadden teruggekregen.

In de Middeleeuwen hadden vrouwen macht, op een manier die Robyn nooit voor mogelijk had gehouden. Ze mochten niet stemmen of lid worden van het parlement, maar ze waren evenmin aan natuurwetten gebonden en letterlijk in staat om op lucht te lopen. Of ze konden helemaal vanaf een kasteel in Londen een kijkje in de Cotswolds nemen. En terwijl de mannen hun verkiezingen hielden en zich op het parlement voorbereidden, bereidden de vrouwen in het hele land zich voor op een koude, natte winter.

Dinsdag 23 september 1640, Baynards Castle, Londen
Vijf maanden in de Middeleeuwen. Ongelooflijk. Toen ik hier net was, dacht ik dat een dag langer al te veel was, en dat ik een week niet zou overleven. En toch ben ik er nog, gezond en wel, en ik heb mijn verstand nog redelijk bij elkaar. Ik ben gelukkig. Niet alleen blijft Edwards vader in het westen treuzelen, maar hertogin Cecily is naar hem op weg, in een door vier paarden voortgetrokken draagstoel van blauw fluweel. Zo zitten er zeven kilometers tussen Arrogante Cis en mij.
Dame Agnes is met een kokkin op de proppen gekomen, een vrouw van in de veertig die naar de naam Hanna luistert. Ze is lang en heeft witte haren, een man in het gevang en vier zoons, en een berg schulden. Hanna heeft een groot gevoel voor humor en vindt mijn obsessie voor hygiëne niet erg. Ze gebruikt met alle liefde gekookt water en wast met zeep, ze is zo gelukkig met haar nieuwe baantje dat ze het nog op stelten zou hebben gedaan. Haar zoons hebben het prima naar hun zin in het kasteel, ze spelen riddertje met Edwards broers. Alice, een jonge naaister, is Hanna behulpzaam en deelt haar woonvertrekken met haar. Ze is een zwervelinge uit Kent die bij de kasteelpoort was opgedoken en zich als naaister en wasvrouw had aangeboden. 'Of welk

eerlijk soort werk ook.' Inmiddels zal het gerucht wel de ronde doen dat vrouwe Robyn gemakkelijk te paaien is.

Zondag 28 september 1460, de vooravond van Sint-Michiel, Baynards Castle, Londen
Edward en ik zijn bij John Lambert geweest, Beths vader, een robuuste man uit York. Hij werd beëdigd tot sheriff van Londen in Guildhall, waar hem zijn gouden ambtsketen werd omgehangen en hij een copieus buffet kreeg aangeboden van overvloedig vlees onder een juk van eieren, saffraan en bladgoud. Het merkwaardige voedsel werd bijna in stilte door de duizenden genodigden genuttigd, als teken van rijkdom en uit solidariteit met de mannen die Londen besturen. Ongelooflijk dat zulke mannen zich hebben laten koeioneren door een belachelijk uitgedoste adel met aan het hoofd gekke koning Hendrik en zijn twistzieke neven. Maar deze doen dat natuurlijk niet. Deze mannen gaan over Londen, en het hof van koning Hendrik, nog maar net terug uit Coventry, zal zich van zijn beste kant moeten laten zien om te mogen blijven. Er was vlees in overvloed, aangezien Sint-Michiel een deprimerende periode markeerde. Dan worden de dieren geslacht die de mensen geen hele winter lang te eten kunnen geven. In plaats daarvan hoopten ze dat ze met het gezouten en tot worst verwerkte vlees de winter konden doorkomen, die een meedogenloze uitputtingsslag leek te gaan worden.

Zondag 5 oktober 1460, de vooravond van Onze-Lieve-Vrouwe van de Genade, Pleasance Park, Greenwich
Zelfs koning Hendrik droeg zijn steentje bij aan de wintervleesvoorraad. Hij ging op jacht bij Eltham en Greenwich, reed over kletsnatte heuvels en kwam met een hert terug voor het koninklijke huishouden. Dichter bij eerlijk werk kan een koning niet komen. Maar vandaag niet, want het is de dag des Heren, en van kindsbeen af heeft Hendrik altijd geweigerd om op zondag ook maar iets te doen wat in de buurt kwam van werk. Ik ben met hem meegegaan, niet voor de jacht maar om aan het hof Hollywood yankee te spelen, ik hield een oogje op Hendrik en kon even uit Londen losbreken dat zich nu voor het parlement aan het opmaken was. Hendrik noch ik mochten stemmen, dus dat kwam geweldig goed uit. Hendrik wilde maar al te graag zijn kleurloze hof met lady Pomfret opluisteren en tijdens onze zwijgzame diners voert hij me stukjes eten van zijn bord, maar daar kijkt niemand gek van op.
Als het parlement bijeenkomt, is het uit met de pret, aangezien Hendrik bij de opening zijn gezicht moet laten zien, hoewel geen van ons er verder bij zal zijn. De parlementsvergaderingen zijn louter een

149

mannenaangelegenheid, en zelfs het Lagerhuis bestaat slechts uit landeigenaren, waarmee vrouwen, kinderen, buitenlanders, lords, de clerus, bedienden, arbeiders, pachters, koningen en gekken worden uitgesloten – het hele land dus zo'n beetje. Er zijn geen kieswetten, of geheime stemmingen en de enige partijen zijn York en Lancaster. Ook al is er van alles mee mis, ik ben toch een voorstander van deze parlementsvergadering. Daardoor kan Edward zijn landerijen en titels weer terugkrijgen en zijn doodstraf worden opgeheven. Maar het blijft lastig om erg opgewonden te raken over een institutie dat jou principieel uitsluit. Mijn toekomst ligt in handen van het minst democratische aspect van de regering, ik krijg een toelage van de kroon en ga vervolgens met iemand uit het Hogerhuis trouwen.

Het goede nieuws is dat degenen die niet stemmen ook geen belasting hoeven te betalen, dus mijn inkomsten zijn belastingvrij. En als het parlement op een ramp uitmondt, kunnen wij vrouwen daar niet de schuld van krijgen. Morgen is het de dag van Onze-Lieve-Vrouwe der Genade, een van mijn lievelingsdagen, de beschermheilige van gevangenen. Ze was maar al te vaak de enige die ik had...

Donderdag 9 oktober 1460, Baynards Castle, Londen
Morgen komt Edwards vader aan! De hertog van York reist samen met zijn hertogin Cecily en Edmund, graaf van Rutland, Edwards jongere broer, met in hun kielzog een legertje aanhangers uit Wales en het westen. Vannacht blijft paps in Abingdon en morgen is hij hier. Hij heeft trompetters en klaroenblazers laten aanrukken die hem naar Londen begeleiden, en wij gaan ze tegemoet om ze te begroeten. Natuurlijk ben ik op het ergste voorbereid, zeker na hertogin Cis. Paps is van het prikkelbare soort, zeggen ze. Toen ik nog alleen met de knappe, flitsende Edward te maken had, de eerlijkste jonge graaf die los rondloopt, leek het veel verstandiger om met een trotse Plantagenet te trouwen. We waren zo druk om niet in de kraag gevat te worden en van hot naar her te reizen, dat ik dwaas genoeg voor zoete koek aannam dat 'nog lang en gelukkig' het makkelijkste gedeelte was. Nu weet ik wel beter. En morgen is het ook nog heksennacht. Belooft een opwindend weekend te worden. Later meer...

Onder de grijze wolken reden ze Ludgate uit, zij in haar prachtigste rood-met-gouden rijgewaad en Edward in zijn purper-met-blauw, met een escorte van twee eenheden gewapende mannen. Gelukkig was het droog vanochtend en de bonte ruiterstoet schoot lekker op. Ze lieten Londen en Westminster ver achter zich en ontmoetten hertog Richard van York op de lange, rechte Romeinse weg ten zuiden van Saint Albans, waar hij vijf jaar geleden zo schitterend had getriomfeerd. In de verte konden ze paps al zien aankomen met achter zich een massa ruiters met vrolijke banieren, half Wales was uitgelopen om hun held naar Londen te begeleiden. Het eerste teken van rampspoed werd duidelijk in de gedaante van een man die voor de hertog uitliep. Hij had een getrokken, ontbloot zwaard in de hand, de punt wees omhoog, het teken van een koning in zijn eigen land. Achter hem droegen de banieren van de hertog het koninklijk wapen van Engeland, de leeuwen en lelies 'ineen', het wapen dat alleen de koning mocht voeren. Een huiveringwekkende aanblik. Als hertog Richard het serieus meende, betekende dat opnieuw burgeroorlog.

Ze had hetzelfde machteloze gevoel als toen ze Black Dick Nixon en zijn vrolijke moordenaars Hardingstone had zien binnenrijden, zich realiserend dat deze mannen kwamen om te vechten, wat er ook gebeurde. Oorlog en strijd kwamen onstuitbaar op haar af gereden, het enige wat ze kon doen was een glimlach opplakken en doen alsof ze het niet merkte. Had Edward dit zien aankomen? Toen ze met koning Hendrik in Greenwich rondzwierf, was het niet moeilijk geweest om het contact met de regering te verliezen, maar als er een staatsgreep aan zat te komen, had ze dat wel graag willen weten, dan had ze er tenminste over kunnen klagen.

Ze steeg af en betuigde eer aan haar toekomstige schoonvader. Elke onzekerheid over de ontmoeting met Edwards beroemde, stoere vader werd bedolven onder de catastrofe die over Engeland heen zou spoelen. Hertog Richard van York was koninklijk gekleed en voerde het embleem van Engeland, hij was klein en donker, net als de zoon die naar hem vernoemd was. Hij miste Edwards lichaamsbouw – en verstand – maar hij zag er vorstelijker uit dan gekke Hendrik uit Lancaster. Alleen de kroon ontbrak nog. Hertog Richard begroette haar verrukt met de hem zo kenmerkende tact. 'Dus dit is mijn zoons hoer? Ik wilde dat ik je eerder had ontmoet, want nu begrijp ik hem wel.'

Zijn strooplikkers lachten allemaal en riepen dat zij 'het ook wel konden begrijpen'.

Edward stapte doodleuk tussenbeide, legde uit hoe ze zijn leven op zee had gered en had geholpen om Hendrik bij Northampton te pakken te krijgen. 'Lady Robyn Stafford heeft veel gedaan en meer geleden dan de meesten, opdat jullie veilig konden terugkeren.'

'Waarvoor ze goed beloond is, daar heb jij wel voor gezorgd.' Richard knipperde goedkeurend bij het overduidelijke geflirt van zijn zoon. Black Dick Nixon had haar nog beter behandeld. Ze steeg weer op om naar Londen terug te rijden en sloot zich aan bij het gevolg van graaf Rutland, voornamelijk tieners in een mooie nieuwe livrei. Graaf Rutland was maar een jaar of zo jonger dan Edward maar hij leek totaal niet op zijn grote broer. Hij was kleiner en tengerder, eerder jongensachtig dan een man, met een meisjesachtige schoonheid. Ze reed te midden van de jonge haantjes in Rutlands kleuren terug – die grappen maakten en zich bij haar aanstelden – en maakte zich zorgen over wat er ging gebeuren nu ze met één koning te veel bij Westminster aankwamen.

Ze marcheerden rechtstreeks Londen in, begeleid door trompet- en klaroengeschal waar burgemeester en schepenen hen tegemoet kwamen, met inbegrip van John Lambert die schitterend gekleed ging in zijn nieuwe sheriffmantel en met zijn ambtsketen om. Iedereen was ronduit geschokt toen ze niet alleen een teruggekeerde hertog begroetten, maar bovendien een troonpretendent. Na een ongemakkelijk tafereel reed hertog Richard in de richting van Westminster, waar het parlement bijeenkwam.

Op dat moment ging Robyn weg, blijer dan ooit dat ze daar niet bij hoefde te zijn en ze reed door de sobere straten terug naar Baynards Castle. De mensen waren de straat opgegaan vanwege een reeks triomfen – de komst van de rebelse graven, de terugkeer van de koning, het nieuw gekozen parlement – nu zag Londen iets wat het niet zinde. De vrolijke menigte die naar buiten was gekomen om hertog Richard te verwelkomen was verbijsterd dat hij als koning was teruggekomen. Twee koningen betekenden immers alleen maar oorlog.

's Middags begon het weer te regenen, Edward kwam nat van Westminster terug en beschreef de ellendige toestand in het parlement. 'We stegen af en vader stapte de hal in met zijn ontblote zwaard verticaal voor zich. Hij marcheerde recht naar de koninklijke estrade onder de staatsluifel, boog naar de lords en legde toen zijn hand op de lege troon...'

'Waar was Hendrik?' vroeg ze, bezorgd om haar kwetsbare, labiele koning, die door de hertog zou worden overdonderd.

'De hemel mag het weten.' Edward haalde er zijn schouders over op dat de soeverein niet aanwezig was. 'Hij had zich waarschijnlijk in de vertrekken van de koningin verstopt, en daar hebben ze hem later inderdaad gevonden. Mijn vader eiste de troon op, het Hoger- en Lagerhuis gingen staan om beter te kunnen kijken, en met zijn hand op de troon draaide hij zich met zijn gezicht naar hen toe, hij verwachtte kennelijk hoerageroep en dat ze hem zouden toejuichen.' Edward maakte een grimas en ging op een stoel in zijn pluche slaapkamer zitten, het water droop op het kleed.

'Wat gebeurde er toen?' vroeg Robyn en ze pakte een droog karmozijnrood gewaad dat met goud was afgezet. Een geschenk van haar, zelfgemaakt met hulp van Deirdre, zodat Edward ook eens haar kleuren zou dragen.

'Niets.' Edward schudde somber zijn hoofd. 'Geen hoerageroep. Geen applaus. Geen woedende kreten. Zowel lords als burgers konden het niet geloven, of vonden het gênant. Ze wisten dat hij van ze verwachtte dat ze hem tot koning zouden uitroepen, maar niemand gaf een krimp. Ze hadden maanden naar zijn gelukkige terugkeer uitgekeken en nu bleef er weinig meer van hen over dan wat verstomd, wezenloos kijkend vee. Wat een schijnvertoning!'

'Hoe nam je vader het op?' Na zoveel maanden ballingschap in het middeleeuwse Dublin had hertog Richard duidelijk het contact met de werkelijkheid verloren.

'Vader had het niet meer van woede, hij liep bij de troon vandaan en verklaarde dat hij het koninkrijk Engeland opeiste als opvolger van Richard II, en hij eiste dat hij op Allerheiligen gekroond moest worden.'

Een snoepje of ik schiet! Halloween was over drie weken en Richard van York had zijn kostuum al uitgezocht, de koninklijke regalia. 'Heeft niemand iets tegen hem gezegd?'

'Zijne heiligheid de aartsbisschop van Canterbury was zo vermetel om vader voor te stellen eerst met koning Hendrik te overleggen, die ook aanspraak op de troon maakte. Vader verklaarde: "Als er iemand in dit koninkrijk naar mij zou moeten komen, is hij het wel." Toen deed vader precies wat de aartsbisschop had voorgesteld, hij marcheerde de hal uit en ging koning Hendrik zoeken.'

'Hij had lang op koning Hendrik kunnen wachten,' merkte Robyn op in de wetenschap dat Hendrik een bloedhekel had aan scènes in het openbaar. Als hertog Richard voet bij stuk had gehouden, zou hij nog steeds bij de lege troon staan.

'Ongetwijfeld.' Edward had het al lang geleden opgegeven om op koning Hendrik te wachten. 'Vader is plompverloren de koninklijke residentie in Westminster binnengedrongen en daar vond hij Hendrik. Die had zich in de privé-vertrekken van de koningin verscholen. Hij heeft net zolang op de deur gebonsd tot Hendrik hem binnenliet. In de verlaten slaapkamer van de koningin legden ze beiden een claim op de troon.' Een stelletje duellerende, krankzinnige vorsten, een nationale nachtmerrie kwam uit.

'Laat me je eerst die natte kleren eens uitdoen.' Ze trok hem uit de stoel en hielp hem uitkleden.

'Vader is een dwaas.' Edward schudde zijn hoofd en worstelde zich uit de natte kleding. 'Hij doet alles teniet wat we hebben bereikt, alleen maar omdat hij het in zijn hoofd heeft gehaald koning te willen worden. Wat had het dan voor zin dat we Hendrik bij Northampton hebben opgepakt? Waarom moesten we die strijd dan leveren? Als we mijn vader koning hadden willen maken, dan hadden we dat gewoon

153

kunnen doen en Hendrik bij zijn familie kunnen laten zitten. Dan hadden de mensen de keus gehad, vader of Hendrik, waarom dat gevecht? Op deze manier lijken we wel een stel idioten, we vechten voor de ene koning en offeren hem vervolgens voor de andere op. Als we Hendrik als koning laten aanblijven, wijzen we vader af ten gunste van zijn leeghoofdige neef. Maar als we vader op de troon zetten, dan hebben we de kroon gestolen van een vrome krankzinnige aan wie we hebben gezworen dat we hem zouden beschermen.'

En een onttroonde Hendrik was hoogstwaarschijnlijk een dode Hendrik, waarmee ze ook nog eens een stelletje moordenaars zouden worden. Edward had gelijk, waarom kon Hendrik niet koningin Margarets probleem blijven? Maar de slag om Northamtpon kon niet worden teruggedraaid, zij hadden Hendrik en ze zouden worden beoordeeld op wat ze met hem deden. Ze zag dat Edwards linnen ondergoed droog was en trok het roodgouden gewaad over zijn schouders. Ze vroeg: 'Waarom heb je me niet verteld dat we dit konden verwachten?'

Hij had haar niet de waarheid verteld, maar ook niet tegen haar gelogen, en toch vond ze het een streek, hij had haar immers nog nooit eerder een rad voor ogen gedraaid. Ze waren opgewekt samen uit Londen vertrokken en toch moest hij hebben geweten dat zijn vader het koningschap zou opeisen. Edward keek haar recht aan en probeerde niet zijn dubbelhartigheid goed te praten. 'Ik wist dat er niets aan te doen was en ik wilde jouw dag niet bederven. Ik wilde dat je ernaar uitkeek om mijn vader te zien.'

Weinig kans – maar hij probeerde tenminste aan haar te denken. Ze wist dat zijn vader problemen zou opleveren, alleen niet hoeveel. Ze trok zijn gewaad recht en vroeg: 'Wat zegt Warwick ervan?'

Edward rolde met zijn ogen. 'Warwick is zo razend dat hij niet met vader wil spreken, alleen met mij.'

'Jij blij.' Ze knoopte zijn ceintuur dicht, ging op haar tenen staan en kuste hem, probeerde hem te laten zien dat het ook zo zijn voordelen had als je de kant van politieke paria's koos.

Eindelijk was hij het een keer met Warwick eens. Edwards vader was gek dat hij dacht het parlement zomaar binnen te kunnen stommelen en ze zo kon overdonderen dat ze hem koning zouden maken, alsof ze een vredesverdrag overboord zouden gooien waarvoor bloed was gevloeid en mensen waren gestorven. Londenaren wilden alleen maar vrede en vonden het eigenlijk wel prima dat ze een knettergekke, vrome, vriendelijke, pretentieloze koning hadden. Een soort nationale mascotte die weinig moeilijkheden zou geven zolang zijn krankzinnige impulsen maar in toom werden gehouden. Wat Warwick en Edward tot nu toe bewonderenswaardig goed hadden gedaan. Voor

154

het eerst vielen in Edwards jonge leven Engelands behoeften en die van zijn familie niet samen. Ze troostte hem door te zeggen: 'Godzij-dank is er een parlement.'

'Hoezo?' Edward keek haar niet-begrijpend aan. 'Tot nog toe is het een schertsvertoning geweest.'

'Dat is nou de werkelijke schoonheid van democratie,' legde ze uit – middeleeuwers moesten nog steeds een hoop leren over populisti-sche politiek. Waarom zou je je druk maken over opiniepeilingen als je het afkon met een strijdbijl? 'Als het probleem onhoudbaar wordt, leg je het bij de kiezers terug. Als het dan in een puinhoop eindigt, weten de mensen tenminste wie ze de schuld moeten geven.'

Zaterdag 18 oktober 1460, naamdag van de Heilige Lukas, Baynards Castle, Londen

Londen is ontzet over wat er in Westminster is gebeurd. Hier en daar hoor ik mensen zeggen dat hertog Richard een prima koning zou zijn, want Londen is nog altijd erg Yorksgezind. Maar de meesten vragen zich af of de hertog ze allemaal wel op een rijtje heeft. Wie heeft er nou een nieuwe koning nodig als er eindelijk met de oude wel land te bezeilen viel? Hendrik is al bijna veertig jaar koning, zo oud worden de meeste mensen hier niet eens. Voor de meeste Londenaren is Hen-drik hun hele leven al hun koning. Maar hertog Richard houdt voet bij stuk, laat zien dat het hem niets kan schelen wie hij tegen het hoofd stoot, gaat terug naar het Hogerhuis, zit zelfs op de troon en wijst zijn medelords op hun plichten – niet dat er veel gevaar is dat hij ze zal weten over te halen. Zijn aartsvijanden, mannen als Holland, Clifford en Percy, zijn druk bezig in het noorden de messen te slijpen en nemen niet eens de moeite om te komen. De mannen uit York haken af terwijl de gematigden nog vonden dat hij recht had op een hoorzit-ting.

Hertog Richards woede was goed te begrijpen. Hij zou een veel betere koning zijn, wijs in de Raad en moedig in de strijd, zo nodig spaar-zaam en meestal een rechtvaardig compromiszoeker die het hart van Engeland gestolen heeft en veel steun genoot, van Italiaanse bankiers tot de wilde Ieren. Het moest wel heel bitter zijn om te zien hoe je her-senloze neef het land meer dan twintig jaar lang van de ene ramp in de volgende had gestort – het verlies van Frankrijk, bankroet, volks-oproer, muiterij op zee, onderdrukking en een gerechtelijk schrikbe-wind, waarna nog meer opstanden waren gevolgd. De enige fatsoenlij-ke regering had in het zadel gezeten toen koning Hendrik catatonisch was geweest, en Richard van York zelf als beschermheer was opgetre-den. Je kon nauwelijks van hertog Richard verwachten dat hij Hen-drik op zijn knieën ging bedanken omdat hij weer naar huis mocht komen. Maar met gekke koning Hendrik was de kans op vrede het grootst en Richard van York was van plan die terzijde te schuiven. Natuurlijk gaf het parlement de voorkeur aan de weg van de minste weerstand. Het Lagerhuis deed alle wetten teniet van koningin Margarets 'duivelse parlement', dat de vorige winter in Coventry bijeen was geweest, waarmee Edward zijn landerijen en titels weer terugkreeg en zijn doodsvonnis werd ingetrokken. Dat betekent dat we nu kunnen trouwen, wat dat ook waard moge zijn. Voor Edwards familie is zelfs koning Hendrik nog te min, stel je dan maar eens voor wat ze van mij als schoondochter vinden. En het is nu te laat om mijn hielen te lichten en iets in de stad te huren, Londen zit tjokvol vanwege het parlement.

Donderdag 23 oktober 1460, Baynards Castle, Londen
Een half jaar in de Middeleeuwen, wie had dat kunnen denken. Ik voel me hier niet 'thuis', maar ik zit in hetzelfde ongemakkelijke wapenstilstandschuitje als de rest van middeleeuws Engeland. Het besluit van het Hogerhuis heeft meer invloed op mij dan veel mensen die hier al hun hele leven zijn, want als hertog Richard van York koning wordt, dan wordt Edward zijn troonopvolger en kan hij niet zonder koninklijke toestemming trouwen. Erger nog, als we inderdaad zouden trouwen, zou ik koningin kunnen worden, pal achter Arrogante Cis. Wat een weerzinwekkende gedachte.
Ook al heb ik er alle reden toe om hertog Richard niet te willen, moet ik wel toegeven dat hij een punt heeft. Inmiddels ben ik goed vertrouwd geraakt met de bloedlijn. Hertog Richards moeder, Edwards oma, was Anne Mortimer, de laatste der erfgenamen van de Mortimers – een paar van hen zijn in de Tower aan hun eind gekomen omdat ze een bloedverwantschap hadden met Lionel van Antwerpen, de tweede zoon van koning Edward III. Koning Hendrik stamt af van Jan van Gent, Lionels jongere broer, waarmee de claim van York uitermate plausibel wordt. Eigenlijk is het enige echte bezwaar dat de claim via de vrouwelijke lijn loopt, maar zelfs in de seksistische Middeleeuwen geldt dat als een zwak argument. Koning Hendriks claim op Frankrijk loopt ook via een aantal vrouwen. Hertog Richard is niet alleen de beste man, maar hij heeft ook nog eens de beste kaarten.
De lords willen hertog Richard niet accepteren, maar weten ook niet hoe ze hem kunnen tegenhouden, dus doen ze vage pogingen om de verantwoordelijkheid af te schuiven, om te beginnen door koning Hendrik te vragen wat hij zou willen. Hendrik kon geen steekhoudend argument bedenken waarom hij koning is, laat staan dat hij een actieplan op de plank had liggen. Uiteindelijk bleek een beroep op de hooggerechtshoven en de raadslieden van de koning ook niets op te leveren.

156

Het Lagerhuis gooide hun handen in spottende wanhoop in de lucht en vroegen hoe zij een oordeel over hun meerderen konden vellen. Dus moesten de lords, die de koning het dichtst nastonden, een besluit nemen – deden ze eindelijk eens waar ze voor betaald werden. Dus nadat ze bijna een hele regenachtige oktober omtrekkende bewegingen hadden gemaakt, zouden de lords eindelijk tot een stemming komen.

Zaterdag 25 oktober 1460, naamdag van Sint-Krispijn, Baynards Castle, Londen
Hoewel hertog Richard er alles aan had gedaan om zijn zaak schade te berokkenen, kwam hij slechts vijf stemmen tekort in het Hogerhuis. Ze wilden hem geen koning maken, althans nog niet. Met één pennenstreek, waar bijna iedereen kwaad over was, besloten de lords dat Hendrik koning bleef, maar dat York hem zou opvolgen, waarmee de prins van Wales werd onterfd. Een uitermate armetierige zaak voor hertog Richard, die tien jaar ouder was dan Hendrik en waarschijnlijk nooit de kroon zou dragen. Deze wet werd de Act of Accord genoemd, waar oorlog uit voort zou komen, en het ergste van alles was dat Edward zonder meer de troonopvolger zou zijn, zo zeker als wat. Iedereen verwacht dat hij Hendrik op zal volgen, het enige onderdeel van de Act of Accord dat met gejuich werd begroet. Behalve door mij. Maar voor paps viel er weinig te vieren, Edward organiseert een Sint-Krispijnsbanket voor hem, wat ik zal moeten uitzitten en waar ik moet laten zien dat ik geen wrok koester, hoe gekwetst ik ook ben. Edward heeft tenminste gezworen dat we naast elkaar zullen zitten...

Alleen de familie zat aan de hoge tafel – de Plantagenets en de Nevilles – maar Edward regelde het zo dat ze toch bij elkaar kwamen te zitten. Hij zette Robyn aan het hoofd van zijn dienaren en zette de tafels bij elkaar, waardoor het hoogteverschil nagenoeg wegviel. Ze droeg een karmozijnrode, mouwloze overmantel over een wit-met-gouden lijfje met splitmouwen in de vorm van engelvleugels, die overgingen in een hoge purperrode kraag en een met parels bestrooide gouden kap, waarmee ze openlijk haar kleuren tentoonspreidde. Edmund van Rutland zat aan de andere kant van Edward en zo konden ze fijn met elkaar praten, door de ouderen genegeerd en door het jongere spul als een held vereerd. George en Richard bleven hun oudere broers maar over de tafel aanstaren, die verbannen waren geweest en slag hadden geleverd, ver buiten het bereik van onderwijs en onderwijzers. Robyn boog zich langs Edward heen en vertelde Rutland over al hun avonturen in Ierland en Vlaanderen.

Veel te veel pret. Hertog Richard zag dat de aandacht van zijn zoons werd afgeleid en vroeg op dwingende toon: 'Wat is er zo verbazingwekkend aan de lagere tafel?'

157

'Lady Robyn Stafford.' Arrogante Cis knikte haar kant op. 'Ze heeft verborgen aantrekkingskrachten.'

'Echt waar?' Hertog Richard klonk niet overtuigd.

'Ze heeft ook visioenen, ze kan zelfs in de toekomst kijken.'

Hertog Richard nam haar zorgvuldig op, de koude, strenge blik van een gefrustreerde edelman. 'Vinden onze zoons haar daarom zo fascinerend?' Hij riep naar haar: 'Kom, deel je verhalen ook met ons. Wat heb je ons te vertellen op Sint-Krispijnsdag?'

De mensen draaiden zich om en keken haar aan, de bron van alle narigheid. Sint-Krispijnsdag was voor hen heilig, de glorieuze vijfentwintigste oktober, 'Toen de goede koning Harry alle Fransen afslachtte'. Koning Harry was koning Hendriks vader, Hendrik v, Hendrik van Monmouth, de oorlogskoning die de Fransen bij Agincourt had vernietigd. Dapper, stoer en besluitvaardig als hij was, was koning Harry alles wat zijn zoon niet was. Zoals te verwachten viel, liet zijn gevoelige jonge paladijn een spoor van lichamen achter zich, maakte korte metten met religieuze andersdenkenden, Welse rebellen, Franse gevangenen en ongelukkige burgers, hij had zelfs hertog Richards vader laten executeren voor hoogverraad. De grootste fout die koning Harry echter maakte was dat hij jong stierf en een baby met een hersenbeschadiging aan het roer van een bankroet land achterliet, en daarmee alle ingrediënten had geleverd voor de huidige hysterische crisis om het koningschap. Overerving binnen de adel was net zoiets als het telefoonboek pakken en daaruit een staatshoofd prikken, want je zat met iedereen opgezadeld die daaruit tevoorschijn kwam.

Ze stond langzaam op en maakte een beleefde revérence naar de hoge tafel, vastbesloten dat hertog Richard zich zou verontschuldigen voor het feit dat hij haar voor hoer had uitgemaakt. Gelukkig kende ze de woorden van Shakespeare over Sint-Krispijnsdag bijna uit het hoofd. In elk geval goed genoeg om mensen om de tuin te leiden die het nog nooit helemaal goed hadden gehoord. Shakespeare zou de komende honderd jaar Stratford-on-Avon nog niet op de kaart zetten en ze had geleerd daar haar voordeel mee te doen. Hollywood was dol op *Henry v*, dat werd steeds maar weer verfilmd met als succesnummer de speech van de koninklijke held wanneer het kleine Engelse leger de reusachtige Franse gastheer bij Agincourt tegenover zich ziet. Ze begon eenvoudig, luid en helder: 'Vandaag vieren we het feest van Sint-Krispijn...'

Er verschenen verdraagzame glimlachjes aan de hoge tafel, alsof ze een kind was dat een stukje opzei, die goed was begonnen omdat ze de dag goed had onthouden. Alleen Edward had het eerder gehoord en wist hoe het verderging.

Wie 't overleeft en welbehouden thuiskomt,
Richt, wordt die dag genoemd, zich hoger op,
Zal opstaan bij de naam Sint-Krispijn.
Die deze dag doorleeft en de' ouden dag aanschouwt,
Noodt op de heilige avond vóór deze dag
Zijn buren jaarlijks tot een feest en zegt hun:
'De dag van morgen is Sint-Krispijn.'
Dan stroopt hij zijn mouw op, toont zijn wonden,
En zegt: 'Die zijn van de dag van Sint-Krispijn.'

De glimlachjes bevroren verrast bij de woorden van hun ongeboren nationale bard. Ze wisten dat ze het over Agincourt had, de slag van veertig jaar geleden op een modderig veld in Frankrijk, waar dat volk nog steeds zwaar onder gebukt ging, en waardoor de jonge Richard Plantagenet hertog van York werd.

'Ofschoon de ouderdom vergeten, hij moge alles...' bracht ze hen in herinnering en maakte een sprongetje in de voordracht:

Vergeten zijn, maar weet toch nog uitvoerig,
Wat daden hij op die dag heeft verricht,
En onze namen zullen in zijn mond,
Gemeenzaam zijn als alledaagse woorden:
Harry de koning, York, Bedford en Exeter,
Warwick, Talbot, Salisbury en Gloucester...
En volle bekers houden die in eer.

York had ze er zelf tussengestopt uit respect voor haar gastheren. De rol die de helden hier hadden gespeeld, toonde aan hoe diep Engeland gezonken was. De koning Harry van vandaag was krankzinnig en de nieuwe hertog van Exeter werd alom gehaat. Gloucester was op weg naar het parlement vermoord en Bedford had het alleen maar kunnen overleven dankzij zijn heksenweduwe. De erfgenamen van York, Warwick en Salisbury zaten aan tafel, onlangs allemaal vrijgesproken van verraad. En Engeland werd ronduit verslagen door een Frans tienermeisje.

De goede man vertelt zijn zoon die strijd,
En nimmer daagt Krispijn Krispianus
Van deze dag tot 's werelds ondergang,
Of op die dag wordt er van ons gesproken,

Op dit punt draaide ze zich terzijde en spreidde haar handen met de palmen omhoog uit. Ze glimlachte breeduit en lette er goed op dat ze

159

niet met haar rug naar de hoge tafel toegekeerd stond. Maar ze betrok nu iedereen in de hal erbij, rekte zich uit naar de lagere tafels terwijl het licht op haar gouden, engelachtige mouwen danste. In dit laatste stuk was Shakespeare op zijn revolutionairst, hij predikte het einde van de adel en van één enkele Engelse natie, waar moed en opoffering de holle status overschaduwden. Ze sprak elk woord helder en ernstig uit naar degenen die aan de het uiteinde van de tafels zaten:

> *Ons, wein'gen, ons, gelukkigen, ons, broeders;*
> *Want wie vandaag met mij zijn bloed vergiet,*
> *Hij zal mijn broeder zijn, hoe laag zijn stand*
> *ook zijn mag, edelen zal hem deze dag,*
> *En Engelse edellieden, nu in bed,*
> *Vervloeken 't eens, dat zij hier niet waren,*
> *En zwijgen als vernietigd, spreekt er iemand,*
> *Die met ons vocht op Sint-Krispijnsdag.*

Haar voordracht werd met verbijsterde stilte begroet. Iedereen staarde haar aan, verbaasd vanwege die onverwachte uitbarsting van de jambische pentameter. Toen begon Edward als enige luid te klappen. Rutland deed met hem mee, toen George en kleine Richard, en toen vielen de lagere tafels in. Ze applaudisseerden enthousiast en hun gejuich ging over in gejoel en gefluit. Er werd geproost op de overwinning van koning Harry en de Fransen werden vervloekt. Geen van de witharige boogschutters stond op om zijn littekens te laten zien, maar ze zag tranen in de ogen van de oude mannen die erbij waren geweest, en op het gezicht van Salisbury en hertog Richard stond een verraste, respectvolle uitdrukking te lezen. Ze had het in fraaie bewoordingen over hun heroïsche kindertijd gehad en hoe erg de dingen sinds die tijd de mist in waren gegaan. Het kon bepaald geen kwaad om de mannen aan de hoge tafel er fijntjes op te wijzen dat van de meesten 'het bedje veilig was gespreid', terwijl gewoon volk als zij de koning had meegenomen en in de Tower had moeten lijden. Zelfs Warwick schonk haar maar een half obsceen knipoogje.

'Zie je wel,' verklaarde hertogin Cis, 'ze heeft wilskracht en bijna het verstand van een man.'

Ze nam de bedankjes in ontvangst en bekende dat dit inderdaad aan het brein van een man was ontsproten, maar 'William Shakespeare' zei hen niets. Eigenlijk raar, als je bedenkt dat de meeste mensen aan die hoge tafel in Shakespeare voorkwamen. Hoe kon Shakespeare drie toneelstukken over die arme gekke Hendrik VI hebben geschreven en dit zooitje hebben overgeslagen? Drie stukken die Robyn niet zo heel goed kende, godzijdank, want ze wilde niet weten wat er nu

160

ging gebeuren. Hertog Richard popelde daarentegen om te schitteren als Richard III. Toen de avond ten einde liep, namen ze met een kus afscheid, hertog Richard Plantagenet van York, troonpretendent, en lady Robyn Stafford van Pontefract, dichteres-lichtekooi. Toen kuste ze Arrogante Cis ook maar.

Ze had Edward pas voor zichzelf toen ze in zijn grote hemelbed lagen, niet de eerste plek waar je aan denkt voor een politiek debat – wat de Londenaren daar ook van mochten denken – zeker niet als je halfnaakt was en behoorlijk aangeschoten door de wijn. Ze zei tegen Edward dat de Act of Accord een ramp was, en voorspelde dat 'de aanhangers van koningin Margaret zich ertegen zouden verzetten en op de rechten van de prins van Wales zouden blijven hameren. En velen zullen daar gehoor aan geven. Het volk houdt van koning Hendrik, als er tenminste goed op hem wordt gepast, maar hun hoop hebben ze op de prins van Wales gevestigd, wanneer die oud genoeg is.' Op dat moment nog aangenaam ver weg. 'Ze willen geen wereld waarin alleen de rijkste en sterkste edelman koning wordt.'

'Hendrik is nog steeds koning,' merkte Edward vermoeid op. 'Hoe zwak en bankroet hij misschien ook is.'

Maar daar kwam Edward niet zomaar mee weg. 'Dus voor al zijn moeite krijgt je vader het slechtste van twee werelden: geen koning worden en toch een oorlog over zich heen krijgen?'

Edward ging op een gespierde arm liggen en staarde haar indringend aan. De meeste rijke en machtige mannen verloren veel van hun uitstraling als ze eenmaal naakt waren, maar Edward zag er altijd uit als een stoere middeleeuwse oorlogsheer, zelfs in bed. Niet bepaald het ergste lot waar een wispelturige vrouwe toe veroordeeld was – jammer dat ze ruziemaakten. 'Maar hij is wel mijn vader,' bracht hij haar in herinnering. Niet alleen zijn vader, maar zijn leenheer aan wie hij zijn diensten verschuldigd was, zijn sire in elke betekenis van het woord. 'En ik kan niet ingaan tegen mijn familie.'

Geweldig. Zij was Dianne Keaton in de Shakespeariaanse versie van The Godfather, paps had de familie tot oorlog veroordeeld en de jonge Edward moest ten strijde trekken. Bezoekende Italianen bezwoeren dat Engelsen te hecht en gewelddadig voor ze waren, ze waren verslaafd aan vetes en konden je zonder enige waarschuwing ombrengen, maar ze hielden er wel van hoe de Engelse vrouwen hun gasten met een kus begroetten. Het ene moment was alles in orde: Hendrik onder controle, het parlement in hun zak en mams in Herefordshire weggestopt. Dan komt pap uit ballingschap gekuierd en plotseling vervliegen liefde, vrede en geluk dwars door het kasteelvenster. 'Weet wel,' waarschuwde ze hem, 'dat jouw familie het meest te lijden zal hebben van die zogenaamde Act of Accord.'

Edward kaatste terug: 'Op je heksenwoord?'

Ze schudde haar hoofd. 'Het is gewoon karma.'

'Karma?' Edward keek haar niet-begrijpend aan.

'Evenwicht, volledigheid, yin en yang,' legde ze uit.

Naar zijn gezicht te oordelen had ze net zo goed 'hekserij' gezegd kunnen hebben. 'Jij wilde het aan het parlement overlaten,' bracht hij haar in herinnering. 'Dit heeft het parlement besloten.'

Dat deed pijn, vooral omdat het de waarheid was, wie kaatste moest de bal verwachten. 'We kunnen ons niet door het parlement blindelings de oorlog in laten sturen.'

Edward zuchtte, hij hield hier helemaal niet van. 'Het wordt toch wel oorlog, of we het willen of niet – als je je tenminste zorgen maakt over de oorlog?'

'Natuurlijk.' Ze snoof, dat lag toch voor de hand. 'Wie wil er nou oorlog?'

'Holland, Clifford, Percy, Somerset...' Edward somde snel hun belangrijkste vijanden op.

'Welke vrouw zou het willen?' Ze schoof de mening van ontevreden edelen opzij die stonden te trappelen om ten strijde te trekken, ook al waren zij degenen die over ridders en boogschutters konden beschikken.

'Koningin Margaret,' opperde Edward schamper, hij wist dat hij haar te pakken had.

Inderdaad, Margaret, de amazone van Anjou, de boze kikkerkoningin, Robyn begon spijt te krijgen van de dag waarop zij en Edward haar aan de kant hadden gezet. 'Ik begin behoorlijk met koningin Margaret mee te voelen.'

'Echt waar?' Hij trok een wenkbrauw op. 'Margaret van Anjou?'

'Dat zou ik bij elke vrouw hebben die naar dit barbaarse eiland is gesleurd en tegen wie gezegd wordt dat ze het weer recht moet zien te breien.'

'Ben je bang dat jij diegene misschien zult zijn?' vroeg Edward.

'Misschien? Wel zeker als ik met je trouw.' Het enige lichtpuntje dat de Londenaren in de Act of Accord zagen, was het feit dat Edward daardoor troonopvolger werd. De prins van Wales was nog maar net zeven geworden, een prins in de dop, net zoals zijn vader was geweest. Engeland sidderde bij de gedachte aan weer een kind-koning, op een leeftijd dat een kind met geen mogelijkheid een puberteit kon doormaken. Voor een deel bestond de affectie voor gekke Hendrik uit de vrome hoop dat hij lang genoeg zou leven om zijn zoon te zien opgroeien. Nu was door de Act of Accord het prinsenkind door Edward verdrongen, waarmee hij kennelijk een van de meest geliefde troonopvolgers werd van de Koninklijke Raad. Op hem rustte niet de vloek der krankzinnigheid en hij kon met onmiddellijke ingang aantreden. 'Als we al kunnen trouwen,' sneerde ze. 'Nog nooit is een Normandische koning met een van zijn onderdanen getrouwd.'

Edward moest om het woord 'Normandisch' glimlachen, een steek onder water dat hij uit Rouen kwam. Geen van beiden was Brits van geboorte maar dat weerhield hen er niet van om ruzie te maken over de troon. 'Op één na, die was al met een Engelse vrouw getrouwd voordat hij koning werd. Ik zweer op alles wat heilig is dat ik met je trouw voordat vader en Hendrik dood zijn.'

'Ik ben geen Engelse vrouw, godzijdank.' Ze beweerde nog steeds dat ze uit een land kwam dat niet bestond. Momenteel was Montana het domein van de Kraaien en Zwartvoetindianen, maar zij was met die Kraaien opgegroeid, had ze altijd vriendelijk gevonden, en nu sprak ze zelfs hun taal, ze zouden haar ongetwijfeld graag willen hebben. Als je de hele dag met Britten te maken had, voelde je je steeds meer een geboren Amerikaanse. 'Ik wil geen koningin zijn,' zei ze tegen hem. 'Gravin zijn is al erg genoeg.'

Hij stak een arm naar haar uit en trok haar dicht naar zich toe. Sinds paps er was hadden ze niet meer gevreeën, twee hele weken lang, je kon het wel een record noemen, als je de tijd in Greenwich niet meetelde. 'Welke vrouw zou haar verloving verbreken omdat ze misschien koningin van Engeland kan worden?'

'Ik,' waarschuwde ze hem, hoewel het niet een reden tot echtscheiding zou zijn.

'Godzijdank gaan we er niet meer over.' Hij trok haar met zijn sterke handen naast zijn sterke, blote borst en schoof haar lange zijden nachthemd omhoog. Haar amoureuze dronken vriendje was net troonopvolger geworden en dat wilde hij vieren.

'Hoezo gaan we er niet meer over?' Ze weerde hem met haar handen af en zette zich schrap tegen zijn naakte torso. Edward kon haar niet zomaar koningin maken, vrouwen hadden wel een paar rechten, zelfs in 1460.

Ze lagen even te stoeien en Edward pinde haar handig op bed, greep haar bij de polsen en legde die boven haar hoofd. In de val onder zijn naakte lichaam hield ze op met tegenstribbelen en keek in zijn grijnzende gezicht. 'We zijn verloofd,' bracht hij haar in herinnering. 'En ik sta niet toe dat jij de verloving verbreekt, want ik hou van je en ik heb je geen enkele aanleiding daartoe gegeven. Nog even en we zijn getrouwd, en wordt deze allerheiligste Act of Accord de wet in dit land, als je dat ontkent, is dat landsverraad.'

Een snoepje of ik schiet, trouw met me of je pleegt verraad. Ze zei niets, boos dat ze ervan langs kreeg. Ze hield er niet van als hij boven op haar lag en haar harteloos neerdrukte. Zij was niet de enige die in de verleiding kwam om verraad te plegen. Ondanks de lach en de traan tijdens het diner was het niet eenvoudig om de gezonde, jonge kleinzoon van koning Harry te onterven, alleen maar om Edwards arrogante familie te behagen. De noordelijken zouden zich ertegen verzetten, en Wales zou opstaan en zijn prins steunen. Zeker wetend dat hij aan de winnende hand was, vroeg hij: 'Wat is er zo erg aan om koningin te zijn?'

'Zo erg?' Ze lachte hem in zijn gezicht uit en ze schrokken allebei omdat het er zo fel uitkwam. 'Ben je net zo knetter als je dronken bent? Kijk wat er van koningin Margaret is geworden, zij logeert nu in Schotland. Ze is als tiener van huis weggehaald, moest met een tien jaar oudere gek trouwen, moest per se een zoon baren, terwijl ze de hele tijd werd beledigd omdat ze Française is, haar gewoontes belachelijk werden gemaakt en haar dierbaren werden vermoord.' Geen wonder dat de vrouw soms gekke dingen deed. 'Nu heb je haar verbannen en is ook nog eens de zoon die ze plichtsgetrouw heeft voortgebracht onterfd. Als je zo koningin van Engeland moet zijn, dan ben ik veel liever een barmeid in de Boar's Head Inn.'

'Je zou me de barmeid wel zijn...' Edward bestudeerde het halfnaakte lichaam dat hij vasthield, '... je zou hertog Richard van York nog aan zijn eigen tafel de les leren, op niet minder dan Sint-Krispijnsdag. "En Engelse edellieden, nu in bed / Vervloeken 't eens, dat zij hier niet waren..."'

'Ha,' ze gaf hem een duwtje met haar knieën. 'In de Boar's Head ben ik beter op mijn plaats.'

'Maar je moet koningin worden,' zei hij liefdevol en het kostte hem nog niet de helft van zijn kracht om haar in bedwang te houden.

'Moet dat?' Weer probeerde ze hem van zich af te duwen, maar ze had net zo goed kunnen proberen de Saint Paul's te verplaatsen.

'Absolument,' hield Edward vol, 'want het is zonneklaar dat er geen rust in de familie komt, totdat jij mijn moeder buiten spel hebt gezet.'

Dat was een aangename gedachte, Arrogante Cis die haar moest dienen en voor haar knicksjes moest maken, haar toast en kruidenthee zou komen brengen. Om die reden zou ze bijna koningin worden. Bijna. 'Oorlog in het noorden en Wales is een hoge prijs voor de familievrede,' waarschuwde ze hem. 'Die komt er toch niet.'

'We zullen zien.' Hij kuste haar gulzig en vol passie, en nam weer bezit van haar mond. Ondanks haar woede en verdriet kuste ze hem terug terwijl ze hem net zo goed de tong had kunnen afbijten. Ze hield van hem, om hem was ze hier. Zelfs nu reageerde haar lichaam verlangend, wilde toegeven, wentelde zich in het genot van zijn lange, stevige gestalte die haar op het verenbed terugdwong. Edward vatte dit op dat ze zich overgaf en schoof handig de zijden nachtpon over haar borsten omhoog, gleed met zijn knie tussen haar benen waarbij hij zijn schaamstreek stevig tegen haar heup aan drukte. Zelfs dronken wist hij nog wat hij deed.

Nog tijdens het kussen glipte ze naar opzij, gleed bij zijn knie vandaan en hield haar benen bij elkaar. Bedreven als hij was in tactische manoeuvres, rolde Edward zich om en hield haar tegen zonder dat hij haar handen losliet of de kus onderbrak. Ze rolde weer terug en voelde dat hun lippen met elkaar vreeën terwijl hun onderlichamen strijd leverden. Vanaf het begin had ze geweigerd zich aan hem over te geven. Edward was van nagenoeg iedereen in Engeland de meerdere, en zij maakte knicksjes en noemde hem in het openbaar 'mijn heer', maar ze wisten allebei dat ze dit alleen maar voor de vorm deed. Privé waren ze elkaars gelijken, ook toen ze nog een arme, voortvluchtige heks was. En nu was ze lady Robyn van Pontefract, vriendin van de koning, met een voorvechter uit Westminster die voor haar opkwam. Hoewel ze daar nu weinig van weg had, nu ze in het bed van een graaf lag te rollebollen met haar nachthemd om haar schouders gewikkeld.

Edward kreeg in de gaten dat hij niet meer kreeg dan een kus, hij ontspande zich en maakte er het beste van. Hij verkende speels haar mond, liet haar zijn opwinding voelen en hoeveel pret ze zouden kunnen hebben. En het was pret, maar daar moest ze alleen maar van huilen als ze eraan dacht hoe heerlijk alles was geweest, nog kon zijn, maar niet was.

Geschrokken door haar tranen, hield Edward op met kussen, liet haar handen los en rolde van haar af. Hij nam haar halfnaakte lichaam lange tijd met een beschonken blik in zich op en weerhouden door haar tegenstand wist hij dat hij alleen maar mocht kijken. Edward was niet het type dat geweld bij vrouwen gebruikte, en als FitzHolland en lord Scales haar niet in de Tower hadden kunnen verschalken, hoe kon hij daar dan nog op hopen? Er zou niet veel goeds van komen als hij geweld zou gebruiken, in bed noch voor het altaar. Nu hij haar niet kon krijgen, begon Edward haar te troosten en hield haar in zijn armen terwijl zij huilde. Hij vroeg zachtjes wat eraan scheelde en waarom ze zo verdrietig was.

Ze gaf geen antwoord. Ze was al zo diep gekwetst, dat hoefde ze niet hardop te zeggen. Edward had de kant van zijn familie gekozen, tegen haar, en tegen de vrede die ze hadden bereikt, had hun liefde en alles wat ze samen hadden opgebouwd, verraden. Ze konden nog zo verloofd zijn, Edward kon haar niet dwingen om tegen haar wil met hem te trouwen. De Moederkerk beschermde haar recht om nee te kunnen zeggen. Niemand kon haar dwingen koningin te worden, zelfs niet die lieve, nobele Edward, zelfs niet als hij haar het mes op de keel zette.

Zondag 26 oktober 1460, naamdag van Sint-Lucien, Baynards Castle, Londen

Onze eerste ruzie. Omdat Engeland verscheurd zal worden. Deze 'Act of Accord' – hij moet nog steeds ondertekend worden – gaat mensenlevens kosten, stort dit land in een oorlog terwijl we ons op de winter zouden moeten voorbereiden. Wat een dwaas! Te denken dat Edward anders zou zijn, een middeleeuwse man met een moderne geest, bereid om status, familie, opvoeding op te geven, en dat allemaal voor mij. Een lachwekkend fabeltje.

En ik ben er ingestonken. Met open ogen. Mijn leven thuis heb ik ervoor overboord gegooid, de vrienden die ik ooit heb gehad, een fantastisch appartement in Hollywood, een hete douche en waterleiding in huis – alleen maar voor een op drift geraakt graafje in ballingschap, met brede schouders en een charmante glimlach. Wat had ik nou eigenlijk gedacht? Dat ik deze rare mannenwereld zomaar binnen kon walsen en alles zou krijgen wat ik wilde – magische krachten, de man op wie ik verliefd ben, en als klap op de vuurpijl ook nog een titel? Welkom in de Middeleeuwen.

En nu? Edward is de enige reden waarom ik nog in dit millennium ben. Zonder hem is middeleeuws Engeland een regenachtig, low-budget uitstapje met bedenkelijk voedsel en nog beroerdere omstandigheden, waarmee geen vrouw met een beetje verstand iets te maken wil hebben. Maar ik hoef het me niet allemaal te laten aanleunen, dankzij gekke koning Hendrik heb ik geld en kan ik zelf mijn problemen oplossen. Vrouwe 'Pomfret' kan in Italië overwinteren als ze dat zou willen. Leonardo da Vinci woont daar, en Columbus ook. We zouden op de zonnige hellingen van de Vesuvius een oude Romeinse villa kunnen huren die over de baai van Napels uitkijkt. Ik zal eens in mijn huishoudentje rondvragen wat ze ervan vinden. Matt en Deirdre zijn altijd in voor een avontuur. Maar Beth en Hanna moeten aan hun familie en gezin denken, en wie weet waar die excentrieke Alice op uit is... afgelopen vrijdag liet ze doorschemeren dat ze graag de hekserij in wil. Ligt het er zo dik bovenop? Kennelijk.

Maandag 27 oktober 1460, de vooravond van Sint-Judasdag, Baynards Castle, Londen

Jo is gekomen! Ze heeft Joy meegenomen, ze is op een moeder-dochter Halloween pelgrimstocht naar Saint Albans. Collin heeft ze tot Wallingford gebracht en daar hebben ze een boot naar Londen gehuurd. Als Jo hier met Halloween is, kan ze misschien meer bezweringen

leren, heeft ze iets om naar uit te kijken nu de liefde en politiek op
niets zijn gelopen. En uit magie kan ik nog de hoop putten dat ik ooit
naar mijn 'eigen' tijd kan terugkeren, nu ik lang zoveel redenen niet
meer heb om hier te blijven.
Beth is door het dolle heen dat Joy er weer is, ze laat de stropop aan Jo's
dochter zien die via het vuur aan de vooravond van Sint-Januari's dag
was doorgekomen. Ze zei: 'Dank je wel, ik heb mijn eigen pop op het
vuur gegooid voor het oogstfeest, het is nu net alsof ik hem weer terug
heb.'

Jo kreeg de grote kasteelslaapkamer met de audiëntiekamer waarin de Leeuw van March hing. Edward is weer terugverhuisd naar de grote hal nadat zijn moeder was vertrokken, het middeleeuwse spel van muziek-bij-het-naar-bed-gaan heeft hij weer opgepakt. Toen Jo eenmaal op orde was, stortte Robyn het hele trieste verhaal over haar heen, te beginnen met Arrogante Cis en de ambities van de hertog, tot aan de rampzalige Act of Accord. 'Wat kan Edward eraan doen?' vroeg Jo terwijl haar dochter, die als twee druppels water op haar leek, haar zwarte haren kamde. 'Het parlement heeft erover gestemd en zelfs koning Hendrik staat machteloos.'

'Hendrik staat altijd machteloos, maar Edward kan weigeren zijn handtekening te zetten.' Het sterkste punt van de Act of Accord was dat Edward waarschijnlijk troonopvolger zou worden, maar als de grillige jonge Rutland zijn plaats zou innemen, dan zou het parlement zich wel twee keer bedenken.

'En het koningschap opgeven?' vroeg Jo op effen toon.

'Als hij van me hield, zou hij dat doen,' klaagde Robyn. Wat was Engelands 'holle kroon' nu helemaal bij haar vergeleken?

Jo glimlachte om haar benarde situatie. 'Ja, ik begrijp wat je bedoelt. Edward is stoutmoedig, knap en zweert dat hij van je houdt. Hij geeft je goud, jurken, een prachtig paard en een kasteel om in te wonen. Erger nog, hij wil met je trouwen... en jij lijdt daar allemaal onder?'

'Ik neem het in genade aan,' gaf Robyn toe, dat ze vooral niet gingen denken dat ze ondankbaar was.

'En nu wil die harteloze vent van je ook nog dat je koningin van Engeland wordt?' Jo schudde treurig haar hoofd en zei: 'Sommige mannen zijn onuitstaanbaar.'

'Ik wil niet dat een van mijn kinderen troonopvolger wordt,' hield Robyn vol. 'Troonopvolging via overerving is bespottelijk. Kijk wat het met koning Hendrik heeft gedaan, een in en in goede kerel met luid en duidelijk op zijn voorhoofd 'monnik' geschreven. Die moet dan een prutser van een staatshoofd worden, begaat de verschrikkelijkste misdaden en komische wandaden, bovendien wordt de verlegen teruggetrokken ziel ook nog eens en plein public met een huwelijk en een seksleven te kijk gezet. En dat allemaal omdat het goed zou zijn voor Engeland.' Jo moest toegeven dat het koningschap Hendrik niet veel goeds had gebracht en dat hij er soms catatonisch van werd.

'Wie wenst haar kinderen nou zoiets toe?' zei Robyn op dwingende toon. 'Van de laatste koningen zijn er drie of afgezet en vermoord, tot krankzinnigheid gedreven of in de strijd gesneuveld, als ze überhaupt al het koningschap haalden. Hoeveel koninklijke troonpretendenten zijn wel niet vermoord of ontvoerd?' Door deel uit te gaan maken van de koninklijke lijn, maakte hertog Richard zijn hele familie tot schietschijf.

'Ben ik even blij dat mijn dochter een bastaard is.' Jo gaf Joy een knuffel en een zoen, en haar dochter straalde van geluk toen ze hoorde dat het beter was om een bastaard te zijn dan een prinses. Jo vertelde haar de nieuwtjes uit de Cotswolds, Greystone was aan het herstellen van de plunderingen van afgelopen mei toen FitzHolland en zijn Zwanen de hal en de schuren in brand hadden gestoken. 'Collin heeft een dak op de grote hal laten maken en de oogst is binnen en afgedekt, hoewel de meeste buitengebouwen nog steeds in puin liggen. We krijgen een natte en strenge winter. Collin heeft graan uit Brittannië laten komen en vee uit Wales, maar nou is hij wel blut.'

'Ik heb nu geld! Wil je dat wel geloven?' Vrouwe Robyn had haar eerste maand in de Middeleeuwen op de zak van de Greys geteerd, aalmoezen van boerderijen en abdijen gekregen en eten van de mensen uit Wales. 'Nu kan ik eindelijk wat terugdoen.'

Jo maakte een spottend knicksje. 'Vrouwe Pomfret, u heeft het ver geschopt in de wereld.'

'Je bedoelt sinds je me de eerste keer uit de regen plukte?' Een deel van haar pas verworven geld moest Greystone ten goede komen, als het even kon in de vorm van voedsel, wat moeilijker was dan het klonk met zo'n graanschaarste en de weggespoelde wegen. Jo's bericht dat ze zou komen, had er een week over gedaan, maar dat was via de normale wegen gegaan. Het particuliere postsysteem van het middeleeuwse Engeland was compleet ondergelopen.

De vooravond van Halloween stond op de reguliere kerkkalender en werd met een speciale mis gevierd. Maar het was ook het begin van de Dwazentijd, Samhain, het Keltische nieuwjaar en het dodenfestival van de druïden. De winter stond voor de deur, de poorten der werelden gingen open en elfjes, feeën, geesten en heksen ontsnapten om dood en verderf te zaaien. Een perfect excuus om vroeg met de zaterdagavondpret te beginnen, terwijl de brouwerijen overuren maakten ter voorbereiding op de Dwazentijd. Dit jaar viel Halloween samen met heksennacht, daarom was Jo ook op pelgrimstocht gegaan, ter ere van Joys vader die bij de slag om Saint Albans was gesneuveld.

Om de Halloweenstemming compleet te maken, hadden hertog Richard en Edward besloten om op die dag de Act of Accord te ratificeren en Westminster over te nemen. Edward zag er opgedoft uit, hij was getooid met de leeuwen en lelies van Engeland in plaats van zijn purper-met-blauw, maar Robyn boycotte de ceremonie, evenals zijn bed.

Ze reed in pikzwarte kleding met Jo en Joy door Watling Street helemaal naar Saint Albans. Hela, Joys pratende ekster, vloog boven hun hoofd mee en begeleidde de vrouwen naar de Castle Inn op de hoek van Saint Peter's Street en Shropshire Lane. Daar stegen ze af en zeiden een gebed op voor Joys vader, Edmund Beaufort, hertog van Somerset, die vijf jaar geleden op deze plek was omgekomen, volgens sommigen vermoord door Warwick en York. 'Ik zei toch dat we naar Saint Albans gingen,' bracht Joy haar ernstig in herinnering. Joy loste hiermee een achteloos gemaakte belofte om de pelgrimstocht te maken in. Ze had die een half jaar geleden nogal nonchalant op een varkensboerderij in Cotswold gedaan, op de tweede dag dat Robyn in de Middeleeuwen was en ze op de vlucht waren na hun ontsnapping uit Berkeley Castle.

'En ik geloofde je niet,' gaf Robyn toe. Destijds had Robyn gedacht dat het duidelijk een belofte was die ontsproten was aan de fantasie van het kind, bedoeld om hun achtervolgers van zich af te schudden. Maar nu waren ze er een half jaar later toch en legden ze rode oktoberrozen langs de Castle Inn.

'Voorspellingen zijn lastige dingen,' zei Jo tegen haar dochter, 'ze komen vaak anders uit dan je denkt. Tijdens een heksennacht droomde ik dat je vader bij een kasteel zou sterven, dus waarschuwde ik hem dat hij uit de buurt moest blijven van kastelen en belegeringen moest mijden. Sowieso een verstandig advies, trouwens.' Voor het eerst gaf Jo toe dat ze in de toekomst kon kijken. 'Helaas nam hij de profetie te letterlijk, dus werd hij roekeloos als er geen kastelen in de buurt waren. Deze strijd had hij niet verwacht en hoewel ze in de minderheid waren, wilde je vader niet van overgave weten, hij vocht onverschrokken, totdat hij omhoogkeek en dit teken boven zijn hoofd zag.' Om ongeletterde klanten een handje te helpen had de Castle Inn een ruwe afbeelding van een kasteel boven de voordeur geschilderd. 'Hij aarzelde en werd onmiddellijk neergesabeld, sommigen zeggen door de graaf van Warwick.'

Warwick en hertog Richard hadden het gehate hof van koning Hendrik bij verrassing ingenomen. Het was voor Hendrik en zijn lords onmogelijk om een vijandig Londen bezet te houden, dus hadden ze bij Saint Albans strijd moeten leveren, in de minderheid en onvoorbereid, met deze typische, rampzalige uitkomst. In oorlogvoering waren Hendriks mensen niet veel beter dan in regeren. Vijf jaar geleden, op een ochtend in mei, was dit slaperige straatje, met zijn kerken, markt, inns en het grote andreaskruis, gebarricadeerd geweest vanwege straatgevechten en lag het bezaaid met lichamen in wapenrusting. Behalve Somerset waren lord Clifford en Henry Percy, graaf van Northumberland, ook omgekomen. Hun zonen waren alle drie niet naar het parlement gekomen en waren alleen maar op wraak uit. Koning Hendrik had hier een halswond opgelopen, waardoor hij de gewapende strijd compleet had afgezworen, in zeker opzicht was Hendrik begiftigd met een uitermate wijze waanzin.

In de nabijgelegen abdij brandde Joy kaarsjes bij haar vaders graf, fluisterde het heksengebed voor de doden en nodigde hem uit voor Halloween. Toen Robyn dit onwettige meisje zag bidden en tegen haar vader zag praten, werd ze er weer aan herinnerd welke prijs Engeland zou moeten betalen voor de Act of Accord.

Tegen de tijd dat ze op Baynards Castle terugkwamen, was Halloween in volle gang. Op de heuveltoppen van Surrey brandden vreugdevuren en gemaskerde feestgangers zwierven door de straten, klopten op ramen, slopen door poorten, blokkeerden ingangen, vielen hun meerderen lastig en eisten een aalmoes – zelfs van heksen te paard – en dwongen vrouwe Robyn haar beurs binnenstebuiten te keren voordat ze naar huis kon. Deirdre zei tegen haar dat het anderen veel erger was vergaan. Koning Hendrik was zijn huis helemaal kwijt. Verkleed als een koning was hertog Richard naar Westminster gereden met achter zich zijn gevolg met brandende toortsen. Ze hadden het paleis in een wild Halloweentafereel in bezit genomen en werden zo van bezoekende neven heren des huizes. Hendrik werd eruit gezet, nog altijd koning, dat wel, maar opgesloten in het paleis van de bisschop van Londen.

De dromerige Alice de naaister had aangevoeld dat er grote dingen stonden te gebeuren, en ze vroeg Deirdre of ze vanavond mocht deelnemen aan de coven. Mannen konden in het parlement koningen maken en breken, maar een ambitieuze, fantasierijke jonge naaister moest andere manieren vinden om de wereld naar haar hand te zetten.

Jo wilde het niet hebben. 'We hebben al te veel novices, en er staat een strenge winter voor de deur, het is niet veilig. Als het meisje echt heks wil worden, zal ze moeten wachten. Misschien kan de coven in de lente weer wat uitbreiden.'

Terwijl nachtbrakers de straten onveilig maakten, schelmenstreken uithaalden en dronkenlappen aanvielen, trok Jo een Halloweencirkel in de aan haar logeerkamer grenzende audiëntiekamer en zette Jo,

Robyn, Deirdre, Joy en Beth, in die volgorde, elk op een punt van een pentagram neer. Ze droegen allemaal winters zwart, een lange zwarte kaars brandde in het midden. 'We staan aan de poort van de winter,' zei Jo tegen haar kleine coven, 'het land van duisternis, kou en dood. Toch kan er zonder winter geen lente zijn.' Jo begon de cirkel rond te zingen:

Samhains deur leidt naar de winter,
De dagen trekken zich naar binnen terug
worden donkerder, korter en kouder.
Bomen worden kaal en bladerloos.
Alles is dood. Alles is dood.

Robyn ontspande door het zingen en liet zichzelf gaan, blij dat Jo er was en dat zij bij de beginnende meisjes niet als covenleidster hoefde te fungeren. Ze liet haar zorgen en verantwoordelijkheden in de leegte van de winter wegglijden. Edward had zijn keus gemaakt. Engeland moest maar voor zichzelf zorgen. En die arme, krankzinnige koning Hendrik ook. Evenals hertog Richard en Arrogante Cis, wat verdienden die twee elkaar! Ze moest nu aan zichzelf denken. Ze liet de problemen los die ze toch niet kon oplossen, en bevrijdde zichzelf om de tegenzang in te zetten toen zij aan de beurt was:

Het leven slaapt, het leven slaapt,
Onder de grond,
Onder de vorst,
Zaden ontluiken in de kou,
Klaar voor het weerkerende licht.

Toen de tegenzang weer bij haar terugkwam, deed Jo haar invocatie en nodigde de geesten van de nacht, de zielen van de doden uit. Dit was dodenbezwering, de meest gevreesde vorm van tovenarij – dit was het domein van Hecate, het karonje van de doden – maar volkomen passend bij het seizoen. Zelf de Moeder spelend en Joy de Meid, riep ze het doodswijf aan.

Robyn gaf zich aan het ritueel over en opende haar geest voor de nacht, liet haar ziel zweven waar die zelf heen wilde. Er verscheen een licht voor haar, zo wit en helder als de lente, dat haar warm toewenkte. Eerst dacht ze dat het de vlam van een kaars was, maar het was zonlicht in een rozentuin – ze herkende die rozentuin, het waren de Templetuinen, even boven de Theems, voorbij de stadsmuren. Op zonnige dagen kon ze die door de noordelijkste pijlspleet in haar kamer zien. Aan beide kanten bloeiden witte en roze rozenstruiken en ze liet haar geest verder zwerven, genoot van dat heerlijke spirituele uitstapje door de zonverlichte, wit ommuurde tuin.

Ze zag mannen verschijnen die luidkeels praatten. Jammer. Rijk en gladgeschoren waren ze, gekleed in zwart fluweel en karmozijnrode tafzijde, met schitterend uitgesneden mouwen. Breedgevederde baretten en fluwelen hoofddeksels met hun familiewapens tooiden hun keurige, rondgeknipte kapsel. Het werd nog erger, ze stonden ruzie te maken, naast een monumentale fontein maakten ze een enorm kabaal. En ze kende hen. Warwick was er, hij was in het rood, met gesloten hangmouwen die bijna tot de grond reikten. Hertog Richard was bij hem, hij zag er onverzettelijk uit en was gekleed in zwart fluweel afgezet met kleine witte zijderoosjes. Een goed uitziende edelman van in de veertig, gestoken in weelderig blauw satijn dat afgezet was met goud, ging tegen hen tekeer. Hij zei: 'Laat degene die lafaard noch vleier is een rode roos met mij plukken.'

Warwick meesmuilde. 'Ik hou niet van kleuren, dus ik pluk de witte roos met Plantagenet.' Daarmee bedoelde Warwick hertog Richard, die een pas geplukte witte roos vasthield die bij zijn eigen zijderoosjes paste.

Ze zat in een scène uit Shakespeare, de beroemde Templetuinscène, die het begin van de Rozenoorlog inluidde, waar de grote edelen partij kozen door middel van rozen: wit voor York en rood voor Lancaster. *Henry VI*, deel I, tweede akte, vierde scène om precies te zijn. Robyn had dat tafereel ooit in scène gezet, had midden in een winter in Montana echte rozen bij elkaar moeten sprokkelen. Maar in die scène in de Templetuinen merkte ze dat ze sommige personages wel, en andere niet kende. Het begon haar te dagen dat degenen die ze niet kende, dood moesten zijn, vermoord bij Saint Albans. Een van die sprekende doden, een grijsharige edelman die een gesp met een witte aap aan een gouden ketting op zijn mantel had zitten, plukte een rode roos en zei: 'Ik pluk deze rode roos voor de jonge Somerset.'

Wat betekende dat de edelman in blauw-en-goud Edmund Beaufort, hertog van Somerset moest zijn, Joys vader. En Jo's minnaar. Ze probeerde zich Jo met hem voor te stellen, wat niet eenvoudig was want ze had Jo nooit met een man gezien, niet in dit millennium en ook niet in het volgende. Toch zag ze het voor zich: Somerset was een energieke man, slim en gevat, en toen iemand de roos van zijn opponent overnam, waarschuwde hij hem: 'Prik bij het plukken niet in je vinger, alleen al door bloed te morsen, kies je mijn zijde.'

Hertog Richard kreeg de meeste rozen, hoewel sommigen van zijn 'lords' Templeraadslieden waren. Hij probeerde Somerset prompt met zijn overwinning af te knijpen en zei: 'Welnu, Somerset, wat heb je daarop te zeggen?'

172

'Met wat in mijn zwaardschede steekt,' antwoordde Somerset vurig, 'maak ik elke roos rood.'

Hertog Richard keek hem fronsend aan, dezelfde blik die hij op haar had afgevuurd. 'Heeft uw roos geen waterschimmel, Somerset?'

'Heeft uw roos geen doornen, Plantagenet?' kaatste Somerset terug. Hij confronteerde hertog Richard met de executie wegens verraad van Yorks vader, maakte York uit voor boerenkinkel en stapte scheldend weg: 'Zoek vrienden die mijn verdomde rozen willen dragen!'

Voeg daar nog Somersets impulsieve en vurige karakter aan toe. Maar hij was het doel van Joys pelgrimstocht, dus Robyn volgde hem tot in de verste uithoeken van de droomtuin, zocht haar weg door kronkelige groene doornen heggen. Somerset treuzelde bij een rode rozenstruik, zodat ze hem kon inhalen. Hij zag er koeltjes en knap uit, ondanks zijn uitbarsting van zopas. Een gouden bies glansde aan de binnenkant van zijn gesneden blauwsatijnen mouwen en hij droeg een satijnen hoofddeksel dat eruitzag als een slim gevouwen kap. Somerset grijnsde breed en zei: 'Wie ben jij?'

Ze maakte een diepe revérence en begreep waarom Jo van deze man had gehouden en waarom Warwick hem moest vermoorden. 'Vrouwe Robyn Stafford van Pontefract.'

Somerset lachte luidkeels. 'Vrouwe Robyn van Pontefract? Daar moet koning Hendrik de hand in hebben gehad. Komt me goed uit dat zijn majesteit alleen is, zonder toezicht.' Hij reikte in zijn open blauwgouden mouw en haalde er een vreemd ivoorwit beeldje uit, ongeveer dertig centimeter lang en afgezet met goud. 'Geef Joanna een kus van me en neem dit mee op je weg terug.'

In een reflex stak ze haar hand uit en pakte het beeldje aan, maar zodra ze het aanraakte, wist ze dat ze een ongelooflijke fout had gemaakt. Wat leek als ivoor, voelde aan als was en wat goud leek, bleek alleen maar goudverf. Ze keek naar Somerset maar hij veranderde ook en voor haar ogen werd hij een vrouw, een vrouw die Robyn kende. Ze staarde naar een verklede hertogin, Jacquetta Wydville, de heksenhertogin van Bedford, ze droeg nog steeds het blauwgouden gewaad en de kap van Somerset. Blond en statig, sluwe ogen met zware oogleden. Hertogin Wydville lachte haar uit. 'Wat fijn u te zien, vrouwe Stafford, ik wens u een vreugdevolle Halloweenavond.'

Voordat ze antwoord kon geven, was de heksenhertogin verdwenen, met een glimlach in rook opgegaan. Robyn realiseerde zich dat ze door hertogin Wydville op de korrel was genomen. Ze verbeeldde zich de geest van Somerset te hebben zien, maar intussen was ze door een oudere, meer ervaren heks het tuinpad op geleid. Ze draaide zich om, probeerde haar weg terug te vinden, buiten zichzelf om de rest

173

van haar kleine coven te waarschuwen dat ze met magie werden aangevallen. Witte muren en doornige rozenstruiken drongen zich aan haar op, sneden haar de pas af. Ze had het gevoel alsof ze Alice was die verdwaald was in het rozendoolhof van hartenvrouw, en Robyn rende langs lange, groene lanen vol rozen die nergens naartoe gingen, zocht naar een open hek of een gat in de heggen en merkte dat ze hopeloos in de val zat. Hertogin Wydville had haar perfect om de tuin geleid, en er zou zeker nog iets veel ergers volgen.

De Templetuinen verdwenen abrupt en ze werd uit haar droomwereld weggerukt door de openslaande deur van het audiëntievertrek. Het licht van flakkerende toortsen stroomde de kamer binnen en viel op de kalkwitte ster en de vrouwen en meisjes die erop geknield lagen. Robyn voelde de schrik als koud ijswater over zich heen komen, ze bevroor en zittend op haar punt van de ster wist ze dat ze erbij was.

Vreemde mannen drongen de audiëntiekamer binnen, vergezeld van bijtende rook van de toortsen, echte mannen in leer en maliënkolder, geen dode droomlords, maar mannen die het zilver-blauwe uniform van de hertog van York droegen, slechts één was gekleed als een Londense diender. Ze waren allemaal gewapend met zwaarden en akelige messen bungelden obsceen tussen hun benen. Ze leken wel op demonen uit een Halloween-scène. Een verwarrend ogenblik dacht Robyn dit ook, dit moest een grap zijn, een Halloweenstreek door verklede feestnummers, die zo meteen zouden roepen: 'Een snoepje of ik schiet!'

Alleen grijnsden ze niet, en er waren ook vrouwen bij hen. Die lieve, dromerige Alice de naaister zag er scherp en alert uit te midden van de mannen, met een zwarte ijzeren sleutel in haar hand, wat Robyn eraan herinnerde in welke eeuw ze zat en dat dit allemaal echt gebeurde. Koude oerangst golfde in haar keel omhoog. De mannen waren een heksennacht binnengedrongen. Gewapende mannen verstoorden een ongelooflijk bezwarend tafereel: twee vrouwen, hun dienstmeiden en een bastaarddochter, allemaal in het zwart gekleed, geknield op de punten van een groot pentagram dat rondom een grote, zwarte brandende kaars op de vloer van de audiëntiekamer was getekend,. Dit kon je moeilijk afdoen als een semi-onschuldig, uit de hand gelopen slaapfeestje. En inderdaad kondigde de Londense diender luidkeels aan dat ze onder arrest stonden.

'Waarom?' vroeg Jo doodleuk.

De diender was met stomheid geslagen, hij staarde naar de kleine Beth die nog steeds op haar punt van het pentagram zat geknield, niet zeker of dit voor een Halloweenscène kon doorgaan. Maar een goedgeklede wijsneus stapte naar voren en gaf in plaats van de diender antwoord met de gebruikelijke halsmisdrijven – hekserij, heidense praktijken, verraad en nog een hele zwik mindere overtredingen. Deze man herkende ze, John Fogge, een landeigenaar uit Kent en lid van het parlement, bovendien een neef van Wydville, dus dat verbaasde haar niets. Niemand deed moeite om hen hun rechten voor te lezen, aangezien ze nauwelijks rechten hadden, en alles zou zeker tegen hen gebruikt worden, met inbegrip wat Robyn in haar hand hield.

Bij het licht van de flakkerende toortsen zag ze dat ze een wassen beeldje van hertog Richard van York in haar handen had, met een witte roos op zijn borst gekerfd en een gouden valk met beenkluister in vergulde verf op zijn wassen overmantel. Recht door de witte roos stak een zilveren pin, dwars door het hart van het beeldje. Toen het licht van de toortsen op hertog Richards barse, wassen gezicht viel, leek het wel of hij haar uitlachte, een kleine afscheidsillusie van hertogin Wydville, en een prachtig begin van de Dwazentijd.

Deel Twee

Dwazentijd

Uit Ierland komt York en claimt zijn rechten
Rukt de kroon van Hendriks fragiele hoofd:
Klokken, bellen, schallen luid – brand, vuren, klaar en helder...
Shakespeare, *Henry VI*, deel II

Aanschouwen we hun grootste schouwspel?
Lord, deze stervelingen moeten wel dwazen zijn!
Shakespeare, *A Midsummer Night's Dream*

6

Nacht en mist

Gepakt. Schokkend, maar het verraste haar nauwelijks. Ze was veel te snel gegaan, had veel te veel risico genomen, een beetje staan kletsen met dode edelmannen terwijl ze op haar hoede had moeten zijn. Terwijl zij tegen de Act of Accord te hoop liep en een gelukkige Halloween aan het voorbereiden was, had hertogin Wydville Alice als spion bij haar laten binnendringen en een val gezet met dit duivelse wassen beeldje.

Het drukdoende parlementslid verkneukelde zich met zijn vangst en hij zag er streng en kloterig uit, met zijn keurige ronde haardracht, lange rechte neus en die dunne, gemene streepmond van hem. Als trouwe Yorkaanhanger had John Fogge geholpen om Canterbury aan de rebellen over te geven, en hij was ook op het Sint-Krispijnsfeest geweest, maar hij was ook een neef van Wydville, en degene die de lijst beschuldigingen had opgesteld. Hekserij, ketterij, verraad, alsof hij van tevoren al wist wat hij zou aantreffen. Zijn maatjes stonden alleen maar in het toortslicht te knipperen, verbaasd te zien wat vrouwen deden als er geen mannen in de buurt waren, met name op Halloween. Hoe vaak zouden ze nog de zuster van een ridder en een minnares van een graaf te zien krijgen, in zwarte jurken neergekniend op een met kalk getekend pentagram, die met de doden communiceerden?

Jo sprong op, ze doofde de lange kaars en eiste dat de mannen onmiddellijk zouden vertrekken. 'Dit is mijn slaapkamer, gaat u onmiddellijk weg.' Maar het was niet echt haar kamer, ze logeerde er alleen maar en de gewapende mannen verroerden zich niet.

Robyn hield nog steeds het wassen beeldje van hertog Richard vast, ze stond op en ging naast Jo staan. Meester Fogges oog viel op haar en naar het wassen beeldje wijzend zei hij: 'Pak dat goddeloze ding van haar af.' Nerveuze boogschutters schuifelden naar voren en ze gaf het karikaturale voodoobeeldje maar wat graag aan hen af – om te beginnen was het niet van haar en het zou een eindeloze reeks problemen veroorzaken. Ze gaf het met een glimlach over, pakte handig de zilveren pin eruit die door het hart van het beeldje stak en stopte die in een plooi van haar zwarte jurk. Weer een stukje minder bewijs, bovendien wist ze van vorige opsluitingen dat als je eenmaal in een cel zat, al je bezittingen heel kostbaar werden. Met haar visacard was ze uit de kerkers van Berkeley ontsnapt. Een spuitbusje met insectenverdelger had haar gered van de mannen in de Tower.

Heel voorzichtig brachten de boogschutters het wassen beeldje naar Edwards houtbewerkte eiken tafel, zetten het neer en bleven erbij op wacht staan, angstig om er te veel aan te zitten. Wie kon het ze kwalijk nemen? Dit wassen beeld was de incarnatie van het kwade en Robyn wenste dat ze het zelfs niet had aangeraakt. Toen hij zag dat het beeldje veilig onder gewapend toezicht stond, vroeg de Londense diender: 'Uw namen, alstublieft.'

'Lady Robyn Stafford van Pontefract.' Ze probeerde er ook zo uit te zien – zelfs op blote voeten in haar zwarte hemdjurk – en glimlachte bemoedigend naar de meisjes die nog steeds op het pentagram geknield lagen. 'Als u zo vriendelijk wilt zijn om Edward, graaf van March, te halen, dan kan dit allemaal eenvoudig worden verklaard.'

Niemand ging Edward halen. Waarschijnlijk was hij in zijn slaapkamer in het hoofdgebouw, lag hij te slapen van de opwindende dag. Ze wist niet meer precies waar Edward sliep, hij had nu ook een aantal vertrekken in Westminster. 'Wie zijn de anderen?' vroeg de diender op zijn hoede – hij wilde weten wie hij ging arresteren – hij staarde nadrukkelijk naar de kleine Beth Lambert, die met haar blonde haren en blootsvoets op haar sterpunt geknield lag. Nog niet zo lang geleden was een poging om de verkeerde persoon op te pakken uitgemond in ontslag en opsluiting van de wetsdienaren.

Ze knikte naar Jo. 'Dit is vrouwe Joanna Grey, zij is met haar dochter Joy bij ons te gast. Dit hier is mijn meid en ons pleegkind, Beth Lambert.' Dochter van John Lambert, de onlangs gekozen sheriff van Londen – ondanks de twee aanwezige dames en de dochter van de hertog, weifelde de diender bij de laatste – geen dienaar van de wet vond het prettig om de dochter van zijn baas op grond van zware beschuldigingen in de kraag te vatten. 'Ik bid u Edward van March te laten halen,' opperde Robyn bits. 'Hij maakt alles in orde.'

'We hoeven zijne lordschap hier niet mee lastig te vallen,' verzekerde John Fogge hen en hij hoopte dat dit als een voldongen feit overkwam. 'In Newgate wacht de cel op u en hoe eerder deze vrouwen daarin zitten, des te eerder kunnen we allemaal gaan slapen.'

'U stopt geen van ons in Newgate,' wierp ze het onaangename parlementslid voor de voeten, 'niet de kinderen, niet mijn gasten, niet de bedienden en mij ook niet.' Als ze hierover strijd moesten voeren, dan was het maar het beste dat ze dat in 'haar' kasteel deden. Ze liet zich niet ergens naartoe sleuren waar ze in alle stilte gemarteld zou kunnen worden. 'Ik eis van u dat u Edward van March laat halen, de lord van deze burcht.' Het was eigenlijk zijn vaders kasteel, maar ze was bereid om dat begrip ruim op te vatten, als Edward maar kwam. 'Of ik laat hem weten wie hier verantwoordelijk voor is.'

180

'En wie is dat dan wel?' vroeg meester Fogge uit de hoogte, er zeker van dat hij het niet was.

Ja, daar zei hij zowat. Hertogin Wydville? Hertog Richard? Alice de naaister? Er waren zoveel mensen bij dit kwalijke zaakje betrokken dat ze nauwelijks wist wie ze de schuld kon geven.

Er klonken laarzen op de stenen treden naar de hal beneden en alle hoofden draaiden zich naar de open deur. Er kwam iemand aan. Zelfs de meisjes, die plichtsgetrouw nog op hun pentagrampunten knielden, rekten hun hals om te kijken, in de hoop dat er toch nog een Halloweenwonder zou geschieden.

Koel als een lentebriesje zwierde Edward de kamer in. Hij hield een lantaarn vast om het toortslicht nog wat bij te lichten en nam de gespannen scène in de audiëntiekamer in zich op: de gewapende mannen, de vrouwen en meisjes in het zwart, de verbijsterde diender, het wassen beeldje en de lange zwarte kaars, de teruggerolde kleden en het reusachtige pentagram dat op de houten vloer was gekalkt. Ondanks het heksenuur droeg hij een wijnrood met hemelsblauw tuniek met open kartelige mouwen over een goud-met-zwarte maillot, het enige dat eraan ontbrak was een kap op zijn blonde haar. De anderen droegen gevederde, slappe baretten die bij hun grimmige uiterlijk pasten.

Ze wierp Edward een schuldbewuste blik toe om hem te laten zien dàt het haar speet, maar wat kon ze anders? Hij glimlachte breed naar haar terug en zei tegen het parlementslid die de leiding over het gezelschap had: 'Goed gedaan, meester Fogge, wat fijn dat ik u hier tref. Ik zie dat u de zaken hier wonderbaarlijk heeft weten te ontmaskeren.'

Fogge boog diep, blij met Edwards goedkeuring. 'Dank u, lord van March.'

Edward straalde van tevredenheid, gewend als hij was om met rampspoed om te gaan, keek hij de kamer goedkeurend rond. 'Meester Fogge, u heeft de zaken uitstekend blootgelegd, maar nu hebben we uw waakzame assistentie niet meer nodig, hoe onschatbaar die ook is.'

'Mijn heer?' Meester Fogges opluchting ging over in verbijstering. 'Maar deze vrouwen zijn...'

'Op mijn gezag,' verklaarde Edward plechtig en hij liet zijn lantaarn zakken om aan te tonen dat hij genoeg had gezien. 'Hoe gevaarlijk het ook lijkt, neem ik het risico het zonder uw hulp te stellen.' Edward had er geen enkele moeite mee om gezag uit te oefenen, daar was hij zijn leven lang al door zijn staalharde ouders in getraind, Robyn had nog maar onlangs de stalen wil van zijn ouders ontdekt. Met een hartelijke glimlach gaf hij glasheldere, eenvoudige bevelen, geholpen door het feit dat hij zo goed de juiste namen bij de juiste gezichten kon plaatsen. Hij wist dat John Fogge er niets toe deed, bovendien kende hij met gemak elk parlementslid uit Kent bij naam en toenaam, en hun vrouw ook nog. Maar achter deze vrolijke jovialiteit ging een kernachtige kracht schuil, Edward vocht gewoonlijk in de voorste gelederen en had nog nooit een gevecht verloren. Tot nu toe.

John Fogge boog en stapte vormelijk naar de tafel, hij pakte het wassen beeldje en verklaarde: 'Uw sire, de hertog, moet dit zien.' Richard of Yorks wassen gezicht staarde Robyn aan, het lachte niet meer. Zij vond het ook helemaal niet grappig, maar ze deed haar best om te glimlachen.

Edward knikte afwezig. 'Breng de hertog mijn hartelijke groeten over en zeg hem dat ik de zaken prima in de hand heb hier. Vader begrijpt het wel.'

'Zoals uw lordschap wenst.' Fogge maakte een stijve buiging met nog steeds het beeldje in de hand. Toen pakte hij ook de lange kaars vast en ging weg met de opgeluchte diender in zijn kielzog, de boogschutters volgden zwijgend. Alice verdween ook met nog altijd de sleutel van de kamer stevig in haar hand.

Edward kromp ineen. 'Ik ben erg blij dat ik alleen ben gekomen.'

'Hoe wist je trouwens dat je moest komen?' vroeg Robyn, ze stond van opluchting te trillen op haar benen en was overgelukkig dat haar liefje haar had gevonden, zelfs in deze netelige omstandigheden.

Een zwart-witte vogel kwam heftig fladderend door de open deur het audiëntievertrek binnenvliegen. Joys familie-ekster schreeuwde trots haar naam: 'Hela! Hela!' De vogel deed twee overwinningsrondjes door de kamer, landde toen op Joys schouder en maakte een slingerende buiging. 'Hela!'

Hela, koning van de dood, was in haar element tijdens Halloween, en terwijl Robyn uit de grond van haar hart een dankwoord zei voor haar redding, was een waarschuwing misschien beter op zijn plaats geweest.

Edward deed de zware deur van het audiëntievertrek dicht en deed niet eens de moeite hem op slot te doen, daar was het veel te laat voor. Hij was voor het eerst getuige van een heksennacht en ze zag dat hij zijn ogen uitkeek. Zelfs zonder het beeldje en de kaars leverde de audiëntiekamer bij lantaarnlicht nogal een scène op, terwijl zijn witte leeuw van March op vrouwen en kinderen omlaag keek die in Halloween-zwart rondom de witgekalkte ster stonden opgesteld. Jo maakte een waardige revérence, het had geen zin om een slotgebed uit te spreken – zodra mannen het vertrek binnenkwamen, was het ritueel teneinde en de cirkel opgeheven. 'Allemachtig bedankt dat u ons zo prompt te hulp bent gekomen.'

182

Edward merkte beleefd haar knicksje op. 'Het spijt me dat ik inbreuk op uw privacy maak, vrouwe Grey. Ik ben blij dat ik van dienst kon zijn, maar ik kwam hier eigenlijk om met vrouwe Stafford te spreken, alleen, als het even kan.'

Jo zei tegen de meisjes dat ze van hun pentagrampunt moesten opstaan, waar ze zwijgend tijdens de beproeving waren blijven zitten, wat hun training eer aandeed. Ze stonden op en maakten vreselijk geschrokken en dankbaar een diepe revérence, Edward was nu al de held van hun dromen. Robyn zei tegen haar meid dat ze Jo en de meisjes naar haar torenkamer moest brengen en voegde eraan toe: 'Zorg dat je de deur vergrendelt.' Die fout hoefde ze geen twee keer te maken. Na nog meer knicksjes naar Edward, groepten ze naar buiten, de meisjes bleven dicht in de buurt van Deirdre en Jo. Hela ging ook mee, zodat Robyn voor het eerst in dagen alleen was met Edward.

Jammer dat er een ramp voor nodig was om ze weer bij elkaar te brengen. Ze maakte ook een vloeiende revérence, bedankte hem dat hij op tijd was komen opdagen en verontschuldigde zich omstandig. 'Vergeef het me alsjeblieft, als ik had geweten dat het niet veilig was, dan had ik het ritueel nooit hier gedaan.' De afgesloten audiëntiekamer van een kasteel leek haar volslagen veilig.

Zonder een woord te zeggen zette Edward zijn lantaarn op tafel en vergrendelde toen de deur. Toen hij het raam ook op slot had gedaan, liep hij naar haar toe en nam haar in zijn armen. Hij gaf haar een kus die haar bijna uit haar zwartlinnen hemdjurk optilde. De eerste echte kus sinds Sint-Krispijnsdag, schokkend, intiem en sexy, helemaal niet wat ze had verwacht nadat ze van Halloweenavond zo'n puinhoop had gemaakt. Ze had gedacht dat ze op het punt stonden om hun tweede ruzie te krijgen, maar in plaats daarvan was ze in een op slot gedraaide tong verwikkeld waarbij ze bijna boven op het pentagram werd ingesnoerd. Toen hij zich ontspande en ze weer kon praten, vroeg ze: 'Waarom deed je dat?'

'Ik had er heel veel zin in om je in mijn armen te nemen,' gaf hij met een triomfantelijke grijns toe, 'om mijn ware liefde dicht tegen me aan te hebben en je lang en hartstochtelijk te kussen. En ik ging ervan uit dat je me nu niet zou tegenhouden.' Edward wist overal strategisch voordeel uit te halen. Nu hij tussen haar en de gevangenis in stond, kon ze zich nauwelijks beklagen dat hij troonopvolger was.

Wat had je aan een ridder als hij je nooit kwam redden? Ze legde haar hoofd op zijn brede, fluwelen schouder, was opgetogen dat ze zijn stevige arm om haar middel voelde en wist dat hij opgewekt zijn sterke, lenige zelf tussen haar en welk gevaar ook zou werpen. 'Ik ben alleen maar ongelooflijk blij dat je op dat moment kwam.'

'Zonder die vogel was ik hier niet geweest,' bekende Edward. 'Ik heb het verschrikkelijk druk gehad, maar ik heb de hele dag aan je gedacht.'

'Echt waar?' fluisterde ze en ze genoot van het veilige gevoel van zijn omhelzing. Edwards lange, modieus gesneden mouwen omhulden haar onderlichaam wat ongelooflijk aangenaam tegen de dunne stof voelde, ze warmden haar benen op wat nu een koude novemberavond was.

'O ja, ik heb een geweldige dag gehad,' verzekerde hij haar. 'Zowel Hoger- als Lagerhuis hebben mijn vader met veel pracht en ceremonieel als opvolger van de troon benoemd. Het Lagerhuis heeft me toegejuicht, bards hebben serenades gespeeld en ik heb schandalig op kosten van het koninkrijk gefeest. Bisschoppen hebben voor mijn gezondheid gebeden, vreemde vrouwen hebben me met bloemen overladen en dienaren hebben uit mijn naam munten naar de armen geworpen. De dag eindigde in de Saint Paul's, waar ik met koning Hendrik de avondmis heb bijgewoond, gevolgd door een copieus Westminster diner – forelballetjes, lamprei en croûte, gemarineerde krab en rivierkreeft.'

Wat een dag, zeker in vergelijking met de hare. Hij had bovendien nog een eed voor het parlement afgelegd dat hij 'nooit zou toestaan dat het natuurlijke leven van koning Hendrik de Zesde zou worden bekort, iets zou worden aangedaan of dat zijn heerschappij en koninklijke waardigheid aangetast zouden kunnen worden'. Dat had ze tenminste gehoord, aangezien ze er zelf niet bij was geweest en ze Edward sinds gistermiddag niet meer had gezien. 'Maar ik heb je verschrikkelijk gemist.' Hij verstevigde zijn omhelzing en drukte haar tegen zijn met fluweel bedekte borst. 'Vooral als ik moe en eenzaam in bed lig.'

Eenzaam? Wat een zelfbeheersing terwijl half vrouwelijk Londen in de wolken zou zijn om die arme, in de steek gelaten troonopvolger te troosten. Verdrietige, jonge edelen zijn zo tragisch aantrekkelijk. Maar Edward beweerde dat hij alleen maar naar haar smachtte. 'En toen Joys schorre vogel me wekte, ben ik rechtstreeks hiernaartoe gekomen, met bier voor de slotwachten, zodat ze op mijn promotie konden toosten.' Edward was als overwinnaar zeer geliefd, maar met dit soort gebaren maakte hij zich ronduit bemind. Hoeveel moderne commandanten zouden de moeite nemen zich ervan te verzekeren dat hun loyale wachtposten dronken op hun post stonden? 'Van de poortwachter hoorde ik dat er een Londense diender langs was gekomen, dus ben ik meteen hiernaartoe gegaan, ik dacht dat je wel een waarschuwing kon gebruiken.'

Fijn hoor, om te weten dat haar dierbaren onmiddellijk aan haar dachten zodra de wet in het geding was. Robyn moest nog eens nadenken over het idee dat ze in dit tijdsgewricht illegaal was. 'Dank je dat je voor me hebt gedacht,' fluisterde ze en ze klampte zich nog steeds aan zijn schouder vast, maar onder zijn opgewekte houding merkte Robyn dat hij zich ongerust maakte. Was zij de enige in zijn leven die hem zoveel verdriet bezorgde?

Edward keek langs haar heen naar het witte pentagram dat in de gele cirkel van het lantaarnlicht glansde en zei: 'Met dit soort dwaasheid komt er nooit een eind aan alle problemen.'

'Het is alleen maar een onschuldig Halloweenritueel, om een meisje met haar in de oorlog gesneuvelde vader te herenigen.' Ze was wel verslagen, maar daarom hoefde ze nog niet terug te krabbelen. Robyn moest haar zaak zo goed mogelijk tegenover Edward verdedigen. 'Het is zo onschuldig als wat, een privé-ritueel voor een bereidwillig meisje, met instemming en onder begeleiding van haar moeder.'

'Mensen zullen er kwaad van spreken,' verklaarde Edward, 'en beweren dat je het op mijn vader hebt voorzien.'

'Joy heeft geen vader meer,' legde ze uit, 'omdat jouw vader tegen de koning in opstand is gekomen. Dit was alleen maar een ritueel om haar te helpen haar verlies te verwerken. De werkelijke dwaasheid ligt in de Act of Accord, waardoor we nog meer wezen krijgen en er zelfs hier en nu nog meer problemen in het verschiet liggen.'

'Je bent erg overtuigend,' moest Edward toegeven, 'zeker tegenover iemand die van je houdt.' Hij kuste haar opnieuw, deze keer tederder, knikte naar het pentagram op de vloer en zei: 'Vreemdelingen zullen dit toch verduiveld moeilijk te verklaren vinden.'

'Nu is het alleen maar wat kalk, dat kun je er zo af wassen.' Warm, schuimend water stond in een emmer te wachten.

'Nog niet.' Edward liep ernstig met haar naar het pentagram toe, hij begeleidde haar met zijn arm om haar middel en bleef midden in de ster staan. Hij keek om zich heen en genoot kennelijk van het effect in het flakkerende lamplicht. 'Heel indrukwekkend, ook al is het maar kalk.'

Edward was duidelijk geïntrigeerd door de enige soort macht die hem door geboorte was ontzegd: vrouwelijke macht. Die zou hij nooit compleet kunnen beheersen. Toen ze naar de Middeleeuwen werd weggerukt, had Robyn in eerste instantie verondersteld dat ze aan de pest zou sterven. In tweede instantie dat ze de slaaf van een of andere man zou worden. In plaats daarvan vond ze een wereld die, merkwaardig genoeg, contact maakte met haar vrouwelijke kant. Toen ze aankwam, werd Engeland geregeerd door een jonge vrouw van in de twintig, koningin Margaret. Ze voerde legers aan en speelde de baas over haar verlegen, teruggetrokken echtgenoot. Ironisch genoeg had Robyn geholpen om Margaret af te zetten en de macht over te dragen aan de door en door mannelijke Koninklijke Raad, waar ze nu zo langzamerhand spijt van kreeg. Maar ook al regeerden ze niet rechtstreeks, vrouwen hadden ongelooflijke voordelen. Geweld tegen mannen was een gegeven. Ze had rijke, succesvolle mannen met politieke connecties achteloos ter dood zien brengen, alleen maar omdat ze het verkeerde livrei droegen of impopulaire meningen verkondigden. Geweld tegen vrouwen werd nagenoeg overal verafschuwd, tenzij het door de wet werd opgelegd. Maar over het algemeen waren vrouwen immuun tegen oorlog en aanvallen, en ze hadden veel minder te lijden van de sterke arm der wet, genoten op allerlei manieren speciale voorrechten en bescherming, waarvan sommige heel goed van pas kwamen. Mannen kregen van alles het beste, maar de Middeleeuwen zorgden er wel voor dat ze ook het slechtste kregen.

Hekserij was de grote uitzondering. Toverkunsten waren geen grootmoedig geschenk van mannen aan vrouwen, en dat was het hele verschil. Heksen hoefden niet braaf, gehoorzaam of fatsoenlijk getrouwd te zijn, ze hoefden zich ook niet aan de Kerk te onderwerpen. Heksen waren gewoon zichzelf, hun macht kwam uit henzelf en de kosmos. Natuurlijk maakten mannen het onwettig, legden barbaarse straffen op, maar misdaden die in het geniep door vrouwen werden begaan, waren ongewoon moeilijk te bestrijden. Mannen deden aan magie – een saai, moeizaam proces om lood in goud te veranderen, of de toekomst te voorspellen aan de rijken. Maar voor de echte, open-en-bloot-naakt-onder-de-maan-dansen-magie had je een heks nodig, en zelfs de godvruchtigste man kon door een knappe, slimme heks worden weggevaagd. Die vrome, heksen hatende koning Hendrik had haar hoog zitten, hoewel deze Halloweennacht de koninklijke geest wel eens op andere gedachten zou kunnen brengen.

Edward had andere ideeën over hoe je met vrouwenmacht moest omgaan, een paar ervan zouden koning Hendrik met stomheid slaan. Hij stak zijn hand uit, pakte de zoom van haar hemdjurk, tilde die met zijn vingers op en voelde aan de naakte huid eronder. Haar vel sidderde bij zijn aanraking. Vrouwen met macht waren niet bang voor hem en Edward vond ze zelfs opwindend en uitdagend. Hij verfrommelde de stof in zijn vuist, schoof die over haar kuiten omhoog, over haar knie en toen traag richting dij.

Koude rillingen schoten de gestaag optrekkende stof vooruit, hoewel het nu duidelijk niet het moment was om romantisch te worden. Zoals altijd liet Edward zijn hormonen de vrije loop. Toen het hemdjurk bij haar heup was aangekomen, probeerde ze hem met haar hand tegen te houden en fluisterde: 'Wacht.'

'Waarop?' vroeg Edward onschuldig. Zover was hij in weken niet geweest en ze kon nu moeilijk nee zeggen. 'Het lijkt mij dat we al veel te lang hebben gewacht.'

'Dit is niet het moment om...'

Edward smoorde haar tegenwerpingen met een lange, tedere, weldadige kus terwijl hij ondertussen klaar was met haar hemdjurk. Robyn hield haar hand op de zoom, maar ze voelde haar weerstand afbrokkelen. Haar jonge krijgsheer kreeg precies wat hij wilde. Ze had Edward zo wanhopig hard nodig, niet alleen zijn macht en bescherming, maar ook het gevoel dat ze een liefhebbende geestverwant had in dit krankzinnige avontuur, die wist wat ze nodig had en zijn woorden in daden omzette. Meestal was Edward dat ook, en meer, en slechts haar dwaze, duivelse trots weerhield haar ervan zich veilig aan zijn armen over te geven. Hoe kon ze ook maar één moment denken dat ze die strenge winter zonder hem kon overleven?

Toen ze uitgekust waren, ging Edward op een zijden knie zitten, zoals een ridder voor zijn leenheer knielt en zijn lichaam aanbiedt door zijn handen tussen die van zijn lord te leggen en die vervolgens als een heilig relikwie te kussen. Net zoals zij voor gekke koning Hendrik had geknield toen zijne majesteit haar lady Pontefract had gemaakt en zij de heilige tand van een martelaar had gekust. Alleen glipten Edwards sterke handen tussen haar benen, zijn vingers schoven haar bovendijen uit elkaar terwijl hij met zijn lippen langs de zachte welving van haar buik streek, golven van genot gingen door haar heen. Doelgericht ging hij verder naar beneden, hij spreidde haar benen nog wat verder, zijn tong wilde van de beste plekken proeven.

'Nee, wacht...' Ze hield hem met haar hand tegen, maar Edward liet zich niet weerhouden. Ze moest zich overgeven, aan haar lord of aan de wet, deze Halloweennacht liet haar geen derde keus. Een snoepje of ik schiet, met dank aan hertogin Wydville. Ze begon met zijn honingbruine haar te spelen en drukte hem verder in de richting die hij al ingeslagen was. Ze genoot van zijn koele tong die langs haar naakte buik gleed, sloot haar ogen en zette haar angsten en de bedreigingen uit haar hoofd, terwijl ze zich alleen maar concentreerde op de plek waarnaar zijn kus op reis was.

Heksen dragen niets onder hun onderjurk, zoals Edward tot zijn grote vreugde ontdekte. Zijn lippen en tong speelden met de zachte krulletjes van haar schaamhaar terwijl hij met een hand haar billen vastgreep. Zijn vingers boorden zich in het vlees en drukten haar dichter tegen zijn hongerige mond aan. Edward had wat hij wilde en zij verbaasde zich erover hoe ze na al die weken van zijn aanraking genoot. Waarom zou ze doen alsof ze dit niet ook wilde? Ze ontspande zich in Edwards ferme greep, liet zich enigszins gaan en liet zich boven op hem zakken, ze opende haar dijen terwijl hij met zijn tong plagend en prikkelend de juiste plek opzocht.

Toen hij die had gevonden voelde ze de rillingen tot in haar tenen. Door Edwards ervaren, ferme tongbewegingen golfden er warme genotscheuten door haar heen waardoor ze in hoger sferen belandde, tot ze bijna schrijlings op hem zat, haar tenen in het midden van de witgekalkte ster, haar zwarte hemd om haar middel gewikkeld. Buiten adem van verrukking, midden in het pentagram stevig overeind gehouden door Edward, straalden de vijf kalkpunten van hen af. Robyn voelde zo'n sensuele oermacht door haar heen golven die ze nooit eerder had ervaren. Bepaald geen gewone heksennacht. In elk geval niet in haar coven. Dat Hecate haar moge bijstaan... dit was een heel ander soort magie, deze riep passie en hoop op tegen de harde Dwazentijd die voor haar lag. Uit de zwarte nacht vulden de vijf sterpunten zich met macht die in Edward en haar opsteeg, de verborgen krachten van het duistere, naakte zaad dat tijdens de winter slaapt. Hier lag het geheim van het heilige huwelijk, bruiloft van schoonheid en beest, van heilige en heidense liefde, de warme knop van het leven omarmend dat vrouwen veilig in zich droegen, verlangend om in de lente weer open te breken.

Hij likte steviger naarmate zijn kus dieper wegzonk, drong plagend bij haar naar binnen en bewerkte haar gevoeligste plekje. Robyn kreunde en duwde zichzelf tegen zijn lippen. Met één hand om haar kont om haar te steunen liet Edward de warme palm van zijn andere hand stevig op haar venusheuvel rusten, zijn vingers tastten naar beneden als steun voor zijn tong. Met elke lange, vochtige tongstreek schoten er lichtflitsen door haar dijen. Lady Robyn Stafford van Pontefract liet zich nu helemaal gaan en kwam stuiptrekkend klaar in de mond van haar jonge lord.

Edward liet haar zachtjes gaan, maar hield haar vast terwijl hij opstond en zijn natte lippen aan zijn bonte mouw afveegde. Hij was uitermate ingenomen met zijn eigen Halloweenmagie, terwijl onder haar blote voeten het middelpunt van het pentagram in een witte kalkzooi was veranderd. Edward vroeg ernstig: 'Voelt mijn vrouwe zich nu wat beter?'

Zachtjes wiegend in zijn arm moest ze toegeven dat dat zo was, ze hield haar benen bijeen en wilde dit gevoel voor altijd vasthouden.

'Nou, dat is tenminste een begin,' kondigde Edward opgewekt aan en hij grijnsde dat hij zijn zin weer eens had gekregen. Zo zagen middeleeuwse mannen hun vrouwen graag, volslagen wulps onder al die zuivere schijn. 'De rest van de avond kan hiermee makkelijk ongedaan worden gemaakt.'

Amen. Dit gedeelte was volkomen pijnloos geweest, vooral in het licht van wat er nog komen ging. Nu moest ze haar dierbare, getalen-

188

teerde liefde vertellen hoe ze erin gestonken was. Robyn liet zich diep zuchtend in Edwards omhelzing zinken, ze haatte het dat ze haar stommiteiten moest toegeven. 'Met toeval had het niets te maken, gelukkig of ongelukkig, ik ben erin geluisd.'

'Wat?' Edward keek haar verward aan, hij begreep niets van die moderne praat.

'In de val gelokt door de hertogin van Bedford,' legde ze uit. In Greenwich had ze haar novices plichtsgetrouw gewaarschuwd om niet zo te eindigen als de hertogin van Gloucester. Nu was ze op dezelfde manier te pakken genomen, met een wassen beeld van een politieke vijand in haar handen die tussen haar en de troon stond. Als hertog Richard uit de weg zou zijn, zou ze verloofd zijn met de troon-opvolger van koning Hendrik en zou de grootste hindernis voor haar koninklijke huwelijk overwonnen zijn – de ontstemde schoonvader tegen wie ze openlijk in opstand kwam. En dat gebeurde precies op de dag dat 'samenzwering tegen het leven van hertog Richard van York' tot hoogverraad werd gerekend, hertogin Wydville had haar huis-werk goed gedaan. 'John Fogge is familie van Wydville en heeft de paleizen van haar man in Kent verdedigd. Hertogin Wydville, of een van haar dochters, heeft aan Fogge verteld waar hij moest zoeken en wat hij zou vinden. Ze hebben zonder meer Alice in mijn huishouden gesmokkeld om me te bespioneren en een sleutel van deze kamer te kunnen bemachtigen.'

'En het wassen beeldje?' vroeg Edward, hij noemde het nu voor het eerst. Middeleeuws Engeland was net een heikneuter in Haïti, aange-zien dezelfde mensen die de Magna Charta en de koning James-bijbel hadden geschreven, steevast in voodoo geloofden. Met name het gevoelige magische gedeelte, dat je iemand kon bezeren of vermoor-den door een pin in een wassen pop te steken, of door hem langzaam te smelten. Robyn zelf was daar sceptisch over, ondanks dat ze zelf een heks was, want ze had het nog nooit iemand zien doen. Maar die bewijslast ging de pet van de meeste middeleeuwers te boven.

En dit wassen beeldje van hertog Richard zou haar ongetwijfeld oneindig veel schade toebrengen. 'Het is niet van mij,' bezwoer ze. 'Ik zweer je dat ik het voor deze avond nog nooit heb gezien.'

'Nooit?' Edward leek opgelucht toen hij dat hoorde, zijn grijns ver-breedde zich weer.

'Niet één keer,' verzekerde ze hem, blij dat ze volslagen eerlijk kon zijn, althans hierover.

'Hoe is het dan in de audiëntiekamer van de burcht terechtgeko-men?' vroeg Edward met dezelfde geduldige ernst die zij bij Maria aan de dag had gelegd toen ze vroeg hoe de bijl door de kamer had kunnen vliegen.

'Dat is een vrouwengeheim,' gaf Robyn tot zijn teleurstelling toe.

'Waarom heb ik daar niet aan gedacht?' Edward rolde met zijn ogen. 'Bedoel je niet eigenlijk een heksengeheim?'

Zelfde. Engelse heksen lieten zelden mannen tot hun kring toe, ook zo'n teken van die opmerkelijke onderlinge solidariteit tussen Engelse vrouwen in een mannenbolwerk. Van non tot barmeid hielden ze de gelederen gesloten, verdedigden hun recht om hun eigen regels te maken en nee tegen mannen te kunnen zeggen. 'Normaal gesproken zou ik geen heksen aan mannen verraden,' waarschuwde ze Edward, 'maar met hertogin Wydville ligt het anders, haar bezweringen zijn op jou gericht.'

'Hoe weet je dat?' Hij luisterde nauwlettend, niet omdat hij twijfelde, maar uit nieuwsgierigheid. Hekserij was een van de weinige machtsbronnen waar de hoogste adel geen toegang toe had, natuurlijk wilde Edward daar meer van te weten komen.

Ze probeerde nonchalant te klinken: 'Geloof me maar, ik weet het. Hertogin Wydville en haar dochters hebben plannen met je.' Welke zinnige vrouw zou dat niet hebben?

'Ik begrijp het.' Edward leek nog steeds in het duister te tasten. 'Waarom zouden de Wydvilles dat willen?' Toen Edward en Warwick in Calais de Wydvilles in hun macht hadden, was hertogin Wydville vrijgekomen vanwege hun ridderlijkheid en later werd haar zoon, sir Anthony, ook vrijgelaten. Ze hoopten op die manier de Wydvilles aan hun kant te krijgen. 'Zijn ze werkelijk zo bang voor me?'

'Nee...' ze verborg haar glimlach, 'van al je vijanden vreest hertogin Wydville jou nog het minst. Wat kan jij haar nou aandoen? Haar uitdagen voor een enkel gevecht? Je had haar in je macht in Calais en je hebt haar laten gaan. Hertogin Wydville komt uit een heksengeslacht, ze weet je te raken op manieren die je niet ziet aankomen, en je merkt er pas iets van als de slag al is toegebracht. Jacquetta Wydville is van mening dat mannen ervoor zijn gemaakt om te manipuleren, zo is ze trouwens ook hertogin van Bedford geworden. Hertogin Wydville vreest jou totaal niet, ze wil je uit de weg ruimen of je gebruiken voor haar eigen doeleinden. Ik ben degene voor wie ze bang is.'

Edward lachte en drukte haar dichter tegen zich aan. 'Hare doorluchtigheid is inderdaad een wijze heks.'

'Echt, je moet me geloven.' Ze wilde niet opscheppen, maar het was de naakte waarheid. 'Ik ben je heksenalarm, een waarschuwing wanneer ze magie op je loslaten. In de ogen van hertogin Wydville ben ik daardoor een verraadster, niet alleen voor koning Hendrik, maar ook voor alle heksen. Ik gebruik mijn macht om een man te beschermen en betrek jou bij onze geheimen.' Nou ja, een paar.

Edward schudde zijn hoofd en moest toegeven dat hertogin Wydville het slim had gespeeld. Hij zei: 'Wat gaan we eraan doen?' Voor het eerst ooit had Edward geen plan klaarliggen. Vanaf het ogenblik dat ze elkaar op die grazige heuvelrug hadden ontmoet in het Wales van de eenentwintigste eeuw, was Edward een onuitputtelijke bron van verbazingwekkende ideeën geweest, om te beginnen al het absurde idee dat hij een middeleeuwse graaf was en zij zijn 'vrouwe' moest worden. Hoe hopeloos de situatie of hoe onmogelijk hun kansen ook waren, Edward had altijd een vermetel plan om hun kansen te doen keren, en dat kwam altijd uit... tot nu toe.

'Nou, moet je horen.' Ze gaf hem een kus en glipte toen Edwards armen uit. Ze liep naar de emmer zeepwater toe. 'We kunnen beginnen met de boel schoon te maken.'

Edward Plantagenet had een bloedhekel aan passief toekijken als er gevaar dreigde, dus trok hij zijn gewaad uit en ging weer op zijn zijden knieën zitten. En in plaats van haar met het zwaard in de hand te verdedigen, hielp hij de rest van het witgekalkte pentagram wegpoetsen, dat niet langer magisch was. De grote vijfpuntige ster gaf zich eenvoudig over aan zeep en water. Toen ze klaar waren rolden ze het kleed op de vochtige plankieren terug waarmee de kamer weer in zijn oude doen was hersteld. Edward keek haar vrolijk aan, blij dat hij iets nuttigs had kunnen doen, hoe beneden zijn waardigheid ook. Hij stond op de plek waar de ster was geweest, wikkelde zijn wijnrood-met-azuurblauwe gewaad om haar koude schouders en zei: 'Mag ik mijn vrouwe veilig naar bed begeleiden?'

Ze knikte, maar ze liet zich niet naar zijn vertrekken beneden meetronen, ze wilde per se de trap op naar haar torenkamer. Edward wilde graag afmaken wat hij op de gekalkte ster was begonnen, maar ze kon zich niet helemaal overgeven. Inderdaad, dat durfde ze niet. Verrast dat ze zich daartegen verzette, vroeg Edward zachtjes: 'Heb je me dan niet gemist?'

'Heel erg,' gaf Robyn toe, ze had hem verschrikkelijk gemist, en niet alleen in bed. Ze miste het gevoel dat ze hier met zijn tweeën in stonden, ze miste een minnaar en vertrouweling, toekomstplannen maken met Edward, ook al was dat verleden tijd. In de afgelopen maand had middeleeuws Engeland zich gemeen tegen haar gekeerd. Toen oktober zich aandiende, was lady Robyn van Pontefract een vriendin van koning Hendrik, de heldin van Londen, geliefd bij het volk en voorbestemd om gravin te worden. Nu was het november en was ze opnieuw Edwards 'hoer' en een heksenverraadster die terechtgesteld zou worden, wier toekomst veroordeeld was tot vier muren en een brandstapel. 'Het meest mis ik mijn lord van March, die me heeft beloofd dat ik zijn vrouwe word.'

'Hij staat voor je!' Edward was buiten zichzelf van vreugde toen hij hoorde wat ze het meest had gemist. 'Dat ben ik.'

'En meer. Je bent ook de beoogd opvolger van koning Hendrik. Ik was bereid om je gravin te worden... maar niet je koningin.'

'Kom nou toch, zo erg is het toch niet om koningin te zijn?' Hij probeerde haar om te praten. 'Tenslotte ben ik koning.'

Dat was inderdaad een hele troost, maar het was niet genoeg. 'Zelfs als ik de beproeving van koningin-zijn zou kunnen doorstaan, dan kan ik het mijn kinderen niet aandoen dat zij erfgenaam van de troon zijn.' Als ze zo doorgingen, moesten er kinderen komen. In de middeleeuwen had je de keus: onthouding of moederschap, iedereen was katholiek, geboortebeperking was een kwestie van raak of mis en abortus levensgevaarlijk, maar wel legaal. Door met Edward naar bed te gaan, zou ze met haar toekomst dobbelen, en die van haar kinderen. 'Ik wil het niet hebben dat mijn zonen op hun vijfde van me worden afgenomen, zoals Hendrik bij zijn moeder is weggehaald. Ook wil ik niet dat mijn dochters op tienerleeftijd worden uitgehuwelijkt aan een of andere buitenlander, zoals koningin Margaret.' Shakespeare stond bol van de jankende koninginnen die hun kinderen aan de politiek waren kwijtgeraakt.

'Niemand neemt ons onze kinderen af, niet totdat ze er zelf klaar voor zijn.' Edward was er volkomen van overtuigd dat er kinderen zouden komen, zo leek het wel, en dat hij er altijd zou zijn om ze te beschermen. Hij verstevigde zijn greep. 'Net zomin zal ik jou van me af laten nemen.'

'En Jo, Deirdre, Joy en Beth?' Zij was niet de enige die in het web van hertogin Wydville gevangen zat.

'Zij ook niet,' bezwoer hij. 'Ook al moet ik dit kasteel tegen heel Londen verdedigen.' En hij meende het ook nog. Waar anderen maar wat zeiden, kwam Edward daadwerkelijk in actie. Hij zou haar tegen alle indringers verdedigen, hoofd in de nek en zwaard in de hand. Robyn werd er licht van in het hoofd, maar praktisch was het niet. Er zat al een burgeroorlog aan te komen. Als Edward door vijanden werd bestookt, kon hij niet machteloos in Londen blijven zitten om te voorkomen dat zijn vriendinnetje zou worden gearresteerd. Ze legde haar hoofd weer op zijn schouder en zei: 'Ik kan het niet tegen hertogin Wydville en je vader tegelijk opnemen.'

'Niemand verwacht van je dat je het tegen ze opneemt,' bracht Edward ertegen in. 'Onze vijanden zijn koningin Margaret, hertog Holland, Clifford en Somerset...'

'Dat zijn openlijk onze vijanden,' bracht ze hem in herinnering, 'degenen die dapper genoeg zijn om het zwaard ter hand te nemen.' Ze was moe van het gekissebis. Het was allemaal helemaal niet nodig, de Act of Accord niet, zijn vaders absurde ambities niet en ook de opnieuw uitgebroken oorlog niet. Hoe was het mogelijk dat Edward zo goed van de tongriem was gesneden en niet wilde aannemen wat zij te vertellen had? Ze hield hem dicht tegen zich aan en fluisterde tegen zijn schouder, probeerde haar woorden dwars door de stof tot zijn hart te laten doordringen. 'Pas goed op jezelf, liefste. Er komen tijden aan waarin ik niet over je kan waken.'

Hij lachte even. 'Laat ik nou denken dat ik de hele tijd over jou waakte.'

'Dat bewijst maar weer eens hoe mannen zich kunnen vergissen.' Zonder haar zou Edward door zijn vader van de ene waanzin naar de andere worden gesleept, zou hij zijn talenten gebruiken tegen mensen wier enige misdaad was dat ze hertog Richard niet als koning wilden. Ze hief haar hoofd op en maakte met een kus op zijn lippen een eind aan het gesprek. Edward kon zich onmogelijk beklagen en maakte er een lange, treuzelende welterustenkus van, hij wilde haar niet laten gaan. Het was een heerlijke kus en de jongen kon er ook niets aan doen dat hij de zoon was van Darth Vader, maar hij kreeg haar niet in zijn bed voordat hij met de duistere kant had gebroken.

Ze worstelde zich uit de armen van haar geliefde en ging haar kleine torenkamer binnen waar Jo en Deirdre samen met de twee meisjes op haar zaten te wachten – helemaal klaar voor een slaapfeestje – niemand wilde alleen slapen, niet vannacht. Ze prees de meisjes om hun moed en maakte een bed voor ze in een hoek zo ver mogelijk bij de deur vandaan. Beth vroeg zachtjes: 'Worden we nu verbrand?'

'Vannacht niet,' verzekerde Jo haar en ze kuste ze allebei welterusten. Ze voegde eraan toe: 'Morgen is het Allerheiligen, dan wordt er een speciale mis opgedragen, dus jullie moeten nu gaan slapen.' Ze waren weliswaar op heksensabbat betrapt, maar dat betekende nog niet dat ze de ochtendmis mochten overslaan.

'Maak je maar niet ongerust,' zei Joy tegen haar blonde bedgenootje, 'zonder rechtszaak word je niet verbrand. We zijn trouwens nog niet eens gearresteerd.' Met haar negen jaar was Joy een doorgewinterde gevangene, ze had zowel in Berkeley Castle als in de Tower vastgezeten. Robyn kromp ineen bij de achteloze woorden van het meisje en ze vroeg zich af waarom vrouwengodsdienst onwettig was. Zo verschrikkelijk oneerlijk. Helemaal omdat de meeste middeleeuwers zo meedogenloos normaal waren, ze maakten zich zorgen over werk, de kinderen en wie het met wie hield, maar God verhoede dat je een heks was. Of een jood. Of nog erger: een baptist. Puriteinse prekers werden net zo fanatiek naast de vrouwen verbrand die ze zelf veroordeeld hadden. Als ze hier nog meer van te verstouwen kreeg, zou ze gek worden.

Deirdre had meer vertrouwen in onmiddellijke actie, zij maakte een bed op bij de deur en stopte Robyns scherpe zakmes onder haar kussen. De meid controleerde of de deur goed vergrendeld zat, ging toen liggen en blies het licht uit. In het donker lag Robyn naast Jo in het grote hemelbed. Ze wilde dat Edward bij haar was. Hoe groot zouden de problemen worden? Hoe diep zou ze vallen? Ze hoorde het linnen ruisen en voelde dat Jo's hand in de hare glipte, waar ze steun en troost uit haalde. 'Wat denk je ervan?' fluisterde Jo en ze kroop dichter naar haar toe.

'Wil je het echt weten?' vroeg Robyn en haar bedgenoot reageerde met een stevig kneepje in haar hand. 'Bovenal zou ik willen dat jij een knappe jonge krijgsheer van zo'n een meter tachtig was, met een gespierde zwaardarm en duizenden trouwe boogschutters achter je.'

Jo kakelde in de duisternis naast haar. 'Ik zal mijn best doen.'

'Mooi,' antwoordde Robyn, 'want ik ben bang. Doodsbang.'

'Zeg me wat er is gebeurd,' fluisterde Jo. 'Waar kwam dat wassen beeldje vandaan? Ik zag het pas toen jij het in je handen had.'

Jo had als enige voordeel boven Edward dat Robyn haar alles kon vertellen, het hele verhaal van haar Halloweenbezoekje aan de Templetuin en dat ze het beeldje had gekregen van Jo's gesneuvelde liefde Edmund Beaufort, hertog van Somerset. Jo hechtte onmiddellijk betekenis aan hun merkwaardige heksenvlucht. 'Edmund haatte hertog Richard, en hertogin Wydville heeft dat voor haar betovering gebruikt, waarheid vermengd met bedrog. Het was maar een halve leugen toen Edmund jou dat beeldje gaf.'

Robyn daarmee volkomen op het verkeerde been zettend. Hertogin Wydville was wel de laatste aan wie ze wilde denken. 'Hoe kon ze zo makkelijk mijn geest binnendringen?'

'Dat is niet zo makkelijk,' verzekerde Jo haar. 'Hertogin Wydville moest het juiste moment afwachten, toen we ons helemaal openstelden en geen achterdocht koesterden, ze gebruikte onze eigen bezwering tegen ons. Ik heb Edmunds geest uitgenodigd, dus het enige wat de hertogin hoefde te doen was hem te imiteren.'

'Wat gaat er nu gebeuren?' vroeg Robyn en ze hield zich nog altijd vast aan de hand in de duisternis, wensend dat het die van Edward was.

'Recht voor zijn raap profetie?' vroeg Jo luchthartig. 'Of een hoopvoller vooruitzicht?'

'Raad maar wat. Maakt niet uit.' Met Jo wist je het nooit zeker. Robyn moest denken aan Jo's waarschuwing aan Edmund Somerset, die uit was gekomen onder het uithangbord van de Castle Inn bij Saint Albans.

Jo woog haar kansen af. 'Wij Engelse heksen worden traditiegetrouw beschermd omdat de Engelse Kerk zo lui en verdraagzaam is, in

194

heel Europa vermaard om haar tolerantie en frivoliteit. Je kent onze bisschoppen toch: een verzameling godvruchtige, vriendelijke oude mannen met sluwe jonge zonen die er heimelijk een minnares op nahouden. Ze hebben er helemaal geen zin in, en ook geen macht toe, trouwens, om massaal vrouwen te vervolgen. Ze hebben het veel te druk om wonderen aan de man te brengen en in astrologie te liefhebberen dan om de vinger naar ons te wijzen.' Katholieken begrepen wat zonde was en de Engelse Kerk wilde liever rijk zijn en gerespecteerd dan agressief optreden. 'Bovendien willen de meeste mensen niet dat vrouwen en meisjes ter dood veroordeeld worden voor lichte misdrijven,' voegde Jo er dankbaar aan toe. 'Daarom heeft hertog Wydville de goede hertog Richard als "slachtoffer" uitgekozen, zo'n sympathieke kerel dat zijn zaak niet zomaar opzijgezet kan worden.' Zelfs het doen van voorspellingen voor de koninklijke familie was een halsmisdaad.

'Wat betekent dat dus voor mij?' In het donker probeerde Robyn haar lotsbestemming te lezen.

'Zorg dat je uit de rechtszaal blijft,' raadde Jo haar aan, 'tenzij de jury vol zit met vrienden en kennissen.'

Ze knikte zwijgend. Ze zou koste wat het kost uit de rechtszaal moeten zien te blijven. 'Edward bezweert dat hij ons niet zal opgeven.'

'En dat geloof je ook nog?' vroeg Jo.

'Wel zolang hij een zwaard in zijn handen heeft. Hij is een koppig ventje, en op dit moment heeft iedereen hem nodig.' Warwick en Salisbury hadden onder grote druk de Act of Accord getekend, waardoor Edward de enige was die door iedereen werd vertrouwd of met wie iedereen in gesprek was. 'Maar het is natuurlijk krankzinnig dat de nieuwe regering omvergeworpen wordt vanwege een ruzie tussen hem en zijn vader met mij als inzet. Stel je de krantenkoppen eens voor: HEKSENMINNARES ZOON WIL HERTOG VERMOORDEN! TORTELDUIFJES IN KASTEEL TARTEN DE WET! Volslagen idioot.'

Jo zuchtte. 'Joy en ik zullen hem niet meer tot last zijn, wij gaan terug naar Greystone. Daar zijn we van de winter veilig, want een hoop volk uit het westen zal zich rot lachen om de dwangbevelen die de Londense gerechtshoven in deze Dwazentijd zullen uitsturen. Hertog Somerset verblijft op Corfe Castle, hij verzet zich openlijk tegen de Act of Accord en niemand durft tegen hem in te gaan. In Wales houden de Tudors Harlech, Denbigh en Pembroke voor koningin Margaret en hun prins bezet.' Net als zoveel andere Greys had Jo connecties met beide kampen, ze had een dochter van een Lancaster hertog en een broer die koning Hendrik aan York had uitgeleverd. 'Morgen beginnen ze met parades en optochten, dan de speciale missen en overmorgen is het Lords dag. Ze komen ons pas maandag ophalen en tegen die tijd kunnen we voorbij Wallingford en goed en wel in de Cotswolds zijn.'

'Zal ik met je meegaan?' vroeg Robyn. Ze wist wel dat Jo dat zeker goed vond, maar ze wilde haar het horen zeggen.

Jo kneep weer in haar hand. 'Wil je dat? Dat zou geweldig zijn. Greystone staat een strenge winter te wachten en we kunnen alle hulp gebruiken die we kunnen krijgen.'

Ze was er niet zo zeker van of ze de komende winter wel iets kon doen, maar ze beloofde: 'Ik zal mijn uiterste best doen.' Hoe erg ze het ook vond om Edward achter te laten, ze moest ergens anders opnieuw beginnen, dus waarom niet op Greystone, waar dit allemaal was begonnen? Als ze hier bleef, zou ze in Baynards Castle gevangen worden gehouden, niet in staat om Londen in te gaan zonder te worden gearresteerd. Niet bepaald het soort leven dat Robyn voor ogen had. Ze wilde niet de molensteen om Edwards nek zijn. 'Veel meer narigheid kan ik hier niet meer veroorzaken.'

Jo zuchtte in het donker. 'Wist je dat hekserij vroeger volkomen legaal was?' Als Jo of Collin die zangerige, afwezige stembuiging kregen, vroeg Robyn zich af of ze soms aan een vroeger leven dachten, beiden beweerden dat ze onsterfelijke heksen waren die eeuwenlang steeds opnieuw geboren waren. Door de Greys was Robyn aarzelend in reïncarnatie gaan geloven, helemaal sinds ze Joy had gezien, die als twee druppels water op Jo leek. Bovendien woonde Collin vijfhonderd jaar na 'nu' nog steeds op Greystone. Ze was zelfs met Jo's broer naar bed geweest, zowel in de vijftiende als in de eenentwintigste eeuw – dat was zonder meer een record – en ze had gemerkt dat de Collin uit de vijftiende eeuw er veel beter aan toe was, los van dat merkwaardige oorlogslitteken. 'Niet alleen legaal, het was de nationale religie. Daarna zijn we lange tijd genegeerd, toen werden we getolereerd en nu zijn we verboden.'

De meeste middeleeuwers vonden hekserij 'verkeerd' – zelfs degenen die de geneeskunst beoefenden en de toekomst voorspelden – maar slechts weinig mensen wilden dat er jonge meisjes voor werden opgehangen. Toch hoefde je niet bepaald een zieneres te zijn om te kunnen voorspellen wat er ging gebeuren. Engeland had geen algemene heksenwet – daarin was je als heks illegaal – maar dat zou niet lang meer duren. Er bestonden al heksenjagers, vrouwenhatende fanatici die maar al te graag met brandoffers wilden rondsproeien. Jo geloofde niet dat het zover zou komen. 'Niet hier, niet in Engeland, hier krijgen we geen massabrandstapels.'

'Maar het wordt wel erger,' waarschuwde Robyn. Ze wist dat er massabrandstapels zouden komen, misschien niet hier in Engeland, maar wel elders in Europa, dat stond vast, en er zouden duizenden, misschien wel miljoenen slachtoffers vallen. Alleen wist ze niet wanneer. Het was kennelijk nog niet gebeurd – tot dusverre waren de sentimentele Middeleeuwen wonderbaarlijk vriendelijk geweest voor heksen – maar de brandtijd zat eraan te komen. Wat haar betrof kon het morgen al beginnen, en daarmee bekroop haar het gevoel dat ze een halvegare was. Ze hield het niet meer en begon te snikken, overweldigd door zorgen. Haar zorgen. Edwards zorgen. Engelands zorgen, en nu ook nog het lot van de heksen. Waarom was zij de enige die wist wat er ging gebeuren? Ze had nooit een zieneres willen zijn, zoveel was wel duidelijk.

Robyn huilde met gierende uithalen omdat het allemaal zo oneerlijk was. Ze was hier gebleven om bij Edward te zijn en nu kwam die hele krankzinnige middeleeuwse wereld tussen hen in staan. Wat een ongelooflijke narigheid. Ze herinnerde zich opeens een gekwelde vrouw, bij een geldautomaat op een Amerikaans vliegveld, ergens in het zuiden, misschien San Diego of tijdens een overstap in Dallas. De vrouw hield haar tranen in en zat grimmig gebogen op haar geldbonnetje te schrijven. Ze hield een sleutelhanger met een esdoornblad vast en verontschuldigde zich met een licht Frans accent. 'Neemt u me niet kwalijk, maar ik moet opschrijven dat dit Amerikaans geld is. Ik kwam hier om met een Amerikaan te trouwen, maar hij is een klootzak. Ik heb een prachtig appartement in Toronto voor hem opgegeven en hij bleek een hufter te zijn.' Toen ze klaar was, liep ze naar de ticketbalie. Zo voelde Robyn zich nou ook, zet me op de volgende vlucht naar Toronto. Dallas is ook goed. Alleen zou dat niet gebeuren.

'Mis je hem?' vroeg Jo en ze streelde over haar schouder om haar wat tot bedaren te brengen. Robyn knikte zonder iets te zeggen, de tranen droogden op. Ze zat in de Middeleeuwen en daar kon ze maar beter aan wennen. Jo gaf haar een troostend kneepje. 'Ik weet het, ik mis hem ook.'

Jo had het niet over Edward, maar over Edmund Beaufort, de overleden hertog van Somerset. Voorzover Robyn wist had Jo geen minnaars meer gehad sinds Edward bij Saint Albans was vermoord. Jo had het er in elk geval nooit over, misschien betekent vijf jaar zonder seks niets voor een onsterfelijke. Robyn kwam naar de Middeleeuwen met het vaste voornemen celibatair te blijven, en dat had ze nauwelijks vijf dagen volgehouden. Haar enige excuus was dat ze een uitermate problematische week achter de rug had. Een noodlottige cultuurschok. Maar Jo was een heksenpriesteres en covenleidster, ze wist precies hoe ze bij haar kudde vrouwen en meisjes de rol van sprookjespetemoei moest spelen. Zelfs naar middeleeuwse maatstaven merkwaardig. Los van de paar deugdzamen die alleen met hun echtgenoten sliepen, was seks volstrekt zondig, maar middeleeuwers trokken niet zo'n scherpe lijn tussen wel en niet 'normaal'. Voeg daar nog bij dat het gewone volk meestal naakt bij elkaar in bed lag, dus was het grootste deel van middeleeuws Engeland comfortabel onder de pannen. Maar Jo zei alleen maar: 'À *bientôt, ma chère,*' en kuste haar toen welterusten.

Zaterdag 1 november 1460, de vooravond van Allerheiligen, Baynards Castle, Londen

Londen opende vandaag formeel de Dwazentijd, er was een passende Allerheiligenprocessie georganiseerd, koning Hendrik droeg zijn kroon waardoor hij meer dan ooit leek op een als koning der Dwazen verklede, arme geestelijke. Warwick droeg het staatszwaard en Edward hield de mantelsleep vast. Het was belachelijk dat de twee mannen die het land regeerden dit soort laag-bij-de-grondse taken uitvoerden. De staart werd gevormd door de ontstemde hertog van York, in zijn leeuwen en lelies. Hij was uit Ierland gekomen in de verwachting dat hij vandaag tot Richard III zou worden gekroond, en in plaats daarvan zat hij met de rol opgezadeld van troonopvolger van een kennelijke dwaas. Toch genoten de Londenaren van de show, ze waren blij dat iedereen in de pas liep achter hun Dwazenkoning, jammer dat er oorlog van kwam. Kinderen kwamen aan de kasteelpoort om Allerheiligencakejes bedelen en beloofden dat ze voor de doden zouden bidden. Jo wilde dat we Londen z.s.m. zouden verlaten, voordat de heksenjagers op volle sterkte waren, dus ging ik na de mis naar Edward toe om hem te vertellen dat ik wegging. Hij nam het nieuws slecht op, we zaten in de audiëntiekamer waar alle narigheid was begonnen en hij had zijn voeten op een gestoffeerde kruk gelegd. Geen van ons had vannacht best geslapen, mede de oorzaak van onze tweede ruzie. Ik legde uit dat ik wel weg moest, nu de plaatselijke arm van de wet zich zo stevig tegen me had gekeerd, en merkte op dat hij met me mee kon gaan naar het westen. Greystone was de buurman van het graafschap March. Maar hij kon natuurlijk ook achterblijven bij degenen die zijn minnares hadden verraden en vernederd.

Uiteraard had Edward hier geen antwoord, hij vond dat hele heksengedoe maar belachelijk en voegde er sarcastisch aan toe: 'Alles waar meer dan drie vrouwen bij betrokken zijn, ontaardt in een chaos. Ik was nog beter af geweest met een stel katten.'

Ik bracht hem in herinnering dat hij nu één kat minder had om voor te zorgen, maar Edward haalde alleen zijn schouders op en zei: 'Ga maar naar Greystone, als je dan zo nodig moet. Ik zal je heus niet tegen je zin hier houden. Een betere voorvechter dan sir Collingwood Grey kun je je niet wensen.'

Dat laatste deed pijn, het klonk alsof ik hem voor Collin verliet, en ik

zei tegen hem dat als het aan mij lag ik helemaal nergens naartoe
wilde, dat ik alleen maar bij hem wilde zijn. Toen ik me omdraaide
om te vertrekken, greep hij me voor ik bij de deur was beet, alsof hij me
ervan wilde weerhouden het kasteel te verlaten, nog een laatste intie-
me tongoefening wilde doen. Niet precies wat ik in gedachten had,
maar de belangstelling had ik wel op prijs gesteld. Het enige wat hij
zei was: 'Wacht tenminste tot ik een escorte kan regelen.'
Ik wilde alleen maar weg dus beweerde ik dat ik geen escorte nodig
had. Ik zei tegen hem dat ik op de avond voor de veldslag in juli alleen
met Deirde van Londen naar Northampton was gereden, met als enige
gezelschap Hela, de pratende ekster. Edward lachte spottend. 'Het eni-
ge wat je toen te vrezen had waren struikrovers, nu geldt ook daar de
wet.'
Edward had zoals gewoonlijk weer gelijk. Ik moest er aan wennen dat
ik opnieuw een vogelvrijverklaarde was. Verdraaid, ik genoot er zo van
dat ik legaal was. In het geheim bracht ik nogmaals een ochtendbe-
zoekje aan de Venetianen en nam nog een lening tegen toekomstige
revenuen op, voordat deze zoete, vriendelijke Italianen erachter zou-
den komen hoe ver vrouwe Staffords aandelen waren gezakt. Het
scheelde een hoop als je de taal sprak.
Daarna ging ik regelrecht naar de ommuurde Thames Street, het bol-
werk van de Hansa-kooplui, de steelyard, de belangrijkste Duitse han-
delspost met de barbaarse Engelsen. Normaal mochten vrouwen niet in
de Steelyard komen, maar de Hansa maakten voor mij een uitzonde-
ring omdat ik Duits sprak en vooruitbetaalde met Italiaanse dukaten.
Ze moesten een scheepslading Baltisch graan in Bristol afleveren, om
Greystones mislukte oogst aan te vullen. Middeleeuwers konden onge-
looflijk slordig zijn met contracten en afspraken, maar de Duitse,
grimmige efficiency van de steelyard was hoopgevend. Deze kooplui
waren allemaal gedisciplineerde vrijgezellen, deden hun eigen huis-
houden en hadden in elke slaapkamer geen vrouw maar een wapen-
rusting liggen. Dit schip zou hoogstwaarschijnlijk wel aankomen.
We zullen zien of ik er ben als het aankomt. Ik ben vanochtend ten-
minste ongesteld geworden, alweer zo'n middeleeuws wonder als je
bedenkt hoe vaak we seks hebben gehad. O, liefste, ik mis je zo...

Tot Jo's wanhoop kostte het Edward dagen om een escorte samen te
stellen. Zo lang, dat Robyn hem ervan verdacht vertragingstechnie-
ken toe te passen, Edward hield er niet van zijn tijd te verdoen. Tijdens het wachten werden er formele aanklachten bij de poort
bezorgd, vergezeld van een wetsvertegenwoordiger van de koning.
Middeleeuwers moesten nog veel leren als het om het juridische jar-
gon ging en de hoofdaanklacht bevatte minder bepalingen dan een

autoverhuurcontract. Robyn las het hele document aan iedereen die het aanging voor, waarbij ze het rechtbank-Engels in Cockney en Keltisch vertaalde.

Zoals verwacht werd Beth Lambert niet aangeklaagd, ze werd zelfs nergens genoemd, de minste onder hen ging tenminste al vrijuit. Beth verdween en de zilveren pin dook weer op, 'die door het hart van het wassen beeldje stak', een teken dat de aanklacht enigszins voorbarig was. Middeleeuwers namen het niet zo nauw met valse verklaringen en fraude, alles wat redelijk klonk, kreeg het voordeel van de twijfel. Alsof hoogverraad, zwarte magie en poging tot moord op de troonopvolger nog niet genoeg waren, stond er ook de gebruikelijke ratjetoe van bijkomende punten bij, waaronder dat ze de wet met voeten had getreden doordat ze 'Maria uit Cock Lane' uit zijn klauwen had gered. Deirdre was teleurgesteld dat ze bijna niet werd genoemd, ze kwam alleen voor als 'Dearie, een Welse dienstmeid'. Ondanks de inconsistenties en absurde punten twijfelde Robyn er niet aan dat de aanklacht zou standhouden, gebaseerd op het belastende fysieke bewijs en het feit dat ze tegen de Act of Accord was, bij iedereen welbekend. Hertogin Wydville was daar ook tegen, maar was niet te beroerd geweest om het tegen haar te gebruiken.

Edward kondigde eindelijk aan dat hun escorte klaarstond en voegde eraan toe dat hij haar tot Wallingford zou vergezellen. Robyn realiseerde zich nu dat Edward de zaak had opgehouden totdat hij uit Londen weg kon en zo lang als hij kon bij haar wilde blijven. Schattig, maar zinloos, aangezien ze uiteindelijk toch van elkaar moesten scheiden. Dus nam ze afscheid van haar torenkamertje met de smalle kijkspleten over het oude Londen, en van Hanna de kok. Edward beloofde dat hij Hanna in dienst zou houden, maar Robyn voelde zich geroepen om de familieschuld te betalen, zodat Hanna's man uit de gevangenis ontslagen kon worden. Dame Agnes riep uit dat hij een dronken nietsnut was en chronisch bankroet, maar Hanna dacht daar kennelijk anders over, want ze viel van dankbaarheid op haar knieën voor de werkgever die haar net had laten gaan.

Robyn kreeg het al snel te kwaad en begon ook te huilen toen ze het droomkasteel, waar ze voor het eerst de nacht met Edward had doorgebracht, de rug moest toekeren. Hier was ze 's avonds bij het naar bed gaan toegezongen en 's ochtends bij de klokken van de Saint Paul's wakker geworden; waar ze in de kasteelkapel was verloofd, en verraden in het ontvangstvertrek. De bedelaars bij de poort huilden toen ze haar weg zagen gaan.

Beth Lambert bleef achter bij haar familie, ze was in Londen met een sheriff als vader veiliger af dan op reis naar het westen met een stel aangeklaagde heksen, maar Deirdre, Jo en Joy gingen met Robyn mee. Matt Davye ging ook mee, een vrijgesproken judas die zijn meesteres in haar verraderlijke voetstappen volgde. Edward ging op de boot met hen mee en vervolgens te paard naar Wallingford, de reusachtige, met drie slotgrachten omgeven vesting die boven de Boven-Theems uitrees. Hier had Arrogante Cis met haar kinderen gevangengezeten toen Robyn in de Tower zat. Vrouwen in de politiek moesten ware keurmeesters van gevangenissen zijn, en Wallingford had een elegante uitstraling met zijn hoge kantelen, toren en vestingstad. Sterker nog, Edwards moeder had fatsoenlijke woonvertrekken gehad in plaats van een vochtige donkere cel, dat was heel andere koek geweest. Hun escorte wachtte hen bij de noordelijke poort van Wallingford op, onder aan de kasteelmuren, waar een solide stenen brug en een natte, beroerde weg naar Oxford voerde. Een stuk of zes boogschutters te paard, onder aanvoering van een sergeant uit York, Henry Mountfort genaamd, die Robyn voor het eerst in de tent van koning Hendrik bij Northampton had ontmoet. Bij hem was ook William Hastings, de landjonker van Burton Hastings – Edwards reservepaard tijdens het toernooi op de feestdag van de Heilige Anna – hij had een paar potige broers bij zich, hij verwachtte zeker moeilijkheden.

Toen het tijd werd om afscheid te nemen, hielp Deirdre Jo en Joy bij het opstijgen terwijl Matt Davye zich bezighield met de pakpaarden. Hastings hing een beetje werkeloos rond, hij droeg Edwards livrei en controleerde de zaak onaangedaan. Zijn jongere broer Thomas hield zijn paard bij de teugels. Edward hield Lily bij de teugel terwijl Robyn opsteeg en hij kreeg een kus voor al zijn moeite.

Hij probeerde het afscheid luchtig te houden en zei: 'Ik weet zeker dat je veilig zult zijn.' Edward had net zijn eigen 'dood vanwege verraad'-veroordeling ongedaan weten te maken zonder dat hij een dag in de gevangenis had gezeten. 'Het lijkt wel alsof een van ons altijd het zwaard van Damocles, in de vorm van een veroordeling, boven zich heeft hangen.'

Jammer dat zij nu aan de beurt was. En haar dappere, lieve schat had er geen zin in om samen met haar vogelvrij verklaard te zijn. Ze haalde zijn zilveren ring met de witte roos van haar vinger, degene die hij haar nog voor Northampton had gegeven, de ring die haar met magie naar het Londen van de eenentwintigste eeuw had gebracht en weer terug naar hem. En de ring die Collins verraad aan koning Hendrik had gemarkeerd. Ze reikte naar omlaag en gaf hem de ring terug, legde hem stevig in zijn hand.

Edward probeerde te weigeren en stribbelde tegen: 'Mijn vrouwe, alsjeblieft. Dat is toch niet nodig...'

'Ja, dat is het wel.' Ze moest hem de ring om een massa redenen teruggeven, niet in het minst omdat ze misschien naar plaatsen ging waar een witte roos niet welkom was. Als hij haar geen bescherming kon bieden, dan kon ze ook zijn kleuren niet dragen. Bovendien liet ze hem gaan, hij kon doen wat hij wilde. Als hij troonopvolger wilde blijven, dan lag haar toekomst niet bij hem en ze wilde geen claim op hem leggen. Ze sloot zijn vingers om de ring en nam zijn hand als een kopje in de hare.

En er was nog een reden. Als hij haar moest zien, als hij in gevaar was, of van gedachten was veranderd, dan wilde ze dat hij wist dat hij een beroep op haar kon doen, en dat zei ze hem ook. 'Als je me ooit nodig hebt, stuur hem dan naar me toe, dan kom ik onmiddellijk naar je toe.'

Aarzelend nam Edward de ring aan en gaf haar de teugels. Hij zei: 'Ik kom gauw naar het westen toe.'

'Kom je dan als troonopvolger?' Ze verborg haar verdriet onder een luchtig masker, want wanneer hij als erfgenaam van de troon naar het westen zou komen, zou er niets veranderen.

Edward rolde met zijn ogen, alsof hij aan wilde geven wie hij was. 'Ik kom als mezelf, naar mijn graafschap March.'

'Iedereen in March zal opgetogen zijn als je terug bent.' Ze meende het oprecht, alleen die koppige Lancasters, zoals Somerset en de Tudors, zouden het persoonlijk tegen hem op durven nemen. En wee hen als ze dat waagden. Greystone was alleen al blij dat zíj terugkeerde, stel je eens voor dat Edward als overwinnaar de gang naar het westen zou maken.

'En jij?' vroeg hij bits. 'Ben jij dan ook opgetogen?'

'Als het zover is, weet mijn lord me te vinden,' antwoordde ze koeltjes, 'dan kun je het zelf zien.' Hij moest tussen haar en de troon kiezen, al het andere was ijdele hoop. En zij was er heel erg bang voor dat hij de troon boven haar zou verkiezen, en omdat hij niet van half werk hield, zou hij zich er alleen maar over beklagen dat hij niet allebei kon hebben. Er viel niets meer te zeggen dus wendde ze Lily's teugels en reed de weg naar Oxford op, gekleed in haar eigen rood-met-goud en met de rinkelende belletjes aan haar zadelboog.

Ze worstelde om zich een houding te geven, ze had geen zin in een huilbui zoals op Baynards Castle. Vrouwen mochten zich zo nu en dan best laten gaan, niemand nam het koningin Margaret kwalijk dat ze bij rampspoed kon bezwijken, en daar had Margaret haar portie wel van gehad. De koningin kon op crisismomenten kapseizen, maar dat weerhield haar er niet van legers te bevelen en het parlement bijeen te roepen. Het was echter ook weer niet goed om als huilebalk te boek te staan. Doordat Margery Kampe altijd zo overdreven in het openbaar huilde, werd ze van ketterij beschuldigd, omdat ze op die manier bedekte kritiek zou leveren op de Almachtige. Toen ze langs haar escorte te paard reed, rechtte vrouwe Robyn haar rug en knikte naar de commandant van de boogschutters. 'Henry Mountfort, jou heb ik sinds Northampton niet meer gezien. Zo te zien gaat het je goed.'

Hij knikte opgewekt terug en tikte even tegen zijn helm. 'Ja, m'lady, ik ben nu een gentleman-sergeant, heb mijn eigen boerderij met een vrouw die van zilveren borden eet.'

'Zo te horen is ze een gelukkige vrouw.' Ze dwong zich tot een glimlach en voegde er zacht aan toe: 'Dank je wel voor jullie dappere diensten, zowel hier als in Northampton.'

Hendry Mountford straalde dat de weledele vrouwe Robyn nog wist wie hij was. Ze hadden elkaar maar één keer ontmoet en geweldig geboft. Zij was in Northampton nagenoeg alleen met koning Hendrik in zijn tent geweest, en hij was als eerste Yorkse boogschutter de tent binnengekomen. Samen hadden ze ervoor gezorgd dat koning Hendrik geen kwaad kon overkomen en dat zijne hoogheid veilig in de handen van de rebellen kwam, waarvoor ze allebei waren beloond met de spreekwoordelijke koninklijke afkoopsom. Henry Mountfort werd gentleman-sergeant en zij werd lady Robyn van Pontefract. Sergeant Mountfort had te veel tact om te vragen hoe het m'lady Robyn was vergaan.

Hastings kwam naast haar rijden gevolgd door de rest van hun kleine stoet. Verdriet, schaamte en wanhoop drukten Robyn terneer, intussen werd het land om haar heen woester, de wegen slechter, er stonden steeds minder huizen en donkere luchten pakten zich samen. En ze moest dit allemaal zonder Edward het hoofd bieden. Hastings kon hem niet vervangen, maar hij trad haar somberheid dapper met humor tegemoet. Hij stelde haar aan zijn jongere broers Ralph en Thomas voor, vrolijke kerels die onlangs van politiek geweld waren vrijgesproken en nu opgewekt op klaarlichte dag heksen escorteerden op de weg naar Oxford. Ze waren pasgeleden zelf aan de wet ontsnapt, dus namen ze haar beschuldigingen licht op. 'Met lord Edward aan het roer komt alles heus goed. Kijk maar naar ons!' pochte Ralph tegen de dames. 'Je gelooft het toch bijna niet dat we ooit veroordeeld waren voor verraad en rebellie?'

'En moord!' voegde Thomas er geestdriftig aan toe. 'Onze bezittingen in beslag genomen en overgeleverd aan de genade van de koning. En nu...' Hij maakte een zwaaiende beweging met zijn arm om aan te geven dat ze het allemaal weer terug hadden en goed geld verdienden door voor de graaf jonge vrouwen met twijfelachtige reputatie van Wallingford naar de Cotswolds te brengen. Het ultieme bewijs dat God een Engelsman was.

Tegen de middag wilde meester Hastings graag de binnenkant bekijken van een laaggebouwde herberg in Dorchester, een dorpje vol baksteen en dakpannen bij een brug, maar Robyn wilde per se halt houden bij de Littlemore Priorij. Het klooster stond even buiten Oxford en de nonnen waren blij betalende gasten te krijgen, want ze waren arm en niet al te vroom... de priores had een dochter van een priester, een slim meisje van ongeveer Joys leeftijd, die behoorlijk haar stempel op de hele kloostergemeenschap drukte. Littlemore had een tekort aan lakens, kussens, kandelaars, zakgeld en zelfs pannen en potten, maar de dwalende priores mocht in functie blijven, iemand moest het klooster immers besturen, hoe beroerd ook.

Door de regen waren ze gedwongen een paar uur in Littlemore door te brengen, ze bezorgden de nonnen afleiding en zo konden de voortvluchtigen zich even ontspannen. Net als al het andere in de Middeleeuwen was het slechts tijdelijk als je op de vlucht was. Je moest de heilige dagen in de gaten houden, de zondagsrust en het wisselvallige Engelse klimaat. Tenzij iemand het echt op je had voorzien, was er weinig kans op dat je werd gegrepen. In het middeleeuwse Engeland waren immers geen landelijke politie, geen tv-nieuws en geen 'Opsporing verzocht', en ook geen postkantoor waar je foto hing. Als ze al een portret hadden. Ironisch genoeg was het honderd keer erger wanneer je een gehate, edele vluchteling was, dat ging als een lopend vuurtje rond. Zowel de hertog van Suffolk als lord Scales was door de koning vrijgesproken, maar nog voordat ze het land hadden kunnen verlaten waren ze door het gepeupel ter dood gebracht. Diezelfde mensen, die zo vriendelijk en behulpzaam voor haar waren geweest, waren dodelijk voor degenen die hen slecht behandelden. Toen het tijd werd om te vertrekken, waren de broertjes Hastings in opperbeste stemming en ze vertelden sterke verhalen over hun hoogtijdagen bij de nonnen, toen ze 'in de kloosters rotzooiden en stoeiden'.

'Is dat zo.' Robyn keek achterdochtig, zelf had ze dat nog nooit meegemaakt, ze vond de oudere zusters vriendelijk en sommigen van de jongere behoorlijk vroom. 'Wat heeft de priores gezegd?'

'Wat heeft een hoerenmadam te zeggen?' antwoordde Ralph, zijn adem stonk naar bier, de helft van Engelands problemen werd veroorzaakt door bier bij het ontbijt, de lunch en het diner. 'Behalve dat ze met stokslagen kan dreigen.'

Thomas lachte en beweerde dat de nonnen met wie hij had gevoosd daar bepaald niet wars van waren geweest. 'Ze bezwoeren dat ze de stokken zouden verbranden en zouden wegrennen zodra de priores ze wilde slaan.'

'Ze zijn zo frivool omdat ze zo dicht bij Oxford wonen,' merkte landjonker Hastings op, 'ze beoefenen de "godsdienst" altijd met de jonge universiteitsklerken in plaats van voor hun tuin te zorgen.'

Robyn zag dat de tuinen van Littlemore er goedverzorgd bij lagen en geen van de nonnen was zo frivool om met de broertjes Hastings de koffer in te duiken. Ze reden in noordwestelijke richting onder een loodgrijze hemel, langs Oxford met zijn grijze muren en hoge toren-spitsen, toen langs het koninklijke park bij Woodstock, vervolgens kwamen ze bij Charlbury, een marktplaats aan de rand van Wych-wood. De grimmige bladerloze bomen, de skeletachtige, kale taken klauwden zich in de leigrijze lucht, waren het bewijs dat ze de winter in reed. Waarachtige heksenbossen... vooral op een woensdagavond in november. Gelukkig was het de avond voor Sint-Leonardsdag, de heilige die je tegen struikrovers beschermde. Ze brachten de nacht door in een aardig landhuis, hoog op de kalksteenheuvels in de buurt van Chipping Norton, en de volgende dag reed Robyn door naar Over-Norton. Toen ze over een heuvelrug reed, zag ze een kring don-kere, woeste stenen staan, de Rollrights.

Ze hield de teugels in, haar oog viel op een middeleeuws tafereel. Deze plek kwam haar plotseling bekend voor. Dit was de grens met Warwickshire, en het stadje achter de heuvel heette Long Compton. Hastings kwam naast haar staan en zei: 'Deze stenen sprookjescirkel moet de resten voorstellen van een oude koning met zijn mannen, door een heks in de val gelokt... zo luidt de volksoverlevering althans.' Net als Edward vond Hastings haar heksenreputatie intrige-rend.

Robyn had het verhaal eerder gehoord en herhaalde de voorspel-ling van de heks die de stenen koning om de tuin had geleid: 'Zolang Long Compton u niet kan zien / zult u koning van Engeland zijn.'

Hastings glimlachte omdat ze de woorden zo paraat had, sommige mannen hielden van vrouwen met onvermoede krachten, waarschijn-lijk om precies dezelfde reden waarom anderen ze vreesden. Meester Hastings was bepaald niet het angstige type, hij was er vast van over-tuigd dat er geen vrouw op de wereld was wier macht hij niet aankon. 'Dus de vrouwe kent de bezwering.'

'Alleen van horen zeggen,' Robyn behoorde niet tot het soort hek-sen die koningen in steen veranderden. Maar in mei was ze twee keer bij de Rollrights geweest en vanaf hier wist ze de weg naar Greystone, hoewel het nog een dag rijden was. Het bewees maar weer eens hoe middeleeuws ze aan het worden was.

Toen kwamen ze bij Four County Stone, waar Worcestershire, Gloucestershire, Oxfordshire en Warwickshire aan elkaar grensden. Daarna Barton-on-the-Heath, Moreton-in-March en Bourton-on-the-Hill terwijl het land richting Cotswold Edge heuvelachtiger werd.

In de buurt van Snowshill Manor begon het te regenen maar Robyn lette er niet op, ze richtte zich in haar zadel op en zocht naar Greystone boven op de heuvel. Door het regengordijn zag Greystone er nog bijna hetzelfde uit, maar toen Robyn dichterbij kwam en langs de oude grafhopen aan de voet van Shenberrow Hill reed, zag ze dat zijn solide bouw was aangetast. Het stenen bouwsel was intact maar zwaarbeschadigd, de houten vloeren waren helemaal doorgebrand en het massieve dak van de hoofdhal zat er nog maar voor de helft op. Het enige wat er van de ooit zo bedrijvige buitenste vestingmuur was overgebleven, was een rij afdakken die tegen de van regen doorweekte muren waren neergezet en waar de stallen, keukens en vogelrennen waren ondergebracht. Een half jaar geleden was ze voor de regen uit naar Greystone gereden en had ze achterom gekeken of haar heksenjagers haar op de hielen zaten. Nu was ze weer terug bij af, weer op de vlucht, op de plek waar haar middeleeuwse, onfortuinlijke avontuur was begonnen.

De Greys en hun dienaren snelden naar buiten, begroetten de laatste ontsnapping van vrouwe Joanna uit Londen en liepen ondanks de ontreddering over van vreugde. Robyn steeg af en omhelsde een gespierde, jonge Grey die ze nauwelijks herkende, ze kreeg een vluchtige kus om haar vermetelheid. De vrouwen kusten haar ook, ze verwelkomden hun Meikoningin. Tijdens de toernooien in de lentemeidagen was ze Marian de Meikoningin geweest, een bijzondere eer, helemaal in de Dwazentijd, wanneer zulke fantasietitels werkelijkheid werden. Kinderen grepen haar bij haar gouden rokken, noemden haar uwe hoogheid en Marian, en vierden de veilige terugkeer van de koningin.

'Weer thuis,' kondigde sir Collin opgewekt aan. Hij kreeg ook een kus en hij zag er nog net zo fit uit als de dag waarop hij Edward in de Smithfieldse modder liet bijten. Bryn stond naast hem, de prachtige vrouw van sir Collin, ergerlijk dun, met grote bruine ogen, een brede sensuele mond en glanzend, kortgeknipt kastanjebruin haar, volgens Wels gebruik. Collin nam alleen genoegen met het beste, en het had Robyn een paar eeuwen gekost voordat ze over haar jaloezie op Bryn heen was. Zij hadden een Wels 'proef'huwelijk, wat veel weg had van Robyns heimelijke verloving met Edward. Aangezien iedereen katholiek was, moest God eraan te pas komen om te kunnen scheiden, dus waren heimelijke verbintenissen schering en inslag. Robyn gelukwenste haar voorvechter, want Bryn was eigenlijk primitief, dezelfde Welse heks die Robyn haar Saksische mes had gegeven. Bryn kreeg ook een kus.

Eenmaal binnen zag Robyn dat alleen de vloer van de begane grond en de stenen vloer op de eerste verdieping het vuur hadden overleefd.

Alle slaapkamers waren in vlammen opgegaan, inclusief Collins weelderige slaapkamer met zijn zijden draperieën, Italiaanse schilderingen en de onschatbare Chaucer-manuscripten, evenals Jo's rommelige zolderkamertje waar Robyn haar eerste weken in de Middeleeuwen had gelogeerd... allemaal in de fik gestoken door heksenjagers onder aanvoering van Gilbert FitzHolland. Collin had het dak gerepareerd en de resterende verdiepingen leefbaar gemaakt. De eerste verdieping had hij in een ouderwetse herenhal veranderd, waar zijn mannen langs de muren een slaapplaats hadden gekregen. Hij en Bryn sliepen in een groot hemelbed en hun leven zag er meer uit als dat van koning Arthur en Guinevere dan van de 'hedendaagse' Londenaren, maar ze zagen er gelukkiger uit dan in Falstaffs protserige paleis in Southwark. Zoals Bryn het uitlegde: 'We zijn zo'n eind uit de buurt van het hof, daardoor alleen al krijgt je gevoel voor humor een enorme opsteker.'

Helemaal waar. Robyn kon nu al veel vrijer ademhalen, bevrijd van parlement, landelijke politiek en de lange arm van de Londense wet... veilig weggestopt in de rimboe zodat de aankomende burgeroorlog makkelijk aan haar voorbij zou gaan. Maar ze miste Edward wel. Hoe opeengepakt de middeleeuwers ook leefden, ze voelde ze zich toch akelig eenzaam, in de Middeleeuwen in de steek gelaten door de man van wie ze hield. Alleenstaande vrouwen sliepen in een geïmproviseerde ruimte boven de stenen pantry, die het had overleefd, en Jo had een ruimte met een gordijn afgeschermd voor de edelvrouwen en hun volgelingen. Robyn lag op een stromatras te luisteren naar de regen op het gerepareerde dak en bedacht hoe diep Greystone was gezonken... bijna net zo diep als zij.

Wat Greystone er overigens niet van weerhield om die zondag het Dwazenfestival te vieren met een drinkgelag, dansen en een gekostumeerd bal. Officieel was het de feestdag van Sint-Maturinus, maar op Greystone grepen ze de gelegenheid aan om de zondagsmis en heiligendag te combineren met de pret van de Dwazentijd. In dierenvellen uitgedoste potsenmakers maakten capriolen met Welse acrobaten en dansende beren, op de muziek van violen, harpen en draaiorgeltjes in een herfstig carnavalsfeest, vol onbehouwen flitsende trucs en atletische zotternijen. Sommige waren heel erg grappig en andere opmerkelijk wreed. Iedereen genoot ervan dat ze een zomer vol regen en bloedvergieten hadden overleefd, dankbaar dat ze het levend en wel droog hadden, ook al was het dan onder een opgelapt dak.

En Robyn danste met hen mee, eindelijk scheen de zon weer eens, ze danste met Matt Davye, die weer in de stallen sliep. Maar hij had zich keurig opgedoft voor het zondagse feest, tot groot verdriet van meester Hastings, die het maar niks vond dat hij een staljongen moest missen. Ze dansten buiten op het grasveld van de manor, en zo nu en dan zongen ze onder luid geklap en cimbalen schuine liederen, de rechterarm omhoog geheven met in de hand bokalen met honingwijn. Precies het soort pret die door de kerk zo werd veroordeeld, maar dit was de Dwazentijd, het feest der dwazen, waar een vrouwe in ballingschap op obscene wijsjes met haar paardenmeester kon dansen, zelfs in het godvruchtige Gloucestershire.

Het was de dag van Sinte-Maarten
Hoe vrolijk was het dan,
Waar onze huisvrouw puddinkjes maakte
En ze kookte ze in de pan...

Ze gaven elkaar de arm en draaiden rond terwijl ze probeerden geen druppel uit hun kelken te morsen. Vrouwe Robyn bracht haar paardenmeester in herinnering hoe ze elkaar waren tegengekomen. 'Vier maanden geleden vroeg ik aan je wat voor dag het was.'

Hij knikte opgewekt en zei tijdens het ronddraaien: 'Het waren de hondsdagen in juli, en ook zondag.'

De wind, zo koud, blies zuid en noord
En veegde over de vloer
Zegt de man tegen onze vrouw
'Ga heen en vergrendel de deur...'

Vergrendel de deur, dat kon je wel zeggen, ja. Robyn troostte zichzelf met hoe ver ze was gekomen en onder het dansen zei ze: 'En hondsdagen waren het. Ik zat in een stenen cel te leren hoe ik in het donker vliegen moest doodslaan...'

'En intussen zat je op mij te wachten tot ik wijn en brood kwam brengen,' herinnerde Matt zich.

'En ik maar tegen je aan zeuren dat ik dekens en gekookt water wilde hebben.' Iedereen die haar gevangenhield kon op geklaag rekenen. Door de dans wervelden ze elk een andere kant uit maar hielden hun bokalen nog steeds hoog in de lucht:

Mijn hand vindt thuiswerk om te doen,
manlief, zoals je heel wel ziet;
En ook al grendel je 'm voor honderd jaar
ik doe het toch lekker niet...

Toen ze weer naar elkaar toe dansten, was het tijd voor een slok. Ze staken de armen weer in elkaar en Matt Davye bracht een toost uit:

'Omdat we uit de gevangenis zijn.'

'En er ook uit blijven.' Terwijl ze aan haar warme honingwijn nipte, bleef ze hier even bij stilstaan. Het zei wel iets over de Middeleeuwen dat zelfs in tijden van nationale crisis een gevangene onder een zonnige novemberhemel met zijn cipier kon dansen. Hastings maakte niet veel kans bij haar, hij was sluw en maar half zo gladjes. Als ze een sterke schouder nodig had, hoefde ze niet verder te kijken dan Matt Davye, die was eerlijk en toegewijd. Zelfs in deze akelige tijd waarin vrouwe Robyn slechts een brutale, uitgesproken heks uit de toekomst was die de brandstapel te wachten stond, stonden voor hem haar belangen altijd op de eerste plaats.

Dinsdag, Sint-Maarten, begon veelbelovend en warm, en Robyn ging met haar paardenmeester uit rijden langs de Cotswold Edge. Ze reden over Shenberrow Hill vanwaar ze uitzicht had over Gallop Wood en het goddelijke Gloucestershire. Hier werd de kalkstenen heuvelrug onder de Cotswolds heel steil, waar die overging in een grasachtige escarpe die uitkeek over heilige grond die volgepakt stond met kapellen, abdijen, kloosters, rechtopstaande stenen en grafhopen. Vanuit haar hoge zitplaats in het zadel zag Robyn vanaf de stadskerken torenspitsen omhoogrijzen en de uitgestrekte kerkgronden van Stanway, Hailes Abbey, Tewkesbury en Evesham. Sir Collins landgoed grensde aan drie kanten aan geheiligd land, omgeven door uitgestrekte graslanden, die ook wel 'wolkerken' werden genoemd, monumenten ter ere van de wol die uit Cotswold naar de stoffenmarkten in Vlaanderen werden geëxporteerd. Matt wees haar op een vlucht grijze ganzen die in een gespreide V-vorm naar het zuiden vloog, overwinteraars uit het bevroren noordpoolgebied. 'Precies op tijd voor Sint-Maarten.'

Robyn knikte, ze wist dat Greystone zich verheugde op een reusachtig ganzenbanket met de buren. Thuis werd op 11 november veteranendag gevierd, opgedragen aan de doden van twee wereldoorlogen die nog niet hadden plaatsgevonden. Maar hier was het gewijd aan Sint-Maarten de Magyaar, een Hongaar die het Romeinse leger had verlaten om zich aan God te wijden, beschermheilige van smeden en hoefsmeden. Sir Collin stamde uit een heksenfamilie, maar de christelijke rituelen sloeg hij bepaald niet over, vanaf de dagelijkse mis in zijn eigen kapel tot de traditionele gans op Sint-Maarten. Als je een krijgsheer was in Gloucestershire moest je zowel vroom als genereus zijn.

Onder het rijden waaiden witte herfstdraden omhoog uit de vallei van Isbourne onder hen, ze dwarrelden doelloos in de bries, omhelsden de lucht erboven en legden een waas over het gras onder de paardenhoeven. Robyn ving een paar fijne vezels in haar hand op, aan een ervan klampte zich een spinnetje vast. 'Dat is de Sluier van Maria,' legde Matt Davye uit, 'draden uit de Maagdelijke sluier, of uit haar doodskleed.'

Middeleeuwers zagen nog wonderen in de normaalste verschijnselen der natuur, en Robyn kon het ze niet kwalijk nemen, ze werd helemaal in beslag genomen door de sluiers op de wind. Waarom zou je het werk van spinnen en de seizoenswisselingen niet een wonder vinden? Archne en Maria, twee namen voor de Gesluierde, de godin in wintergedaante, voorgesteld als oude wijven, nonnen en spinnen. De godin des doods die een laatste troost bood aan gekwelde zielen. Robyn sprak inwendig een gebed uit voor Maria van Cock Lane, die uit het midden van de nonnen was verdwenen op de dag dat zij lady Pomfret werd. Toen wendden zij en haar paardenmeester de teugels om naar Greystone terug te rijden en de Sint-Maartensgans te begroeten.

Na het ganzenbanket bedacht Hastings dat hij nog zaken te doen had in Burton Hastings en hij maakte zich op om afscheid te nemen. Zijn rumoerige broers, Ralph en Thomas, hadden ook een afscheidskus gekregen en hadden haar veilig uit Londen hier gebracht, in elk geval vanuit Wallingford. Meester Hastings boog op de binnenplaats nog een laatste keer en voegde eraan toe: 'Mocht mijn vrouwe me ooit nodig hebben...' Hastings liet de rest open zodat ze het zelf kon invullen. Hij steeg zwierig op en draafde toen het hek uit, gevolgd door zijn goed bewapende broers. Hij reed in noordelijke richting de Cotswoldweg op en verdween achter Littleworth Wood, net als de Sint-Maartensgans.

Op de zaterdag daarop, de naamdag van Sint-Cecilia, verrichte Robyn zelf een wonder toen ze met Collin en Jo naar Bristol reed om haar graanzending in ontvangst te nemen. Bristol was gebouwd tussen rotsachtige kades die zich langs de Avon uitstrekten en het voelde er als een frisse zeebries, verkwikkend en stimulerend. Het herinnerde Robyn eraan dat daarbuiten een wijde middeleeuwse wereld bestond die het niets kon schelen wie er op de Engelse troon zat. Het embleem van Bristol was een schip en ze hoorden liederen zingen in de straten, er werd Welsh en Iers gespraat, evenals Frans en Bretons. Galjoenen met hoge masten lagen opeengepakt aan de kades, ze hadden huiden en vis uit Ierland meegenomen, Gascogner wijn, Spaans leer, olijfolie, gedroogde kabeljauw en kleine blonde slaven uit IJsland.

Haar hart ging uit naar die bange kinderen met hun grote ogen, de eerste echte slaven die ze in middeleeuws Engeland zag. Raar, als je bedacht dat het niet bij deze paar hulpeloze vlaskopjes bleef maar dat er een grote Afrikaanse toevloed op gang zou komen naar landen die nog niet eens ontdekt waren. Ze kocht wat voedsel en melk voor ze en

210

gaf hun ook wat van haar zorgvuldig gekoesterde chocola, en ze verwelkomde hen in Engeland in hun eigen taal. Hoewel ze wist dat ze nu het geld had om hun vrijheid af te kopen en ze naar huis te sturen, wist ze wel beter. De middeleeuwers zouden haar zilver aanpakken, haar vrome goedhartigheid de hemel in prijzen en haar de hand kussen, en vervolgens de kinderen vrolijk ergens anders naartoe brengen. Ze zou het zelf moeten doen, anders kon je ze net zo goed vragen om melk in een koe terug te stoppen.

Robyn sprak met de kooplui en scheepsbouwers, die verder dan IJsland waren geweest. Sommigen waren helemaal tot het Deense Groenland gevaren, een kolonie op Airiksfjord, en hadden in het westen Canada zien liggen. Vissers beweerden dat ze hadden overwinterd op wat Newfoundland moest zijn. Kennelijk stond Amerika te popelen om te worden ontdekt. De belangstelling van de zeelui was gewekt door haar verhalen over het Amerika van voor Columbus, hoewel ze eraan twijfelde of ze geloofden dat er twee landmassa's in de Atlantische Oceaan lagen, elk groter dan heel Europa. 'M'lady moet niet alles geloven wat ze haar over verre, overzeese landen wijsmaken.'

Collin inspecteerde de vracht graan, de Baltische tarwe was rijp en onbeschadigd, en hij ging regelen dat het per praam naar Evesham zou worden vervoerd, waar het verder met paard en wagen naar Greystone zou worden gebracht. De kooplui uit Bristol dreven graag handel met de Hansa. De oosterlingen betaalden met graan en zilver, terwijl de Londenaren hun schulden probeerden te betalen met gokken, tennisballen en zilverkwasten. Collin bedankte haar omstandig voor het geschenk. 'Hierdoor zijn niet alleen de mensen gered, maar ook de dieren. Zonder dit graan hadden we ons fok- en melkvee moeten slachten.'

Ze bedankte haar ridder met middeleeuwse bescheidenheid, zei dat hij Sint-Cecilia moest bedanken, wier dag het tenslotte was, een edele, maagdelijke martelares die haar bezittingen aan de armen had gegeven voordat ze werd onthoofd. Cecilia was een van Robyns lievelingsheiligen, ze had een voorliefde voor muziek en had geweigerd zich een huwelijk in te laten dwingen, zelfs als ze daardoor haar hoofd zou verliezen.

Zondag 23 november 1460, de Nieuwe Inn in Northgate Street, Gloucester
Zeven maanden in de Middeleeuwen. Niet slecht. Toen ik er net was, had ik zelfs niet verwacht ze zeven dagen te kunnen overleven, en ik ben er nog steeds, levend en redelijk wel, en in voor middeleeuwse begrippen luxeomstandigheden. Deze 'nieuwe' herberg is slechts een paar jaar oud, uit baksteen en pleisterwerk opgetrokken met reusach-

tige kastanjeboomstammen. Mijn kamer is droog, ruim en aangenaam
rattenvrij, maar ik kan toch niet slapen, ik mis mijn rijke, overijverige
vriendje. In plaats daarvan lig ik naar de regen te luisteren, zoek ik
tevergeefs of ik de dingen anders had kunnen doen. En steeds kom ik
weer op hetzelfde uit: ik heb gedaan wat ik kon. Zolang Edward zijn
vader blindelings volgt, is er voor niemand een toekomst, en voor
ondergetekende nog het allerminst.
Dus wat nu? Zal hertog Richard van York zich van koning Hendrik
ontdoen en zichzelf tot Richard III kronen? Dat lijkt de meest voor de
hand liggende volgende stap, ook al hebben ze nog zoveel geloften afge-
legd dat ze de hulpeloze Hendrik geen kwaad zullen doen. Heeft Sha-
kespeare hier zijn grootste schurken vandaan gehaald? Nog een toneel-
stuk dat ik nooit heb gelezen. Natuurlijk heb ik een dik boekwerk over
de geschiedenis van de Middeleeuwen, ik ben alleen bang om erin te
lezen. Mooie zieneres... te bang voor de toekomst om er zelfs maar een
glimp van op te vangen.
Deirdre zegt dat ik mijn notebook dicht moet doen en moet gaan sla-
pen. Ze zal wel gelijk hebben, morgen gaan we terug naar Greystone...

Nou, ze zouden tenminste niet van honger omkomen. Robyn reed met sir Collin, Jo, Bryn en hun dienaren terug, hun reis onderbrekend op Sudeley Castle en Hailes Abbey. Baron Sudeley bood ze een diner aan in zijn schitterende eetzaal met hoge vensters en Robyn zag het eikenpark waar sir Collin met Gilbert FitzHolland om haar vrijheid had gevochten. Ze brandde dankkaarsjes in de kerk van Sudeley. Na Sudeley volgden ze de Cotswoldsweg naar de Hailes Abdij, langs groepjes doornstruiken waar de roze en witte bloemetjes de onophoudelijke regen dapper het hoofd boden, samen met een paar rode koekoeksbloemen die zich onder de haag voor het weer schuilhielden.

Ze kwamen even voor vespers bij de Hailes Abdij aan. Lekenbroeders waren de abdijheg aan het snoeien, sneden doornstruiken terug en hoogden de taluds op. Hailes was een cisterciënzer klooster en de cisterciënzers waren geweldige boeren en wolproducenten. Gek genoeg had ze gemerkt dat de meeste 'moderne' dingen in de Middeleeuwen – massaproductie, boekhouding, volksgezondheid en onderwijs – door de kerk werden gedaan. Het wereldse bestuur had het veel te druk, ze moesten elkaar immers met vlijmscherpe wapens te lijf gaan? Bij de kloosterpoort, onder de fruitbomen bij de visvijvers, werden ze door monniken begroet en binnen genodigd. Ze hoefden alleen de heuvel nog over en dan waren ze bij Greystone, dus Collin stemde ermee in dat ze bij de abt even wat gingen drinken, zijn invloedrijkste buurman, nu officier van justitie Fortescue op de vlucht was geslagen. Nonnen hielpen haar bij het afstijgen en nodigden hen uit om ves-

pers te vieren, ze waren altijd blij met vrouwelijke gasten. Cisterciënzer nonnen stonden erom bekend dat ze heel strikt waren en nu hadden ze de kans om de laatste roddels te horen, de met hermelijn ver-
fraaide zijde aan te raken en zich te kunnen vergapen aan de laatste
Londense mode. Vlinderhoeden waren weer in zwang, geaccentueerd
door brede, blote schouders. Robyn had van Collin geleerd hoe handig een verblijf in een klooster was: ze waren schoner dan de meeste
herbergen, het voedsel was magerder maar beter en nonnen waren
goed gezelschap, minder geneigd tot dronkemanspraat. Een jonge
novice in een eenvoudige habijt en hoofdsluier duwde zich een weg
naar voren en vroeg aan Jo: 'Is vrouwe Robyn van Pontefract ook bij
u?'

Het was de eerste keer dat iemand buiten Londen haar met die
naam aansprak. Ging haar reputatie haar soms vooruit? Ongetwijfeld
met alle narigheid van dien. Toen Jo haar aanwees, maakte de non,
die een fris gezichtje had, een knicksje en zei een beetje onbeholpen:
'M'lady Stafford?'

'Ja, dat ben ik,' gaf Robyn toe, ze wist zeker dat ze de novice nog
nooit eerder had gezien, misschien in april, toen ze op weg naar Greystone op Hailes had gedineerd.

'Neemt u me niet kwalijk, m'lady, ik had het kunnen weten,' verontschuldigde de novice zich toen ze het rood-met-gouden rijkostuum
van Stafford herkende, dat te midden van het blauw-en-wit van de
Greys nogal opviel. De novice was nerveus en knikte naar een bocht
in de heg die hen aan het zicht zou onttrekken. 'Ik heb iets voor u,
m'lady. Ik kreeg het in de kruidentuin, ik mocht het alleen aan u vertellen.'

Robyn vroeg zich af waar dit allemaal over ging en volgde de novice naar de plek achter de heg terwijl ze behoedzaam haar hand naar
voren stak. Iets gevonden in de kruidentuin? Naast schoffels en
schopjes doken er vaak merkwaardige spullen op, scherven aarde-
werk, Romeinse munten en stenen, zoekgeraakte spoeltjes van vrouwen die al lang dood waren. Trillend pakte de jonge, aankomende
non haar hand en legde er iets hards en kouds in... Edwards zilveren
ring met de witte roos.

7

Somerset

Pas toen ze de ring in haar hand had, realiseerde ze zich hoe erg ze
hierop had gehoopt. Toen ze hem bij hun afscheid aan Edward had
gegeven, was het bijna een smeekbede geweest om haar terug te roepen. En nu was het zover en Edward had haar nodig. Hoe kon ze het
anders verklaren? Ze was opgewonden en angstig tegelijk, ze vroeg de
novice: 'Hoe kom je hieraan?'

'Uit de kruidentuin.' Ze knikte naar het verste uiteinde van de heg
in een poging aan te geven waar ze de ring had gekregen.

'Maar hoe dan?' Middeleeuwers hadden veel te veel ontzag voor je.

'Iemand heeft hem aan me gegeven. Is hij van u...'

'Ja.' Ze greep hem steviger vast en vroeg: 'Wie heeft hem aan je
gegeven?'

'M'lady, het was een vrouw.' Cisterciënzers waren geslotener dan
de meeste kloosterlingen en een novice kreeg niet veel mannen te zien.
En zeker niet alleen in een kruidentuin.

'Wat voor vrouw?' Het kwam er wat snauwend uit... aan welke
vrouw zou Edward haar ring geven?

De novice schudde haar hoofd, dat kon ze niet zeggen. 'Ze droeg
een sluier voor haar gezicht en ze sprak haastig, maar aan haar manieren te merken was ze een edelvrouwe. En jong.'

Werkelijk? Robyn wist niet wat ze moest denken van deze gesluierde, mysterieuze dame. Was hier hekserij in het spel? Welke jonge edelvrouwe zou door Edward gestuurd zijn? 'En die vrouw vroeg je de
ring aan mij te geven?'

'Ja, aan lady Robyn Stafford van Pontefract.' Toen voegde de novice er enthousiast knikkend aan toe: 'En ze had ook een boodschap
voor u.'

'Wat voor boodschap?' Ze was zo verbolgen over die gezichtsloze
jonge 'vrouwe' dat ze vergeten was te vragen of er nog meer was dan
alleen de ring.

De novice sloot geconcentreerd haar ogen en herhaalde de boodschap uit het hoofd: 'Ga zuidwaarts naar Farmcote, langs de lange
grafheuvel naar een beekje dat langs een bospad kronkelt. Volg het
pad door Guiting Wood totdat je bij een doorwaadbare plaats naast
een bron komt, daar zal een jongen die je kent op je wachten en je verder de weg wijzen.'

Makkelijk zat, Farmcote was maar een paar kilometer verderop, maar de schemer viel in en na de jongen bij de doorwaadbare plek werd het allemaal wat vaag, met name dat 'die je kent'. Bedoelde ze Edward? Ze hoopte het maar, ze werd zenuwachtig van dat verstoppertje spelen. De laatste keer dat ze onvoorzichtig was geweest, was tijdens Halloween geweest, moest je kijken wat daarvan gekomen was. Robyn merkte dat de novice aan haar goud-met-scharlakenrode rij-jurk frummelde en tegelijk haar lege hand, zonder de ring, had vastgegrepen. Ze zei tegen haar: 'Veel geluk, m'lady Stafford.'

Ze keek het meisje in de ogen, grote, glanzende ogen, wijd open van bezorgdheid. Middeleeuwers beschouwden liefde en romantiek als een zaak van leven en dood, eigenlijk ging het nog verder, want ze raakten aan je onsterfelijke ziel. Voorzichtig boog Robyn zich naar voren, ze gaf de novice een kus en zegende haar. Ze zei: 'Jij ook veel geluk. En als je ooit hulp nodig hebt, zoek dan vrouwe Robyn Stafford op.'

Robyn meende het. Wat er met haar ook zou gebeuren, dit arme meisje ging een gesloten toekomst tussen stenen muren tegemoet, en ze was opgetogen als ze een glimpje kon opvangen van het leven van een dame in zijde, die heimelijk zilveren ringen kreeg, en dan het bos in glipte voor een rendez-vous met mysterieuze jongens. Maar ze verwachtten allebei absoluut dat aan het einde van dit alles een hartstochtelijke jonge man wachtte, popelend om goddeloze daden te verrichten die geen priester zou goedkeuren en waar nonnen alleen maar van konden dromen. Buigend en blozend droop de novice af en vrouwe Robyn bleef alleen achter bij de heg.

Het kon ook weer zo'n valstrik zijn van de Wydvilles, die bij de oversteekplaats in de bossen met heksenjagers op haar stonden te wachten. Deirdre rolde met haar ogen toen ze de ring in het oog kreeg en zei tegen Matt Davye dat hij de paarden niet moest afzadelen.

Haar meid was de enige aan wie ze ooit de ring had laten zien, de enige ook die het moest weten, maar ze kon niet verbloemen dat zij en Deirdre nog een middagrit gingen maken. Haar vroegere voorvechter, sir Collin had zich al in de abdij teruggetrokken, dus Matt Davye stelde voor dat hij mee zou gaan, 'om tenminste voor de paarden te zorgen'. Lily en Ainlee hadden ze al helemaal uit Gloucester hiernaartoe gedragen en hadden aandacht nodig, maar Matts werkelijke zorg was dat hij zijn vrouwe wilde beschermen.

Robyn moest Matt beloven dat ze de paarden zou ontzien en ze bond een grote, dikke dekenrol uit hun bagage achter op Lily's zadel, voor het geval hun reismantels niet warm genoeg waren of als ze de nacht in de openlucht zouden moeten doorbrengen. Deirdre volgde haar voorbeeld. Robyn vroeg Jo zich bij Collin te verontschuldigen en voegde eraan toe dat hij niet bij de abt moest blijven wachten. 'Deir-

215

dre en ik halen jullie zo snel mogelijk in. Ik heb een teken gekregen... misschien betekent het gevaar. Gaan jullie maar zo snel mogelijk naar huis.'

Jo stelde geen vragen, daar was ze een heks voor. Ze kuste hen alleen gedag en wenste ze toe dat God met hen was, aangezien ze zich op heilige grond bevonden. Matt Davye deed nog een laatste poging om mee te mogen, al was het maar voor de veiligheid, hij zei: 'De nacht valt in en u hebt bescherming tegen wolven en struikrovers nodig.'

Ze maakte zich geen zorgen om de wolven en struikrovers, des te meer een reden om te paard te gaan. Bovendien, als ze werkelijk een voorvechter nodig had, dan was een van de grootste kampioenen in het christendom, sir Collingwood Grey, vlak in de buurt. Maar Edward haar de ring in het geheim gestuurd, dus moest ze onder dekmantel reageren. En als lady hoefde je nooit je motieven uit te leggen, dat was nog het mooiste wanneer je een vrouwe was, dus het enige wat Matt voor zijn moeite kreeg was een afscheidskus. Van hen allebei... en daar moest hij het mee doen. Het was een hele opgave voor deze stoere paardenman, die zich in een makkelijk baantje in een vrouwenhuishouding had weten te wurmen, om alleen met de pakpaarden achter te blijven.

Ze reden over Salter's Lane en Robyn haalde een exemplaar van de *Cotswoldse Wegenkaart* tevoorschijn, een dunne plattegrond van het gebied dat in het volgende millennium was gedrukt, ze zocht naar de lange 'grafheuvel'. Ze vond hem gemakkelijk, zo'n twee kilometer ten zuiden van Farmcote. Wegen en dorpen waren veranderd, maar het landschap was nagenoeg hetzelfde gebleven. Helaas eindigde de gedetailleerde kaart daar, voorbij de grafheuvel was het blanco met kriskras een paar niet-bestaande snelwegen. Halverwege Salter's Lane draaide ze naar het oosten langs boomgaarden en akkers in de richting van North Farmcote en volgde de lijn waar de Cotswoldweg over vijfhonderd jaar zou lopen. Voor hun paardenhoeven uit vlogen leeuweriken zingend op maar ze barstten niet in dat hoge, snerpende lied uit zoals in de lente. Ze hadden geen nesten te beschermen en geen jongen te verbergen.

Haar hart sprong samen met hen op, niet zo explosief als in de lente of zomer, maar toch. Hier in Gloucestershire zou ze nergens komen, ze hield zich op Greystone schuil, flirtte met haar paardenmeester en speelde de sprookjespetemoei met geleend geld. Nu had ze de ring, maar wat had die te betekenen? Was Edward in gevaar? Of gewond? Of alleen maar eenzaam? Het leek wat overmoedig te hopen dat hij wellicht eindelijk naar haar had geluisterd. Hoe dan ook, ze ging tenminste weer ergens naartoe. En Deirdre vroeg steeds op dwingende

216

toon welke kant ze op moesten: 'Waar is dat Guiting Wood?'

'Ik hoop daar verderop.' Robyn reed met de kaart op haar schoot en probeerde de moderne contouren over het oude landschap heen te leggen.

'We zullen zien.' Deirdre had haar twijfels. Kaarten uit het derde millennium waren een compleet raadsel voor haar dienstmeid, die wist dat de meeste kaarten van nu volslagen waardeloos waren, en ze had een gezond wantrouwen ten opzichte van het geschreven woord. Ze noemde het 'papieren leugens'. Zelfs op de hoofdstedelijke beschuldiging hadden ze haar naam als Daerie verbasterd.

Ze kwamen op een pad dat de goede kant uit liep en dat op haar kaart zelfs wel eens Campden Lane zou kunnen zijn. Robyn volgde het, ze kwamen langs open weilanden en diep doorploegde velden bij een heuvel die nog op de kaart stond en vervolgens bij de lange graf-heuvel. Daar stegen ze af en zeiden een gebed voor de oude doden, die nog steeds in staat waren om de weg te wijzen.

Bevrijd van de kaart steeg ze weer op en ging in zuidwaartse richting naar de lijn van iets dat op Guiting Wood leek, grimmige skelet-bomen en een paar altijdgroene struiken. Het was er bespat met weg-stervende herfstkleuren, vaalgeel, roestbruin, dof zilver en oud goud. Ze vonden het beekje en Robyn volgde het zompige voetpad erlangs, je kon het nauwelijks een pád noemen maar het was tenminste geen jachtspoor. Meer dan anderhalve kilometer kronkelden ze in en uit het bos, toen liep het pad heuvelafwaarts naar de zuidkant van het stroompje waar geen doorwaadbare plaats te bekennen was. De scha-duwen werden langer, ze kreeg het koud en was op haar hoede. Stel dat dit krankzinnige avontuur eindigde in een donkere, regenachtige nacht in de bossen? Gelukkig had ze haar opgerolde deken en een zware wollen cape over haar gouden rij-jurk en karmozijnrode jasje.

Recht vooruit kreeg ze een kleurige vlek in het oog, hij bleek van een rozerode vrouwenjurk te zijn die over een boomtak was gedra-peerd. Daarboven hing een rode rijhoed en een witte sluier bolde in de wind op. Raar. Ze keek om zich heen of ze een gegeneerde vrouw in onderjurk zag die bij het ensemble moest horen, maar het enige wat ze zag waren boomstammen en een paar lage bosjes langs de beek. Deirdre vatte de mysterieuze jurk op als een slecht voorteken, ze hield Ainlee in en tuurde tussen de donkere bomen door. Robyn spoorde Lily voorzichtig naar voren aan, niet wetend wat ze kon verwachten.

Daar maakte de stroom een plotselinge bocht naar het zuiden en het voetpad kruiste een smalle, ondergelopen oversteekplaats. Op de rand aan het uiteinde ervan zat Edmund, graaf van Rutland, Edwards jongere broer in een zilver-blauwe, met gouden beenkluister versierde wambuis over een blauw-witte maillot, maar in plaats van laarzen droeg hij roodleren dansschoenen die bij de jurk in de boom pasten. Delicaat als hij was met zijn fijne donkere haren, kon hij gemakkelijk voor een gesluierde vrouw doorgaan, zelfs in een klooster. Robyn steeg af, maakte een vluchtige revérence, rekende erop dat Deirdre hetzelfde deed en zei: 'Hoogheid, wat fijn u weer te zien.'

Rutland dankte haar voor het knicksje. 'Goed om u ook weer te zien, vrouwe Stafford.' De tengere jonge Edmund van Rutland had niet het gemakkelijke zelfvertrouwen van zijn oudere broer, maar hij was ook een tienergraaf, met een hogere status dan de meesten. Beleefd vroeg hij minzaam, met een schalks lachje: 'Is de vrouwe verdwaald?'

'Het lijkt erop.' In elk geval waren ze van de kaart af. Tot zover gingen de instructies en Rutland was de jongen bij de oversteekplaats, evenals kennelijk de dame in de kruidentuin van Hailes Abbey. 'Waar zijn we nu?'

'De plaatselijke bevolking noemt het hier Louse Hill.' Rutland wees naar de beboste helling achter hem. 'Aan het uiteinde staat een kerk waar u wellicht rust en onderdak kunt vinden, want het lijkt erop dat we een regenachtige nacht krijgen. Kom, ik wijs u wel de weg.'

Gerustgesteld door Rutlands aanwezigheid, gehoorzaamde Robyn. Ze wist nu dat het geen valstrik van de Wydvilles was en dat Edward niet ver weg kon zijn. Ze steeg weer op en leidde Lily de doorwaadbare plek over terwijl Deirdre met Ainlee achter haar aan spatte. Edmund van Rutland ging rechtop in het zadel zitten en wees ze opgewekt de weg naar Louse Hill, langs hazelbosjes en open weidegrond. Edmund was nog maar net onder de vleugels van zijn vader vandaan, maar als graaf telde hij wel degelijk mee – althans in beleefd gezelschap – hoewel het niet verrassend was dat het graafschap Rutland het kleinste was in Engeland, weggestopt tussen Northampton en Lincolnshire. Het was zo klein, dat je Edward nauwelijks een bestuurder kon noemen, net zomin als zij de scepter over Pontefract zwaaide. Ze betwijfelde het of Rutland sinds zijn standsbevordering vaak in zijn graafschap was geweest, en toch was deze breekbare, zorgeloze jongen de derde in lijn van de troonsopvolging, dankzij de Act of Accord.

Maar het was een veelbelovende jongen, slim, vriendelijk en zachtaardig, een edelman, zonder dat hij van zichzelf overliep, en hij was oprecht bezorgd om haar en Deirde. Hij had geduldig bij de oversteekplaats zitten wachten tot ze kwamen opdagen en nu nam hij alle tijd om ze de heuvel op te loodsen zodat ze veilig de steile, natte heuvelrug op konden klauteren. Net als bij Edward was het overduidelijk dat hij een zoon was van Arrogante Cis, hij behandelde vrouwen respectvol en liet genoeg van zijn vrouwelijke kant toe om in roodleren schoentjes en een rozerode jurk door Guiting Wood te sluipen. Voor Engeland kon je je slechtere koningen dan Edmund indenken, sterker nog, het land was de afgelopen veertig jaar heel veel slechter af geweest.

Op de top van Louse Hill had Robyn een prachtig uitzicht over de Windrush-vallei en de glooiende beboste heuvels aan weerskanten van hen. 'Daar moet je zijn,' kondigde Rutland aan en hij wees naar een kerk aan de voet van de heuvel, naast de smalle rivier. 'Temple Guiting.'

'Temple Guiting?' Robyn zag dat de 'tempel' een eenvoudige dorpskerk was met zijn rug naar een bocht in het Windrush-riviertje toegekeerd, in het noorden stond een landgoed en vanuit beide liep een brug naar het stadje.

'Genoemd naar de tempelridders,' legde Rutland uit, 'van wie vroeger dit landgoed was. Nu bestaat alleen hun naam nog.' Robyn had geen notie van wat tempelridders waren of waar ze waren gebleven, en ze knikte alleen maar. Raar dat ze nog steeds de simpelste dingen van het middeleeuwse Engeland niet wist.

Graaf Rutland begeleidde ze heuvelafwaarts naar het kerkhof, waar Caesar rustig aan natte turf stond te knabbelen op zoek naar groene loten. Haar hart sprong op toen ze het krijgsros in het oog kreeg, wel wetend wat er nu zou gebeuren. Ze steeg af, blij dat ze weer op heilige grond stond – alle kerken ademden immers een geheiligde atmosfeer uit – waar seks en geweld werden uitgebannen. Tijdens haar reizen wipte ze vaak van het ene stukje heilige grond naar het andere. Graaf Edmund knikte naar het rustieke kerkje met de grote klokkentoren en zei: 'Daarbinnen is wat je zoekt.'

'Het enige wat we zoeken is verlossing, mijn heer,' bracht ze de jonge graaf beleefd in herinnering, ze maakte een diepe revérence en probeerde niet te gretig te lijken om met zijn grote broer uit de band te willen springen.

Rutland keek haar meesmuilend aan bij haar vrome zedenpreek, hij wist ook wel dat ze niet van de Hailes Abdij was gekomen om hier te komen bidden. 'Ga dan en vind de verlossing die u zoekt.'

Inmiddels had ze genoeg van de middeleeuwse architectuur gezien om te kunnen beoordelen dat het kerkje minstens een paar honderd jaar oud was. Het was omgeven door oude eiken en versierd met glas-in-loodramen en bladerloze wingerd. De zijdeur stond open en binnen werd ze door een heilige stilte begroet. Bij het hoge koorhek, met zijn houtbewerkte panelen van heiligen en apostelen, stond Edward. Hij droeg een maliënkolder in Mortimer-kleuren, een gesloten blauw-met-gouden overmantel met een leeg, wit schild in het midden. Dezelfde overmantel die hij aan had gehad toen ze elkaar voor het eerste op de weidegronden van Llanthony hadden ontmoet, zo'n vijfhonderd jaar hiervandaan. Hij had ook dezelfde zelfverzekerde glimlach en duidelijk dezelfde opgetogenheid toen hij haar zag.

Toen ze hem weer in Mortimer-kleuren zag, realiseerde ze zich hoezeer ze de Edward miste die ze die eerste keer was tegengekomen, de vrijbuiter-graaf van March, tiener in ballingschap, haar luchthartige dolende ridder, charmant, zorgzaam en hartstochtelijk – verliefd op het leven en op haar. Niet de troonopvolger Edward, de nationale held van een verdeeld land, met een hart dat door de Act of Accord zat ingekapseld. Ze wilde de Edward die alleen maar haar hart wilde winnen en koning Hendrik wilde temmen, in willekeurige volgorde. Met een nog bredere grijns zei hij tegen haar: 'Mijn genadiglijke vrouwe, wat heerlijk om u weer te zien.'

Ze knielde voor het altaar, sloeg een kruis en draaide zich toen om naar Edward, voor wie ze ook een diepe revérence maakte. 'Mijn heer, ik ben zo snel gekomen als ik kon.' Van al dat 'gemeneer' en 'gemevrouw' werd ze niet warm of koud meer, niet als ze alleen maar 'mijn lief' wilde horen. Maar hij had haar de ring gestuurd, dus moest hij met een verklaring komen.

Hij negeerde haar formele begroeting, kuierde nonchalant naar haar toe en probeerde haar met zijn fysieke verschijning te imponeren. Waar hij wonderwel in slaagde. Liefde en verlangen stegen in haar op en ze wilde dat ze op een of andere manier alles konden uitvegen en weer opnieuw konden beginnen, maar dan wel goed. Ondanks alles wat er was gebeurd, wilde ze hem nog steeds en had ze hem nog altijd nodig, overdag smachtte ze naar zijn bescherming en 's nachts naar zijn stevige, sterke handen. Edward nam haar handen in de zijne, blij dat ze niet tegenstribbelde. Hij voelde dat ze zich erbij neerlegde en hoopte dat hij daar misbruik van kon maken. Hij had al vaak zijn doel met handelen bereikt, waar anderen eerst hadden nagedacht. Hij zei tegen haar: 'Mijn vrouwe zal zich toch nog wel herinneren dat ik heb beloofd naar mijn graafschap March terug te keren?'

'Inderdaad, mijn heer,' stemde ze minzaam in. Ze genoot van de aanraking van zijn hand, ook al kwam die uit een mouw met maliën. 'En mijn heer is tot Gloucestershire gekomen.' Temple Guiting ging ongeveer nergens naartoe, tenzij je op weg was naar Greystone, of Upper en Lower Slaughter.

Edward glimlachte om haar gebruikelijke brutaliteit, omdat zij de enige was die hem als mens behandelde, als gelijke, van hem hield en respecteerde, niet omdat zijn vader hertog van York was... sterker nog, ze was in staat van beschuldiging gesteld omdat ze van zijn vader wilde afkomen. Hij greep haar steviger vast en zei: 'Ik moest jou eerst zien.'

'En hier ben ik dan, mijn heer.' Ze liet zijn handen los en draaide zich om waardoor haar goudsatijnen gewaad met de grote karmozijnrode Stafford-chevrons zichtbaar werd. 'Je mag zoveel kijken als je wilt.' Ze wilde hem laten zien wat hij zou missen als hij zo koppig bleef. 'Ik ben niet voor niets helemaal hiernaartoe gekomen.'

Edward applaudisseerde voor haar rijkostuum en zei: 'Alles is precies zo mooi als ik had gehoopt.'

Ze bedankte hem met nog een knicksje en voegde eraan toe: 'Nou, je hebt me gezien, wat nu?'

'Daarvoor moet ik je vasthouden.' Hij nam haar plotseling in zijn armen en drukte haar stevig tegen zijn maliën borst, zijn ferme omhelzing voelde zowel vreemd als vertrouwd aan. Ze keek naar hem op en vroeg zich af wat er nu zou komen. Ze wilde geen ruzie, maar ook niet toegeven. Hij boog zich naar voren en kuste haar, een warme, opwindende kus, ze zweefde omhoog en raakte buiten zichzelf. Opwinding en verlangen worstelden met het gezonde verstand toen ze hem terugkuste, ze genoot van zijn krachtige, maliën-armen. Toen de kus voorbij was, zei hij eenvoudig: 'Ik wil je nog steeds als mijn gravin.'

'Gravin, ja.' Ze kon hem niet compleet afwijzen. 'Maar niet als je toekomstige koningin.'

Hij hield haar nog steeds dicht tegen zich aan en herinnerde haar eraan: 'Twee frisse en gezonde mannen staan tussen mij en de troon.'

Bij lange na niet goed genoeg. Hopelijk zou Edward gekke Hendrik en hertog Richard overleven, die beiden op geheel eigen wijze op zelfvernietiging uit waren. 'Ik trouw alleen maar met je als je het koningschap afwijst.'

Edward keek bedenkelijk bij dat idee alsof hij daar nooit over had nagedacht. 'Voor wie?'

Ze haalde haar schouders op en zei: 'Wat dacht je van zijne koninklijke hoogheid de prins van Wales?'

Edward rolde met zijn ogen. Zelfs hij zou Engeland er niet toe kunnen brengen om de zoon van koningin Margaret als koning te accepteren, een zevenjarige die waarschijnlijk ook besmet was met de erfelijke waanzin, tenzij hij door een gelukkig toeval ook een bastaard van Somerset was, dan zou hij Jo's halfbroer zijn, maar geschikter voor de troon werd hij er niet door. 'Wie nog meer?'

'Een van je broers misschien.' Dat was een goede mogelijkheid, als Edward de troon zou afwijzen, zou de claim vanzelf naar zijn broers verhuizen. Ze keken allebei door de deur en dachten aan de capricieuze jonge Rutland buiten. Zou hij eigenlijk wel koning willen zijn? Misschien was Rutland wel degene die Engeland nodig had, ook zo'n zachtaardige vorst zonder ambities, net als koning Hendrik, maar dan met een gezond verstand.

Edward lachte een beetje en zei: 'George zou het prachtig vinden. Hoewel Richard waarschijnlijk nog de beste koning zou zijn, beter nog dan ik zelfs... hij is het serieuzere type.'

'Goed, dan wordt het Richard...' Die arme gekke Hendrik was het bewijs dat iedereen koning kon zijn.

Edward kuste haar weer waarmee hij haar midden in haar zin onderbrak – de rede moest het afleggen tegen de liefde – en ondertussen maakte hij de bandjes van haar jurk los. Hij ontblootte haar schouder en drukte zijn lippen tegen de zachte huid. Hij zei: 'Dit is nou wat ik werkelijk wilde zien.'

'Is dat zo?' Ze keek wantrouwend, verrast dat hij met pure brutaliteit zover was gekomen. 'Mijn schouder? Wat lief, ik heb er nog eentje en die lijkt er precies op.'

Hij glimlachte om haar gevatte antwoord en zei: 'Moet je nou zien hoe ver we tegen alle verwachting in zijn gekomen – en je zeurt alleen maar dat je misschien koningin moet worden. Als we het willen, is er van alles mogelijk. Misschien is vader zelfs wel tot rede te brengen.'

'En als hij dat niet wil?' Hij kwam niet weg met zo'n overduidelijk belachelijke veronderstelling.

'Hij heeft geen keus,' verzekerde Edward haar en hij voegde er met een preuts tintje aan toe: 'wanneer we eenmaal getrouwd zijn.'

'Als we gaan trouwen,' corrigeerde ze hem. 'Niemand kan mij met geweld tot een huwelijk dwingen.'

'Niemand kan mij met geweld koning maken.' Hij verstevigde zijn greep en drukte haar dichter tegen zich aan. 'Tegen de tijd dat ik ga erven, is mijn vader dood. Hopelijk duurt dat nog een hele tijd. Ik heb nooit gewild dat mijn vader koning zou worden en ik hoop zeker niet dat hij snel zal sterven.' Edward trok een grimas, het idee dat hij de kroon van het voorhoofd van zijn dode vader zou moeten nemen, stond hem kennelijk niet aan. 'Maar als die dag komt, ben ik de troonopvolger en kan ik ermee doen wat ik wil.'

'Dus je zet de kroon niet op?' Ze kon haar oren nauwelijks geloven. Wie had ooit gehoord van een jonge edelman met gezond verstand die de troon afwijst? Zeker iemand die zo goed kon regeren als Edward?

Hij schudde ernstig zijn hoofd. 'Niet als jij je blijft verzetten.' Edward meende het oprecht, zijn bruine ogen keken haar recht aan en aarzelden niet in het minst. Waarom zou hij liegen? Hij wilde haar, liever dan roem, meer dan rijkdom en macht... dat had hij allemaal al. Zij ontbrak nog. Hij had haar net zoveel gemist als zij hem... daarom had hij de ring gestuurd.

'Mijn antwoord zal altijd nee zijn,' waarschuwde ze hem. Edward was zich kennelijk aan het indekken, hij schoof zijn vaders dood naar een verre toekomst voor zich uit waar nog van alles mogelijk was. Hij was eraan gewend dat hij met charme en overredingskracht de zaken naar zijn hand kon zetten. Ze had hem scheepsbemanningen zien overhalen om muiterij te plegen en vijanden die hun wapens neerlegden. 'En denk maar niet dat je me op andere gedachten kunt brengen.'

'Dacht je dat ik gek was?' vroeg hij onschuldig, alsof de wonderen langs haar koude kleren afgleden. 'Zolang je nee blijft zeggen, zal ik nooit koning zijn. Ik geef met alle liefde de troon op voor de vrouw van wie ik hou.' Edward meende het – ze zag het in zijn ogen, voelde het in zijn omhelzing – Edward van March, die alles kon krijgen wat hij wilde, wilde haar. Ze raakte in vervoering, voelde zich als een onbetaalbare schat, kostbaarder dan de kroon, hij gaf haar weer hoop. Zowel koning Hendrik als hertog Richard moesten eerst dood voordat de vraag relevant werd. Wie weet was Rutland dan klaar om het koningschap over te nemen, hij zou wijzer zijn, kalm en zorgzaam en op Edwards sterke rechterarm kunnen leunen. Welke beslissing ook zou vallen, ze zouden die samen nemen. Wat kon ze nog meer wensen?

Hij leunde tegen haar aan en kuste haar weer, en zij kuste terug, verloor zich met lichaam en ziel in de omhelzing van haar lord. De barrières losten tussen hen op, waardoor haar hart lichter werd en haar tong losser. De Middeleeuwen waren weer een avontuur, geen gevangenis. Zijn handen gleden van haar middel naar haar billen en duwden haar hard tegen de harde zwelling tussen zijn dijen. Toen ze haar mond weer kon gebruiken, fluisterde ze: 'We zijn in de kerk.'

Edward keek om zich heen en realiseerde zich dat ze gelijk had, hij leek verbaasd dat hij een godshuis had uitgekozen voor deze tedere hereniging. Wat hem er niet van weerhield om haar nog meer te kussen terwijl zijn hand in haar halfopen jurk glipte, de stof van haar slip optilde en met zijn vingers langs haar huid streek. Als een typische vrome, middeleeuwse Engelsman veronderstelde Edward dat als een vrouw graag wilde, de Heer dat zeker zou begrijpen, hij was tenslotte zelf een man.

Zij vond het ook moeilijk om tegenstand te bieden. Het was zoveel beter als hij haar vasthield en kuste dan in haar eentje op de vlucht te moeten zijn. Voor het eerst in weken was ze bereid om zichzelf op te offeren, helemaal, en dat nog wel in de kerk. Wilde de Heilige Maria haar iets vertellen? Temple Guiting was gewijd aan de maagdelijke passie van een heilige voor haar redder, net als die van Maria Magdalena voor Jezus, maar Robyn had geen haast om haar profane geliefde mee naar buiten te nemen, waar haar dienstmeid, Edwards broer en de paarden stonden te wachten. Ze sloot haar ogen en besloot dat als ze dan moest zondigen, ze dat beter privé kon doen met alleen God als getuige.

223

'Neemt u me niet kwalijk, m'lady.' Het in Wexford-accent uitgesproken Keltisch doorboorde haar duizelingwekkende euforie, het duurde dan ook even voordat ze in de gaten had dat het niet Edward was geweest. Ze deed haar ogen open en zag dat Deirdre naast haar stond die beleefd de blote schouders in een godshuis negeerde. 'Het spijt me, m'lady, maar ik moet u spreken.'

Nu? Je meent het niet! Nog steeds met Edward verstrengeld, staarde Robyn stomverbaasd naar haar meid en vroeg: 'Waarom in hemelsnaam?'

Deirdre maakte snel nog een knicksje en zei: 'Er komen ruiters aan, m'lady. Gewapende ruiters.'

'Wat zegt ze?' vroeg Edward met nog altijd zijn hand in haar jurk, zijn vingers spanden zich om haar borst.

Verschrikt probeerde Robyn haar rij-jurk bijeen te houden en vroeg: 'Wat voor ruiters? Hoeveel en hoe zwaarbewapend?'

'O, heel veel, m'lady.' Deirde was van haar stuk gebracht. 'Meer dan ik kan tellen. Zeker honderden, en ze zien er allemaal uit alsof ze naar een oorlog gaan, met boogschutters, zwaarden en akelig grote bijlen.'

'Vertel me wat ze zegt,' eiste Edward, hij sprak niet genoeg Keltisch om het gesprek te kunnen volgen.

Robyn haalde zijn hand van haar borst en begon als een razende haar jurk weer vast te knopen. Ze zei tegen hem: 'Deirdre zegt dat er ruiters aankomen. Gewapende ruiters.'

'Wat voor gewapende ruiters?' Edward ging onmiddellijk rechtop staan en legde zijn hand op haar rug om haar te ondersteunen. 'Wie kan dat nou zijn?'

'Doet het ertoe?' vroeg Robyn nog steeds als een razende in de weer met haar bandjes, in deze tijd leken liefde en gevaar onafscheidelijk met elkaar verbonden. 'Welke vijand had je het liefst? Hertog Holland? De Tudors? Of alleen maar de wet die achter mij aanzit?' Gewapende mannen waren altijd een slecht voorteken, erger dan een kus in de kerk.

Ze nam hem bij de hand en knielde naast hem voor het altaar, snel een schietgebedje prevelend. Toen vroeg ze Edward: 'Wil je op de Heilige Maria zweren dat we samen over de kroon beslissen? Dat geen van ons de ander aan de kant schuift?'

Het was belangrijk voor haar dat die belofte werd bevestigd en Edward knikte ernstig. 'Moge de Heilige Maria me bijstaan, ik zweer het.'

Zij legde ook een eed af, toen liepen ze door de open deur en kwamen in het middagzonlicht tevoorschijn. Rutland stond bij de paarden en hield ongerust de wacht bij de bomen aan de rand van het

224

kerkhof. Door de bomen zag ze vanaf Kineton een stoet ridders en gepantserde boogschutters in noordelijke richting rijden, met achter hen karren en wagens, en daarachter het voetvolk. Het lage zonlicht glinsterde op hun grote, vlijmscherpe lansen. 'Hertog Hendrik van Somerset,' concludeerde Edward onmiddellijk. 'Zie je zijn leeuwen en lelies?'

Verschillende neven van koning Hendrik gebruikten dat koninklijke embleem en Robyn zag dat Edward ze van een afstand kon herkennen. 'Zat hij niet op Corfe?' vroeg Robyn. Somerset had op Corfe Castle standgehouden, een onneembare koninklijke burcht aan de kust bij Dorset.

'Kennelijk niet.' Edward keek om zich heen en schatte zijn kansen in. Dit was geen tijd om de held uit te hangen, hij was zelf maar half bewapend en verantwoordelijk voor twee vrouwen en een tengere jongere broer. Zelfs vluchten leek een risico omdat ze met zijn vieren maar drie paarden hadden.

'Wat zullen we doen?' vroeg ze, ze wilde bij elke beslissing betrokken worden voordat de zaak uit de hand liep.

Hij keek haar ernstig aan. 'Dit is heel gevaarlijk. Zolang Somerset veilig op Corfe zat opgeborgen, hoefden we ons geen zorgen te maken. Nu is hij op drift geraakt, maar met een kleine duizend man. We moeten erachter zien te komen wat hij van plan is en wie hij gaat aanvallen. En hem tegen zien te houden voordat hij tweedracht kan zaaien of de wijk kan nemen naar Wales en zich bij de Tudors kan voegen. We hebben koninklijke troepen bij Wallingford en vanaf de Theems kunnen we stroomafwaarts bericht naar Londen sturen, maar iemand moet lord Saye bij Broughton op de hoogte stellen, en Hastings...'

'En de Greys,' voegde Robyn eraan toe. De duizend man van Somerset reden regelrecht naar Greystone.

'Ja, de Greys,' stemde Edward in, 'en al hun familieleden. En het daarachter liggende March om Somerset van de Tudors af te snijden totdat ik mijn mannen stroomopwaarts heb verplaatst.' Edward geloofde in snelheid, hield van genadeloos toeslaan voordat de vijand zelfs wist dat hij eraan kwam, en zo de tegenstand te ontwapenen. Calais, Sandwich, Canterbury en Londen waren allemaal zonder slag of stoot gevallen. Alleen bij Northampton had hij strijd moeten leveren, hoe kort ook. Maar nu had Somerset gewapende troepen bij zich en moest worden tegengehouden voordat hij een heel leger bijeen had.

'Ik heb Joanna Grey gewaarschuwd,' zei ze tegen hem, 'zodra ik de ring kreeg.'

Zijn bruine ogen sperden zich verrast open. 'Je bent een zieneres.'

'Niet echt,' gaf ze toe. 'Het was maar een vage waarschuwing.'

'Vage waarschuwingen zijn beter dan helemaal geen, je blijft dan op alles voorbereid.' Edward wees op een metaalschittering aan het uiterste einde van de Windrush. 'Somerset is ook op alles voorbereid, zie je, hij heeft verkenners vooruitgestuurd om de brug te bewaken en Louse Hill te doorzoeken.' Robyn volgde zijn vinger en zag nog meer ruiters het bospad af komen dat naar de lange grafheuvel en de abdij van Hailes liep, ze kwamen regelrecht hun richting uit. Een stuk of tien boogschutters te paard onder aanvoering van een sergeant in de roodwit-met-blauwe Somerset-kleuren. 'Ze moeten door Critchford zijn gekomen,' concludeerde Edward, 'onder dekking van Guiting Wood.'

Edward leek allerminst bezorgd, hoewel de verse sporen van Lily en Ainlee direct naar de voet van de heuvel liepen waar zij stonden. Terwijl Somersets hoofdtroepen rechtstreeks naar de bomengroep rond de kerk reden en meer ruiters de brug achter hem veiligstelden, deed Edward alsof hij Somerset in de val had laten lopen en hem in de verdediging had gedrukt. Hij was absoluut van plan om de afgedwaalde hertog te strikken en totaal niet bezorgd over wat Somerset hem zou kunnen aandoen. Er moest naar twee kanten toe alarm worden geslagen, langs de Theems om troepen uit Londen te kunnen samentrekken en vanuit March, zodat Somerset van de Tudors zou worden afgesneden. Edward vatte het beknopt samen: 'Iemand moet naar Wallingford en Londen bericht sturen. En iemand moet de Greys waarschuwen.'

Robyn knikte en wist dat die tweede opmerking op haar sloeg. Deirdre alleen ging niet lukken, een dienstmeid te paard die uit de bossen kwam aangestormd zou alleen maar ongewilde aandacht trekken. Somerset moest beziggehouden worden en van deze plek worden weggelokt. Wat hertog Somerset betrof waren Edward en Rutland nog altijd ter dood veroordeelden bij wie het vonnis alleen nog maar voltrokken hoefde te worden. Ze zei tegen hem: 'Deirdre en ik kunnen de Greys waarschuwen. Jij en je broer blijven hier en sturen het nieuws stroomafwaarts als Somerset voorbij is.'

Door haar voorstel werd Edwards aandacht van Somerset afgeleid, hij pakte haar handen vast en vroeg: 'Denk je dat je dat veilig kunt doen?'

'Ik, veilig?' Ze lachte hem uit om dat malle idee. 'Ik ben nu de verraderlijke bandiet, beschuldigd van talloze zware misdrijven.' Robyn van Pontefract, vrouwe op de vlucht. 'Het is voor mij stukken veiliger om hertog Somerset tegen het lijf te lopen dan een bericht naar Londen te sturen.'

Meesmuilend moest Edward toegeven dat ze gelijk had. Ze was veiliger af als ze de wildernis van de Cotswolds in reed dan bij een ontbijt in zijn vertrekken op Westminster. Toch haatte hij het om haar weer te moeten laten gaan en hij hield haar handen steviger vast. 'Wat als Somerset je toch bij de kraag vat? Hoe kun je de Greys dan waarschuwen?'

'Bedenk dat ik ook een heks ben.' Robyn had haar plan al getrokken, ze wilde dat alleen niet aan hem prijsgeven totdat het te laat was om haar tegen te houden. 'Maar dan moet ik snel zijn, er komen gewapende mannen deze kant op.'

Hij kuste haar omstandig en smeekte haar toen: 'Houd als het even kan Somerset in de gaten. We moeten weten waar hij naartoe gaat. Hij heeft nu nog maar een paar honderd man bij zich, maar als hij Wales kan bereiken en samen gaat werken met de Tudors, dan zijn we gesjochten.'

'Op één voorwaarde,' stemde ze in.

'Wat?' Edward had inmiddels wel geleerd voorzichtig te zijn met haar buitenissige voorwaarden.

Ze keek hem recht in zijn bruine ogen en sprak langzaam en duidelijk, zodat hij haar niet kon misverstaan. 'Dat je hem niet doodt.'

'Wie doodt?' Edward keek haar verward aan. 'Somerset?'

'Ja.' Ze gebaarde naar Deirdre dat ze op moest stijgen, ze wilde bij de begraafplaats vandaan zijn voordat de boogschutters te paard er waren. 'Zweer je dat je je uiterste best doet om hem te sparen, in de strijd of in de achtervolging, tenzij hij is veroordeeld voor een echte rechtbank vanwege echte misdaden?'

'Waarom?' Het was niet de eerste keer dat ze haar geliefde verraste. 'Ken je hem dan?'

'Helemaal niet.' Somerset was Jo's halfbroer, maar tijdens haar hele verblijf in de Middeleeuwen had hertog Somerset hier en daar een geïsoleerd kasteel verdedigd. Eerst voor gekke Hendrik en later voor koningin Margaret. Toen Robyn aan het hof was in Kenilworth, zat hertog Somerset in de moerassen van de Calais Pale, waar hij uit naam van de koning Guines Castle bewaakte. 'Ik heb hem nooit echt ontmoet, maar ik ga niet een man in de gaten houden alleen maar omdat hij uiteindelijk vermoord gaat worden. Ik zou hem niet in de ogen kunnen kijken of naar hem kunnen luisteren in de wetenschap dat ik hem heimelijk naar de dood leid. Je mag hem gevangennemen en verslaan, maar daarna moet je hem sparen en alles uit de kast halen om hem aan jouw kant te krijgen.'

Edward schudde verbijsterd zijn hoofd, want wat zijn vrouwe hem vroeg was geen sinecure. Somerset was een Beaufort, de zoveelste neef van de koning, met zijn eigen aanspraken op de troon. Somerset verachtte niet alleen het Huis van York en gaf hun de schuld dat zijn vader was gesneuveld, maar hij was ook nog eens een directe manne-

227

lijke afstammeling van koning Hendriks grootvader. Hij stond boven aan een bastaardlijn van de koninklijke tak, en in tegenstelling tot de Tudors kwam in zijn familie geen krankzinnigheid voor. Als er iets met de bloedlijn van gekke Hendrik gebeurde, die er op dit moment heel slecht voorstond, had Somerset een rivaliserende claim op de kroon. Edward vroeg hoopvol: 'En als hij in de strijd sneuvelt?'

'Zolang jij hem niet vermoordt, maakt het me niet uit.' Niet helemaal waar, aangezien ze wilde dat er helemaal niemand in de strijd zou sneuvelen. 'Mannen gaan er prat op als ze in de strijd risico's nemen. Somerset zoekt die op, tot dusverre sta ik dat in de weg. Maar als jij wint, moet je beloven dat je hem spaart.'

Edward grijnsde, dit was al de tweede gelofte die ze uit hun korte ontmoeting had weten te slepen. 'Dat beloof ik.'

'En ook degenen die om genade smeken.' Hij kuste haar toegeeflijk om te voorkomen dat ze er nieuwe voorwaarden aan toe zou voegen. Ze bedacht dat er gewapende ruiters aankwamen, dus kuste ze hem kort en klom toen snel op Lily.

'Zorg dat je veilig bent, voor mij,' zei hij tegen haar toen hij Caesars teugels van Rutland overnam. 'Ik kom zo snel mogelijk met troepen terug om met Somerset af te rekenen.' Hij leidde Caesar naar de beschutting van de kerk, waar hij vanaf de weg niet zichtbaar was en verdween tussen de bomen. Hij was zomaar weg en ze draaide zich om om de problemen van nu tegemoet te treden. Ze waren nog geen uur samen geweest, maar ze hadden elkaar gezien, gekust, het goed gemaakt, twee geloftes afgelegd en waren heel dicht bij heiligschennis geweest. Niet gering voor een tijdperk dat bij de zonnewijzer leefde.

Het mooiste van alles was dat Edward haar had beloofd dat hij geen koning zou worden, niet zolang er iemand zijn plaats in kon nemen, of het nu Hendrik, paps of Rutland was. Dus zou de koning opnieuw ter discussie staan – en dat zou er fel aan toegaan – maar nu moest ze ervoor zorgen dat Edward veilig wegkwam. Ze zei tegen Deirdre: 'Zorg dat Ainlee het straks op een lopen kan zetten. Zodra we de bomen door zijn, rijd je regelrecht naar Greystone om de Greys te waarschuwen.'

'En u dan, m'lady?' Deirdre hield er niet van als ze van haar vrouwe werd gescheiden, ze bracht Ainlee dicht naast Lily.

'Ik kom vlak achter je aan.' Dat hoopte ze althans. 'Maar laat je vanwege mij niet ophouden, Greystone moet dit te horen krijgen.'

'Ik begrijp het.' Deirdre boog zich naar voren en gaf haar een afscheidskus. Ze zei: 'Wees voorzichtig, m'lady.'

Ze beloofde haar meid dat ze haar best zou doen, draafde toen met Lily het open veld in waar de ruiters van de brug haar konden zien. Ze hoopte dat ze hun aandacht kon afleiden van de plek waar Edward en

Rutland zouden oversteken. Zodra ze haar toeriepen dat ze halt moest houden, wendde ze de teugels en racete met Lily terug naar de weg in de richting van de vooruitgeschoven banieren van Somerset terwijl Deirdre de weilanden overstak en in noordelijke richting naar Greystone op weg ging. Hopelijk zou Deirdres afslag naar het noorden haar verbergen voor de boogschutters te paard. Robyn reed regelrecht het modderige pad af en plonsde naar de hoofdmacht van Somerset, als een leeuwerik die omhoogschiet om zijn nest te beschermen. Met veel kabaal liet ze zien dat ze er was en offerde zichzelf op om de gewapende ruiters van haar geliefde weg te leiden.

Robyn had er geen hoop op dat ze zelf kon ontkomen, dus nam ze bij zichzelf haar verhaal nog eens door, herhaalde wat ze tegen Somerset zou zeggen. Ze hield de teugels in voor de kluwen gewapende mannen te paard onder Somersets leeuwen en lelies, en ze zag de hertog onmiddellijk. In plaats van een helm droeg hij een grote, blauwe baret en hij leek heel erg op zijn neef, koning Hendrik – alleen was hij jonger en fitter – maar hij had dezelfde lange neus, scherpe gladgeschoren kin, de ernstige bruine ogen en donker haar. In tegenstelling tot koning Hendrik kon Somersets overmantel niet opzichtig genoeg zijn en hij bereed het beste paard, een grote, grijswitte hengst uit Andalusië, hoog en trots als een Lipizzaner.

Ze steeg af, maakte een kniksje voor de hertog en zei: 'Uwe genadiglijke hoogheid, ik ben lady Robyn Stafford van Pontefract, en ik bid u om bescherming.' Intussen bedacht ze dat ze nog steeds Edwards witte rozenring aan haar vinger droeg, een trots teken van haar verbintenis met het Huis van York.

'Lady Robyn Stafford?' Somerset had niet vernomen dat ze gepromoveerd was, sterker nog, hij had kennelijk nog nooit van haar gehoord. 'Van Pontefract?'

'Bij Koninklijk Besluit,' legde ze uit en ze sloeg haar handen ineen om de gehate witte roos te verbergen, 'van onze allerdoorluchtigste en soevereine koning Hendrik.'

'Ah, dat verklaart alles.' Somerset moest lachen om de laatste uitspatting van zijn verwarde neef. 'U bent van harte welkom onder onze bescherming, m'lady. En wie reed daar net weg?'

Zijne excellentie bedoelde Deirdre. 'Dat is mijn dienstmeid,' bekende Robyn en ze wrong in haar handen, daarmee wanhoop voorwendend terwijl ze worstelde om de ring van haar vinger te halen. 'Ze is Ierse en gauw bang. U hebt haar waarschijnlijk afgeschrikt.'

'En waar gaat uw bange meid naartoe?' vroeg Somerset, geamuseerd omdat Deirdre zich zo halsoverkop uit de voeten had gemaakt.

'Greystone.' Ze knikte naar het noorden terwijl ze de belastende ring in haar zak wegstopte. 'Daar gaat ze naartoe.'

Somerset had de ring niet opgemerkt en ze toverde haar glimlach weer tevoorschijn. Hij vroeg alleen maar: 'Waarom Greystone?'

'Om Londen te ontvluchten,' bekende ze snel, van slag door de toestand met de ring en worstelend om de leugens tot een minimum te beperken. Ze mocht Somerset wel, hij was van haar leeftijd, iets jonger misschien, met een ironisch soort humor, en hij zat lekker in zijn vel. Veel koninklijke hertogen zouden geen praatje maken met verdwaalde dames, laat staan dat ze bescherming zouden bieden.

'Londens verlies is onze winst.' Zijne excellentie bekeek haar eens en het beviel hem wel wat uit het niets was komen aanrijden, hij zei stellig: 'Ik kan me niet voorstellen wat een zo beminnelijk en liefallig persoontje als u Londen heeft aangedaan dat Londen u zomaar heeft laten gaan?'

Somerset wilde duidelijk sappige verhalen horen. Ademloze lady's die langs de kant van de weg om bescherming vroegen waren hun redders een goed verhaal verschuldigd. Ze boog plechtig haar hoofd en probeerde niet op te scheppen. 'Uwe genadige excellentie, vergeef me alstublieft, ik word beschuldigd van opstand tegen de Act of Accord en het beramen van de moord op hertog Richard van York.'

Somersets metgezellen juichten om haar initiatief en zeiden dat alle Londense dames haar lef en verbeeldingskracht zouden moeten hebben. Ze hadden zelf Corfe Castle verlaten om zich tegen de Act of Accord te verzetten en hertog Richard te vermoorden, als ze de kans zouden krijgen. 'Elke vrouwe die zoiets onderneemt, verdient onze bescherming,' verklaarde Somerset. 'Vind je ook niet, Devon?'

Thomas Courtenay, graaf van Devon, was het met Somerset eens, Robyn maakte weer een revérence en vroeg ook om zijn bescherming, waarmee ze nog meer tijd kon rekken. Ten slotte brak hertog Somerset de formaliteiten af en zei: 'Kom, vrouwe Stafford, we zullen uw lichtgeraakte dienstmeid gaan vangen.'

Met haar smeekbedes had ze Somersets kleine leger weten op te houden en ze wilde proberen de Greys genoeg tijd te geven om een stuk of honderd gewapende rebellen op ze af te kunnen sturen. Toen ze weer opsteeg, reden de sergeant en zijn boogschutter naar voren en zwaaiden als jachttrofeeën met de roze jurk en de sluier. Somerset draaide zich naar haar toe en vroeg: 'Is die van u, vrouwe Stafford?'

'Zeker niet, uwe excellentie,' zei ze met haar hoofd schuddend, blij dat ze niet hoefde te liegen. 'De laatste keer dat ik ze heb gezien, waren ze een boom aan het verwarmen.'

Somersets mannen lachten ongelovig en geamuseerd, en hielden het erop dat haar gevluchte dienstmeid ze had laten vallen. 'U weet hoe onhandig Ieren soms kunnen zijn. Ik vind de vrouwe maar dapper dat ze er een in dienst heeft.' Ze maalde niet om hun uitspraken, zolang ze maar niet op zoek gingen naar de werkelijke eigenaar, ze zouden zeker niet vermoeden dat de graaf van Rutland ze had gedragen. Blij dat ze hen om de tuin had weten te leiden, ging Robyn achter hertog Somerset rijden toen ze achter Deirdre aan gingen, zonder enige hoop dat ze haar te pakken zouden krijgen.

Voorbij Temple Guiting kon Robyn zich ontspannen, ze zag het kerkhof achter zich verdwijnen en Edward en broer Rutland zaten veilig tussen de bomen verstopt, als ze de Windrush inmiddels niet al waren overgestoken. Afleidingsmanoeuvre volbracht. Ze was bang geweest dat iets door Edwards dekmantel heen zou breken, of dat Somerset op het idee zou komen het kerkhof te doorzoeken, maar voor deze ene keer was het gegaan zoals ze had gehoopt en waarvoor ze had gebeden. Deze mannen in satijn en maliën mochten dan Edwards vijanden zijn, voor haar waren ze uiterst vriendelijk en zich er totaal niet van bewust dat Londen haar beschouwde als Edwards 'vrouwe'. In een beschaafd tijdperk zouden haar naam en foto overal in de roddelpers zijn verschenen, compleet met telefotokiekjes van een met haar spelende Edward. Het dichtste wat hier bij de landelijke media in de buurt kwam, was het gesproken woord. Deze mannen hadden de zomer in Cornwall en Calais Pale doorgebracht en wisten nagenoeg niets van de gebeurtenissen in Londen, en wat ze wel wisten stond hen niet aan. Wat hun betrof was ze een knappe uitspatting van koning Hendrik en mogelijk een meervoudige schurk, en aangezien ze zelf verraders waren, vonden ze haar prima gezelschap. Somerset nodigde haar uit om naast hem te komen rijden en vroeg: 'Hebt u werkelijk een moord op hertog Richard beraamd?'

'Nee.' Ze schudde beslist haar hoofd. 'Ik ben volkomen onschuldig.' Van poging tot moord, althans, de beschuldigingen over hekserij en het afwijzen van de Act of Accord kwamen meer in de buurt.

'Jammer,' zei Somerset teleurgesteld, 'maar u geniet evengoed mijn bescherming. Ik heb me de dood van hertog Richard wel duizend keer voorgesteld in de jaren na de moord op mijn vader.'

'Dus uw lordschap haat hem werkelijk?' Het fatsoen gebood dat je in de derde persoon tegen edelen moest praten, alsof ze baby's of pups waren.

'Hertog Richard? Ik veracht hem.' Somersets goede humeur verdween en de door hertogin Wydville aangewakkerde familiehaat kwam aan de oppervlakte. Hij leek wel een schaduw van zijn vader, met zijn rode roos uitdagend zwaaiend in het gezicht van York tijdens die dramatische Halloweenscène. 'Hertog Richard heeft zich de dood van mijn vader voorgesteld en die bij Saint Albans laten uitkomen.'

Ze vertelde Somerset dat ze tijdens Halloween kaarsjes had gebrand op de tombe van zijn vader in Saint Albans. 'Samen met Joy

Grey, de bastaardzuster van uwe excellentie.'

'Wat geweldig vroom en attent, vrouwe Stafford.' Ontroerd door haar gebaar zei Somerset tegen haar: 'Ik verlang ernaar om Joy te zien wanneer we bij Greystone aankomen.'

Toen vroeg ze brutaal: 'En Edward van March? Haat u die ook?'

Somerset lachte bij het idee. 'Niet meer dan een serpent dat mijn koning tracht te bijten.'

Ze legde hem uit dat Edward koning Hendrik geen haar had gekrenkt: 'Terwijl hij en graaf Warwick dat makkelijk hadden kunnen doen.'

Somerset deed dat af als: 'Ze deden maar alsof, een truc om sympathie van hun jonkvrouwen te winnen. Let op mijn woorden, Edward van March is vast van plan om koning te worden.' Ze had net Edwards woord gekregen dat hij dat niet zou doen, maar het was niet erg handig om dat nu te zeggen. 'En op een dag zal hij koning Hendrik vermoorden,' voegde Somerset eraan toe, 'tenzij wij hem tegenhouden.'

Als het om het Huis van York ging, was Somerset niet te vermurwen, het broedsel van hertog Richard waren duivelse incarnaties. Gelukkig was het aan Edward om hem te overreden, zij hoefde hem alleen maar in de gaten te houden. Ze vroeg: 'En hoe zit het met graaf Warwick?'

'Ik geef vooral hem de schuld van mijn vaders dood,' verklaarde Somerset. 'Hertog Holland en ik wilden hem te grazen nemen op de weg naar Londen, net zoals hij mijn vader heeft omgebracht, maar iemand heeft hem gewaarschuwd.'

Over één ding waren ze het tenminste eens: Warwick was een weerzinwekkend insect, hoewel Robyn niet dacht dat de gewapende aanval het juiste middel was. Nu Edward in veiligheid was, voelde ze zich aan de wereld overgeleverd, en ook al kon ze Somerset niet op andere gedachten brengen, ze kon hem wel beter leren kennen. Ze vroeg over zijn tocht, probeerde uit te vissen waar deze op drift geraakte hertog naartoe op weg was. Maar Somerset zei alleen maar waar hij geweest was, hij beschreef de rit vanaf Corfe, via Bath en Cirencester, het klonk meer als een herfstuitstapje dan een militaire campagne. 'We hebben een uitstekende tocht achter de rug, alleen die regen... We werden overal verwelkomd, we zijn niet de minste tegenstand tegengekomen.'

Haal je de koekoek. Tot dusverre hadden Somerset en Devon door de heuvels gereden, en steden als Bristol en de dichtbevolkte Theemsvallei links laten liggen. Zolang ze onderweg betaalden en op doorreis waren, wie zou daar dan tegen in het geweer komen? Het zou een stuk moeilijker worden als ze Wales of de Marches zouden binnentrekken, waar het land minder vriendelijk was en de meeste kastelen tegen hen werden verdedigd. Niet dat het Somerset iets leek te schelen, hij maakte opgewekt grappen met zijn metgezellen en lachte luidkeels om haar verhalen uit Londen. Hij gaf niet de indruk dat hij moeilijkheden verwachtte. Lange, kille schaduwen kropen uit de bomen tevoorschijn toen de late winterzon achter Cotswold Edge wegzonk. Somerset was de perfecte gentleman en het deed haar verdriet dat hij en Edward in oorlog waren, maar ze was dubbel blij dat ze Edward had laten beloven dat hij hem moest sparen. De laatste keer dat ze vrede had probeeren te sluiten was ze in de Tower terechtgekomen, maar nu had ze het grote voordeel dat ze wist dat de natie achter haar stond. Engeland wilde vrede en op een dag zouden die feodale edelmannen toch echt het hoofd moeten buigen.

Voor zich uit zag ze dat Greystone met toortsen verlicht was, de poort in de vestingmuur stond wijdopen, er was niet geprobeerd om het half verbrande kasteel in staat van verdediging te brengen. Joanna Grey was vroeger de minnares van de oude Somerset geweest, waardoor ze een bastaardrelatie hadden, maar bij Northampton waren Collin en zijn oom naar York overgelopen en hadden koning Hendrik met zich meegenomen. Somerset en Devon beschouwden dat als hoogverraad en ze konden heel goed de lord van Greystone verantwoordelijk stellen voor de verloren strijd alsmede de dood van hertog Buckingham en lord Egremont. Gelukkig wisten ze niets van Robyns rol bij Northampton, behalve dan dat ze koning Hendrik tijdens de veldslag had bijgestaan en een koninklijke beloning in de wacht had gesleept.

Jo begroette hen bij de vestingpoort, ze droeg de blauw-met-witte familiekleuren afgezet met zilverdraad en daarboven een hoofdtooi in de vorm van een maansikkel. Bryn en Joy waren meegekomen evenals haar trouwste hofdames, allemaal in blauw en zilver. Geen van hen was gewapend, tenzij je Nest meetelde, Bryns reusachtige verzorger annex bewaakster, die haar grote scherpe strijdboog in de aanslag had. Maar dat deed ze vooral opdat niemand die van haar af zou pakken. Er was geen man te bekennen. Jo ontving ze als gasten, liet haar dames een revérence voor de hertog maken en zei: 'Welkom mijn goedgunstige en genadige heren, aanvaardt u alstublieft onze gastvrijheid. Op de binnenhof is voedsel en onderdak voor de mannen van uwe excellentie, binnen kunt u van wijn en muziek genieten. Kom alstublieft binnen, rust uit en neem wat verfrissingen.'

Staljongens verschenen en namen de paarden aan en oudere dienaren serveerden bier, braadstuk en warme pap voor Somersets ruiters, maar de mannen van soldatenleeftijd waren nadrukkelijk afwezig. De bedoeling was duidelijk: de mannen lagen gewapend in de heuvels en keken toe hoe de vrouwen werden behandeld terwijl er nachtelijke berichten uitgingen naar vrienden en verwanten. Ze konden op twee manieren omgaan met deze overweldigende aantallen, je verdedigen en proberen een beleg te weerstaan of je poorten opengooien en een feestmaal aanbieden. Voor het eerste waren ze niet sterk genoeg, de Greystones moest zich zien te verdedigen met voedsel en een glimlach.

Dat kwam Somerset prachtig uit. Hij verborg zijn vijandschap voor de Greys vanwege hun verraad bij Northampton, beklom met ferme tred de trap, gaf zijn bastaardzuster een kus en een geschenk – twee ivoren haarkammen – en zei: 'Alsjeblieft, een vroeg kerstcadeau.' Hun vader stuurde Joy altijd kerstgeschenken en Somerset had die taak overgenomen toen hij graaf werd. 'Met Kerstmis ben ik niet hier, dus geef ik je ze nu maar vast.'

Joy was wat blij dat ze haar cadeautje zo vroeg kreeg. Somerset en Devon verdwenen in een kleedkamer om hun wapenrusting uit te trekken terwijl harpspelers in de hoofdhal begonnen te spelen en dienaren het diner klaarzetten. Robyn trok zich boven terug in het kamertje boven de pantry, waar Jo haar hielp kleden voor het dinerdansant en haar bedankte voor Deirdres waarschuwing. 'Collin heeft bericht gestuurd naar Sudeley en lord Saye in Broughton, ook heeft hij de Greys in de Marches gewaarschuwd voor het geval Somerset die kant opgaat.'

Robyn worstelde zich in haar mooiste jurk van zilverstof en zei tegen Jo: 'We moeten erachter zien te komen waar hij naartoe gaat. Als dit snel achter de rug is, heeft Edward gezworen dat hij Somersets leven zou sparen.'

'O ja?' Jo's ernstige ogen sperden zich open. Ze was voor Somerset net zo bang geweest als voor Greystone. Nu ze de zoon van haar geliefde ten strijde zag trekken, moest dat wel herinneringen oproepen aan de dood van zijn vader. Jo vroeg zachtjes: 'Hoe weet je dat?'

'Wat denk je?' fluisterde ze terug, driftig haar glanzende zilveren mouwen rechttrekkend. Beneden begon een blikken hakkebord met de harpen mee te spelen.

'Is Edward hier?' Jo klonk verbijsterd, niet bepaald de reactie waarop Edward had gehoopt bij zijn terugkeer naar zijn graafschap.

'Was hier.' Inmiddels zou Edward wel bij de Theems zijn om troepen tegen hertog Somerset samen te trekken. 'Ik heb hem laten zweren dat hij zijn uiterste best zou doen om Somerset te sparen, en ieder ander die om genade zou vragen. Anders wilde ik hem niet helpen.'

Op Jo's ernstige gezicht vochten hoop en angst om de voorrang, ze woog Somersets kansen af terwijl ze beschermende zilveren belletjes op Robyns lijfje naaide. Het moest moeilijk voor haar zijn dat haar broer en de zoon van haar geliefde vijandig tegenover elkaar stonden.

Jo fluisterde tussen de naalden in haar tanden door: 'Denk je dat Edward zich aan die belofte houdt?'

'Zeker.' Robyn wilde dat ze net zo zelfverzekerd was als ze klonk. 'Zeker als er snel een einde aan komt, zonder bloedvergieten, en ik blijf in de buurt om ervoor te zorgen dat Somerset niets overkomt. Maar als er een complete veldslag losbarst...'

Niemand hoefde Jo te vertellen hoe hachelijk veldslagen konden zijn. Ze zette het laatste belletje vast, stond op en gaf haar een kus. Ze zei: 'Dank je wel, dank je wel. Als ik hem zou verliezen, lijkt het net alsof ik zijn vader weer kwijtraak. Ik zal je helpen, zolang de berichten alleen naar Edward gaan, niet naar Warwick of York. En we moeten proberen erbij te zijn, om erop toe te zien dat Edward zich aan zijn belofte houdt.'

Dat was nogal wat, maar Jo was verzot op onmogelijke opdrachten. Somerset had niet gezegd waar hij naartoe ging, behalve dat het niet in de buurt was, dus Robyn probeerde niet te veel verwachtingen te scheppen bij Jo. Ze zei alleen maar: 'Laten we tenminste uitvinden of hij naar het westen of noorden gaat.' Naar het westen betekende dat hij bij Tewkesbury de Severn zou oversteken en regelrecht naar Wales zou galopperen. Naar het noorden zou betekenen dat hij bij Evesham de oversteek zou maken en dan naar de Marches zou oprukken, of misschien wel nog verder naar het noorden.

Robyn zette haar hartvormige hoofdtooi op en dacht aan haar geheime geschiedenisboekje over die periode, waar zelfs Jo niets van afwist. Zou Somersets opmars daarin staan? Als het belangrijk is geweest, was dat heel waarschijnlijk. Op de achterkant bezwoer een Britse geschiedkundige van naam dat het 'een complete en leesbare geschiedenis van de Rozenoorlog' was. Maar Robyn had geen tijd om stiekem het boek te raadplegen en ze was bang voor wat ze erin zou aantreffen. Als Somerset erin zou slagen om Edward te pakken te krijgen, of als Edward hem zou ombrengen, wilde Robyn dat niet van tevoren weten. Beter om de informatie op de ouderwetse manier uit Somerset los te krijgen.

Jo deed een stap naar achteren, keek haar aan en zei: 'Je ziet er allemachtig prachtig uit.' Bryn had haar groene sprookjesgewaad aan waarmee ze in Londen menig hart had gebroken. Jo droeg zelf een blauwe baljurk afgezet met nog meer zilveren belletjes. Terwijl hun mannen versterkingen samentrokken, daalden de vrouwen van Greystone met tingelende belletjes op hun jurk de stenen trap af naar de harpgeluiden, allemaal om met de vijand te gaan dansen, tot grote blijdschap van Somerset en Devon. Ze konden toch niet persoonlijk bij sir Collin verhaal halen over zijn verraad, dus konden ze maar het beste met zijn zuster en mooie Welse dame dansen. Ze zwierden bij het toortslicht, maakten ingewikkelde figuren, gingen in elkaar op of lieten elkaar los, op de tonen van de muziek die de twee verdiepingen tellende hal vulde. Jo nam haar rol als gastvrouw weer op en vroeg aan Somerset: 'Blijft uwe excellentie morgen ook nog?'

Somerset keek haar oprecht verontschuldigend aan, schudde zijn hoofd en zei: 'Het spijt me zeer, maar we moeten vertrekken.'

'Echt waar?' Robyn rook haar kans en nam een trage slok van haar zilveren bokaal. De pittige gemberwijn proefde warm op haar tong en verwarmde haar vanbinnen op deze koude novemberavond. 'Komt dat even schitterend uit.'

'Hoezo?' Somerset klonk teleurgesteld dat ze zo opgetogen was dat hij vertrok.

'Omdat ik ook wegga,' legde ze uit terwijl ze nog een nipje gemberwijn nam. 'En ik zou graag een escorte bij me hebben, als uwe excellentie zo vriendelijk wil zijn.'

Somerset glimlachte weer. 'Waarheen, m'lady?'

Ja, waarheen? Aangezien Somerset niet had verteld welke kant hij uit ging, moest ze er een slag naar slaan. Vanuit Greystone kon je prima naar het westen trekken, door Tewkesbury en Hereford naar Wales, maar ook via Evesham naar het noorden. Tewkesbury of Evesham? Aangezien Somerset zijn mond stijf dicht hield, moest ze een keus maken. Tot nu toe hadden ze het niet over Wales gehad of over samenwerking met de Tudors, ze kon zich ook niet voorstellen dat hertog Somerset naar Midden-Wales zou verdwijnen, niet nu de Greys, Vaughns, Tiptofts en Baskervilles het gras al voor zijn voeten hadden weggemaaid. Somerset schatte zichzelf hoger in dan dat. 'In elk geval tot Evesham,' opperde ze, 'als dat niet te ver is.'

'Zeker niet,' verklaarde Somerset, 'ik zal u met alle liefde veilig in Evesham afleveren. Zelfs nog wel verder.'

'Gaat uwe excellentie ver naar het noorden?' Robyn probeerde de vraag zo onschuldig mogelijk te laten klinken.'

Somerset moest lachen. 'Hoe ver wil de vrouwe dat ik ga?'

Er schoot haar maar één antwoord te binnen. 'Ik moet mijn landgoed Pontefract bezoeken.' Eigenlijk koning Hendriks landgoed Pontefract, maar alle landerijen in Engeland behoorden technisch gesproken de koning toe, en alle landeigenaren waren aan hem verantwoording verschuldigd, dus ze overdreef niet. 'In deze onzekere tijden is het goed om op je huishouden te passen. Bovendien word ik door de wet gezocht, dus eigenlijk kan ik nergens anders heen.'

'Een onrechtvaardige wet,' merkte Somerset beminnelijk op. Merkwaardig dat deze knappe, jonge 'vijand' haar zaak zo hartstochtelijk was toegedaan. En hij deed ook niet alsof, om indruk te maken op een eigenzinnige vrouwe in nood. Somerset haatte de Act of

Accord oprecht en beschouwde het niet als verraad om hertog Richard te weerstreven, die het koningschap van een kindprins had gestolen. In alle ernst zei hij tegen haar: 'Als de vrouwe dat wil, zal ik ervoor zorgen dat ze veilig in Pontefract aankomt.'

'Dank u zeer, excellentie. U bent buitengewoon vriendelijk en hoffelijk.' En ze meende het ook nog. Hij gedroeg zich uitermate menselijk tegenover haar en hij bood haar werkelijk bescherming aan, waardoor ze zich schuldig ging voelen dat ze tegen hem samenspande. Ze moest een manier zien te vinden om de hertog terug te betalen, los van de meest voor de hand liggende manier. 'Maar ik wil u in deze moeilijke tijden niet tot last zijn.'

Somerset lachte spottend. 'Geen vrouwe die een toevluchtsoord nodig heeft is een ridder tot last. U zult de sombere weg naar Yorkshire alleen maar opvrolijken. Een toost op het leengoed Pontefract.'

Ze nam een slok en vroeg zich af wat ze zich nu weer op de hals had gehaald, zo te horen een reisje naar Pontefract, tenzij Edward op tijd terug was om hen tegen te houden. Maar het was de moeite waard, als ze tenminste als vredestichter kon fungeren en Edward en Somerset ervan kon weerhouden elkaar te vermoorden. Edward had haar al beloofd dat hij Somerset zou sparen en zolang zij in de buurt was, had ze er alle vertrouwen in dat hij die belofte zou houden. Het zou heel wat meer moeite kosten om zo'n belofte uit Somerset te wurmen, onmogelijk zelfs, maar ze rekende erop dat Edward hem zou verslaan. Een veilige gok, aangezien haar geliefde elke tegenstander die ze tegen waren gekomen had verslagen en als het even kon hun levens had gespaard, inclusief dat van Collin, koning Hendrik en de lords in de Tower die Londen in brand hadden gezet.

Die nacht werden er in het geheim boodschappen vanaf Greystone verstuurd, een betrouwbare dienaar reed met de duivel op zijn hielen naar Londen, met een bericht persoonlijk aan Edward gericht: 'De duif die u op de weg naar Temple Guiting hebt gezien, vliegt naar het noorden en wordt gevolgd door een roodborstje.'

Rutland had gelijk gehad: het regende die nacht, maar het dak hield het en de dag begon helder maar koud, er zat sneeuw in de lucht. Door verder naar het noorden te rijden zou ze ook verder de winter in rijden. Jo en Joy gingen met haar mee, in elk geval tot Coventry, om ervoor te zorgen dat Somerset niet plotseling naar de Marches zou terugkeren. Zij speelden dubbelspel maar hertog Somerset kon net zo goed hetzelfde doen, dat konden ze niet verhelpen. Robyn vond het hoogst onwaarschijnlijk, aangezien Somerset openlijk in opstand kwam tegen de zo gehate regering, waarom zou hij tegen een mooie vrouwe liegen die hij onderweg was tegengekomen?

Bryn wachtte op Collins terugkeer en gaf Robyn een hartstochtelijke afscheidskus. Bryn wist dat Robyn en Collin de grenzen van sir Collins 'proef'huwelijk hadden verkend, en ook al verwachtte niemand dat dit weer zou gebeuren, was Bryn toch altijd blij als Robyn weer vertrok. Deirdre en Matt gingen ook mee, droegen dapper hun karmozijnrood-met-goud te midden van het koninklijke rood, wit en blauw van Somerset.

Toen ze naar het noorden over de Cotswoldweg reed, keek ze vanuit haar zadel achterom en nam inwendig afscheid van Greystone, dat voor haar tot twee keer toe een toevluchtsoord was geweest. Deze keer had de plek er tenminste niet van te lijden gehad. Ze had verwacht daar te zullen overwinteren, in elk geval tot Kerstmis, maar nu had ze Thanksgiving nog niet eens gehaald en was ze net als de Sint-Maartensgans vertrokken.

8

Robin Hood Hill

Evesham was een rustig abdijstadje, met een markt, tuinen en boomgaarden, aan drie kanten omgeven door een lange lus van de rivier de
Avon. Robyn reed vooraan in Somersets kleine leger, ze kwamen uit
het zuiden en staken nu bij Bengeworth de smalle brug over de Avon
over. Ze dineerden in de Benedictinus abdij en beklommen toen het
lage plateau daarachter. Ze miste Edward alweer met heel haar hart
en hoopte dat hij snel terug zou zijn om de fanatieke Somerset van
haar over te nemen. Boven op de Green Hill bleef ze met zijne excellentie staan om over de gloeiende bossen en velden uit te kijken die
door de glanzende rivier werden omringd. Somerset zei tegen haar:
'Hier zijn de rebellen van Simon de Monfort door Edward Longshanks in de pan gehakt. Graaf Simon was zo dwaas om een gevecht
aan te gaan met de rivier in de rug. De Mortimers blokkeerden de
brug achter hem en hij werd aan drie kanten door de Avon ingesloten,
ze hebben zijn hoofd naar Wigmore gestuurd, een geschenk aan lady
Mortimer.'
De lords uit March hadden een grof gevoel voor humor. Robyn had
een paar weken onder de rook van de Evesham Abdij gewoond, dus
ze kende het hele tweehonderd jaar oude verhaal. Net als haar
Edward was Simon de Montfort het lievelingetje van Londen en het
gewone volk geweest, en ook toen had hij een koning Hendrik op
sleeptouw gehad. De Montfort wist dat ze allemaal zouden omkomen
en had de koning gedwongen om in zijn eigen wapenrusting slag te
leveren. Maar zijne hoogheid wist zich er huilend uit te redden: 'Ik
ben Hendrik van Winchester, je koning. Doe me geen kwaad.' Hij
schreeuwde het keer op keer totdat iemand hem bij de slachtpartij
weghaalde. Graaf Simon was door de Welsh van Llywelyn in de steek
gelaten en bleef zwaar in de minderheid achter, zijn rebelse ridders
zijn in het harnas gestorven. Om met de geschiedschrijver te spreken:
'Dat gold ook voor de moord op Evesham, maar voor de strijd ging
dat niet op.'
Somerset hoopte kennelijk dat dit ook met Edward zou gebeuren,
als hij uit Londen naar het noorden of westen kon worden weggelokt
en door oppermachtige troepen in de val kon worden gelokt, wat
Robyn heel graag wilde voorkomen. 'Het gewone volk beschouwt
graaf Simon als een martelaar,' bracht ze Somerset in herinnering,
'een held die de macht van het parlement tegen de koning verdedigde.'

'Ze zeggen dat er een zwarte wolk voor de zon schoof toen hij stierf,' verklaarde Joy, die dol was op gruwelverhalen. 'En de mensen die van zijn bloed hadden gedronken, genazen op wonderbaarlijke wijze.'

Middeleeuwse chemotherapie. Somerset glimlachte alleen maar en zei: 'De plaatselijke monniken hebben die verhaaltjes verspreid en profiteerden van de goedgelovigheid van het volk.'

'In Alnwick hebben ze Simons voet in een zilveren schoen gevat,' voegde Joy er gretig aan toe, 'heimelijk gezegend door de monniken.'

Alnwick lag verderop tegen de Schotse grens aan, wat bewees dat de cultus van Simon de Martelaar verder reikte dan lokale geruchten. Lichtgelovig of niet, het volk placht nu eenmaal helden te maken van degenen die in hun strijd tegen onrecht stierven. Edward Longshanks was bij Evesham de overwinnaar geweest, veroveraar van de Welsh, de Hamer van de Schotten, de koning die in *Braveheart* Mel Gibson op gruwelijke wijze had omgebracht. Bovendien had Edward Longshanks een grote haat gekoesterd jegens wolven en joden, en bevolen dat ze uit het koninkrijk weg moesten. Met de moord op Simon de Montfort kwam er geen einde aan de roep van het volk om een rechtvaardige koning die naar het parlement wilde luisteren, maar ze betwijfelde het of hertog Somerset het ook zo zag.

Toch wilde hij het best proberen, want Somerset ging haar kant op om meer over haar te weten te komen. Hij vroeg haar over haar opvoeding in 'Staffordshire', waarvan ze moest toegeven dat die niet helemaal normaal was geweest, zonder dat ze met zoveel woorden zei dat het in een andere eeuw was geweest. Toen hij haar vroeg wat vroeger haar jeugdhobby's waren geweest, bekende ze dat ze veel van 'paardrijden en acteren' hield.

Somerset trok een wenkbrauw op. 'Niet bidden en handwerken?'

'Nee.' Ze schudde haar hoofd, hoewel ze beide met passie ter hand had genomen nadat ze in de Middeleeuwen was beland. Bidden en handwerken hielden haar heel, en in de kleren. 'Ik wilde eigenlijk wel dat ik daar meer van had meegekregen.'

'Ik zie dat u een ervaren paardrijdster bent.' Hij knikte naar Lily, die naast zijn strijdros kuierde en genoot van het gezelschap van de hengst. 'U steeg verbazingwekkend snel af en maakte zo'n snelle revérence toen we elkaar tegenkwamen, dat ik het betwijfel of ik dat in zijden rokken voor elkaar had gekregen.'

'Uwe excellentie is al te vriendelijk,' zei ze tegen hem. 'Ik weet zeker dat uw lordschap daar ook heel handig in zal zijn.'

Somerset moest lachen en zei dat hij zich bij zijn wapenrusting hield. 'Heeft u in Staffordshire geleerd zo vliegend af te stijgen?'

'Soms, bij het rijden zonder zadel, maar ik hou meer van tonracen.

Op mijn tiende was ik de kampioen van mijn district.'

'Hoe doe je dat, tonracen?' vroeg Somerset. 'Rol je dan de heuvel af?'

'Dan rijd je om tonnen heen, uwe excellentie.' Ze probeerde het principe van het spel uit te leggen en zei: 'Je moet te paard zo snel als je kunt om drie tonnen heen rijden. Als je een ton omvergooit, krijg je vijf strafseconden.'

'Vijf seconden?' Middeleeuwers gaven de tijd aan met waterklokken.

'Vijf hartslagen.' Min of meer.

'Dat lijkt me niet zoveel,' wierp Somerset tegen.

'Uwe excellentie zou verbaasd staan.' Ze weerstond de aandrang om hem haar digitale horloge tevoorschijn te halen en hem te laten zien hoe lang het duurde. 'Maar ik probeerde de tonnen te omzeilen.'

'Ze is miss Rodeo Montana geweest,' verklaarde Joy trots.

'De jonge vrouwen in Staffordshire krijgen maar een rare opvoeding,' besloot hertog Somerset. 'En waar ging dat acteren over?'

'Vooral toneelstukken en goedkope films, maar ik heb wel in een landelijke tv-reclame gezeten. Voor Nike.' De enige keer dat ze met miss Rodeo Montana veel geld had verdiend, ze had haar studie ervan kunnen betalen.

Sommerset was niet onder de indruk. 'U bedoelt zoiets als passiespelen?'

'In zekere zin. Ik was een non in *Measure for Measure*.' Ze citeerde uit Shakespeare:

Wanneer je de gelofte hebt afgelegd, spreek dan slechts
met mannen in bijzijn van de priores:
dan, mocht je spreken, laat dan je gezicht niet zien,
Of, mocht je je gezicht laten zien, spreek dan niet.

Makkelijk om te onthouden, want dit was ongeveer haar hele tekst. De grote rollen gingen altijd aan haar voorbij... tot nu toe dan. Daar was ze dan, te paard langs de noordelijke oever van de Avon, zo'n twintig kilometer bij Stratford-upon-Avon vandaan, en ze speelde vrouwe Pontefract met als tegenspeler de hertog van Somerset.

'Mooi gezegd.' Somerset hield wel van Engelands toekomstige bard. 'Dat Holy Wood waar u vandaan komt, moet toch behoorlijk vroom zijn.'

'Dat zou je niet zeggen.' Van de 'vroomheid' in Hollywood zouden Somersets haren rechtovereind gaan staan. Zelfs een arrogante vogelvrijverklaarde hertog uit een buitenechtelijk geslacht was godvruchtiger dan de gemiddelde studiobaas.

Somerset glimlachte naar haar. 'Nou, ik ben blij dat u wel tegen me spreekt en tegelijk uw gezicht laat zien. Want uw gezicht en stem staan me zeer aan.'

'Uwe excellentie is zo vriendelijk.' Hij had tenminste oprecht belangstelling, tenslotte was er nog geen hertogin van Somerset. Eigenlijk was de jonge Harry een vangst die elke ongebonden vrouwe met dubieuze bedoelingen onmiddellijk zou moeten aangrijpen: rijk, jong, knap en plezierig in de omgang, behoorlijk slim en energiek. Hij had een ontwapenende glimlach en het lichaam van een danser, hij zag er flitsend uit in tuniek en maillot. En als, mocht God het verhoeden, de jonge prins van Wales iets zou overkomen – in een tijdperk waar kindersterfte stuitend aan de orde van de dag was – dan zou de erfgenaam uit Lancaster de knappe, jonge, ongetrouwde hertog Somerset zijn, of de halfgekke Hendrik Holland, hertog van Exeter, ongelukkig getrouwd met Edwards oudste zuster. Helemaal geen verkeerde gedachte.

Maar ze was al met één troonopvolger verloofd en had geen zin om te flikflooien met de volgende. Ze wilde alleen maar dat hertog Somerset veilig in de handen van de wet terechtkwam, maar dat wilde nog niet zeggen dat ze niet eerst een beetje pret konden maken. Het had wel wat om met een man te flirten van wie je hoopte dat hij gearresteerd zou worden, dat zou de zaken weer in evenwicht brengen.

Ze reden door het eens zo aangename Avon-dal en Robyn zag wat de aanhoudende regen had veroorzaakt, ze kwamen langs verruïneerde boomgaarden en verdronken weidegronden en moerasvelden. Ze moest denken aan hoe de middeleeuwers de zwarte donderwolk hadden beschreven die over Evesham was gesuisd toen Simon de Montfort stierf. De zomerzon werd volkomen verduisterd zodat de monniken hun bladmuziek niet hadden kunnen lezen. Zo zwart was deze regen niet, maar wel net zo meedogenloos. Bidford-on-Avon zag er met zijn mooie stenen brug en hoge kerktoren nat en troosteloos uit, en Stratford-upon-Avon, waar het in de afgelopen lente zo heerlijk was geweest, leek het nauwelijks waard om de geboorteplaats van de bard te worden. Ze passeerden machtige kastelen die in handen van de vijand waren, Warwick en Kenilworth, maar er werden geen verse troepen uit Londen uitgestuurd om Somerset het hoofd te bieden. Daar was duidelijk geen tijd voor geweest.

Ondanks het wassende water bij de oversteekplaatsen en overstroomde bruggen, kwam Somerset veel sneller vooruit dan Robyn had gedacht. Ze was op het verkeerde been gezet door de rustige manier van koning Hendriks oorlogvoering. Edward had een omtrekkende beweging om de koning gemaakt, maar Somerset was een echte soldaat, snel en besluitvaardig. Met nogal wat voetvolk, bagage, honden, marketentsters en babbelende metgezellen wist hertog Somerset toch binnen een paar dagen Coventry te bereiken. En de stad opende zijn poorten voor hem, de eerste belangrijke stad die hem binnenliet.

Wat logisch was. Robyn verwachtte niet veel tegenstand. Coventry was de oude hoofdstad van koningin Margaret, een prachtige vestingstad omgeven door uitgestrekte vlakten drassig grasland. Hij werd door slechts een paar families bestuurd, zij hadden de Scarlet gevormd en bezetten elke belangrijke functie in de zelfverkozen oligarchie. Margaret liet de burgemeester altijd zijn ambtsketen voor haar uit dragen, alsof zij de koningin was. Voor deze rijke magnaten vertegenwoordigde Somerset de goeie ouwe tijd, toen Margarets hof de koninklijke inkomsten aan eten, drinken en mooie kleren verbraste, en de goudsmeden en bontwerkers voortdurend aan het werk hield. Somersets vader was een van de ergste schurken. Somerset werd door de aanhangers van het oude regime koninklijk ontvangen. Robyn verbleef in een benedictijner nonnenklooster ten noorden van de stad, vlak naast Burton Hastings, waar ze een piepklein onderkomen moest delen met Jo, Joy en haar dienster. Die nacht had ze een heel gesprek met Jo, op een hard, smal nonnenbed lagen ze fluisterend te praten, over Joy heen die tussen hen in lag. Er was nog geen bericht uit Londen, maar daar was ook geen tijd voor geweest. Ze had geprobeerd hoopvol te klinken toen ze zei: 'Als Edward een beetje opschiet, kan hij er makkelijk eerder zijn dan een boodschapper.'

'Dat is zo.' Jo klampte zich aan die hoopvolle veronderstelling vast. 'Maar toch moet ik snel terug. Zonder Collin heeft Greystone me nodig.' Bryn kon als Welse niet echt haar plaats innemen, aangezien de Saksen haar niet graag gehoorzaamden. 'Maar ik maak me ongerust wat er met Somerset gebeurt als Edward hem gevangenneemt. Zelfs als hij dat niet doet. Waarom was hij niet gewoon veilig in Corfe gebleven, waar niemand bij hem kon komen?'

Omdat Somerset zo niet in elkaar zat. Op weg naar Coventry had Robyn allang gezien dat de jonge hertog veel te energiek en rusteloos was om op Corfe opgesloten te zitten. En ook nog onbesuisd, hij had een onneembaar ford achtergelaten om zich met een paar honderd man diep in de Midlands te storten. Toch was Somerset het prototype van ridderlijkheid, menselijk en vriendelijk, en hij verdiende het om het er levend van af te brengen. Als dat al mogelijk was.

'Wat zal ik doen?' Jo werd verscheurd door het feit dat ze in beide kampen van deze 'nevenoorlog' familie had, het leidde haar van haar normale problemen af, zoals de opvoeding van een eigenzinnige dochter en een half ingestort kasteel dat ze op de winter moest voorbereiden.

'Je moet naar Greystone teruggaan,' besloot Robyn. Er waren grenzen aan wat Jo voor de zoon van haar geliefde kon doen. 'Ik ben hier het meeste nodig en ik ga verder, in elk geval tot Nottingham. Als Edward hem onderschept, zal dat hoogstwaarschijnlijk tussen hier en Nottingham zijn.' Nottingham was bijna tweehonderd kilometer bij Londen vandaan en als Edward dag en nacht doorreisde, zou Edward hem de pas af kunnen snijden. Voorbij Nottingham zou Somerset regelrecht naar het noorden, naar Sherwood Forest, doortrekken en dat klonk lang niet zo aantrekkelijk.

'En wat als Edward niet op komt dagen?' Jo keek bezorgd, in het kaarslicht tekenden haar zorgelijke lijnen zich scherp af. 'Wat ga je dan doen?'

'Dat weet ik pas als ik in Nottingham ben.' Hopelijk. Wat er ook gebeurde, Jo en Joy moesten uit Coventry weg, dan zouden ze binnen een paar dagen veilig op Greystone terug zijn. Als er in de nabije toe-komst een confrontatie met Edward zou plaatsvinden, kon ze die net zo goed alleen tegemoet treden, natuurlijk met Deirdre, en Matt om de paarden te verzorgen. Wat was het toch aangenaam om lady Pon-tefract te zijn, je kon anderen bij je plannen betrekken, waar anders zouden Matt en Deirdre willen zijn dan bij haar? Het betekende wel dat ze zonder chaperonne met Somerset verder moest, op zichzelf al een risico, maar daar kon ze weinig aan doen.

Jo schudde haar hoofd en zei: 'Nou, ze hebben zichzelf aan Hecate overgeleverd.' Jo bedoelde de mannen die de wapenen tegen elkaar hadden opgenomen, maar met de aankomende winter waren ze alle-maal aan Hecate overgeleverd.

Gelukkig had Robyn een vriend gevonden, een vroegrijpe landjon-ker uit de Midlands die meer dan gemiddelde belangstelling voor haar welzijn had getoond. 'Je komt onderweg langs Burton Hastings,' bracht ze Jo in herinnering. 'Zeg tegen landjonker Hastings dat Somerset in Coventry is – als hij dat al niet weet, tenminste – en zorg dat hij een van zijn snelle broers van hem naar Edward stuurt om hem te vertellen dat ik met Somerset naar Nottingham rijd.' Dat was het beste wat ze gezien de omstandigheden kon verzinnen, maar het leek behoorlijk riskant. 'Hastings zal er in elk geval voor zorgen dat jij weer veilig op Greystone aankomt, of je onderdak geven tot Collin je kan ophalen.'

Jo knikte ernstig en zei: 'Veel geluk in het noorden.' Toen voegde ze er bedachtzaam aan toe: 'Somerset heeft een minnares.'

'O ja?' Niemand had het hier eerder over gehad, Jo noch Joy, en hertog Somerset al helemaal niet.

'Ze heet Joan Hill,' legde Jo uit, 'ik ken haar niet, maar ze hebben samen een bastaardzoon.'

'Dank je wel voor de waarschuwing.' Ze had Somerset ook niet over haar vriendje verteld, maar zij had goede politieke redenen om haar geheime liefde voor Edward niet in het bijzijn van zijn rijke en machtige vijanden rond te bazuinen. Somerset had geen reden om Joan Hill en de vreugde van het vaderschap te verzwijgen, op de gebruikelijke reden na dan.

'En jij bedankt voor al het graan,' fluisterde Jo en ze gaf haar een nachtkus. Toen ging ze naast haar dochter liggen en viel in slaap.

De volgende ochtend namen ze afscheid bij de kloosterpoort waar ze Jo een rol Coventry-blauwe stof gaf voor Collin. Toen zij die lente voor het eerst op Greystone was geweest, had zij van hem een rol blauwe stof gekregen en ze wilde niet het gevaar lopen hem iets verschuldigd te zijn, niet als ze hem kon terugbetalen.

Donderdag 27 november 1650, Thanksgiving, Nottingham
Geen Edward. Ik kan niet zeggen dat me dat verrast. Edward mag dan wonderen verrichten, Somerset is gewoon te snel gegaan, zeker voor iemand in de Middeleeuwen. Wat is er met de heilige dagen gebeurd? En de uitgebreide middagmaaltijden? Vandaag is het Thanksgiving en ik ben de enige die de kalkoen mist. Zo nu en dan stopt Somerset wel, meestal om wat met de lokale adel te babbelen, maar dan haasten we ons weer terug naar de noordelijke weg. Ik wist zeker dat Edward ons nu wel had ingehaald, maar dat is niet gebeurd.
Wat nu te doen? Heeft het zin om nog bij Somerset rond te hangen? Hij verandert heus niet van gedachten, bij lange na niet. In het beste geval denkt hij dat ik naïef ben en goedhartig, dat ik door middel van een compromis vrede kan bewerkstelligen. Ik kan het hem niet kwalijk nemen. Ik voel me naïef, maar bepaald niet goedhartig. Daar vergist Somerset zich behoorlijk in, hij weet immers niet dat ik hem stiekem aan Edward ga verraden, nog niet. Nog zo'n tafereel om naar uit te kijken, als we het tenminste allemaal overleven.
Mijn gezonde verstand gebiedt me dat ik als een haas terug moet naar Greystone, nu ik de kans nog heb. De hoop gebiedt me echter om bij Somerset te blijven, Edward kan ons nog inhalen en dan zou er een eind komen aan al dat bloedvergieten. Maar morgen duiken we rechtstreeks de diepten van Sherwood Forest in, waardoor een succesvolle jacht onmogelijk wordt. Hoe kan ik er zeker van zijn dat Hastings en zijn snode familie bericht naar Edward zullen sturen? Aan de andere kant is het veilige Pontefract nog maar een kleine honderd kilometer hiervandaan, een paar dagen als we deze snelheid erin houden. Daar kan ik opgewekt afscheid nemen van Somerset en dan is hij nog geen spat wijzer geworden. Als ik nu terugga, moet ik een smoes verzinnen, dus nog meer leugens... daar heb ik toch zo'n hekel aan. Somerset mag me echt graag.

Gelukkig hoef ik nog geen besluit te nemen. Omdat het vandaag Thanksgiving is, is het morgen heksennacht. Dus daar laat ik het bij... ik vier mijn heksennacht in Sherwood Forest en dan valt er wel een beslissing. Als niets anders meer helpt, kaats ik het gewoon terug naar Hecate.

Nottingham is precies wat ik ervan verwachtte, met een grote open-luchtmarkt, waar roofbuit wordt verkocht naast zijde en kruiden die vanuit overzeese gebieden over de Trent zijn aangevoerd. Ik wil wel geloven dat Robin en Marian hier hebben geleefd en liefgehad, zo'n plaats is het gewoon. Smerig en romantisch, vol stropers en bosvolk dat niet wil deugen, recht uit een achterbuurt in Hollywood. De plek wordt natuurlijk nooit schoon als je steenkool blijft stoken, ook al regent het nog zo hard. Kasteel Nottingham staat op een met grotten doorgroefde, zandstenen rotsmassa, waar ook de Trip-to-Jerusalem-Inn deel van uitmaakt. Daar schenken gespierde bierwijven eigenge-maakte brouwsels aan de boogschutters van de sheriff en gewiekst ogende bedelmonniken. Vroeger noemden ze het hier Snottingham! Nou vraag ik je. Genoemd naar een of andere Saksische bobo die Snot heette – letterlijk de 'thuishaven van de Snots'. De Normandiërs heb-ben ervoor gezorgd dat hij de S wegliet, een Franse verfijning, net zoiets als eten met een vork, of een tongzoen.

Vandaag in de kerk van de Heilige Maria gebeden, de moederkerk van Nottingham, waar Robin Hood ooit naartoe was gebracht nadat hij een stuk of tien van de beste mannen van de sheriff had vermoord. In dit bosrijke gebied krijgt de Mariacultus een schurkachtig tintje, net als Diana uit het groene bos – gevaarlijk, ontembaar en dodelijk voor mannen. En even voorbij de stadspoort ligt het groene woud, halver-wege Pontefract strekt zich zo'n vijfenveertig kilometer bos uit...

Even voorbij de noordelijke stadspoort van Nottingham begon het bos, een reusachtige, groene barrière waar de open, glooiende Mid-lands abrupt eindigden. Robyn reed onder gigantische, verweerde eikenbomen van honderden jaren oud, de laatste uitgestrekte bossen over de Midlands sinds de Romeinen er landden. Tussen de kale eiken door zag ze berken en beuken, donkere altijdgroene struiken en een dikke laag varens die zich kilometers ver naar alle richtingen uitstrek-te. Ze zag ook de schimmige sporen van stropers, jachtsporen, wolven en vogelvrijverklaarden die zich in de bossen ophielden. Dat werd tenminste gezegd. In Sherwood heerste de 'boswet', daar was de nor-maalste activiteit een misdaad. Middeleeuwers hadden al geaccep-teerd dat de wet het van de realiteit had gewonnen, en de 'koninklijke bossen' waren een wettelijk, geen botanisch concept, dat zelfs voor sommige gebieden gold waar allang geen bos meer was, maar niet voor de wouden die buiten de bosgrenzen vielen. Soms was dat lastig en belachelijk. De boswet bepaalde dat alleen het koninklijke jachtgezelschap in die bossen mocht jagen, maar net als elke andere wet, werd die ook uitgemolken om de koninklijke inkomsten op te schroeven. Bepaalde bosdieren waren beschermd, zoals het damhert en het rode hert, de wilde beer en de ree, evenals de bomen waaronder ze beschutting zochten. Daarom was het verboden om een groene tak af te breken of een losse boog bij je te hebben. Ontbossing en bewerken van ongerepte grond was illegaal. Bij honden moesten 'bij wet' drie nagels van de voorpoten worden afgesneden.

Net als met zoveel van koning Hendriks wetten kwam er in de praktijk niet veel van terecht, in de beschermde bossen ontstonden hele dorpen, compleet met huizen, akkers en kerken. En het volk in die bosgehuchten hield net zoveel van de koninklijke jachtwetten als Montana van zijn Bureau voor Federaal Landmanagement. Die bescherming was volgens hen een complot van Londense advocaten om hun het leven zuur te maken. Hij werd weliswaar gehaat en ontdoken, maar het koningshert werd wel door de boswet beschermd, Robyn zag er verbijsterende aantallen van rondlopen. Hele kudden graasden langs de weg, keken haar zelfverzekerd aan, nieuwsgierig alert maar ontspannen en niet bang, terwijl buiten het beschermde bos de mensen sinds Sint-Michiel op gepekeld vlees hadden moeten teren, als ze al vlees hadden. Een paar mannen riepen 'hallo' en Somerset moest lachen toen het hert niet eens opkeek. 'Ze weten dat ze niets te vrezen hebben.'

Ze waren groot en prachtig, en zaten goed in het vlees, maar dat betekende nog niet dat ze ook stom waren. Robyn bedacht dat ze wel alles van de jachtwetten af moesten weten, ze waren vast banger voor een enkele, door het bos sluipende stroper dan voor Somersets stoet gewapende hooligans. 'In Montana heb ik dat vroeger ook gezien.'

'Mount Ana?' vroeg hertog Somerset die er nog nooit van had gehoord.

'Montana, een land overzee,' legde ze luchthartig uit. 'Voorbij Groenland en het noorden van Brazilië, als meisje ben ik daar geweest.' Ze hield krachtig vast aan haar bewering dat ze in Staffordshire was geboren, maar de meeste mensen vermoedden dat ze op een rare plek was opgegroeid.

'Je hebt wel een avontuurlijke jeugd gehad,' merkte Somerset op.

'In zekere zin wel, ja.' Maar niet half zo avontuurlijk als wat ze nu meemaakte. 'In Montana zijn antilopen die ze pronghorns noemen, net een hert maar dan sneller. Pronghorns wisten tot op de dag wanneer het jachtseizoen geopend werd en als het zover was, verdwenen alle mannetjes. Tijdens het pronghornseizoen zag je alleen maar vrouwtjes, en die zijn beschermd... zodra het seizoen voorbij was, kwamen de bokken weer terug.' Het Middeleeuwse hert kon net zo makkelijk de boswet uitpluizen.

Somerset moest lachen omdat hij een vrouw was tegengekomen met wie hij over de jacht kon praten. 'Die pronghorns moeten wel verbazingwekkende dieren zijn.'

Ongelooflijk frustrerend. Wie had kunnen denken dat je beter met een hertog kon praten doordat je in de rimboe was opgegroeid? 'Wacht maar tot u de jackelopes ziet.'

'Jackelopes?' Weer keek Somerset peinzend.

'Grote konijnen met horens, uwe excellentie.' Jammer dat ze geen ansichtkaart bij zich had.

'Onmogelijk!' Somerset was verrukt bij het idee. 'Montana moet wel een walhalla zijn voor jagers, zeker als de konijnen terugvechten.'

'Een jagersparadijs,' stemde ze in. Absurde monsters zetten de middeleeuwse verbeelding altijd in vuur en vlam, zelfs als het om konijnen ging.

Somerset slaakte een zucht, zijn ogen werden weer naar het koninklijke hert getrokken. 'Ze weten heel goed dat dit hun bos is, geschonken door God en koning Hendrik.'

'En alleen zijne majesteit mag erop jagen.' Ze vertelde dat ze met Hendrik in Greenwich had gejaagd, ze moest toegeven dat ze er niet bij was geweest toen het wild werd afgeschoten. Ze was niet erg dol op bloedsporten maar tijdens de koninklijke maaltijd had ze wel van Bambi gegeten.

'Ging het goed met zijne majesteit?' vroeg Somerset omzichtig, en hij bedoelde of Hendrik zijn verstand wel bij elkaar had. Het gold als verraad als je dat hardop zei.

'Uitstekend.' In Greenwich was Hendrik gelukkig geweest, hij had alleen de wintervoorraad vlees aangevuld en daar geen koning hoeven spelen. 'Zijne majesteit leek vrolijker dan ooit.' Daarna was het parlement bijeengekomen en was hertog Richard teruggekeerd, gevolgd door de Act of Accord, wat bepaald niet had bijgedragen aan de stemmingen van de koning.

De bossen bestonden niet alleen uit herten en adel. De boswet beschermde ook het bos zelf, en de droge, grove zandstenen grond hielp een handje mee, want daardoor was het grootste deel van Sherwood ongeschikt voor landbouw. Ook al mocht de lokale bevolking niet op herten jagen of houthakken, ze profiteerde toch van de uitgestrekte bosgebieden. Ze haalden er van alles vandaan, van bijenwas tot varkensvoer. De plaatselijke keuterboeren bestreken hun muren met bosmos, hadden steenkool om hun huisjes te verwarmen en doodhout om pap op te koken. Ze vulden hun maaltijden aan met de 'kleine jacht', zoals vogeleieren, noten, bessen, honing, geneeskrachtige kruiden, paddestoelen, venkel en seizoensgroenten uit het bos. Maar ondanks die overvloed vervloekten ze koning Hendriks robuuste herten, evenals de wet die vele hectaren goede bosgrond tegen de bijl beschermde. Als Robin Hood rijke reizigers zou belagen en ze dan op koninklijk wildbraad zou trakteren, zou niemand ten noorden van Nottingham daar wakker van liggen, niet met een natte hongerwinter in het vooruitzicht.

Ze bracht de nacht door in een landhuis vlak bij Oxton, van de aartsbisschop van York, aan de rand van het bos aan de voet van Robin Hood Hill. Bij het invallen van de schemering kwamen de koningsherten op het braakliggende land grazen, dat ook onder de boswet viel. Hoewel ze niet op geheiligde grond sliep, was het land toch van de aartsbisschop en ze wilde haar gastheer niet beledigen. Ze zou heksennacht met een ingetogen, nachtelijk ritueel vieren, alleen zij en Deirdre, en ze zouden christelijke namen gebruiken. Ze maakte geen heksenvlucht maar bad in plaats daarvan tot de Heilige Maagd Maria en Sint-Anna, Maria's moeder, en vroeg hun om raad. Moest ze verder reizen naar Pontefract? Of moest ze teruggaan, nu de hoop vervlogen was dat Edward hen zou kunnen inhalen? De tijden waren hard en gevaarlijk, en ze wilde niet alleen voor zichzelf het beste, maar ook voor de mensen om haar heen. Voor Edward, natuurlijk, en voor haar kleine huishouding. En voor Jo en alle Greys op Greystone, de dappere, knappe hertog Somerset en zelfs voor zieliger gevallen als gekke koning Hendrik en hertogin Wydville. Met de winter voor de deur had iedereen recht op een adempauze.

Schaduwen van de kaars speelden op de ruwgepleisterde muren, maar de Heilige Maria gaf geen antwoord, geen teken waaruit ze kon opmaken wat ze moest doen. Noord of zuid. Heen of terug. Deirdre voelde ook niets, ze merkte alleen een vage geur op: 'Heel erg zomers.'

Bemoedigend, maar Robyn had gehoopt dat ze een bruikbaarder aanwijzing zou krijgen. Hecate had gewoon de beslissing weer bij haar teruggelegd, dat risico liep je altijd wanneer je de hemel om hulp vroeg. Nou, als het dan aan haar lag, dan ging ze terug naar Greystone, daar was het warm en veilig. Wat had ze eraan om zonder Edward in het noorden rond te hangen? Wat hertog Somerset ook na de Trent ging doen, het zou niets uitmaken of zij er wel of niet bij was. Dan maar liever in Greystone wachten totdat Edwards uit het westen terugkwam. Maar wat moest ze tegen Somerset zeggen? Ze besloot om over dat laatste een nachtje te slapen. Ze bedankte de godin dat ze naar haar had willen luisteren, doofde de kaarsen en krulde zich in het logeerbed op.

Even voor zonsopgang werd ze wakker en lag ze een tijdje naar de klokken voor het ochtendgebed te luisteren, ze voelde zich bedrogen. Vandaag moest ze omkeren en weer naar het zuiden reizen, nadat ze heksennacht in Sherwood Forest in een smoezelig logeerkamertje had moeten doorbrengen. En dat terwijl even voorbij de weilanden van de aartsbisschop de donkere, legendarische bossen lagen, vol magie en koningsherten. Geen wonder dat ze niets opving. Ze keek op haar horloge en zag dat ze nog een uur had voordat heksennacht voorbij was. Waarom zou ze het bos niet ingaan? Misschien kon ze daar het teken vinden dat ze gisteren had gemist.

Over haar zijden nachthemd wikkelde ze een warme robe en een zware cape, glipte in haar laarzen en stapte toen over Deirdre heen die bij de deur lag te slapen. Ze dacht er nog even over om het meisje wakker te maken, maar besloot toen om haar dienstmeid te laten slapen. Deze ochtend was van haar, van haar alleen. Ze tilde de grendel op en stapte naar buiten, glipte door een achtergang naar de koude, donkere keuken en vervolgens een tuin in, vol kale takken en vaal gras dat door de eerste vorst wit uitgeslagen was. Heggen strekten zich in de ochtendmist voor haar uit die de achterliggende bossen aan het oog onttrokken. Ze vond een gat in de in mist gehulde heg en klom over het glooiende weiland dat naar Robin Hood Hill leidde.

Een mistige duisternis omhulde haar. Halverwege de helling hoorde ze het dode gras ruisen en ze realiseerde zich dat er iets groots voor haar in de mist opdoemde. Ze was geboren en getogen in Montana, dus over wolven maakte ze zich geen zorgen. Ze deed een stil gebed en liep weer verder, vast van plan om daarheen te gaan waar de ochtend haar zou brengen.

De mist week uiteen en ze zag een grote bok die rustig aan het gras stond te knabbelen. Hij keek haar onbewogen aan zonder een greintje angst of wantrouwen. Ze bleef stokstijf staan en wachtte om te kijken wat het hert ging doen. Het hert hief zijn kop omhoog, keek haar genoegzaam kauwend met grote, waterige ogen aan, tevreden met de ochtend en met haar. Zijn adem rook naar pasgemaaid gras. Hij draaide zich langzaam om, kuierde de heuvel op en verdween in de witte muur van mist.

Geleid door zijn zachte voetstappen volgde ze de bok op gepaste afstand, ze wilde zien waar het hert haar zou brengen. Toen de heuvel vlak werd, kwamen er aardwallen en greppels uit de mist tevoorschijn, de vervallen, schaduwachtige contouren van een oud ringfort dat aan weerskanten in de mist verdwenen. Robyn besefte dat het hert haar langs een heilig pad had geleid dat eeuwen geleden was ontstaan, nog voordat Edwards Normandische voorvaderen in Engeland voet aan land hadden gezet. Maar dat kon dat beest niet weten, hij nam gewoon de kortste route over Robin Hood Hill.

Aan het uiteinde van het ringfort doemde een reusachtige, ronde grafheuvel uit de witte mist op en de voetstappen van het hert gingen heuvelafwaarts. Robyn ging erachteraan en liet het ringfort achter zich. Tegelijk trok de mist op en er kwam een natte, groene heuvelrug tevoorschijn die naar Dover Beck leidde. Door de mistflarden heen zag ze bomen staan, de eerste tentakels van Sherwood Forest die zich langs de rivieroevers uitstrekten, waar de door de regen gestegen Dover Beck naar de Trent meanderde. En ze zag ook herten, een kleine kudde wijfjes en reekalfjes baande zich voorzichtig een weg door de ochtendschemering, liepen naar beneden om wat te drinken terwijl hun schimmige gestalten zo nu en dan met elkaar versmolten.

Er liep iemand, een bevallig meisje met blote benen dat een getaand hertenvel en een boog droeg. Ze kuierde nonchalant tussen de koningsherten door, met een grote zwarte wolf achter zich aan. Over haar schouder hing een leren riem met daaraan een bewerkte jachthoorn en in haar hand had het meisje een handvol pijlen. Robyn bevroor, kon nauwelijks geloven wat ze zag, vooral omdat het koningshert absoluut geen aandacht schonk aan de reusachtige wolf die tussen hen door liep. Alleen al het dragen van een boog was volgens de boswet een misdaad, maar dit wilde kind leek zich daarover totaal geen zorgen te maken.

Verbijsterd keek ze zwijgend toe toen een ochtendbriesje de laatste mistflarden wegblies. Robyn zag dat er om de voeten van het meisje konijnen huppelden, slechts een paar passen voor de wolf uit. Er fladderden vogels neer, ze schitterden op de schouders van het meisje, zich ook niet bewust van de grote zwarte vleeseter. In het kielzog van het meisje liep een wild zwijn met slagtanden, groter dan de wolf maar mak als een lammetje. Dit onnatuurlijke gedrag was verbijsterend, net zo verbazingwekkend als mannen die met het kerstseizoen het zwaard neerlegden, en ze begon weer hoop te krijgen dat het onmogelijke mogelijk was.

Iets raakte zacht haar hand aan en Robyn keek omlaag, ze zag dat een klein reetje haar vingers aflikte. De ree staarde gevoelvol naar haar omhoog, toen begon hij eerst de ene vinger af te likken en daarna de volgende, hij vond het zoutige zweet heerlijk. Bij elke natte lik trok het hert haar dieper de magische cirkel binnen, nodigde haar uit naar een onschuldige oerwereld, een vergeten Eden voordat de mensen angst en schaamte de wereld in hadden bracht en die naar hun eigen beeld hadden herschapen.

Dit was het teken waarop ze had gehoopt, hoewel de hemel mocht weten wat het betekende. Ze stapte voorzichtig naar voren, weigerde erover na te denken, liet zichzelf een ogenblik gaan, vergat haar angst en vrees, en voegde zich bij de dieren. Het licht scheen tussen de bomen door, schitterde op de kronkelige rivier en verspreidde zich langzaam over de grazige toppen. Het meisje knielde bij de stroom, maakte een kopje van haar handen, doopte ze in het glanzende water en bracht ze toen naar haar lippen om eruit te drinken. Naast haar stak de wolf zijn zwarte snuit in de rivier en likte het water op terwijl aan beide kanten herten sierlijk stonden te drinken.

Toen de zon boven de boomtoppen van Sherwood uitkwam, zag Robyn dat het meisje klaar was met drinken en haar aankeek. De eerste stralen van de dag vielen op het gezicht van het meisje, waarmee heksennacht wel heel dichtbij was gekomen. Het was Maria van Cock Lane. Maria glimlachte naar haar en zei: 'Vrouwe Robyn, wat heerlijk om u hier te zien.'

Insgelijks. Maar voordat Robyn een woord kon uitbrengen, stond Maria op, wuifde goeiedag, draaide zich om en rende het bos weer in, met de zwarte wolf springend naast haar, gevolgd door het waggelende zwijn. De konijnen stoven in alle richtingen weg. Verbaasd en in de war rende Robyn achter Maria aan, hoewel ze weinig hoop had haar te kunnen inhalen. Toch rende ze door, ze was niet bereid Maria zomaar in het niets te laten verdwijnen. Toen de zon aan de hemel klom en de schaduwen terugdreef, zag Robyn dat overal waar Maria had gelopen groepjes bloemen tevoorschijn waren gesprongen. Al gauw was het enige wat ze van Maria en haar wolf zag de wonderbaarlijke, bloeiende voetafdrukken die naar het noorden leidden, weg van het zuiden en de veiligheid, dieper het bos en de winter in.

Zaterdag 29 november 1460, de vooravond van Sint-Andries, Oxton, Nottinghamshire

Heilige Maria, op dit soort ochtenden loopt het in de Middeleeuwen echt uit de hand. Net toen ik de zaken een beetje op een rij had – wham! – word ik geconfronteerd met een nieuwe, verbijsterende mogelijkheid. Mijn verdiende loon, omdat ik dacht dat de dingen nooit eenvoudig konden zijn. Dit moest dezelfde Maria zijn die uit het toevluchtsoord van Saint Martin-le-Grand is verdwenen. Ze had absoluut hetzelfde gezicht en ze kende mijn naam. Dat kan geen toeval zijn, want een tweelingspook is nog moeilijker te verklaren. Het lijkt heel aannemelijk dat Maria uit de wijkplaats hier in Sherwood Forest rondrent met een grote zwarte wolf, en bloeiende voetafdrukken achterlaat.

Wat het ook betekent, ik betwijfel het of hertogin Wydville hierachter zit. Deze ochtendwandeling had niets van dat buiten-lichamelijke gevoel van mijn Halloweendroom. Ik zat in mijn lijf, recht voor zijn raap, eerste-daglicht-werkelijkheid, net zo echt als die krankzinnige rit naar Cheapside op Sint-Anna'sdag. Als ik een echte middeleeuwer

was geweest, zou ik het gewoon onder 'wonder' archiveren en verder-
gaan met mijn leven. Maar door dat knagende, rationele stukje van
mijn geest, dat stukje dat zich een millennium herinnert dat gere-
geerd wordt door oorzaak en gevolg, ga ik twijfelen. Wat betekent dit?
Om te beginnen dat ik naar het noorden moet reizen. Ik heb om een
teken gevraagd en dit was het, dat kan niet anders, tenzij ik in vlam-
mende letters in de lucht geschreven wil zien: ga naar het noorden,
jonge dame.
Zelfs onder het typen liggen de verse, gele bloesems op mijn schoot, ze
ruiken zo zoet als de lente. Het spreekt vanzelf dat de godin mij leidt.
Vandaag is het de vooravond van Sint-Andries' feestdag, dan bidden
jonge vrouwen en oude vrijsters voor een toekomstige echtgenoot. Dat
probleem heb ik tenminste niet. Dankzij Maria...

Maar zij was de enige die het teken had gezien, en ze was nog niet
genoeg een lady om automatisch anderen te betrekken bij de onbekende gevaren die ze tegemoet ging. Toen Deirdre opstond, vertelde
Robyn haar dienstmeid het hele verhaal en ze werd beloond met een
stevige uitbrander. 'M'lady moet me niet zo achterlaten...'

'Ik wilde alleen zijn,' bracht ze ertegen in, maar ze wist dat ze weinig opschoot met haar roep om privacy.

'Waarom in hemelsnaam?' vroeg Deirdre. 'Er had wel van alles
kunnen gebeuren.'

Wat ook zo was. Ze schudde haar hoofd en zei: 'Ik wilde een paar
vragen op een paar antwoorden. Persoonlijke vragen.'

Deirdre rolde met haar ogen. 'Hoe kan ik nou ooit een heks worden
als u me steeds achterlaat?'

Ja, hoe? Ze voelde zich soms nog steeds schuldig dat ze deze Ierse
vondeling in een verraderlijke heks ging veranderen, maar Deirdre
ging mee naar het noorden, zoveel was wel duidelijk. Welke gevaren
ze ook zouden tegenkomen, haar dienstmeid wilde erbij zijn om te
zien of vrouwe Pontefract ze zou trotseren. Ze hoopte dat Matt Davye
nog een teken van zelfbehoud liet zien en zich zou realiseren dat het
misschien niet zo veilig was om naar Pontefract te marcheren met de
mannen die hij in Greenwich had verraden, maar hij maakte alleen
maar glimlachend een buiging. 'Geen zorg, m'lady, ik zorg graag voor
de paarden.'

'Maar je hoeft helemaal niet mee te gaan,' legde ze uit. 'Je kunt op
Greystone op me wachten, je hoeft alleen maar Lily, Ainlee en een
paar pakpaarden bij ons achter te laten.' Als ze in vijandige handen
zouden vallen, zouden zij en Deirdre nog een fatsoenlijke behandeling
kunnen eisen, en de kerk zou ze tenminste nog steunen, maar Matt
zou ter plekke worden vermoord.

Matt boog nog een keer en zei minzaam: 'Waar m'lady gaat, ga ik ook.' Hij was niet van plan om zijn voedselbonnen uit het oog te verliezen, maar ontnuchterd bedacht Robyn dat Matt simpelweg omwille van háár politieke ideeën het leven zou kunnen laten. Vroeger was ze tegen sir Collin tekeergegaan omdat hij geen partij kon kiezen tussen koning Hendrik en Edward, hij weigerde zich te binden aan de kant van recht en rechtvaardigheid. Nu zag ze dat het heel wat moeilijker bleek om principieel te blijven wanneer je daarmee ook andermans leven riskeerde.

Onder het uitgemergelde grijze skelet van Sherwood reden ze naar het noorden en een deel van de tocht reed hertog Somerset naast haar, met die zelfverzekerde uitstraling van een jonge, ten strijde trekkende krijger. Hij was gelukkig en opgewonden, hij vond het heerlijk om naast haar te rijden en met haar te flirten. Dezelfde Act of Accord die Robyns leven had verwoest, had dat van Somerset een stuk makkelijker gemaakt. Zolang de nieuwe regering binnen de wet opereerde, was het niet eenvoudig geweest om een opstand aan te wakkeren, maar nu de prins van Wales was onterfd, had het parlement de persoonlijke vendetta van hertog Somerset in een reële kwestie veranderd en de hertog was in opperbeste stemming. Robyn hoopte dat Somerset jammerlijk teleurgesteld zou worden, maar ze wilde dat dat zonder bloedvergieten zou gebeuren en dat hij het zou overleven... geen eenvoudige opdracht. Wat er ook gebeurde, zij wilde vredestichtster zijn en ervoor zorgen dat de oorlog zich niet zou uitbreiden, wat niet wilde zeggen dat haar rol daarin werd gewaardeerd. Somerset mocht haar en hij hoopte duidelijk dichter bij haar te komen, maar tenzij hij kreeg wat hij wilde, waren er ook grenzen. Somerset was een knappe jonge hertog, niet gewend aan tegenspraak en als er iets warms tussen hen opbloeide, zou ze dat alleen maar akelig op zich teruggevuurd krijgen, op dat onvermijdelijke moment waarop Somerset erachter zou komen dat ze met Edward van March ging trouwen, de zoon van zijn aartsvijand.

'Door eer, familie en aanleg ben ik gebonden aan de goede zaak van koning Hendrik,' legde Somerset uit, 'zelfs als ze mijn vader niet hadden vermoord en ons niet vogelvrij hadden verklaard. Omwille van alles wat mannen dierbaar is, ben ik de vijand van York.'

Dus ook van Edward. Net toen ze dacht een vriendelijk woord uit hem te krijgen, glimlachte Somerset haar toe en zei: 'En toch heb ik arm in arm met graaf Salisbury door Londen gewandeld, op Maria-Boodschap, hoewel de zoon van Salisbury mijn vader heeft vermoord.'

Robyn had gehoord over die 'Maria-Boodschap' in Londen, toen de ergste vijanden gearmd naar de Saint Paul's waren gewandeld –

Somerset met Salisbury, hertog Holland met Warwick en York met de koningin – terwijl honderden hoflieden in livrei gewapend klaarstonden, bewaakt door gewapende Londenaren te paard. Die onwerkelijke dag werd bekroond met een verzoeningsmis en dankzegging, en bij de Tower was een toernooi gehouden ter ere van Maria-Boodschap en de vrede. Collin had aan dat Maria-Boodschap-vredestoernooi meegedaan, maar het was allemaal voor niets geweest.

Het noorden van Nottingham was een heel ander land, vol duistere bomen en een dik noordelijk accent. Robyn reed kilometers door een koude, treurige motregen, onder grimmige eikenbomen en natte, altijdgroene struiken. Toen ze aan de noordzijde Sherwood uit reden, lag er sneeuw op de grond, niet veel, slechts een paar vieswitte vlekken in de schaduwen en greppels, maar zeker een signaal van wat eraan zat te komen. Na een vredige zondagavond in een priorij in Worksop reden ze de volgende dag weer naar het noorden en staken door naar Yorkshire, vrouwe Pontefracts thuis dat zo ver weg van huis was.

Tot nu toe hadden mensen zich niet bij Somersets banier aangesloten, wat afgelopen zomer tijdens Edwards mars naar Londen wel was gebeurd. Tussen hun aankomst in Sandwich en hun binnenkomst in Londen, een week later, had Robyn gezien dat duizenden, misschien wel tienduizenden mensen zich bij Edward en Warwicks opmars hadden aangesloten. Een ontelbare hoeveelheid rekruten. Somersets strijdmacht was nauwelijks gegroeid, ze hadden alleen wat plaatselijke ridders opgepikt, zoals sir Grey van Groby, die met een Wydville getrouwd was. De meeste mannen van Somerset kwamen uit zijn Corfe-garnizoen en waren onderdanen uit de westelijke gebieden van Devon, wier tongval steeds misplaatster klonk naarmate ze verder naar het noorden trokken. Als ze met de plaatselijke bevolking wilden communiceren moest ze voor de ridders uit Devonshire vertalen en het gerucht ging dat vrouwe Pontefract goed Yorkshire sprak. Ook al sloot het volk zich niet bij Somerset aan, ze probeerden hem ook niet tegen te houden, en voor hertog Somerset was dat genoeg, want hij was meer dan bereid zelf ten strijde te trekken. Bij Saint Albans was hij zo zwaargewond geraakt dat hij per wagen naar huis vervoerd had moeten worden. Somerset herstelde en had de oorlog met Calais aangevoerd, en nu marcheerde hij heel Engeland door om te vechten.

In de buurt van Tickhill kwamen ze bij een van de landhuizen van lord Audley. Somerset beval de mannen onmiddellijk het te omsingelen en de hal plat te branden. Boogschutters te paard kamden het dorp uit op mannen, terwijl de praktischer ingestelde mannen lord Audleys verdoemde hal plunderden. Vrouwen met witte wimpels en kleurrijke, laaggetailleerde jurken kwamen naar buiten rennen en smeekten in hun Yorkshire accent om de schuren en graanopslag te sparen. Toen ze Robyn te paard zagen zitten in de kleuren rood en goud – Audley-kleuren – in plaats van het koninklijke rood, wit en blauw, vielen de vrouwen voor Lily op de knieën en smeekten: 'Vrouwe, heb medelijden. Vraag hun om het graan en vee te sparen, want onze kinderen hebben al zo'n honger.'

Ze probeerde hen te kalmeren en bij Somerset te bemiddelen. Geen van de vrouwen had ooit van lady Pontefract gehoord, maar het Yorkshire accent stelde ze gerust en in combinatie met de Audley-kleuren waren ze ervan overtuigd dat ze iemand hadden gevonden die hun zaak bij hertog Somerset kon bepleiten. Vrouwe Robyn wenste dat ze die overtuiging met hen kon delen. Somerset was voor haar menselijk en vriendelijk geweest, opgewekt reisgezelschap, maar dit was oorlog. Niettemin ging ze het met hem bespreken en zei: 'Er is al sneeuw gevallen en de vrouwen hebben het in de winter al zo zwaar.'

Somerset keek haar streng aan en vroeg: 'Weet u wat lord Audley heeft gedaan?'

Ze knikte en zei dat ze lord Audley wel kende. 'Ik heb hem in Calais ontmoet, hij was beleefd en bedachtzaam.' Net als sir Collin was de enige misdaad van de jonge Audley dat hij naar de andere kant was overgelopen, hij had zich met het grootste deel van Engeland achter de rebellen geschaard.

'Misschien te bedachtzaam,' opperde Somerset. 'In Calais was het de bedoeling dat hij me zou steunen, niet dat zich zou aansluiten bij Warwick en York. Audleys verraad kost hem zijn mooie kasteelhal.'

Robyn keek toe hoe Somersets mannen de hal van zijn zilver en wandtapijten ontdeden en het meubilair en handbewerkte plafond in brand staken. Het verhaal van lord Audley was een voorbeeld van hoe koning Hendriks partizanen moesten lijden onder zijn soms hilarische incompetentie. Audley was erop uitgestuurd om Somerset te helpen bij de aanval op Calais, maar de zeelui op de koninklijke vloot stonden erom bekend dat ze de kant van York hadden gekozen. Ze vertrouwden die landrotten niet, die vonden dat zeelui voor een hongerloontje en uit liefde voor koning Hendrik hun leven moesten riskeren. Dus toen er een storm opstak, was Audleys bemanning Calais binnengevaren en had zijn lordschap aan de rebellen overgegeven, waarmee hij aan de groeiende lijst van hooggeboren krijgsgevangenen werd toegevoegd. Audley had daar tijd genoeg om na te denken en zich af te vragen of hij soms de verkeerde kant had gekozen, namelijk van een stelletje opperheren die nog niet eens van de ene haven naar de andere konden varen. Edwards ongedwongen oprechtheid en gevoelige antwoorden hebben Audley uiteindelijk overtuigd, samen met duizenden anderen uit Ierland en Londen. En voor dat stukje ongewone wijsheid wilde hertog Somerset lord Audley laten boeten. Zijn pachters althans. Ze herinnerde Somerset eraan: 'Uwe excellentie, lord Audley heeft ook een vader verloren.'

'Inderdaad,' gaf Somerset toe. Lord Audleys vader was bij Blore Heath gesneuveld toen hij voor koning Hendrik vocht, waar ook Collin zo gemeen gewond was geraakt. Beiden hadden net als Somerset geleden, maar waren in staat geweest om vrede te sluiten. Alleen trots en familie-eer weerhielden hertog Somerset ervan om hetzelfde te doen. Geërgerd weigerde Somerset zich over te laten halen en zei: 'Mijn vrouwe is goed van de tongriem gesneden. Leg dan aan deze mensen uit dat ik gezonde mannen nodig heb, vijf uit elk dorp, om met me mee naar Kingston-on-Hull op te trekken en voor koning Hendrik en koningin Margaret te vechten.'

Zo vriendelijk als hij tegen haar was geweest, zo weinig had Somerset op met het volk, deze vrouwen, zijn rekruten tegen wil en dank, lord Audley of de meute die Audley aan de vijand had overgeleverd, van allemaal werd verwacht dat ze Somerset blindelings zouden dienen anders zouden ze de gruwelijke gevolgen ervan moeten dragen. De gedachte dat hij hun steun moest zien te 'winnen' viel buiten zijn belevingswereld, hij vond het zelfs een belediging. Welke koninklijke hertog hoefde zijn handelingen tegenover zeelui en dienstbodes te rechtvaardigen? Edward deed dat maar al te graag, maar daarom was Edward ook een uitzondering. Robyn vertelde de vrouwen wat zijne excellentie wilde, wat nog meer jammerkreten uitlokte. De vrouwen klaagden dat ijskoude regens het graan op de akkers, het fruit in de bomen en de groenten in hun tuinen hadden vernietigd, nu zouden ze ook nog hun mannen verliezen. Ze smeekte Somerset om van gedachten te veranderen. 'Uwe genadige excellentie, deze vrouwen zijn ziek van de oorlog. Het zal al moeilijk genoeg zijn om hun familie deze winter genoeg te eten te geven, zelfs als er geen oorlog komt.'

'Dan moeten we de strijd winnen voor de winter invalt,' verklaarde Somerset opgewekt. 'Vertel me eens, vrouwe Robyn, wat heeft uw vredestichterij u in Londen opgeleverd?'

Ze moest toegeven dat ze bij haar vlucht uit Londen de wet een stap voor was geweest, beschuldigd van poging tot moord en verraad.

'Ziet u wel,' zei Somerset besmuikt. 'Ik heb tenminste nog naar u geluisterd, in plaats van uw vrouwelijke angsten tegen u te gebruiken. Ik vind het inderdaad hartverscheurend.' Trots op zijn ruimdenkendheid, herhaalde hij zijn eisen tegen de kasteelrentmeester en een groep angstige pachters. 'Vijf man uit elk kasteeldorp met maliën en gewapend met een boog of hellebaard, over een week bij Kingston-on-Hull, of ik kom terug en verbrand alle huizen en schuren.'

Nadat hij zijn uiterste best had gedaan om de oorlog naar Tickhill uit te breiden, gaf Somerset zijn troepen het bevel om verder noordwaarts te trekken, terwijl hij lord Audley's gestolen vee voor zich uitdreef. Ze bleven in de buurt van de bosachtige hooglanden en vermeden de zware klei langs het verdronken land van de Don. Door de regen waren daar de wegen langs de ondergelopen akkers in modderige kreken veranderd. Deze wanhopige vrouwen uit Tickhill hadden gelijk: Yorkshire was heel wat slechter af dan het zuiden, hier waren ze nog minder op een winteroorlog voorbereid, hoewel je dat niet kon opmaken uit Somersets glimlachende zelfvertrouwen. Door zijn wraak op Audley was hij in opperbeste stemming gekomen, degenen die hem hadden verraden zouden hun verdiende loon krijgen.

Robyn probeerde sympathie te voelen, maar de treurige klachten van de rode-roosaanhangers waren wel steeds hetzelfde, ze gingen altijd over wat ze hadden verloren, hun families, hun heer, hun privileges, hun inkomsten, zelfs over 'hun' koning. Ze kwamen uit de rijkste families van het land, maar voelden zich onherstelbaar tekortgedaan, beroofd van het recht om nog rijker en machtiger te worden. Somerset dacht er geen seconde aan of de gemiddelde Engelsman er iets aan had als hij de overwinning zou behalen, nog los van of ze wel tevreden waren dat ze door de juiste mensen werden geregeerd.

Op een gegeven moment kruiste de Romeinse weg een lage vallei en Somerset hield de teugels in naast een gezwollen kreek die naar de Skell leidde. Hij zei: 'Lady Pontefract, hier is uw bezit. Daar is Barnsdale en daarvoorbij ligt Pontefract.'

Barnsdale was een van de landhuizen die koning Hendrik haar had geschonken, evenals Skelbrooke, het kleine verdronken gehucht vlak bij de brug. Ze schrok toen ze zag hoe arm en vervallen de plek was, kale velden, verwoeste boomgaarden en wegen die in modder waren veranderd. Skelbrooke was sowieso niet erg groot en volgens de plaatselijke bevolking had de stroom twee huizen meegesleurd, evenals de stadsmolen en een paar tuinpercelen. Aan de overkant van de brug haalden ze water uit Robin Hoods bron. Dit was ook het land van Robin Hood, of zoals het lied ging: 'Mijn naam is Robin Hood uit Barnsdale / een kerel naar wie u op zoek bent, al zolang...'

Maar zelfs de tot de verbeelding sprekende oorsprong kon haar niet verleiden om eruit te drinken – niet met een thermoskan kruidenthee in haar zadeltas – hoewel de bevolking haar bezwoer dat de bron een grote geneeskrachtige werking had.

Bij Wentbridge, waar Watling Street de diep uitgesneden rivier de Went kruiste, stopten ze om de paarden te laten rusten, van boeren kregen ze lauw, naar bessen smakend bier. Ze bleef er een half uur, waar de natte weg omlaag kronkelde naar de Went, ze nipte aan haar bier en overzag haar bezit Pontefract. Stroomafwaarts lagen Sayles, Norton, Stubbs en Fenwik, terwijl Ferrybridge en Pontefract boven aan de weg aan het verste uiteinde van de Went lagen. Dit was allemaal land van de koning, maar de pacht en opbrengsten gingen naar haar. Merkwaardig. Tot nu toe was het alleen geld op de bank geweest, geleend van de Italianen. Nu was het verschrikkelijk echt geworden, vol koude, doorweekte boerderijen en verpauperde mensen. Ze voelde zich schuldig en gaf de vrouw die haar het bier had gebracht een fooi in de vorm van een vette Venetiaanse zilveren *grosso*.

De grote vrouw met blonde vlechten knielde voor haar neer en bedankte 'mijn vrouwe Pontefract'.

Robyn was verbaasd en vroeg: 'Kent u mij soms?' Ze wist zeker dat ze de vrouw nog nooit eerder had gezien, ze moest een jaar of veertig zijn en sprak puur Yorks.

'Ja, lady Pontefract.' Ze had een lichte huid en boog haar blonde hoofd lichtjes. 'We hoorden uit Skelbrooke dat u met de hertog meereisde. De mensen vertelden hoe u voor de pachters in Tickhill op was gekomen, waar het kasteel in brand was gestoken.' Tickhill lag vijfendertig kilometer verderop maar het nieuws van duizend bewapende, plunderende en brandstichtende vandalen, onder aanvoering van de hertog, had zich als een lopend vuurtje verspreid. 'God zegene de vrouwe, en moge hij haar behoeden. Een beetje meegevoel kunnen we in deze harde tijden wel gebruiken.'

De middeleeuwers bleven haar verbazen. Ze moest denken aan de biervrouw in rode jurk die haar op haar eerste dag in de Middeleeuwen wat bier had gegeven, die haar tegen FitzHolland had verdedigd en hem had getrotseerd. Volkomen onverwacht. Hier had ze haar bier betaald met de pacht van deze vrouw, en de vrouw viel op haar knieën, zegende en bedankte haar. Andere pachtvrouwen die van een veilige afstand hadden toegekeken, kwamen haar buigend gedag zeggen en Matt hielp haar bij het opstijgen.

En daar bleef het niet bij. Bij de brug werd ze opgewacht door rentmeesters en stadhouders, niet alleen uit Wentbridge maar ook uit Barnsdale, Sayles en Norton, ze bogen en kropen voor hertog Somerset en de graaf van Devon. En ook voor haar. Hertog Somerset sprak ze kort toe en herinnerde hen aan hun plichten ten opzichte van koning Hendrik, die niet alleen hun door God gezonden vorst was, maar ook hun landheer. Toen vertelde hij ze dat ze lady Robyn Stafford van Pontefract met het grootste respect moesten behandelen, als speciale vriendin van zijne majesteit, die de koning in zijn hoogste nood terzijde had gestaan.

Somerset legde het er omwille van haar dik bovenop en zijn mannen hadden het niet meer van het lachen, maar de pachters op de brug namen het allemaal voor zoete koek aan. Dat leek althans zo... niemand durfde een koninklijke hertog tegen te spreken met gewapende mannen, boogschutters te paard en de luimen van gekke koning Hendrik aan zijn zijde. Hoewel nagenoeg niemand eerder ooit van haar had gehoord, werd vrouwe Robyn hartelijk in Pontefract verwelkomd.

Toen ze hen in hun eigen taal had bedankt, groepten ze naar voren en vroegen: 'Moeten we onze mannen naar Kingston-on-Hull sturen, vrouwe?' Ze verwachtten kennelijk dat ze nee zou zeggen.

Ze keek naar Somerset en vroeg: 'Moet dat, uwe excellentie?'

'Alleen als hare hoogheid koningin Margaret het beveelt. Dit is een koninklijk kasteel,' bracht Somerset haar in herinnering. Door al dat verheven geklets was Robyn vergeten dat de plek niet haar eigendom was, aangezien Wentbridge nog steeds van de knettergekke koning was en hier was koningin Margaret zijn spreekbuis.

'Vrouwe,' smeekten ze, 'zult u hare majesteit smeken om ons te sparen?'

'De volgende keer dat ik haar spreek,' bezwoer Robyn, een veilige belofte aangezien ze koningin Margaret maanden geleden had gezien, en dan nog van een afstand.

Hertog Somerset nam handig weer de leiding en zei dat ze op weg waren naar York, 'Waar vrouwe Pontefract aan hare hoogheid zal worden voorgesteld.'

Gingen ze dat? Werd ze dat? Dat was een verrassing. Hertog Somerset had haar helemaal vanaf Temple Guiting, Gloucestershire, op sleeptouw genomen en zou haar in Pontefract niet laten gaan. Ze had haar rol te overtuigend gespeeld en Somerset niet alleen om de tuin geleid maar ook verstrikt. Nu had hij het plan opgevat om haar naar York mee te nemen, of ze dat wilde of niet. De wil van zijne excellentie was letterlijk wet, zoals die arme pachters in Tickhill hadden ontdekt, dus kon ze alleen maar dankbaar naar de hertog lachen, alsof ze al de hele tijd naar een audiëntie bij koningin Margaret had zitten hengelen. Zo zorgelijk als het voor haar was, zo welkom was het voor de mannen op de brug, die luidkeels juichten voor vrouwe Pontefract, vriendin van de koning, die tussen hen en de militaire dienst in stond.

Robyn toonde zich erkentelijk voor hun dankbaarheid, ze wist nog maar nauwelijks wat haar was overkomen. Toen ze zag hoe arm ze waren, had ze achterdocht en afwijzing verwacht, in het beste geval nog een onverschillige houding. Waarom zouden zij zich druk maken over wat gekke koning Hendrik met hun belastingen en huur deed? Hoe konden zulke verpauperde mensen een of andere mondaine idioot níét haten, die van hun zuurverdiende geld leefde? Maar de mensen in Wentbridge waren blij dat een levensechte vrouwe van Pontefract naar hun uithoek was gekomen, een vriendin van de koning, die tochtjes maakte met zwaarbewapende hertogen en hun klachten rechtstreeks aan de koningin zou overbrengen. En het was niet verkeerd dat ze mooi was en riante fooien gaf.

Aan de overkant van de Went beklom Robyn het kalkstenen talud, reed langs Darrington en bereikte tegen de schemering Pontefract. Boven op de heuvel zag ze tegen de achtergrond van de zonsondergang acht torens oprijzen, reusachtige stenen rechthoeken, en een immense ronde burcht waarbij de van regen doorweekte krotten daaronder volkomen in het niet vielen. Toen de vestingpoort wijd openzwaaide schalden er trompetten. Ze passeerde twee wachthuisjes met tweelingtorens en ze merkte op dat het op de buitenterreinen van Pontefract wemelde van Percy-ruiters en boogschutters in het livrei van de koningin. Er waren meer troepen gelegerd dan nodig om een kasteel te verdedigen dat door niemand werd bedreigd. Ze liet de paarden aan Matt over en volgde hertog Somerset naar de grote hal, met zijn wandkleden en met goud versierde tafels, ze kreeg weer datzelfde volslagen onwerkelijke gevoel als die eerste keer dat ze in Kenilworth was geweest, verregend, koud en verstoken van warme lakens en een lekkere maaltijd.

Het merkwaardigste van alles was dat zij de enige was die de verbazingwekkende overgang leek op te merken. Hertog Somerset stelde haar achteloos aan de verbaasde slotvoogd voor, die nog nooit van lady Pontefract had gehoord, maar haar haastig in een suite onderbracht die kennelijk voor koningin Margaret bedoeld was, met warme, rijke wandkleden, meubilair vol zilver, zachte tapijten, glazen ramen en een reusachtig zacht hemelbed. In deze vreemde spiegelwereld was niets te goed voor de 'speciale' vrienden van hertog Somerset.

Ze hoopte nog steeds dat ze daar kon blijven en vrouwe Robyn verklaarde dat ze onwaardig was om de koningin te bezoeken, ze probeerde zich zo klein mogelijk te maken zodat hij zijn tijd niet aan haar zou verdoen. 'Maar als de majesteit tijd voor me heeft, ben ik natuurlijk opgetogen om hare hoogheid eer te bewijzen.'

Somerset stond erop. Hij zou de koningin ontmoeten, dus zij ook, en hij wilde geen woorden meer vuilmaken aan de mannen die zich bij Kingston-on-Hull moesten verzamelen. 'Hare hoogheid zal zeker tijd vrijmaken voor de vrouwe, aangezien u bij mijn weten de laatste persoon bent die koning Hendrik heeft gesproken.'

Hij had natuurlijk gelijk. Zo had ze het nog niet bekeken, koningin Margaret had Hendrik sinds Northampton niet meer gesproken of gezien, noch een van haar vertrouwelingen. Ze moesten wanhopig om nieuws over zijn toestand verlegen zitten. Voor een koning moest het zwaar zijn om oorlog te voeren terwijl je in handen van de vijand was, zeker als je bedenkt dat de geestelijke gezondheid van zijne majesteit toch al twijfelachtig was. Wat hen betrof kon Hendrik wel weer katatonisch zijn, eigenlijk zou het een wonder zijn als hij dat niet was. Natuurlijk wilde de koningin haar ontvangen, haar zelfs persoonlijk spreken, dus vrouwe Robyn moest er maar het beste van zien te maken.

Toen ze verder naar het noorden reden, kwam ze weer in de werkelijke wereld van regen en narigheid, waar kastelen beroofd en mannen geïntimideerd werden. Tot dusverre was er niets uit naam van haar leengoed Pontefract platgebrand, het volk werd daar als koninklijke pachters beschermd, maar Robyn zag uit het westen langgerekte, smalle rookpilaren omhoogrijzen, uit de richting van Wakefield, vermaard om zijn mirakelspelen. Ten zuiden van Wakefield stond Sandal Castle, de hoofdvesting van de hertog van York in West Riding.

Nog verder naar het noorden werd ze met de eerste winterse vrieskou geconfronteerd. Het ging sneeuwen, grote, vette, prachtige vlokken die haar eraan herinnerden dat bij de winter plezier en vakantie hoorden, bedoeld om te skiën en sneeuwballengevechten te houden, een gekkenhuis, waar je grootste zorg de drukte in de winkelcentra was. Tegen de tijd dat ze in York aankwam lagen er dikke sneeuwhopen die de ommuurde stad in een sprookjeskasteel met witte daken had omgetoverd. Hij rees uit het met sneeuw overdekte hooggebergte omhoog, waar de Foss in de Ouse stroomde, en werd omgeven door de diepe, witte vallei van York.

Toen ze de Ouse hadden overgestoken, kwam Robyn door Micklegate Bar, zo genoemd omdat de stadspoorten mensen kon insluiten, maar ook buitensluiten. Ouse Bridge, de enige rivier die van York naar zee stroomde, was niet zo groots als de Londen Bridge, maar er stond een kapel met daarin een raadskamer. Binnen de muren trof ze een stad vol kerken aan, de kades waren rotsachtig en aan de kromme smalle straatjes stonden houten herbergen met wonderlijke namen als Swinegate, Pavement en de Shambles. Alles werd gedomineerd door de reusachtige York Minster, de enorme, half voltooide gotische kathedraal, die hoog boven de stadsmuren uittorende. York werd door de Romeinen Eburacum genoemd en door de Denen Yorvik, en was de hoofdstad van het noorden, waar Constantijn de Grote tot keizer van Rome was gekroond en waar koning Harold de Saks vernam dat de Normandiërs waren geland. En nu was het de nieuwe hoofdstad van Margaret van Anjoe, die Londen, Coventry en alles daartussenin inmiddels was kwijtgeraakt.

Robyn vond onderdak in een benedictijns nonnenklooster, waar ze redelijk veilig was voor eventuele plannen van hertog Somerset. Zoals altijd waren de nonnen blij dat ze er was, ze zwermden om haar heen, boden aan haar bagage te dragen en wilden alles weten over de gebeurtenissen in de mannenwereld – zij waren veel gelukkiger dan zij dat ze er was. Hoe prachtig York onder de witte sneeuwdeken ook was, ze was bij lange na niet van plan geweest zo ver naar het noorden te gaan. En al die tijd hadden zich in deze sprookjesstad gewapende mannen verzameld die de madelief van koningin Margaret, de halve-maan van Percy en de lusknoop van Darce droegen. Stroomafwaarts verzamelden zich nog meer troepen bij Kingston-on-Hull, met inbegrip van Schotse huurlingen van wie zelfs de aanhangers van Margaret nerveus werden. Niemand in Londen wist dat koningin Margaret zo'n groot leger op de been aan het brengen was.

Op haar tweede dag in de stad ging Robyn buiten de muren uit rijden om wat frisse lucht op te snuiven, en de nonnen en smalle volgepakte straten te ontvluchten. Ze reed via Monskgate Bar terug, een zwaarversterkte poort met een groot ijzeren valhek. Bij de poort van het nonnenklooster stapte een man naar voren, hij droeg de Percy-maansikkel op zijn roodbruin-met-gele wambuis. Hij lichtte zijn gevederde bonnet en maakte een grote zwierige buiging terwijl hij in plat Northumberlands zei: 'Vrouwe Stafford, wat heerlijk om u weer te zien.'

Robyn hield de teugels in maar was lang zo blij niet. Voor haar stond Black Dick Nixon, die ze voor het laatst had gezien toen hij Aldersgate uitreed in de richting van de Grote Noordelijke Weg. Nu was hij hier in York, droeg hij de Percy-kleuren en grijnsde hij een brede grensbandietenglimlach, verrast en blij om haar te zien. Het enige wat ze kon bedenken was: 'Meester Nixon, fijn om te zien dat het goed met u gaat.'

'Heeft de jonge lord Edward nu al genoeg van u?' vroeg hij hoopvol.

Daar was ze nu juist zo bang voor geweest. Nixon wist alles van haar relatie met Edward. Hij had hen nooit samen gezien, omdat hij steeds in de wijkplaats verbleef, maar Nixon had vertrouwd op de verhalen van monniken en misdadigers, en die verhalen werden gaandeweg behoorlijk aangedikt. Ze probeerde zich achter het fatsoen te verschuilen en vroeg: 'Waarom zegt u zulke dingen?'

Hij knikte nog altijd grijnzend naar haar linkerhand. 'U draagt de zilveren ring niet meer.'

Je kon er donder op zeggen dat een Nixon dat zou opmerken. De man moest in gedachten al haar juwelen taxeren, maar hij deed tenminste geen moeite om dat te verbergen evenals het feit dat hij daar meer waarde aan hechtte dan aan haar lichaam. Ze kon niet anders dan de waarheid vertellen en bekende: 'Ik heb Londen moeten verlaten.'

Zijn grijns werd breder, aangezien hij onlangs nog zelf Londen had moeten ontvluchten. 'Waarom in hemelsnaam, m'lady?'

Dat ging Nixon niks aan, maar als ze het hem niet vertelde, zou hij alles in het werk stellen om erachter te komen en de hemel mocht weten wat er dan zou gebeuren. 'Ik ben van hoogverraad beschuldigd.'

'Hoogverraad?' Aan zijn grimas was te zien dat hij weinig waarde aan de beschuldiging hechtte, de helft van de gezonde jonge mannen in York waren hiernaartoe gekomen om verraad te plegen, of nog erger.

'En poging tot moord,' voegde ze eraan toe zodat hij niet al te min over haar zou denken.

Dat wekte de belangstelling van de professionele schurk. 'En wie heeft de vrouwe dan getracht te vermoorden?'

'Niemand,' antwoordde ze scherp. 'Ik ben volkomen en volslagen onschuldig.'

'Net als wij allen,' stemde Black Dick Nixon vroom in en hij schudde zijn hoofd vanwege de zonden in de wereld. 'En, hoe vals, laag-bij-de-gronds en schandelijk ook, wie had lady Stafford van Pontefract volgens de beschuldiging op het oog gehad?'

'Zijne excellentie de edele hertog van York,' gaf ze schoorvoetend toe, wel wetend hoe Nixon daarop zou reageren.

Het bebaarde gezicht van Black Dick Nixon brak weer uit in een opgetogen grijns waardoor zijn wijd uiteenstaande tanden zichtbaar werden, en hij lichtte nogmaals zijn bonnet. 'Goed gedaan, m'lady, goed gedaan. In vergelijking met uw stoutmoedige fantasie vallen mijn grootste complotten slechts grof en krachteloos in het niet. Hier ben ik dan, blij dat de Percy-maan weer op mijn borst prijkt terwijl m'lady ernaar hengelt om hertogin van York te worden.'

'Ik heb je al gezegd dat ik volkomen onschuldig ben.' Haar verontwaardigde, damesachtige protesten maakten het verhaal alleen nog maar overtuigender.

'Natuurlijk is m'lady onschuldig.' Hij maakte opnieuw een buiging en zette zijn bonnet weer op. Wat in Black Dick Nixons voordeel sprak, was dat hij veel meer om haar gaf dan om welke misdaad ook die ze begaan zou hebben. 'En als de vrouwe moe is van die koningsspelletjes, onthoud dan dat er in Tynedale een veilige haven wacht. Weliswaar niet een hertogin van York waardig, maar ik ken een boerenhoeve daar die in de winter warm en gezellig is en waar u tot de lente kunt blijven.'

Als ze het tot de lente zouden uithouden, de winter werd met de dag strenger. Ze was geschrokken toen ze Black Dick Nixon tegen het lijf was gelopen, dat herinnerde haar eraan hoe klein het middeleeuwse Engeland eigenlijk was. Wie kon nog meer uit haar veelbewogen verleden opduiken? Gilbert FitzHolland? Sir John Fogge? Le Boeuf? God, ze hoopte van niet. Ze bedankte de bandiet en zei: 'Ik zal het in gedachten houden.' Toen glipte ze met Lily door de kloosterpoort en trok zich terug in de wereld van armoede, kastijding en gehoorzaamheid.

Maar niet voor lang. Na vespers kreeg ze nog een onwelkome bezoeker uit het verleden, deze keer een vrouw, een trotse, bleke, zilverblonde met dromerige slaapkamerogen en een lichte, heksachtige grijns. Elizabeth Grey was de vrouw van sir John Grey van Groby die met Somerset naar het noorden was getrokken, de oudste dochter van de heksenhertogin Wydville en bovendien hofdame van koningin Margaret. Die avond kwam vrouwe Grey in beide functies, ze bracht koeltjes een koninklijke oproep over aan vrouwe Stafford.

Deirdre hielp haar in een loshangende groene jurk, afgezet met goudkant, maar ging niet mee, aangezien Welsh-Ierse dienstmeiden niet aan de koningin werden voorgesteld, tenzij ze iets werkelijk verbazingwekkends hadden gedaan, zoals dichten in het Latijn of spreken met de Maagd. Dus ging alleen Robyn in gezelschap van Elizabeth Grey op pad, een van de weinige keren dat ze samen waren. Ze had vrouwe Grey ontmoet toen ze buiten haar lichaam was getreden, tijdens dezelfde heksennacht waarin zij en Beth Lambert werden ingewijd in de coven van hertogin Wydville. Elizabeth Grey had haar zelfs naar het altaar geleid en daarna naakt om het vreugdevuur gedanst. Vanavond stelde de vrouwe zich ingetogener op, ze leidde haar door de rustige, muffe kloostergangen naar de vertrekken van de priores. Ze droeg het rood-met-zilver van de Wydvilles, versierd met zwartwitte eksters.

Robyn volgde vrouwe Grey in haar zijden kielzog en ze voelde weer die vreemde spanning die er altijd tussen hen hing. Voor Elizabeth Grey was ze niet zo bang als voor hertogin Wydville, en in tegenstelling tot haar jongere zusters was vrouwe Elizabeth getrouwd en kennelijk niet gevoelig voor Edwards charmes. Bovendien had deze koele, mooie hertoginnendochter haar in de wereld der toverkunsten verwelkomd, waar ze haar heel dankbaar voor was. En toch hing die merkwaardige atmosfeer tussen hen in, alsof ze een diep geheim deelden die geen van beiden ter sprake wilde brengen.

Vrouwe Grey bracht haar naar de audiëntiekamer van de priores maar toen een non de deur opende, was de priores nergens te bekennen. En de koningin ook niet. Binnen zat hertogin Wydville in eigen persoon op haar te wachten, de heidense hogepriesteres, hertogindouairière van Bedford. Ze was een oudere, strengere versie van haar dochter, gekleed in een vlammend rood gewaad afgezet met zilver en op haar hoofd een elegante, witkanten hoofdtooi. Onder dat kant zaten dezelfde scherpe, bleekwitte gelaatstrekken die Robyn vanaf het wassen beeldje van hertog Richard hadden toegelachen, toen hertogin Wydville haar met Halloween in de val had laten lopen.

Robyn maakte onmiddellijk een revérence en ze verborg haar boosheid achter middeleeuwse vormelijkheid, ze hield haar hoofd gebogen tot de hertogin haar toestond op te kijken. Ze had gehoopt bij hertogin Wydville uit de buurt te kunnen blijven, eigenlijk had ze gehoopt dat de hertogin weer naar huis in Grafton was en haar voodoo zat op te poetsen, maar nu trad de heks namens koningin Margaret op. Verdomme. Een gesprek met de koningin was al lastig genoeg zonder dat een vijandige heks over haar schouders meekeek.

'Sta op, lady Stafford,' commandeerde hertogin Wydville in haar continentale accent. 'U ziet er mooier uit dan ooit, de kou heeft uw wangen kleur gegeven.'

'Hare excellentie is erg vriendelijk.' Hare excellentie was een afschrikwekkende helleveeg die haar twee keer aan heksenjagers had verraden, maar ze vocht om dat er niet uit te flappen. 'Zoals hare excellentie zich zal herinneren, heb ik een aantal zomerdagen binnen doorgebracht.'

'Ach, dat verblijf in de Tower?' hertogin Wydville deed die duistere, afschuwelijke en wanhopige dagen af alsof het een weekendje naar het nationale monument betrof. 'Neemt u me dat nog steeds kwalijk?'

'Absolument.' In het Frans klonk het zo'n stuk beleefder, en een belediging gunde ze de hertogin Wydville niet, ze wisten allebei wie er fout zat.

'Onze vrouwe Stafford gelooft nog niet genoeg.' Om Robyn met een betovering veilig achter slot en grendel te houden had ze onvoorwaardelijk vertrouwen moeten hebben in de hogepriesteres, onder de omstandigheden praktisch onmogelijk. 'Maar u bent nog steeds een novice, *nein*?'

'Een verschrikkelijke amateur,' stemde ze in, zich goed bewust van haar beperkingen, het was belachelijk om zich als gelijke te beschouwen van hertogin Wydville. 'Kijk maar eens wat er met Halloween is gebeurd.'

'Halloween?' Hertogin Wydville hield haar hoofd schuin en keek alsof ze nog nooit van die feestdag had gehoord. Toen begon haar iets te dagen en ze lachte. 'Dwaas, daar zou je me voor moeten bedanken.'

'Bedanken?' Ze zou niet weten waarom, daardoor was ze een voortvluchtige geworden, beschuldigd van verraad.

'Om je te laten zien waar je werkelijke interesses liggen,' verzuchtte hertogin Wydville, alsof dat nu toch wel duidelijk was. 'Je wilt helemaal niet dat de jonge Edward koning wordt, niet zomin als ik. Daarom zal de hertog van York altijd je vijand blijven, ik heb dat alleen maar blootgelegd. Magie is op waarheid gebaseerd, anders werkt ze niet. Je kunt proberen wat je wilt om het te verbergen, maar je haat Edwards vader, om wat hij jou en je zaak heeft aangedaan. Dat is toch zo? Beter om het recht in zijn gezicht te zeggen dan te huichelen en met een leugen te leven.'

In zekere zin een waarheid als een koe. Maar er zat meer achter dan alleen maar haat jegens hertog Richard. Ze geloofde oprecht in vrede en rechtvaardigheid, en had er geen zin in om moord en verminking als middel aan te grijpen voor persoonlijk gewin, meestal althans. En elke buitenlandse heksenpriesteres die zich een weg naar boven had 'getoverd', hertogin van Bedford was geworden en vertrouwelinge was van een koning en koningin die een bloedhekel hadden aan heksen, kon haar moeilijk de les lezen over het feit dat ze een dubbel leven leidde.

Maar daar maakte de hertogin zich totaal geen zorgen over, zij besloot opgewekt: 'Nu je een van ons bent, wordt het tijd dat je van je beloning gaat genieten. Vanavond heb je een persoonlijk onderhoud met koningin Margaret, een opmerkelijke eer voor een lády van nederige afkomst, nein?' Hertogin Wydville trok een blonde wenkbrauw op als om Robyn er aan te herinneren dat haar nobele aanspraken nogal dubieus waren, iets waar hare excellentie wel sympathie voor had, ze waren immers beiden niet Engels van geboorte. 'Treed hare majesteit gehoorzaam en onderdanig tegemoet,' beval hertogin Wydville. 'Antwoord haar kort en met respect en zeg absoluut níets wat hare majesteit van haar stuk kan brengen.' Hare excellentie legde extra nadruk op die laatste woorden. 'Zeg ook niets dat een wig kan drijven tussen hare hoogheid en degenen die loyaal achter haar staan en zich resoluut verzetten tegen York en het verraad van Warwick.'

Robyn knikte gehoorzaam, ze wist wat dat betekende: 'Trek je er niet te veel van aan dat er tussen de hofdames heksen zitten die naar macht hongeren en die weinig loyaliteit voor koningin of vaderland voelen.' Hertogin Wydville was in een koninklijke familie getrouwd omdat ze aanvankelijk had gehoopt ooit zelf koningin te kunnen worden... wie weet, er kon nog van alles gebeuren. Hertogin Wydville had meer dan genoeg dochters, een paar waren blond en mooi, en als de juiste combinatie van dood en huwelijk zich voordeed, kon een van hen makkelijk koningin worden. Tenzij Robyn tegenover koningin Margaret uit de magische school zou klappen.

Daarom was hertogin Wydville geëindigd met het verraad, ze bracht Robyn in herinnering dat ook zij gevaarlijke geheimen kende.

Vrouwe Robyns ongelukkige poging om neutraal te blijven en pacifisme te prediken had haar in de onplezierige positie gebracht dat ze nu beide kanten verraadde. Verdomd verbazingwekkend voor een amateur, dat dacht ze tenminste, dit was haar eerste serieuze confrontatie met de politiek. Voordat ze naar de Middeleeuwen kwam, had vrouwe Robyn nauwelijks de moeite genomen om zelfs te gaan stemmen.

Ze beloofde dat ze zich zou gedragen en volgde vrouwe Grey naar het volgende vertrek, dat de privé-eetkamer van de priores bleek te zijn, waar ze gasten wat luchtiger kon vermaken dan de regels der benedictijnen toestonden. Vandaag was die aan koningin Margaret ter beschikking gesteld, die in een comfortabele stoel zat. Op een bijzettafel naast haar stond een buffet van gekookte kwarteleitjes, kaas, wijn en suikerwafels. In de haard gloeiden helderrode kolen die de kamer verwarmden. Voor de tweede keer die avond maakte Robyn een diepe revérence en boog ze haar hoofd voor Margaret van Anjou, koningin van Engeland.

Margaret was een geboren koningin, trots en koninklijk, met een majestueus voorkomen en royale eigendunk. Afwezig knikte ze naar vrouwe Grey dat ze kon vertrekken. De dochter van hertogin Wydville maakte ook een diepe revérence en liep toen achteruit de kamer uit zodat Robyn helemaal alleen met hare hoogheid achterbleef, voor het eerst ooit. Koningin Margaret merkte haar aanwezigheid op en zei: 'Sta op, kind, ontspan je een beetje.'

Margaret was niet veel ouder dan zij, op zijn hoogst dertig, maar de koningin was haar koninklijke moeder, evenals koning Hendrik haar koninklijke sire was. Robyn ging ernstig voor haar koningin staan, er stond voor haar geen krukje klaar, niemand had ook maar een moment aan haar comfort gedacht. Koningin Margaret zat in vol koninklijk ornaat, op haar met goud afgezette jurk prijkten de Engelse leeuwen en Franse lelies, en voor de gelegenheid waren achter haar koninklijke wandkleden opgehangen. Haar voeten staken in slippers en rustten op een koningsblauw tapijt, en toch was het enige meubilair in de kamer haar gestoffeerde stoel en het handbewerkte buffettafeltje, waardoor Robyn het gevoel kreeg dat ze de enige toeschouwer was bij een koninklijke show, precies het effect wat werd beoogd. Margaret vroeg: 'Is het waar dat u zijne hoogheid de koning in Londen hebt gezien?'

'Zeker, uwe majesteit.' Ze drong de neiging om weer een knicksje te maken terug. 'Twee maanden geleden heb ik hem voor het laatst in Londen gezien, maar daarvoor ben ik twee keer met hem in Greenwich geweest en in juli in Northampton.' Koningin Margaret had haar man niet meer gezien sinds Hendrik zo rampzalig door Edward en Warwick was verslagen.

'Gaat het goed met zijne majesteit?' vroeg koningin Margaret aarzelend, dezelfde gevaarlijke vraag die Somerset haar had gesteld. Hare majesteit wilde weten of haar koninklijke echtgenoot zijn verstand nog bij elkaar had. Het enige wat Margaret wist was dat haar man in vijandige handen was, had ingestemd met de nieuwe regering en York als zijn troonopvolger had aanvaard. Dat stond Margaret helemaal niet aan, die redenen te over had om aan Hendriks verstand te twijfelen. Daarom wilde hare majesteit alleen met haar spreken, tijdens een heimelijke, nachtelijke ontmoeting, in de afzondering van een klooster.

Het was levensgevaarlijk om een niet-gestelde vraag te beantwoorden en koningin Margaret zou geen genoegen nemen met een opgewekt: 'Maakt u zich geen zorgen, uw echtgenoot is niet gekker dan anders.' En degene die meeluisterde ook niet. Hertogin Wydville zou een behoorlijk slechte heks zijn als ze niet iets had bedacht om het gesprek in de kamer ernaast te kunnen afluisteren.

Robyn haalde diep adem en antwoordde voorzichtig: 'Toen ik hem zag, ging het uitstekend met zijne majesteit.' Wat bij zinnen betekende. 'Hij deed zijn uiterste best om met de vele problemen om te gaan waarvoor hij zich geplaatst zag.' Of die hij zelf had veroorzaakt, maar dat durfde ze niet te zeggen. Robyn vermoedde dat een van de vele nadelen van het koningschap was dat je nooit de waarheid hoorde, zelfs niet in de beslotenheid van een klooster. 'Zijne majesteit sprak met diepgevoelde liefde en zorg over uwe hoogheid en de prins van Wales.'

Hare majesteit ging zachter praten, blij dat haar man haar zich nog altijd kon herinneren, letterlijk, want er waren momenten geweest dat Hendrik zelfs zijn vrouw en kind niet had herkend. 'U was ook bij zijne hoogheid in Northampton?'

'Tijdens de korte veldslag heb ik me in Hendriks tent schuilgehouden.' Ze probeerde de slag bij Northampton minder schokkend te brengen dan het geval was geweest. 'En zijne majesteit heeft mij uitermate dapper en zorgzaam verdedigd.'

Gelukkig was hare majesteit totaal niet geïnteresseerd in de reden waarom vrouwe Robyn in Northampton was, in plaats daarvan droeg koningin Margaret haar op voor beiden een glas wijn in te schenken en vroeg: 'En u hebt zijne hoogheid daarna in Greenwich ontmoet?'

'Twee keer, uwe hoogheid... een keer in augustus en nogmaals in oktober. Beide keren ging het uitstekend met hem, en was hij heel vriendelijk.'

'Zijne hoogheid is uitermate goed voor u geweest,' merkte Margaret op toen Robyn haar de wijn aanreikte. Ze hadden het over de echtgenoot van deze vrouw, maar ook over de door God gezonden vorst van Engeland, Frankrijk en Ierland.

'Buitensporig goed,' gaf Robyn toe en ze erkende dat Hendrik niet alleen koning was, maar ook haar persoonlijke lord en weldoener. Gekke koning Hendrik had met die typische gulheid van hem haar een koninklijk inkomen verschaft in de vorm van een paar door de regen verzopen paleizen, zodat ook zij van de ellende van die mensen kon profiteren. Dat leek toen zo aardig, maar nu kreeg lady Pontefract er een afschuwelijke smaak van in de mond. 'En uitermate genereus,' voegde ze eraan toe, ze wilde niet ondankbaar over haar geschenk overkomen, 'meer dan ik ooit voor mogelijk had gehouden.'

'En wat hebt u voor zijne koninklijke hoogheid gedaan?' vroeg koningin Margaret zonder omhaal, en er schemerde wat van het staal door dat mannen de kop en families hun huizen had gekost.

Ja, wat eigenlijk? Robyn kon niet zomaar zeggen: 'Maggie, ik doe het met Edward van March.' Gelukkig was Hendrik niet het soort man dat er avontuurtjes op nahield, niet als hij door de stress en spanning om zijn vrouw zwanger te maken in coma raakte. Dat moest Margaret van Anjou beter weten dan wie ook. Robyn kon alleen maar in alle oprechtheid zeggen: 'Zijne hoogheid is mijn koning, en er zal geen andere zijn. Dus heb ik hem alle liefde en steun proberen te geven die trouw en eerlijkheid toestaan.' Wat betekende dat ze er niet over piekerde om met Hendrik naar bed te gaan, maar ook dat ze niet zou aarzelen om zijne hoogheid te verraden als gekke Hendrik het bij het verkeerde eind had en er onschuldige levens op het spel stonden. Ze zei tegen koningin Margaret: 'Zijne majesteit mist bovenal de hulp en troost van uwe hoogheid.'

Margaret knikte, ze kende haar man goed. Als Hendrik zich tot een andere vrouw wendde, dan was dat niet om de seks, hij wilde alleen maar gerustgesteld en gesteund worden. Hendrik was eraan gewend dat zijn vrouw altijd alles regelde, dus hij moest zich behoorlijk hulpeloos voelen nu hij omringd was door een stel onbeschaamde krijgsheren die hem niet langer serieus namen. Hare hoogheid nam een slokje van haar wijn en vroeg glimlachend: 'Is het waar dat u de hertog van York in zijn eigen hal hebt uitgedaagd?'

'Tijdens het Krispijnbanket.' Ze knikte verlegen, ze liet koning Margaret in de waan dat ze voor haar en voor de rechten van haar zoon, de prins van Wales, was opgekomen. Het ironische was dat Robyn het had gedaan omdat ze zelf helemaal geen koningin wilde worden, en niet wilde dat haar eigen toekomstige kinderen in de koninklijke lijn terechtkwamen. Maar ze kon nauwelijks verwachten dat hare hoogheid dat zou begrijpen. 'In Londen, in de eetzaal van Baynards Castle.'

Koningin Maggie wilde er alles over horen, en hoe er in het Hoger-huis over de Act of Accord was gestemd, zich niet realiserend dat het kantje boord was geweest, of wat er eigenlijk in de wet stond. Of hoe hertog Richard het Hogerhuis had toegeschreeuwd, alleen maar om zijn eigen akelige zin door te drijven. Door de regen was het primitie-ve postsysteem weggespoeld en hare hoogheid had geen idee hoe het er in Londen aan toeging, net zomin als Londen iets wist van de grote legermacht die koning Margaret bij Kingson-on-Hull op de been bracht. Die burgeroorlog leek wel een spelletje blindemannetje, een middeleeuws spel dat door kinderen en vrolijk volk werd gespeeld – beide partijen waren geblinddoekt. Robyn voelde zich als de met bel-len overdekte speelbal, de dwaas en het doelwit van beide partijen, de enige die wel mocht kijken.

Hare hoogheid was wisselend geamuseerd en verbijsterd door wat er in het zuiden aan de gang was, en al gauw zaten ze heerlijk te rodde-len over graaf Warwick, hilarisch te lachen om de ambities van hertog Richard en hadden ze het zelfs glimlachend en hoofdschuddend over koning Hendrik. Zij en Margaret hadden dezelfde verdraagzame gene-genheid voor de ongelukkige vorst, en beiden wisten dat je je handen vol aan hem had, zeker voor een jonge vrouw die niet eens in Engeland was geboren. En ze wisten allebei hoe het was om door Londen bemind te worden, en dan weer te worden uitgekotst. Toen Margaret daar voor het eerst kwam, droegen de Londenaren haar madeliefjes op hun pet. Dus met nog meer wijn op zaten ze al gauw een beetje af te geven op de Britten. Koning Maggie vond dat haar onderdanen grof en eigenwijs waren, 'zonder het minste talent voor dienstbaarheid'. Bei-den waren het erover eens dat het eten walgelijk was en het klimaat nog veel erger. Vrouwe Robyn voelde met koningin Margaret mee, op haar vijftiende was die naar een vreemd land gesleurd, had met een krankzinnige moeten trouwen en was gedwongen om de scepter te zwaaien over een failliete natie waar de bevolking haar aartsvijand was. Een onmogelijke taak, en dat Margaret daar een verschrikkelijke puinhoop van had gemaakt, deed er nauwelijks meer toe.

Robyn schonk meer wijn in en ze ontdekte dat Margaret een onver-wachte voorliefde voor het theater koesterde, ze bezocht stiekem mirakelspelen. Ironisch, wanneer je bedacht dat Margaret zelf in drie of vier toneelstukken van Shakespeare als personage fungeerde. Toen koningin Margaret ontdekte dat vrouwe Robyn op de planken had gestaan, wilde ze daar alles over weten, dus Robyn diste een serie schandelijke 'Holy Wood'-verhalen op waar ze de namen en data uit wegliet. Tenslotte maakte Margaret een eind aan het herinneringen ophalen door haar te bedanken en ze vroeg: 'Heeft vrouwe Pontefract nog een verzoek voor zichzelf?'

'Niet voor mij, uwe majesteit,' antwoordde ze ernstig, ze wist wel dat ze vermaard was binnen de koninklijke familie, onder andere omdat ze nooit iets voor zichzelf vroeg, terwijl de zinnigste Engelsen wanhopig bij haar in de gunst trachtten te komen, of juist van haar af wilden. Robyn behandelde de adel als echte mensen, was zo eerlijk als de voorzichtigheid dat toeliet en ze hadden haar bescheiden houding royaal beloond. 'Maar ik zou graag willen dat de pachters van zijne majesteit die onder Pontefract vallen, zich niet gedwongen bij het leger bij Kingston-on-Hull hoeven te melden.'

Margaret verstijfde, gekrenkt dat verpauperde pachters weigerden om midden in de winter hun lijf en leden te riskeren om haar weer op de troon te krijgen. Dat bewees maar weer eens hoe moeilijk het voor de Engelsen was om het hun veeleisende vorsten naar de zin te maken. Even leek het erop dat het slecht zou aflopen, maar hare hoogheid vergaf haar de belediging en zei dat ze erop zou toezien dat 'niemand uit het leengoed Pontefract hoefde te komen, tenzij uit eigen vrije wil'.

Robyn viel op haar knieën en bedankte hare hoogheid omstandig, wel wetend dat ze de koninklijke gramschap had geriskeerd, maar blij dat ze iets voor die ongelukkige mensen had kunnen doen, die met hun huur haar zijde en satijn betaalden. Koning Margaret stond op en hielp haar overeind. Ze gaf haar net zo'n dankbare afscheidskus en zei: 'Mocht u zijne hoogheid weer zien, doe hem dan mijn liefste groeten.'

Ze beloofde dat ze dat zou doen en liep met een gelukkig hart achteruit bij de koningin vandaan, blij dat ze was ontsnapt met een belofte die haar mensen zou helpen. Voordat ze naar het noorden was gekomen, had ze hen alleen maar als koninklijke pachters beschouwd, of als geld dat ze uit kon geven, maar nu waren ze maar al te reëel. Haar volk, meer dan slechts in naam. Hertogin Wydville grijnsde als de Cheshire kat toen Robyn uit de privé-audiëntiekamer tevoorschijn kwam, een duidelijk teken dat de heksenhertogin had meegeluisterd en wist hoe fantastisch alles was verlopen. 'Welkom terug in de strijd tegen hertog Richard,' verklaarde hertogin Wydville. 'Deze keer voorspel ik je dat we zullen winnen.'

Zieneres, aan me hoela. Robyn maakte een knicksje en nam respectvol afscheid, ze was zeker niet van plan om zich aan te sluiten bij koningin Margarets kruistocht tegen het Huis van York. Hertog Richard mocht dan blind en onverdraagzaam zijn, hij had tenminste meer doelen dan het land voor zijn eigen plezier te plunderen, terwijl koningin Margaret en hertogin Wydville politiek bedreven om te pakken wat ze pakken konden, anders hadden ze geen inkomen. Zelfs de trotse, wraakzuchtige hertog Somerset was slechts een bastaard familielid, die voor zijn rijkdommen van de koninklijke regering afhankelijk was, ten koste van het volk. Daarom presenteerde de koningin 'haar zaak ook nooit aan het volk'. De meeste mensen waren het meer dan zat om krom te liggen voor een slechte regering. Londen zou met de strop en een vlijmscherp mes overtuigd moeten worden, wilden ze zich daar weer laten opschepen met koningin Margaret. Ironisch genoeg was het Robyn niet ontgaan dat deze afschuwelijke politiek door vrouwen werd bedreven, en ze had ontdekt dat het dodelijk kon zijn als je met Engelse vrouwen wilde wedijveren. Margaret van Anjou deed haar denken aan de verhalen over Margaret Thatcher, die in de slechte, oude twintigste eeuw Engeland met ijzeren vuist had geregeerd, maar koningin Margaret was jonger en mooier. Maggie Thatcher en prinses Di gingen naadloos in elkaar over, met een wraakzuchtig leger van welopgevoede bandieten, grensschurken en Schotse huurlingen achter zich, klaar om naar het zuiden te trekken. Iemand moest Londen waarschuwen.

Donderdag 4 december 1460, de vooravond van de naamdag van Sint-Barbara, York
Bitterkoud vandaag, maar helder en de modderige wegen zijn hardbevroren. Ik moet proberen Edward een boodschap te sturen. Hij denkt dat Somerset op zijn hoogst duizend man tot zijn beschikking heeft, maar bij Kingston-on-Hull wordt een immens leger samengetrokken, minstens tienduizend en elke dag komen er meer rekruten bij. Als Edward Somerset naar het noorden achterna gaat, loopt hij in de val. Maar hoe kan ik hem waarschuwen? Het zou met magie kunnen, maar Jo zit kilometers ver weg in de Cotswolds en zelfs als ik contact met haar kan krijgen, is dat nog geen garantie dat het bericht op tijd in Londen aankomt. Het enige covenlid in Londen is Beth Lambert, maar ik kan er niet op vertrouwen dat iemand naar haar zal luisteren. Edward misschien. Maar wie zou er verder aandacht schenken aan een klein meisje dat een visioen heeft gekregen van een leger dat zich bij Kingston-on-Hull aan het verzamelen is? Warwick niet, en hertog Richard ook niet.
Op een of andere manier moet ik direct met Edward in contact zien te komen, dat heb ik nog nooit gedaan. Maar als ik dat uitprobeer, moet ik hier weg zijn. Ik kan geen serieuze magie bedrijven in een benedictijns nonnenklooster terwijl heksenhertogin Wydville over mijn schouder meekijkt, dat is vragen om moeilijkheden. Morgen is het de naamdag van Sint-Barbara, de beschermheilige van schutters, mijnwerkers en iedereen die met explosieven te maken heeft. Hoe toepasselijk. Ik moet niet vergeten een kaarsje te branden...

Maar met een kaarsje voor Sint-Barbara was ze nog niet weg uit York, niet nu hertog Somerset en hertogin Wydville per se wilden dat ze daar bleef. Somerset had haar gewaarschuwd dat het niet veilig was: 'Er lopen bewapende vreemdelingen rond daarbuiten, die ook plunderen en platbranden. Wacht totdat we een fatsoenlijke escorte voor je hebben geregeld.' Tegen een koninklijke hertog kon ze niet ingaan, hoewel die plunderende en platbrandende 'bewapende vreemdelingen' Somersets eigen vrienden en kennissen waren. Hij gebruikte het feit dat ze voor de wet op de vlucht was als een excuus om haar in zijn buurt te houden en ze maar één ding kon doen: scheer je weg naar het nonnenklooster, meisje, zodat ze onmogelijk met Edward of wie ook contact kon opnemen.

Zaterdag was het de naamdag van Sint-Nicolaas, en de verjaardag van de koning... wat toepasselijk dat Hendrik op Sinterklaas geboren was, hij had al zoveel weggeven. York liep uit om het te vieren met uitgelaten optochten door de straten vol gesmolten sneeuw, er werd geproost op gekke koning Hendrik en de koorknapen van York Minster kozen een 'jongensbisschop'. Tussen sinterklaasavond en het Feest der Dwazen op de dag van de Onnozele-Kinderen zou de jongensbisschop zegenend en prekend rondgaan, in kindertaal, tot groot vermaak van de gemeente. Er zouden nog meer heilige dagen volgen: eerst de dag van de Heilige Ambrosius, dan de onbevlekte ontvangenis van de Maagd en een week later de naamdag van de Heilige Lucy.

Lucy was de heilige van het licht, dus natuurlijk viel haar dag in hartje winter, wanneer de behoefte aan licht het grootst is. En gebeden tot de Heilige Lucy waren ook gebeden tot de godin, want de martelaarsmaagd was de godin in wintergedaante, wanneer de aardmaagd dood lijkt maar in werkelijkheid een meisje is dat op haar wedergeboorte wacht. Een maagdelijke geest die zou verwarmen en groeien, in de lente liefde zou vinden en vrucht droeg in de zomer, en dan in de herfst weer zou sterven. Zij en Deirdre brandden kaarsjes voor Sint-Lucy en zongen: 'Lucy-licht, Lucy-licht, kortste dag, langste nacht...'

Als je op Sint-Lucy's dag kaarsjes brandde, dan was het net of je gebeden tot Persephone richtte, de Duistere Vernietigster, Koningin van de Dood, de dode maagd die naar de Hades werd gesleurd, zoals martelaren als Sint-Lucy, die liever stierven dan trouwden. Ondanks dat ze officieel werd doodgezwegen, sprak de dode maagd enorm tot de verbeelding van het volk, en lang nadat de Middeleeuwen in de geschiedenis was weggezakt, zou ze nog steeds haar winterslaap slapen onder namen als Sneeuwwitje, de Schone Slaapster, Cinderella en Thumbelina, allemaal in afwachting van de eerste kus die hen weer tot leven zou wekken.

Onder het zingen deed Robyn haar ogen dicht, sloot het kaarslicht uit en zocht naar het innerlijke licht. Beducht voor hertogin Wydville keek Robyn niet expres uit naar Edward, maar liet haar ziel dwalen, wel wetend waar die als vanzelf naartoe zou gaan. Ze werd omhuld door duisternis, de ijskoude winternacht, kouder en zwarter dan zelfs een nonnenklooster in december zou kunnen zijn. Dit was geen gewone duisternis, maar de donkere, zielloze golf die haar van haar geliefde scheidde en Robyn dook er blindelings in, niet bang voor wat ze zou kunnen vinden in de haar omhelzende nacht van Sint-Lucy.

De koude duisternis werd doorbroken door een ademhaling. Niet die van haar, maar van iemand anders. Een diepe, ritmische ademhaling, en de bedompte geur van vochtig canvas met een vleugje mint, net als van het twijgje waar Edward altijd op kauwde voordat hij naar bed ging. Ze zonk dieper in haar trance weg en zag dat ze in een tent was, opgezet in de koude vochtige nacht onder de sterren, en door het maanlicht zag ze de donkere en lichte strepen op de stof. Ze kon geen kleuren onderscheiden, maar het leek op het Mortimer-blazoen, het lege schild was duidelijk zichtbaar tussen de blauw-gouden strepen. Voorbij het tentdoek hoorde ze geluiden en rook ze de geuren van een nachtelijk kamp, wachtposten stampten met hun voeten in de kou, het warme geknetter van een kampvuur, het aroma van houtrook vermengd met paardenmest.

Robyn ging af op de ritmische ademhaling van de slaper achter in de tent, ze voelde een laag veldbed dat tegen een kant van het uitgezakte tentdoek stond. Edward lag daar in een donzen dekbed gewikkeld, dat merkte ze aan zijn frisse, jonge geur, door het geluid van zijn ademhaling en door de dromerige werkelijkheid van de betovering. Robyn had er geen idee van waar hij was, behalve dat ze alleen met Edward in zijn tent was, de intieme persoonlijke relatie die hen met elkaar verbond kon dat niet verloochenen, zoals hertogin Wydville wel als de geest van Somersets vader had kunnen fungeren.

Ze ging op de rand van het smalle veldbed zitten, ze voelde hem naast zich, solide en geruststellend, vol levenslust en hoop. Hier lagen veiligheid, troost en begrip – alles wat ze nu het meeste nodig had – op dat moment ver weg, maar dankzij Sint-Lucy dicht genoeg bij haar om hem te kunnen aanraken. Onder het dekbed en de dekens was hij naakt. Zo sliep Edward altijd, hij gooide alles wat hem aan de voorbije dag deed denken van zich af en gaf zichzelf volledig aan de slaap over, net zoals hij zich aan zijn dagelijkse dingen overgaf.

Ze raakte opgewonden van zijn nabijheid, zelfs op die afstand, en boog zich naar voren, ging op zijn adem af en voelde de warmte afgewisseld met de koelte van zijn adem op haar wang en toen op haar lippen. Zijn adem smaakte koel en naar mint. Haar lippen raakten de zijne aan, die voelden eerst droog aan, maar toen drukte een warme, opgewonden mond op de hare.

Ze werd wakker en voelde nog steeds de smaak van Edward op haar lippen. Wonderbaarlijk gewoon. Ze hadden een levensechte kus gewisseld, ondanks afstand en de diepe winterkou. Wat een prachtige heksennacht, dat ze uit haar lichaam kon treden en naar Edwards koude tent kon gaan, zonder dat ze zich afvroeg waar ze was en zonder dat ze maar een greintje kou had gevoeld. Ze had hem willen waarschuwen, maar dat was te gevaarlijk met hertogin Wydville zo dicht in de buurt. Elke communicatie die boven een kus uitging, kon makkelijk worden onderschept, mogelijk zelfs worden verdraaid voor hertogin Wydvilles eigen doeleinden. Liefde kon net zo goed een betovering voeden als haat.

Blij voor wat ze had mogen ontvangen, dankte Robyn Sint-Lucy uit de grond van haar hart en bad dat ze Edward snel weer zou zien, in levenden lijve met veel meer dan alleen een kus. En intussen zong ze de hele tijd ernstig met Deirdre mee:

Lucy-licht, Lucy-licht,
kortste dag, langste nacht...

Sint-Lucy moest haar gebeden hebben verhoord want de volgende dag kwam het bericht dat Somersets troepen in het zuiden ten strijde zouden trekken. Plotseling waren de bevroren wegen naar Pontefract open en in het kielzog van Somerset reed ze York uit onder escorte van baron John de Clifford, die haar graag in zijn gezelschap verwelkomde. Lord Clifford was in opperbeste stemming en keek verlangend uit naar de komende strijd. Nu had ze al van dichtbij meegemaakt hoe sommige mannen bepaald vrolijk werden bij het vooruitzicht van oorlog, vooral de jongeren. Als je je aan de strijd kon wijden, hoefde je je geen zorgen te maken over aardse zaken, je leefde bij het moment en greep elk pleziertje aan dat zich voordeed, vooral in vrouwelijk gezelschap. Zet bij elke jonge dolende ridder een vrouw en hij is gelukkig en attent, in de wetenschap dat ze misschien de laatste vrouw is die hij bij zich heeft. Op een merkwaardige manier was dat ook wel vleiend. Oorlog haalde het slechtste in mannen naar boven, maar soms ook het beste.

Hij haalde absoluut het slechtste boven in de jonge lord Clifford, die dol was op gezegdes als: 'Geduld is voor ploegers' en 'Woorden kunnen wonden niet genezen', waardoor een overigens pleziergie rit soms wat onder druk kwam te staan. Een middeleeuwse oorlog was nog niet die massamoord op onschuldigen zoals de 'moderne' oorlog was verworden, het was meer een dodelijke sportwedstrijd tussen hoogmoedige, jonge mannen. Maar deze liep er ongeveer van over en tegen de tijd dat ze bij Ferrybridge waren aangekomen en haar eerste manor in zicht kwam, had vrouwe Robyn er genoeg van. Ze vroeg of Clifford niet bang was om dood te gaan.

'Natuurlijk wel,' antwoordde de jonge lord glimlachend. 'Wie zou de dood niet vrezen? Maar angst voor de dood weerhoudt me er niet van mijn vader te wreken, want ik brand liever in de hel dan dat er nog één uit het geslacht York in leven blijft.'

'Dat kun je niet menen,' protesteerde ze, geschrokken dat de jonge baron naast haar zo bloeddorstig was.

Lord Clifford lachte om haar naïviteit en bezwoer: 'Als ik faal, moge Onze Here hierboven me dan ter plekke in Ferrybridge doen sterven.'

Ze zweeg en nam in zich op wat de regen had gedaan met haar eens zo weelderige manor. Ferrybridge dankte zijn naam aan een stenen brug die in plaats van de vroegere veerboot was gebouwd en daarmee de laagste droge oversteek van de Aire-rivier was geworden. Daardoor waren de handel en tolinkomsten in Castleford, zo'n zeven kilometer stroomopwaarts, opgedroogd. Maar deze winter waren er niet veel reizigers die voedsel en onderdak nodig hadden, en de meesten van hen waren bewapend en eerder geneigd om te plunderen dan te betalen. Erger nog, de Aire was buiten zijn oevers getreden waardoor weidegrond en tuinkavels ondergelopen waren, zelfs de brug was door het water ondermijnd waardoor het hele dorp werd bedreigd. Er kwamen vrouwen naar haar toe en boden haar aangelengd bier aan om haar keel te smeren, ze namen hun kinderen mee om de prachtige vrouwe te kunnen zien. Een aantal was ziek en vrouwe Robyn deelde antibiotica uit tegen wat klonk als een wandelende longontsteking. Die pillen deden meestal wonderen, want de middeleeuwse bacteriën waren er nog niet tegen bestand. Mooi zo, want deze koude hongerwinter trok een fikse wissel op kinderen en zwakken.

Ten zuiden van de Aire maakte de sneeuw plaats voor ijzel en de weg was glad en verraderlijk. Haar werk in het noorden zat er bijna op en ze was van plan om zo snel ze kon naar het zuiden te trekken, om Edward te waarschuwen en te overwinteren op Greystone waar ze veilig en welkom zou zijn. Maar ze was blij toen ze het solide Pontefract tegen de zuidelijke lucht zag staan. Dat zou niet makkelijk worden weggespoeld, met de massieve funderingen die diep in de heuvel ankerden, vol ondergrondse kamers en gangen. Middeleeuwers bouwden voor de eeuwigheid als het om kerken en kastelen ging. Als je hem van dichtbij bekeek, waren de gewelven van de Tower afschrikwekkend stevig. Toen ze door de grote, dubbele poort reed, kwam ze weer terug in die onwerkelijke wereld van weelde en overvloed, een hoog droog eiland dat op het verzopen landschap daaronder neerkeek. Vrouwe Robyn hield de teugels in en voelde zich schuldig om zo'n onverdiend privilege, maar niettemin was ze opgelucht dat ze een veilige en droge nacht tegemoet kon zien.

Matt Davye hielp haar afstijgen en knikte intussen naar de vestingpoort. 'Pas op, m'lady. Problemen op komst.'

Geschrokken door Matts bezorgde blik draaide ze zich om, ze zag dat de kasteelheer lord Clifford begroette, vergezeld van een aantal mannen in leer en maliën. Voorop liep de blonde, bebaarde ex-wachtmeester die haar ongewild een kijkje had laten nemen in de gewelven van de White Tower, Gilbert FitzHolland, in het kostuum van zijn halfbroer, de gekke hertog Holland.

Voordat ze kon bedenken wat ze moest doen, keek FitzHolland haar kant op, toen zijn blik de hare ontmoette, zag ze daarin eerst verrassing, toen ongeloof en vervolgens kwaadaardige opgetogenheid. FitzHolland liet lord Clifford staan, draaide zich om en liep op haar toe, breed glimlachend en met zijn hand op zijn zwaard begroette hij haar opgewekt. 'Vrouwe Stafford, wat een ongelooflijke opsteker. Ik denk dat ik u maar meteen mee naar Londen neem zodat u uw verdiende loon krijgt.'

9

Het leengoed Pontefract

Ze kon nauwelijks geloven dat ze zo'n pech had. Een ogenblik geleden was Pontefract haar veilige haven geweest, waar ze magie kon bedrijven, Edward kon bereiken en dan naar het zuiden zou reizen. Plotseling stond alles op losse schroeven. De laatste keer dat ze FitzHolland had gezien was in Greenwich geweest, toen hij als een haas naar Surrey was gevlucht. Nu stond hij plotseling aan de andere kant van Engeland, als altijd vijandig en van plan haar kwaad te doen. In haar ooghoeken zag ze dat Matt Davyes hand naar zijn dolk kroop, op het ergste voorbereid. Deirdre stapte naar voren en nam Lily's teugels van de paardenmeester over zodat hij de handen vrij had om zijn meesteres te kunnen verdedigen. Robyn vermande zich en keek FitzHolland indringend aan, ze zei beleefd: 'Goedendag, monsieur. Ik ben niet uit op ruzie met u.'

FitzHolland keek haar spottend aan. 'Jammer dan, heks, want die hebben we al.'

Waarom kon hij haar niet gewoon met rust laten? Ze waarschuwde hem: 'Denk niet dat u me straffeloos kunt lastigvallen. Dit is een koninklijk kasteel op een koninklijk leengoed en ik ben een vriendin van zijne majesteit.' En ook van hare majesteit, als je het wilt weten.

Haar nemesis schaterde van het lachen. 'Onze goedgunstige koning Hendrik is hier ver vandaan, dankzij u. U hebt mijn poging om hem te redden verijdeld.'

Ze wilde dat ze hem niet half zo beschimpt had vanaf de toren in Greenwich. Ze zei tegen de vroegere wachtmeester: 'Koning Hendrik is hier dan misschien niet, maar dat betekent niet dat u de vrijheid kunt nemen onheil aan te richten. Hertog Somerset heeft een hoge dunk van me, evenals hare majesteit koningin Margaret, bovendien heeft lord Clifford me zijn bescherming aangeboden.' Clifford en de kasteelheer kwamen goddank hun kant op.

FitzHolland spotte: 'Niemand kent u zoals ik.' Toen wendde hij zijn blik naar Matt, die kalm aan de kant stond, zijn dolk in de schede, maar zijn hand rustte op het dikke gevest. Matts voormalige meester vroeg: 'En hoe zit het met jou, verrader? Berijd jij nu mijn hoerenmadam?'

Matt verstevigde zijn greep op de dolk toen hij nonchalant antwoordde: 'Alleen als vrouwe Stafford op een merry wenst te rijden.' Ze was blij dat ze de grote, sterke Matt Davye bij de hand had, en moest weer denken aan die Hoogzondag toen hij haar op straat tot staan had gebracht en ze zich had afgevraagd of hij wel te vertrouwen was. Nou, daar stond hij dan, diep in vijandig gebied, kalm zijn oude meester in de ogen kijkend terwijl Matt net zo bang moest zijn als zij... misschien nog wel banger.

Clifford kwam achteloos aangelopen, hij keek achterdochtig naar de commotie en zei: 'Pas op, bastaard, vrouwe Stafford staat onder mijn bescherming.'

FitzHolland boog naar zijn meerdere en zei: 'Mijn hoogstedelachtbare lord Clifford, daar is eenvoudig iets tegen te doen. Deze wellustige vrouwe is een verraadster die niemands bescherming verdient.'

Lord Clifford lachte. 'Alleen als u de hertog van York als koning bestempelt. Ze wordt van poging tot moord beschuldigd, op hertog Richard van York, de allergrootste verrader van het land.'

'Ze heeft mijn poging verijdeld om koning Hendrik te bevrijden,' wierp FitzHolland tegen. 'Als zij er niet was geweest, zou zijne majesteit nu misschien hier zijn.'

'Helemaal in mijn eentje?' vroeg Robyn onschuldig. 'Of heeft mijn dienstmeid misschien een handje geholpen?'

FitzHolland had daarop geen antwoord. Het klonk een beetje gek dat hij haar de schuld gaf van het feit dat hij met twee eenheden gewapende ruiters koning Hendrik nog niet had kunnen meenemen. De krankzinnigheid die in zijn familie voorkwam, hielp hem ook niet veel. Hij veranderde van tactiek en zei tegen Clifford: 'Bovendien is ze een heks.'

'Betoverend, zul je bedoelen' – lord Clifford glimlachte naar haar – 'dat wil ik graag geloven.'

Ze maakte snel een knicksje om lord Clifford te bedanken voor zijn van pas komende compliment en probeerde de baron te vriend te houden. Clifford was arrogant, koppig en makkelijk kwaad te krijgen, en FitzHolland was zo stom om ruzie te zoeken in plaats van zijn overredingskracht te gebruiken.

'En ze is de hoer van Edward van March,' voegde FitzHolland er hatelijk aan toe toen hij zag dat de beschuldiging van hekserij geen standhield.

'Werkelijk?' Clifford keek haar aan alsof hij haar voor het eerst zag, toen wendde hij zich weer tot FitzHolland en zei opgewekt: 'Als het om vrouwen gaat, heeft die jonge knaap een betere smaak dan ik ooit voor mogelijk had gehouden.'

FitzHolland kookte van woede. 'Ziet mijn lord het dan niet? Ze is hier voor hem aan het spioneren.'

Clifford keek FitzHolland schuins aan en vroeg: 'En wat gaat ze Edward van March dan vertellen? Dat het hele noorden van het land

op het punt staat om naar Londen op te trekken, om die zelfingeno-
men usurpator van een vader van hem met de grond gelijk te maken?
Als het even kan, zullen we dat Edward maar al te graag zelf laten
zien.'

FitzHolland kon zijn woede nauwelijks de baas en zei klaaglijk:
'Mijn goedgunstige lord, hoe kunnen we toestaan...'

Clifford maande hem tot zwijgen. 'Genoeg, edele bastaard. Slik je
verontwaardiging wat in. We zijn hier niet gekomen om strijd te voeren om mooie vrouwen. Zij zijn de beloning voor de strijd, niet de vij-
and.'

Ze wilde geen beloning in een strijd zijn, maar ze hield haar mond,
ze wist wel beter dan tegen lord Clifford in te gaan... FitzHolland had
bewezen dat dat totaal geen zin had. Er was geen sprake van dat de
heksenjager een gewillig oor vond bij zijn lordschap. Ook al haatte ze
die blinde, stompzinnige arrogantie van de middeleeuwse adel, soms
had ze haar leven of vrijheid aan datzelfde arrogante voorrecht te
danken gehad. Pontefracts kasteelheer kwam erbij en nam Clifford
apart. Hij stelde voor dat FitzHolland met dit geval naar Somerset
zou gaan, waar hij niet veel beter af zou zijn, misschien zelfs wel slechter. Heksenjagers hadden het immer weerkerende probleem dat hun
doelwit vrouwen waren, hun prooi kon rekenen op enige sympathie,
mits ze gevat en knap waren. Geen wonder dat de 'slechte' heksen
altijd oude tangen waren, die riepen geen medelijden op als ze gehan-
gen of verbrand werden, in elk geval niet bij mannen.

Toen Robyn zag dat FitzHolland geen stap verder kwam bij lord
Clifford of de kasteelheer, bedankte ze de mannen voor hun oprechte
zorg om haar geestelijk en lichamelijk welzijn en trok zich met haar
kleine huishouden terug. Matt stribbelde tegen dat hij de paarden nog
moest verzorgen, maar ze stond erop dat hij ook meekwam en vroeg
de kasteelheer om hun rijdieren eten en drinken te laten geven. Fitz-
Holland zou iedereen aanvallen die haar na stond en Matt was te
belangrijk om dat risico te nemen. Ze maakte een revérence naar lord
Clifford, bedankte hem voor zijn bescherming, zowel op de weg van
York als op het stalerf van Pontefract en beloonde hem met een
afscheidskus waarmee ze de jonge baron immens plezier deed. Fitz-
Holland kreeg niet eens een au revoir, aangezien ze van harte hoopte
hem nooit meer terug te zien.

Weinig kans. FitzHollands aanwezigheid daar veranderde alles. Ze
was hier niet langer veilig, zelfs niet met Clifford aan haar zijde en de
bescherming van hertog Somerset. FitzHolland had zijn eigen vriendjes op hoge posities – hij was tenslotte de halfbroer van een koninklijke hertog – en hij haatte haar uit het diepst van zijn hart.

Robyn trok in haar weelderige suite in het hoofdgebouw van het kasteel. Alle vrienden van hertog Somerset en koning Hendrik werden koninklijk behandeld en in Pontefract betekende dat een ruime slaapkamer, een solarium met een zitje in de vensternis, een audiëntiekamer en een eigen pantry. Matt sliep in de nis en Deirdre bij de deur, dus had ze de slaapkamer voor zichzelf. Verbazingwekkend, vooral in de winter wanneer de middeleeuwers bij elkaar kropen om warm te worden. Ze had eigenlijk nooit een eigen kamer gehad, op de cel in de Tower na dan, en deze grote privé-slaapkamer sloeg alles met zijn manshoge haard, warme tapijten, een reusachtig veren bed en fleurige wandkleden van gouden stof waarop de Hof van Eden stond afgebeeld. Haar pantry was er vlak naast en rook naar kaneel en gedroogde appels. Om het plaatje compleet te maken, had ze een tobbe in de audiëntiekamer laten zetten die ze daarmee tot haar privé-badkamer omtoverde.

Door zoveel luxe werden de akelige omstandigheden van de mensen om haar heen alleen nog maar schrijnender. Ze moest iets voor het leengoed Pontefract doen. Hertogin Wydville of hertog Somerset mochten zich dan in bont, overvloedig eten en heerlijke geuren hullen – in de veronderstelling dat God of Hecate de getroffenen wel zou troosten – zij kon dat niet. Zelfs gekke koning Hendrik, die de mooie reputatie had opgebouwd dat hij het meest voor de hand liggende over het hoofd zag, voelde het onrecht om zich heen – dat veelal in zijn naam gebeurde – dus hulde hij zich in het zwart en was hij voortdurend aan het bidden. Bovendien probeerde hij vergeefs zijn schuldige weelde weg te geven, inclusief de opbrengsten van Pontefract. Nu zat zij ermee opgezadeld. U wordt bedankt, majesteit. Hendrik had een ongelooflijk talent om van alles wat hij deed een puinhoop te maken, hoe goed bedoeld ook.

Ze keek door de vensternis naar buiten en zag dat er steeds meer mannen vanuit Kingston-on-Hull binnenstroomden, het hele gebied was in een legerkamp veranderd. Grensruiters van Percy in halve wapenrusting en ijzeren helmen op, Fenwicks, Robsons, Milburns en Darces reden voor de ruwe rekruten Yorkshire uit met hellebaarden en lansen in de hand, maar er was niemand van het leengoed Pontefract. Ze hadden landgoederen bij York en Salisbury geplunderd, bij hun buren gebedeld om ze bij hun burgeroorlog te betrekken, waardoor de slechte winter nog slechter werd. Zelfs de vijanden van koning Hendrik hielden zich in zijn kasteel schuil, Schotse speerwerpers voegden zich bij de Grahams en Nixons die de grens waren overgestoken om hun Engelse neven te helpen. Er bungelden geroofde kippen aan hun riem. Robyn vroeg aan haar dienstmeid: 'Denkt koningin Margaret dat ze het land kan terugwinnen door het helemaal tot in het zuiden leeg te plunderen?'

'Moeilijk te zeggen wat de Saksische koningin denkt,' peinsde Deirdre, even vergetend dat Margaret van Anjou technisch gesproken uit Frankrijk kwam. 'Aangezien die koningin Margaret in Schotland is.'

'Dat is zo,' stemde Robyn in. Margaret had deze crisis aangegrepen om Kerstmis bij koningin Mary van Schotland te vieren, waarmee ze een nieuwe betekenis gaf aan 'niet bereikbaar'. Wie wist wat koningin Margaret dacht? Er zat een merkwaardig gebrek aan samenhang in alles wat de Lancasters deden, om te beginnen met de stellige bewering dat gekke koning Hendrik de wijste en heiligste man in Engeland, en daarmee de beste koning was. Als je die gekkigheid geloofde, tuinde je overal in. Hare hoogheid had zichzelf voor Kerstmis uitgenodigd bij koningin Mary, liever dan de ondankbare taak onder ogen te zien om een oorlog in hartje winter te financieren, en dus plunderde haar leger haar onderdanen. Vrolijk kerstfeest van koningin Margaret.

Maandag 15 december 1460, naamdag van Sint-Valeriaan, Pontefract Castle
Sint-Valeriaan zou tegen sneeuw en kou moeten beschermen, en de dag begon inderdaad warm en zonnig, waardoor de dooi inviel en de Went weer buiten haar oevers trad.
Ik moest erachter zien te komen of ik werd geaccepteerd en tot welk punt, dus riep ik de baljuws bijeen en trakteerde ze op gerookte haring, schapenstoofpot, ganzenpastei, zoute paling en dadelcompote die ik op kosten van de kroon uit de kasteelkeuken had laten aanrukken. Tussen de gangen door kondigde ik koningin Margarets belofte aan dat ze geen dienstplicht hadden, een overweldigend populaire mededeling. Op hun beurt legden ze uit waarom de opbrengsten zo mager waren: mislukte oogsten, vernielde visnetten, afgeslachte melkkoeien en fokvee omdat die niet meer op de graslanden konden grazen. Er waren huurachterstanden en er kwam weinig voor in de plaats. De lopende opbrengsten waren nauwelijks genoeg om mijn Italiaanse lening te dekken, zowel de Venetianen als ik waren veel te optimistisch geweest over wat landhuizen in deze natte, beroerde winter konden opbrengen.
Zeer tegen mijn zin heb ik een hoop over middeleeuws landgoedbeheer geleerd. Er waren maar een paar landeigenaren in de buurt, aangezien alles van de koning is. De meeste mensen zijn gewone pachters, afstammelingen van slavenfamilies die hun feodale plichten en arbeid schuldig waren, of gebonden pachters die hun land per contract pachten en daarvoor huur aan mij verschuldigd zijn. De huren drukken zwaar op de mensen, maar over het algemeen vinden ze het wel terecht, aangezien ze op het land van de koning wonen en niet ver-

wachten dat ze dat gratis en voor niks mogen bewerken. Ze hadden een veel grotere hekel aan de willekeurige belastingen en leges, dingen als schatplicht en tolgelden, wanneer een pachter dood ging of hun kinderen trouwden. Die verfoeilijke belastingen gingen nergens over, behalve dan dat ze mijn zakken vulden, en er was groot verzet tegen. Mijn absolute favoriet is 'leyrwite', dat spreek je als lay-right, een boete die wordt opgelegd aan 'onreine vrouwen' die seks buiten het huwelijk hebben, een echte melkkoe zolang hij mij maar niet wordt opgelegd. Dit soort afpersingspraktijken lijkt hier vaker voor te komen dan in het westen. Op Greystone bestaan ze helemaal niet meer.

Wat hun status ook is, gebonden pachters, landarbeiders, losse lijfeigenen of dagloners, iedereen hier is nagenoeg platzak. Het is duidelijk dat het leengoed Pontefract mij niet kan onderhouden, noch mijn plotselinge, vrijgevige uitspattingen kan betalen. Je zou de inkomsten van de manor op kunnen schroeven door van akkerland weiland te maken, waar schapen en vee voor de verkoop kunnen worden gehouden, maar dan komen je pachters van honger om... geen aantrekkelijk idee.

Ik bedankte de baljuws, zei hun dat ze de ganzenpasteitjes mee naar huis moesten nemen voor hun kinderen en stuurde ze de zonnige decemberdag in. Ik beloofde ze een nog groter feest in Wentbridge, aanstaande donderdag, wat iedereen hier Sint-Adamsavond noemt. Een paar baljuws hadden zieke kinderen meegenomen, ze beweerden dat mijn pillen en vriendelijke woorden in Ferrybridge tot wonderbaarlijke genezingen hadden geleid. 'Vrouwe Pomfret' leerde niet alleen een landgoed beheren, ze werd ook de plaatselijke kinderarts. Mensen hunkeren hier zo naar leiderschap, dat ze een volslagen vreemde nog zouden volgen, als die maar hun kant op gaat...

Met het vooruitzicht dat de akelige winter zou eindigen in een burger-oorlog, zat er niets anders op dan feest te vieren. Er kon geen sprake zijn van nog meer scheepsladingen graan, hoewel Robyn met haar snel slinkende zilvervoorraad nog wel bier en paling kon bestellen, een karrenvracht brood en een os die groot genoeg was om een dorp vet te mesten. De dagen dat ze zorgeloos alles op rekening van de kroon kon laten zetten waren voorbij en al gauw zou ze zilveren penny's moeten tellen. Verdomme.

Maar ze had nog genoeg voor een laatste feestmaal, aangezien in deze periode het Saturnusfeest werd gevierd, de grote zonnewendeviering wanneer de oude edelen hun slaven en dienaren trakteerden. Haar landgoed in Wentbridge lag in het midden, vlak aan de Grote Noordelijke Weg, en het volk kwam daarnaartoe om zich vol te stoppen, in wollen mantels trotseerden de mensen de lichte sneeuw en verzamelden zich in de kerk en kasteelhal. Woensdag was een vastendag geweest, net als vrijdag en zaterdag, dus dit was hun grote kans om op kosten van de manor te schransen. En morgen was het Sint-Adams-dag, die niet op de liturgische kalender stond maar evengoed een feestdag voor het volk was, opgedragen aan seks en frivoliteit, waar je vooral met een volle maag van moest genieten.

Op het hoogtepunt van de festiviteiten riepen de baljuws om stilte en de Britten namen respectvol hun hoofddeksel af toen Robyn van haar plaats aan de hoge tafel opstond. Ze sprak hardop in de stilte, zette haar beste toneelstem op en kondigde aan dat alle overgebleven feodale rechten zoals overdrachtsheffing, leyrwite, kinderheffing, schatplicht en geschenkheffingen werden afgeschaft. Vanaf nu zouden alle gewone huurders pachters worden die slechts huur aan de kroon verschuldigd waren, vrij om hun pachtgoed te verkopen als ze een koper konden vinden. De mensen keken haar in een verbijsterde stilte aan, verbaasd hoe hun leven door een enkele zin was veranderd. Bovendien zei ze tegen hen: 'Alles wat jullie dit jaar nog aan de kroon verschuldigd zijn wordt kwijtgescholden, met inbegrip van de huur die jullie me met Kerstmis schuldig zijn.'

De geschokte stilte ging over in een wild gejuich. Een golf van applaus brak los en ze moest even wachten. Ze stond glimlachend in haar karmozijnrood-met-gouden gewaad terwijl de mensen in hun gevlekte, zelfgemaakte kleren haar van harte toejuichten, nog nauwelijks gelovend wat ze hadden gehoord. Een slechte oogst betekende dat de schulden aan de kroon waren opgelopen zonder dat ze op een schadevergoeding konden hopen. Plotseling waren al die schulden verdwenen samen met hun feodale heffingen en lasten, waardoor deze mensen vrije pachters werden, wat hun vlees zoeter deed smaken en het bier van m'lady nog beter.

Toen ze waren uitgeklapt, voegde ze eraan toe: 'En het geld dat tot nu toe in mijn naam is geïnd wordt aan de pachters terugbetaald.'

Nog meer dronken applaus brak los, deze keer van de spaarzame zielen die hun huur wel hadden kunnen ophoesten, nu konden zij ook profiteren van de ongelooflijke goedgeefsheid van hun vrouwe. Na het gejuich brachten ze een toost uit op 'onze lady Robyn van Ponte-fract', hun engel uit het zuiden. Minstrelen begonnen christelijke muziek te spelen, mensen begonnen te dansen en sloegen de maat met ratels en klepels die aan hun riem hingen. De gasten zongen kerstliederen terwijl dansers de woorden mimeden en gearmd rondjes draai-den. Ze keken, zongen en deden van alles wat God verboden had, maar het kon ze niets schelen want ze waren veel te gelukkig. Er zat iets subversiefs in die hele kerstperiode, ze vierden dat een tienermoeder een bastaardzoon had gekregen en die in een kribbe had gelegd, door wie dieren konden praten en voor wie koningen op de knieën gingen. Sinds mensenheugenis was dit de periode om te geven, degenen die er warmpjes bij zaten moesten gul zijn met voedsel en warmte.

Het leengoed Pontefract van zijne majesteit had zijn kerstwonder gekregen, dankzij vrouwe Robyn en, tegen wil en dank, dankzij een paar royale Italiaanse bankiers. Ze had van de rijken geroofd – koning Hendrik, overzeese bankiers en zichzelf – om aan de armen in York weg te geven, die het wanhopig nodig hadden. Wat zouden ze denken als ze wisten dat hun vogelvrijverklaarde vrouwe maar een 'ja, ik wil' verwijderd was van hun hertogin? Daar moesten ze op proosten. Maar op dit moment was ze de Venetianen meer schuldig dan ze ooit kon terugbetalen, en als ze erachter kwamen, zouden haar Italianen uit lang zo'n charmant vaatje niet tappen. In het nieuwe jaar kwamen er weer huuropbrengsten binnen, op Maria-Boodschap, maar wie kon zeggen hoe de zaken er dan voorstonden?

Vrouwen kwamen haar persoonlijk bedanken en vroegen m'lady om vergeving. Ze zeiden: 'We waren bang dat vrouwe Pontefract een of andere norse zuiderling was die elke penny zou opeisen, ook al moest die uit de monden van de kinderen worden gespaard.'

De feestelijkheden gingen door tot Sint-Adamsdag op vrijdag, een van de vastendagen na het feest van Sint-Lucy, wanneer mensen niet alleen geen vlees aten, maar ook 'wit vlees' zoals eieren en kaas lieten staan. Maar ze hadden nog altijd gezouten vis en bier bij hun dagelijks brood en Sint-Adamsdag had een vleselijke bijbetekenis, hij was opgedragen aan de man die de zonde had uitgevonden. Jo had haar verteld over geheime sekten, Adamieten, die het huwelijk afwezen en naakt bijeenkomsten hielden die ze 'paradijs' noemden – allemaal heel ketters en onwettig, maar niettemin dikke pret. Dat nam Robyn althans aan, want ze was er nooit bij geweest. Zij moest zich met haar eigen ketterij bezighouden, aangezien het vanavond heksennacht was, ze wilde wanhopig uitzoeken waar Edward was en hem waarschuwen voor het leger dat zich om haar heen had verzameld.

Ze trok zich terug in haar luxueuze privé-slaapkamer die ze op een zeldzame heksennacht in haar eentje had voorbereid. Dit was geen lesje in bezweringen, het was een vastberaden poging om haar macht te vergroten en daar kon ze geen novice bij gebruiken. Op de vloer van de slaapkamer trok ze een cirkel, sloot haar ogen, zong zachtjes in haar hart een lied en zonk langzaam in zichzelf terug. Haar weg naar Edward ging via haar hart en ze concentreerde zich op hem, dacht aan zijn aanraking, gevoel, zijn lach, zijn geur en hoe ze ernaar verlangde hem te zien. Bevrijd van het toezicht van hertogin Wydcliffe kon ze eindelijk haar geliefde oproepen. In plaats van dat ze haar verlangen verborg, liet ze zichzelf erin wegzinken, zich overspoelen door haar

286

hunkering naar Edward, haar hart ging naar hem uit, ze wilde weten of hij in orde was, wilde dat hij bij haar was.

Duisternis omhulde haar, de koude, sombere duisternis van de winter, van het graf, met slechts de warmte van haar heksennachtkaars op haar huid die haar aan de volgende lente deed denken. Ze liet zichzelf gaan, ging op in de duisternis en riep om Edward. In het donker hoorde ze weer dezelfde ritmische ademhaling als op de vooravond van Sint-Lucy's feestdag.

Alleen was het deze keer niet in een benauwde tent. Nu voelde ze de droge geuren van een winterse kasteelslaapkamer. Ze ging af op de ademhaling, naar een groot hemelbed in de hoek van de kamer en Robyn trok de zijden gordijnen opzij. Daar lag Edward. Ze rook zijn geur en hoorde het aan zijn ademhaling, en omdat de betovering zo levensecht was. Edward, en Edward alleen – godzijdank. Het zou absoluut afschuwelijk zijn geweest als ze had ontdekt dat hij een of andere Welse dienstmeid had gevonden die maar wat graag haar knappe Saksische lord tijdens de lange winternachten warm wilde houden.

Deze keer wilde ze meer dan alleen maar een kus, dus tilde ze het dekbed op en gleed tussen de zijden lakens. Ze betrad een warme, donkere wereld vol sterke mannengeuren, altijd vreemd en heel opwindend. Vrouwe Robyn had zojuist bijna alles weggegeven wat ze bezat, dus verdiende ze wel een beloning en de beste die ze kon bedenken was dat ze door Edward werd vastgehouden, dat hij naar haar problemen luisterde, haar vertelde dat het allemaal goed kwam en teder met haar zou vrijen – niet noodzakelijkerwijs in die volgorde. Ze voelde met haar hand en vond het stevige lijf dat op het veren bed drukte, een poos lang keek ze naar haar geliefde, haar heksenbeeld vulde in wat je eigenlijk in een donkere kamer in een maanloze nacht niet kon zien.

Ze kon nauwelijks geloven dat ze weer samen in bed lagen, dit was haar eigen privé-'paradijs' op Sint-Adamsnacht, magisch en nog veel meer. Ze liet zich door de bezwering leiden en volgde Edwards ademhaling naar zijn lippen. Ze kuste hem licht, opgetogen door het opwindende contact over zo'n grote afstand.

Edward trilde warm door haar aanraking, zijn blote armen kwamen van onder het dikke veren dekbed tevoorschijn en pakten haar beet, slaperig trok hij haar tegen zich aan zodat ze de volle lengte van zijn prachtige, naakte lichaam voelde. Hij werd wakker en zijn been gleed over haar heup, duwde haar zwarte heksenjurkje omhoog en spreidde haar benen met zijn knie, allemaal zonder de kus te onderbreken. Monden en lichamen kwamen als magie bijeen, pasten naadloos in elkaar ondanks slaap, afstand en de diepe winter.

Vrouwe Robyn ontspande door de kus, met gesloten ogen liet ze zich in het donker in Edwards omhelzing wegzinken, reikte naar beneden en leidde zijn opwinding in banen waar die het lekkerst was. De dingen voelden wonderlijk dromerig aan toen ze haar heupen opende om hem binnen te laten, zonder angst voor vlooien of zwangerschap. Oefening baarde kunst en ze leidde zijn wakker geworden erectie precies naar de goede plek, en liet hem bij haar naar binnen glippen. Even voelde ze de prettige wrijving en toen...

Werd ze wakker, terug in haar vorstelijke appartement op Pontefract. Ze zat op de vloer van haar slaapkamer en keek naar een opgebrande kaars, terwijl ze nog steeds Edwards zweet en opwinding rook. Verdomme. Niet eerlijk, nog een tikje langer en dan zou ze werkelijk een ondeugende heks zijn geweest. Buiten werden in de duisternis de klokken van de kerktoren geluid. Wat een Sint-Adamsnacht. Haar horloge stond op 03:42:02. De ochtendklokken waren laat, een slaperige monnik had zeker de waterklok laten bevriezen.

Zondag 21 december 1460, naamdag van Sint-Thomas de apostel, Pontefract Castle

Wat een ongelooflijke heksenvlucht! De meest verbazingwekkende die ik ooit heb meegemaakt (op de eerste na, natuurlijk). Dat geeft me het vertrouwen dat ik ooit die hele zaak helemaal kan beheersen, en niet alleen kilometersver kan reizen, maar ook de eeuwen door. Ik heb nog steeds de tijdsbarrière niet kunnen breken. Ik kan haar zelfs niet veel oprekken, anders had ik nooit genoegen genomen met een coïtus interruptus.

Deirdre vroeg details over ontbijttoast en thee, en ik gaf bemoedigende, maar vage antwoorden. Zo aangenaam als dat privé-'paradijs' ook was, ik heb Edward niet kunnen waarschuwen. En steeds meer lords voegden zich bij Somerset en Devon, met inbegrip van Holland, Percy, Latimer, Roos en Greystroke – Tarzan in eigen persoon ging zich openlijk tegen de Act of Accord verzetten. Merkwaardiger was dat lord Neville er ook was, een neef van Edwards trouwste bondgenoten, evenals lord Latimer, wat aantoonde hoe weinig steun York onder de noordelijke adel had.

Ik wilde dat ik Lily kon zadelen en Edward kon gaan zoeken om hem voor het gevaar te waarschuwen – maar Somerset had gelijk als het om de gewapende mannen langs de weg ging. Er is al een gevecht geweest bij Worksop, aan de rand van Sherwood, met ruiters uit York die uit het zuiden kwamen. Somersets troepen beweren dat ze tientallen Yorkers hebben omgebracht, maar ze moesten wel toegeven en zich op Pontefract terugtrekken. Er is maar één manier om Edward te kunnen waarschuwen en dat is via magie.

En dit is een magische periode. Er liggen heilige dagen in het ver-
schiet. Vanaf nu is bijna elke dag een heiligendag, speciale kerstmis-
sen, de feestdag van de Heilige Stefanus, Onnozele-Kinderendag en de
dagen ter ere van de twee verschillende Sint-Thomassen – de plaatse-
lijke bevolking noemt die de vredige dagen, wanneer de ijsvogel nes-
telt, een tijd van vrede en mooi weer rondom Kerstmis. Yorkshire kan
van beide wel een gezonde dosis gebruiken.

Dinsdag 23 december 1460, Pontefract Castle
Vandaag acht maanden in de Middeleeuwen. Ongehoord. Negen
maanden geleden wist ik van dit alles niets af en zat ik in West-L.A.
met het idee te spelen om een vakantietripje naar Engeland te maken.
Verrassing. Nu zit ik in kasteel Yorkshire driftig kerstcadeaus te naai-
en voor edelen en dienstmeisjes. Voor Somerset maak ik een zilver-met-
blauwe wollen sjaal, omdat het niet eenvoudig is iets voor de hertog te
verzinnen, aangezien hij alles al heeft – en Somerset verdient iets
omdat hij me beschermt. Als hij niet blij is met de sjaal houd die hem
toch warm.
Somerset is mijn belangrijkste bescherming tegen FitzHolland en die
heb ik meer dan ooit nodig, nadat ik eindelijk hertog Hendrik Hol-
land, FitzHollands halfbroer, heb ontmoet. In vergelijking met hem
lijkt FitzHolland bijna normaal. Hij stamt af van een familie die
bekendstaat om moord, waanzin en sadisme, en hertog Holland ziet
er net zo gevaarlijk uit als je van hem kunt verwachten. Hij heeft ooit
op Pontefract gevangengezeten, beschuldigd van verminking en ver-
raad, maar ze hebben hem helaas laten gaan. Edwards zuster Anne is
botweg aan hem uitgehuwelijkt. Als je het over een heilloos huwelijk
hebt.
Ik mis mijn eigen verloofde. Ik moet Edward op een of andere manier
zien te bereiken. Morgenavond is het kerstavond, de avond van de
Moeder en ik zal tot Maria bidden om raad en steun, want de nacht
na Kerstmis is het weer heksenjacht, en ik hoop dan meer te krijgen
dan een kus en een kriebeltje, misschien krijgen we zelfs de kans om
met elkaar te praten.
Het gerucht gaat dat Edwards vader op Sandal Castle zit, vlak bij
Wakefield, niet meer dan vijftien kilometer hiervandaan. Als dat zo
ik, wens ik hem ook een heel vrolijk Kerstmis toe al hoeft hij geen sjaal
te verwachten. Er zijn grenzen aan mijn naaiwerk.

Vrede was het beste kerstcadeau dat er was en tegen de kerstdagen
gold er een tijdelijke wapenstilstand die tot Driekoningen, 6 januari,
zou duren. Kasteel Pontefract was versierd met altijdgroene takken,
de vertrekken geurden naar denappels en er weerklonken hymnen en

gezangen. Lords en het volk werden vermaakt door fiedelaars, acrobaten, slangenmensen, steltlopers, sprekende dieren en een acrobatische danser die naar de naam Maud Plezier luisterde. Een paar van de gezangen kon je makkelijk herkennen, zoals het 'Engelenhymne', dat gaat zo:

Hoog in de lucht horen we engelen
zoetjes over de vlakten zingen.
Als antwoord klinkt vanaf de bergen
de echo van hun vreugdeklanken.

En ook *Adeste Fideles*, maar de meeste liederen waren in het Latijn, met vreemde woorden. Toch is het heerlijk om uit volle borst te zingen: 'Glo-riee-a in excelsis deo,' en voor het eerst te weten wat het betekende. Robyn leerde voor de variatie Deirde en de dienstvrouwen het lied op de melodie van 'Greensleeves':

Wie is dit kind, dat ligt te rusten,
te slapen op Maria's schoot

Dat en 'Stille nacht' bezorgden Robyn de reputatie van liedjesschrijver. Jammer dat ze zich niet meer liedjes kon herinneren, want de vrouwen wilden heel graag zingen, het liefst in het Engels. Hertog Somerset vond zijn sjaal mooi, hij deed tenminste alsof. Somerset kon beleefd misleidend zijn als dat zo uitkwam. Hij moest het nu wel over Joan Hill en zijn kind hebben, die thuis Kerstmis vierden, zonder de hertog. Robyn proostte op Joy, Somersets bastaardzuster, die met Kerstmis jarig was. Joys halfbroer dronk enthousiast mee, hij maalde niet om bastaards in de familie. Zelfs niet in zijn eigen.

De vrijdag daarop was het de naamdag van de Heilige Stefanus, tweede kerstdag, hoewel niemand dat toen zo noemde. Maar tweede kerstdag leefde heel erg onder het volk. Op die dag bezette de plaatselijke bevolking het kasteel, gekleed in dwaze kostuums, ze zongen schuine liederen en eisten geschenken van hun meerderen. Dit was Kerstmis op zijn best en Robyn wist een liedje dat erbij hoorde, dat begint zo:

Goede koning Wenceslas keek naar buiten
Op het feest van Stefanus
Toen lag er overal sneeuw
Dik, knisperend en glad

en ze eindigde met de waarschuwing:

Daarom christenen, wees er zeker van
wanneer u weelde en status bezit
Zegen daarmee al de armen,
Ook gij zult dan de zegen ontvangen.

Waardevolle gedachten voor de christelijke edelen die op Pontefract feestvierden terwijl ze zich in vredestijd op een oorlog voorbereidden. De avond van de Heilige Stefanus was tegelijk heksennacht, de laatste van het jaar, hopelijk ook haar laatste op Pontefract.

Haar digitale horloge wekte haar op het heksenuur, ze trok haar cirkel en stak met haar plastic aansteker een lange zwarte kaars aan. Ze liet de aansteker in de zak van haar zwarte, zijden hemdjurk glijden, sloot haar ogen en begon in zichzelf te zingen, ze riep al de macht op die ze kon om Edward te kunnen bereiken.

En dat lukte. Eerst rook ze de warme, droge geur van zijn kasteelslaapkamer gevolgd door het geluid van zijn ademhaling. De luiken waren gesloten en het was doodstil in de donkere kamer, de stilte werd alleen onderbroken door zijn ritmische in- en uitademen. Ze sloop naar Edwards bed en Robyn trok stilletjes de zware Tripoli zijden gordijnen weg. En zag dat hij wakker was.

Zijn hand sloot om haar pols en trok haar naar het donkere bed. Zijn andere arm gleed langs haar zij, krulde om haar schouder en trok haar naar zich toe. Zijn mond vond de hare en ze kusten, een lange intieme samensmelting die minuten leek te duren. Toen hun lippen elkaar loslieten, fluisterde hij: 'Ik heb op je gewacht.'

'O ja?' vroeg ze, verrast dat hij zo snel haar onaangekondigde komst voor zoete koek had aangenomen.

'Een week geleden heb ik gedroomd dat ik je kuste,' legde Edward uit en hij zette zijn woorden kracht bij met nog een heerlijke kus, en voegde eraan toe: 'En ik wilde meer, veel meer, maar je was te snel verdwenen. Sindsdien wacht ik tot de droom terugkomt.'

'Dit is geen droom,' zei ze tegen hem, zich realiserend dat Edward dacht dat ze er helemaal niet was.

'Wat bedoel je?' Edward lachte gelukkig, hij genoot met volle teugen en schoof haar zwarte hemdjurk over haar heupen. 'Dit is verreweg de heerlijkste droom die ik ooit heb gehad.'

'Voelt dit als een droom?' Ze boog zich voorover en beet stevig in zijn ronde schouder, niet zo hard dat het pijn deed, maar genoeg om te overtuigen.

'Nee, dit voelt hemels.' Hij schoof haar onderjurk tot aan haar schouders en boog naar voren om de spleet tussen haar borsten te kussen.

'Misschien,' gaf ze toe toen zijn lippen en tong over haar naakte huid gleden. Zeker niet de christelijke hemel, en ook geen heidens paradijs, waar een vrome jonge, krijgsprins als Edward absoluut minstens veertig smetteloze maagden zou scoren. Ze friemelde tussen de plooien van haar opgeschoven nachthemd en vond de plastic aansteker, ze stak hem aan. Zacht geel licht vloeide door het hemelbed en viel op zijn knappe, glimlachende gezicht.

Toen Edward bij het licht van een van haar futuristische hebbedingetjes zag dat zij in levenden lijve bij hem was, ging zijn opgetogenheid over in verbijstering. Hij vroeg: 'Hoe ben je hier gekomen?'

Geamuseerd dat hij zo verrast was, zei ze tegen hem: 'Ik ben niet echt hier.'

'Niet hier?' Hij stak zijn hand uit en volgde met zijn vinger de welving van haar borst, waardoor er een prettige tinteling naar haar buik en tussen haar dijen schoot. 'Je lijkt wel heel erg echt. Hoe kan dat nou?'

'Hekserij,' gaf ze toe. 'Maar vraag me niet hoe ik het doe.' Ze betwijfelde het of ze het uit kon leggen, ook al zou dat zijn toegestaan.

'Weer zo'n vrouwengeheim?' Edward streek met zijn vinger langs haar halfnaakte lichaam en genoot ervan hoe strak het aanvoelde. Voor zo'n afstand was het allemaal opwindend echt.

Ze knikte. 'En echt niet wonderbaarlijker dan baby's maken.' Heksenvluchten waren makkelijker en veiliger dan zwangerschap, alleen lang niet zo normaal.

Edward lachte. 'Daar mogen wij mannen tenminste nog bij zijn. Waar ben je dan nu?'

'Pontefract Castle.' Robyn schoof de blauwe zijden gordijnen opzij en vond naast het bed een olielamp. Ze stak hem aan en legde de aansteker neer. Ze keek de slaapkamer rond en zag een rijk gemeubileerd vertrek met houtbewerkte panelen, een roze marmeren maagdenbeeld en met zilver beslagen meubels. Ze vroeg: 'En waar is hier?'

'Shrewsbury,' antwoordde Edward en hij hield zijn hand op haar borst alsof zijn warme aanraking haar daar kon houden. 'Wat doe je in hemelsnaam in Pontefract?'

Zo te horen kon hij het nauwelijks geloven, ondanks de vergrendelde deur en gesloten luiken. Ze geloofde het zelf nauwelijks, ze lag naast hem in zijn enorme veren bed, gelukkig, warm en behaaglijk. Maar eigenlijk was ze in Pontefract en aan heksennacht zou een einde komen. 'Ik ben met Somerset naar het noorden gegaan, in de hoop dat jij hem zou onderscheppen, maar hij ging te snel.' Tot zover wist Edward wat er was gebeurd, in elk geval had hij het vermoed. 'Bij Nottingham had ik willen omkeren, maar ik moest doorgaan...'

Edward keek bezorgd. 'Waarom?'

Ze had geen tijd om hem te vertellen over Maria uit Cock Lane in Sherwood, of het bloemenpad over de voetafdrukken die naar het noorden hadden geleid. Bovendien was dat een geheim van heksennacht. In plaats daarvan zei ze: 'Ik moest het leengoed Pontefract zien.'

Edward glimlachte weer. 'Nou, nu heb je "Pomfret" gezien, wat vind je ervan?'

'Het is verschrikkelijk,' zei ze tegen hem. 'De winter heeft de mensen in zijn greep en de regens hebben de oogst vernield. De pachters eten het korenzaad op en slachten hun fokvee af, ze leven op broodkorsten en gekookt gras, terwijl Somerset en Devon zichzelf trakteren op krabpaté en kerstkalkoen.'

Het speet Edward te horen dat Yorkshire er zo slecht voorstond, en ze zag dat hij het meende, ook al lag hij warmpjes en gelukkig in zijn met zilver beslagen, veren bed. 'Maar dat is nog niet het ergste,' waarschuwde ze, 'er is nog veel meer slecht nieuws.'

Edward staarde haar over het bedlinnen aan. 'Wat kan er nog erger zijn dan leven op broodkorsten en gekookt gras?'

Ja, wat eigenlijk? Toen ze de uitgehongerde kinderen zag, had ze haar koninklijke inkomsten al opgegeven, maar hoe akelig dat ook was, ze wist dat het nog erger zou worden. 'Somerset en koningin Margaret verzamelen hier in Pontefract een reusachtig leger. Duizenden noordelingen, Percy's, Nevilles en een hele bubs lagere edelen, bovendien nog grensruiters en Schotse speerwerpers...'

'Nevilles?' Dat was duidelijk onwelkom nieuws.

'Ja, lord Neville en lord Latimer ook. Ze dwingen de pachters om mee te vechten, ze branden manors af en plunderen de huizen van degenen die weerstand bieden, ze zaaien dood en verderf.'

Edward slaakte een zucht en streelde met zijn vingers langs haar wang. 'Ik wou dat je niet daar was, maar hier.'

Ze draaide zich om en kuste zijn vingertoppen. Ze zei: 'Maar ik ben hier.' Voorlopig althans.

'Echt hier, in levenden lijve. Zolang je op Pontefract bent, ben je in groot gevaar.' En het deed hem pijn dat hij haar niet kon beschermen. 'Toen ik naar het westen ging, dacht ik dat je hier zou zijn en ik was verschrikkelijk ongerust toen dat niet het geval bleek te zijn. Vader is naar het noorden getrokken om met Somerset en Devon af te rekenen.'

Ze knikte ernstig en zei: 'Het gerucht gaat dat hij veilig op Sandal Castle zit.'

'Dat is mooi om te horen. Ik verzamel nog meer mannen hier in de Marches, daarna trek ik naar het noorden en voeg ik me bij hem.' Edward verstevigde zijn greep op haar. 'Maar wacht niet op me tot ik naar het noorden kom. Alsjeblieft, mijn liefste, ga onmiddellijk naar het zuiden. En als dat niet lukt, zoek dan veiligheid bij mijn vader op Sandal totdat ik er ben.'

Ze glimlachte om zijn diepgevoelde zorg en zei: 'Ik ga zo snel ik kan naar het zuiden. Er is een kerstbestand gesloten en de weg door Sherwood moet nu redelijk veilig zijn.'

'Veiliger dan als je op Pontefract blijft.' Hoewel ze niets had gezegd over FitzHolland of hertogin Wydville, of haar broze relatie met Somerset, voelde Edward kennelijk het gevaar aan waarin ze verkeerde. 'Als je niet onmiddellijk naar het zuiden kunt komen, stuur me dan de ring, dan kom ik je halen.'

'Maak je niet bezorgd.' Ze boog zich naar voren en kuste hem. 'Niets houdt me bij jou vandaan.'

'Maar ik wil dat je nu hier bent, bij mij.' Hij greep haar bij de schouders en trok haar lichaam helemaal tegen zich aan, zijn torso drukte tegen haar borsten, zijn dijen drukten zich tegen de hare. Edward wilde niet wachten tot ze er in levenden lijve was, hij wilde haar nu, heksennacht of niet, en hij wilde geen moment meer verspillen. Hij had een week op deze 'droom' gewacht, en van seks vermengd met magie raakte Edward opgewonden, niet opzienbarend als je de mannelijke geest in ogenschouw neemt. Maar wel verrassend aanstekelijk. Ze sidderde toen zijn gulzige handen haar op het bed drukten en ze hem met zijn volle lengte tegen zich aan voelde, ze werd door de liefde opgetild, ook al drukte hij haar op de veren matras.

En toen werd vrouwe Robyn wakker, terug in haar slaapkamer op Pontefract, en ze staarde naar de opgebrande kaars. Verdomme nog aan toe. Waarom had ze het niet nog even kunnen rekken? Kennelijk verloor ze de controle als er seks om de hoek kwam kijken. Nou, waar zat dat 'm in? Ooit gehoord van iemand met dyslexie die niet tegelijk kon spellen en neuken? Robyn keek om zich heen en merkte dat ze haar aansteker niet meer had, ze had hem op Edwards nachtkastje laten liggen, in Shrewsbury. Als Edward hem zou zien, wist hij tenminste dat ze geen droom was geweest.

Zaterdag, 27 december 1460, dag van de Onnozele Kinderen, Pontefract Castle
Nu ik weet dat Edward in Shrewsbury wacht, staat niets me meer in de weg om naar hem toe te gaan. Het kerstbestand is nog van kracht, hoe kwetsbaar ook, tot het nieuwe jaar wordt er niet gevochten... 1460 heeft daar meer dan genoeg van gezien, met veldslagen bij Sandwich, Newnham Bridge, Northampton en nu Worksop, om het nog maar niet te hebben over de akelige bezetting van de Tower. Meer strijd zal op 1461 moeten wachten.
Maar aan de manier waarop iedereen zich hier gedraagt is dat niet te

merken. Somerset, Clifford, sir John Grey en al die andere jonge, mooie
ventjes zijn in deze tijd extra galant alsof ze op actie zitten te wach-
ten in plaats van op een nieuwe feestronde met oud en nieuw. Somerset
lacht erom en zegt: 'Een ridder moet altijd voorbereid zijn om te ster-
ven.' Misschien, maar het lijkt wel of hij zeer binnenkort verwacht dat
er bloed gaat vloeien – misschien wel zijn eigen – waardoor hij een
soort zonderlinge ernst uitstraalt die hij normaal niet heeft. Met
name bij Somerset. Dat maakt een deel van Edward zo charmant, hij
treedt het leven altijd zo tegemoet, hij heeft nooit een doodsdreiging
nodig om echt charmant te zijn.
Dus nu is de tijd gekomen om naar het zuiden te vluchten, regelrecht
in zijn armen. Eindelijk hebben we goed weer en heeft het land korte
tijd rust. Morgen is het de dag van de Onnozele Kinderen, opgedragen
aan de kinderen die Herodes heeft vermoord in een poging de baby
Jezus om te brengen, een soort 1 april in december, prima decor om je
geliefde te gaan zoeken...

Toen Robyn tegen Deirdre zei dat ze moest gaan pakken, had ze eindelijk haar laatste zilveren munten aangebroken, ze zou ze in stukken
snijden. Sommige hadden zelfs een kruis achterop, dus kon ze die in
vier keurige penny's zagen. Zo maakte je letterlijk kleingeld, de middeleeuwse manier om wat langer met je geld te doen. Toen ze daarmee
klaar was, ging ze naar hertog Somerset en vleide hem om haar een
veilige tocht naar het zuiden toe te staan.

Ze zag dat de hertog aan het keuvelen was met lord Neville en lord
Latimer. Somerset was blij haar te zien en liet haar alleen maar wachten om Warwicks neven weg te sturen. Toen ontving hij haar opgewekt in zijn kasteelvertrekken. Toen hij haar verzoek had aangehoord, was hij niet blij meer en vroeg: 'Waarom wilt u in hemelsnaam
vertrekken?'

Dit was bepaald niet het moment om haar ziel en zaligheid aan
Somerset bloot te leggen en toe te geven dat ze in de armen van zijn
vijand wilde wegvluchten. In plaats daarvan probeerde ze hem voor te
houden dat het voor de hand lag: 'Weledele excellentie, er is hier voor
mij niets meer om te blijven.'

Ze had hier helemaal niets, behalve een logeerbed en een garderobe
vol mooie jurken, die ze waarschijnlijk moest verkopen, plus een paar
in stukken gesneden munten, verschillende prima paarden en een stel
bedienden die al snel naar een andere werkgever zouden moeten
omzien. Dat weerhield de jonge Somerset er niet van om dichterbij te
komen. Hij pakte haar hand en zei: 'Ik wou dat het allemaal niet waar
was. Blijf nog een paar dagen bij ons,' smeekte hij, 'dan geef ik u een
goede reden om te blijven.'

Zijn vingers voelden warm en troostend aan, en het was fijn om te weten dat hoe berooid ze ook was, ze nog steeds iets had waar edelen naar verlangden. Wat de eeuwige vraag deed oprijzen: hoe ver moest ze gaan om weg te kunnen komen? Robyn probeerde wanhopig van onderwerp te veranderen en zei dat ze snel naar het zuiden moest, 'nu het kerstbestand nog van kracht is'.

'Kerstbestand?' Het leek wel of Somerset nog nooit van die term had gehoord.

'Ja, tussen nu en Driekoningen.' De twaalf dagen na Kerstmis gingen snel voorbij. 'Ik moet op weg zijn voordat de strijd weer losbrandt.'

Somerset lachte, boog zich naar voren en kuste haar. 'Wees maar niet bezorgd. De strijd is binnenkort voorgoed voorbij, in elk geval op het leengoed Pontefract, en zeker voor Driekoningen.' De brutale, achteloze manier waarop Somerset dat zei, betekende dat hij de gevaarlijke weg koos en het einde van het bestand niet zou afwachten. 'De komende paar dagen zijn gevaarlijk, en ik wil dat u veilig en wel hier op Pontefract blijft en niet daarbuiten rondzwerft en in de problemen komt.'

Om te laten zien dat hij het meende, kuste Somerset haar opnieuw. Ze bedankte zijne excellentie en wist zichzelf uit de verstrengeling van de jonge, verliefde edelman los te werken, zonder de hertogs toestemming om te mogen vertrekken. En die kreeg ze hoogstwaarschijnlijk ook niet. Ze mocht al blij zijn dat ze uit de kamer van zijne genade was ontsnapt. Ook al was het morgen zondag en de dag van de Onnozele Kinderen, Somerset deed toch alsof de strijd elk moment weer kon losbranden. Weer zo'n teken dat deze kalme dagen niet zouden duren.

Ze liep met hangende pootjes terug en zei tegen Matt en Deirdre dat ze niet onmiddellijk konden vertrekken. 'Wil m'lady morgen vertrekken? Want als dat zo is, kan ik dat makkelijk regelen.'

Deirdre stemde gretig in. 'Als m'lady dat wenst, kunnen we bij het ochtendkrieken al een eind op weg zijn.'

Robyn keek haar bedienden aan, die zich niet in het minst lieten afschrikken door hertog Somersets bevelen, en vroeg: 'Hoe dan?'

'Morgen is het Onnozele-Kinderendag,' legde Matt Davye uit, 'dan kan bijna alles door de staljongens zijn geregeld, met name voor mijn vrouwe Pontefract.'

'Echt waar?' Waarom vonden de staljongens haar zo bijzonder? Voor hen had ze niets gedaan, behalve dat ze hen zo nu en dan een fooi had gegeven omdat ze de paarden zo goed verzorgden.

'Ja, echt waar,' verzekerde Matt haar. 'M'lady is erg geliefd in het leengoed Pontefract, bij iedereen, van spitdraaier tot staljongen. Het mogen dan een stel lompe noordelingen zijn, van hier tot Ferrybridge hebben ze hun leven aan u te danken, zelfs Yorkshire weet hoe het dankbaarheid moet tonen. De mensen hier zullen graag de bevelen van een zuidelijke hertog negeren, zij dachten dat alle zuiderlingen zich alleen maar zorgen maakten over het innen van de huur en belastingen, totdat vrouwe Stafford langskwam.' Matt was zelf een man uit Devon en hij vond het wel amusant.

'Is het gevaarlijk?' Ze wilde niet dat anderen hun leven riskeerden, alleen maar omdat zij bij Edward wilde zijn.

'Zeer zeker, m'lady.' Matt leek zich daar totaal niet door te laten afschrikken. 'Het leven in oorlogstijd is altijd gevaarlijk, maar het is ook heel riskant om hier te blijven. In de stallen wordt gezegd dat het nog maar een paar dagen duurt voordat de strijd weer losbarst. De paarden worden getraind en krijgen nieuwe hoeven, de wapens worden geslepen. Hertog Somerset wacht alleen nog maar op sir Andrew Trollope met zijn versterkingen.' Trollope was een beroepssoldaat die bij Ludford hertog York had verraden, waardoor Edwards familie in de gevangenis was beland en verbannen werd.

'De vrouwen zijn druk bezig met het naaien van het Neville-embleem op de overmantels en capes,' voegde Deirdre er nadrukkelijk aan toe, 'het andreaskruis en de witte puntige staf.' Wat betekende dat Somerset wilde dat een paar van zijn mannen zich als Nevilles in de strijd moesten voordoen, dezelfde truc die FitzHolland bij Greenwich had gebruikt.

'FitzHolland heeft niets vergeten of vergeven,' bracht Matt haar oprecht in herinnering. 'Hij wacht alleen maar af totdat hertog Somerset zijn aandacht ergens anders op heeft gericht en dan slaat hij toe. Als de hertog ten strijde trekt, verliest m'lady haar beschermheer en is het niet langer veilig om hier te blijven.'

Het was duidelijk dat ze ervandoor moest. En ze moest dat aan haar dienaren overlaten, wilde dat lukken. 'Maar als we zonder toestemming wegglippen, kunnen we niet dezelfde weg terug zoals we zijn gekomen, door Sherwood en Nottingham,' zei Robyn tegen haar medesamenzweerders. 'Niet nu ruiters van Somerset langs de wegen patrouilleren.'

Matt Davye was het daarmee eens. 'We zouden Worksop niet eens halen.'

Vanuit Pontefract leidden er twee wegen naar Shrewsbury, je kon Watling Street nemen richting zuiden, zoals ze waren gekomen en die door Somerset en FitzHolland in de gaten werd gehouden. 'Of we gaan naar het westen, rechtstreeks naar Yorks grondgebied, waar hertog Somerset geen jurisdictie heeft.'

Matt knikte ernstig. 'Wakefield ligt maar een paar kilometer naar het westen en ten zuiden daarvan staat Sandal Castle, het laatste bolwerk van York in Yorkshire. Maar is m'lady daar veilig?'

Waarschijnlijk niet, maar ze liep hoe dan ook gevaar. West of zuid? York of Lancaster? Het noorden was zo diep verdeeld dat ze een keus moest maken, neutraal gebied was er niet. Haar hart ging nog steeds naar York uit en de westroute was het snelst, dan zou ze Edward zeker vinden. Rechtstreeks naar het zuiden was onmogelijk, zowel Somerset als FitzHolland bewaakten de weg tot aan Sherwood toe. Dus moesten ze naar het westen, via Sandal. 'Er geldt een bestand,' bracht ze haar paardenmeester in herinnering. Gek genoeg beschermde dat bestand haar alleen maar op Yorks grondgebied, aangezien Somerset al had besloten zich er niets van aan te trekken. 'Tot Driekoningen.'

'Laten we bidden dat het zo lang standhoudt,' antwoordde Matt devoot.

Na de ochtendmis bracht Deirdre haar snel terug naar haar met eiken panelen beklede suite, waar Robyn een mannenbroek en een jongensmantel aantrok, ze verborg haar korte haar in een pet en smeerde modder op haar gezicht. Deirdre trok op haar beurt Robyns blauw-witte rij-jurk aan – ze wilde maar al te graag een Saksische lady spelen – en toen voegden ze zich bij Matt bij de middelste vestingmuur.

Op de binnenhoven was Onnozele-Kinderendag in volle gang, kinderen waren als monnik en non verkleed en paradeerden door het kasteel, zegenden iedereen die ze tegenkwamen, zongen ruwe liederen en deelden gewijde honingcakejes uit. Kindermis was een kinderfeest, de mooiste maagd van Pontefract werd op een ezel gezet en over de binnenhoven geleid met een baby in haar armen, daarmee de vlucht naar Egypte symboliserend. Niemand merkte een dienstmeid in de jurk van een vrouwe op samen met haar verklede meesteres, en als ze dat wel deden, dachten ze dat het bij de show hoorde. Bij het wachthuis klommen Deirdre en Matt op Ainlee en Lily, toen begeleidde een meute lachende, joelende staljongens hen en de pakpaarden de vestingpoort uit, waar dronken wachtposten ze doorlieten. Matt trok nog de meeste aandacht, hij droeg een bizar pak die ze had gemaakt van een van haar zijden bloezen die onder een borstplaat werd gedragen, een veelkleurige cape, harlekijn leggings en een geïmproviseerde gouden tulband met franje.

Voorovergebogen, met haar pet over haar gezicht getrokken liep vrouwe Robyn te midden van de huppelende staljongens de poort uit. Achter zich hoorde ze de kinderen in kinderachtig, zangerig Latijn de heilige mis nadoen, terwijl ze onder luid geschreeuw van de meute het meisje op de ezel over de binnenhof leidden. Toen ging de poort achter haar dicht en was ze vrij, voorlopig althans, en de winter in gevlucht.

Op het akkerland buiten lagen de resten van de sneeuw, een lange witte modderbrij die de regen op de diep omgeploegde velden had achtergelaten. Kraaien zaten in de viezigheid en het afval te pikken dat op de bevroren velden verspreid lag, en kraaiden luidkeels toen haar gezelschap langsreed. Ze nam haar plaats in als page bij de pakpaarden, volgde haar 'lord en lady' naar het westen en luisterde naar Deirdre die een Hollywoodliedje zong dat haar meesteres haar had geleerd:

De maagd Maria had een zoon,
Doo-da, doo-da,
Mensen zeggen zijn vader is een kloon,
O! doo-da dee...

Een kleine kilometer buiten Ackton hielden ze bij een boerderij stil voor het ontbijt. Kinderen kwamen lachend tevoorschijn, begroetten haar bedienden met opgetogen kreetjes, nodigden ze binnen en spraken ze opgewekt aan met 'm'lord' en 'm'lady'. In vergelijking met de huisjes in Yorkshire leken de stadshuizen in Londen wel kastelen. Dit huisje rook naar mest en houtrook, het was gebouwd met in de grond geslagen, kromme boomstammen waar een strooien dak op rustte. De wanden bestonden uit een vlechtwerk dat met leem was opgevuld, zwartgeblakerd door de roet aangezien de haard geen schoorsteen had. De moeder droeg haar kleren binnenstebuiten en was op de haard Kindermis-honingcakejes aan het bakken. Hun vader zat verkreukeld op een kinderbed, aan elke kant stak een been uit, hij droeg een bonnet en het schort van zijn vrouw, en nipte aan een aardewerken bierpul.

'Kom, m'lord! Kom, m'lady,' riepen de vrolijke kinderen uit. 'Geniet van ons bier en de cakejes.' Ze waren door hun ouders bij het ochtendkrieken met de zweep uit bed gewerkt, 'om ons eraan te herinneren hoe de heilige onnozele kinderen te lijden hebben'. Daarna hadden de kinderen de touwtjes in handen en mochten ze vrolijk hun ouders commanderen. Waterig bier en de vleesloze maaltijd toonden aan dat zelfs honingcakejes een reusachtige traktatie was voor dit gezin, maar één dag in hartje winter kregen kinderen wat ze wilden. Godzijdank. Robyn wilde wel dat deze kinderen het land bestuurden, ze zat aan een honingcakeje te knabbelen en wilde geen kruimeltje uit de mond van deze mensen sparen. Nadat hij de paarden had gevoederd en gedrenkt, betaalde Matt met wat geldstukjes en ze stegen op om te vertrekken. De kinderen deden ze uitgeleide, hingen aan haar stijgbeugel en overlaadden haar met honingcakejes. Toen riepen ze haar in dat afschuwelijke Yorkshire accent van hen na: 'Vaarwel! Vaarwel! Vrouwe Robyn.'

Bij deze kinderen was meer nodig dan mannenkleren en een modderige mantel om ze om de tuin te kunnen leiden, hopelijk waren hun ouders niet zo oplettend geweest. Matt lachte om haar bezorgdheid en zei: 'Geen landarbeider op het leengoed Pontefract zal verhaaltjes over vrouwe Robyn ophangen, niet tegen een zuidelijke hertog met een Frans accent. Als m'lady op de Heilige Onnozele-Kinderendag een jongen met een vuil gezicht wil zijn, dan zweert iedereen in de buurt bij hoog en bij laag dat dat zo was.'

Tot zover het goede nieuws. Voorbij Ackton zag ze afgebrande boerenhoeves en vernielde manors, absoluut een teken dat ze Yorks grondgebied hadden bereikt. De gezinnen hier vierden Kindermis rondom zielige vuurtjes, weggekropen in de ruïnes van hun huis, koud, uitgehongerd en heel erg bang. De hologige, hongerige kinderen waren een levendig contrast met de gelukkig zingende jochies die zo'n luidruchtige show op Pontefract hadden opgevoerd. Ze werd er weer aan herinnerd wat de elegante jonge Somerset in gedachten had voor iedereen die zo stom was om huur aan de verkeerde lord te betalen. Ze gaf haar honingcakejes weg, evenals het brood dat ze als mondvoorraad voor de weg naar het zuiden bij zich had, totdat ze niets meer had om weg te geven.

Verderop zag ze fourageurs met de valk en het D-vormige beenkluister van de hertog van York op hun embleem. Ze waren tussen de puinhopen van een paar schuren en stallen aan het scheppen, op zoek naar begraven voedsel. Aan hun kreten in Cockney-accent te horen bleek dat de mannen uit Londen kwamen, een aangename schok na maanden in ballingschap, het was bijna alsof ze thuiskwam. Ze had zich niet gerealiseerd hoezeer de Londenaren 'haar mensen' waren geworden. Geen van hen kende haar, niet in mannenkleren en met modder op haar gezicht, maar ze stonden erop om 'lord' Matt en zijn roodharige vrouwe naar hun hoofdman te brengen.

Vrouwe Robyn reed met haar bedienden mee, verschool zich achter haar vuile gezicht en jongensmantel en vroeg zich af wat ze nu moest doen. Ze had bijna geen geld meer en geen eten, dus voelde haar nieuwe vrijheidsgevoel hol aan. Shrewsbury was zo'n honderdvijftig kilometer hiervandaan, twee dagen als ze zich haastten, drie als ze de paarden zouden ontzien. Nu Edward op haar zat te wachten, zou ze het zeker halen, zelfs platzak en op een lege maag. Wat haar meer zorgen baarde waren deze Londenaren en de Yorkse pachters die hun in bescherming hadden genomen. Somerset was van plan om de komende paar dagen een uitval te doen en ze zag alleen maar verspreide groepjes boogschutters die, vertrouwend op het kerstbestand, op zoek waren naar voedsel. Ook al hoopte ze nog zo dat ze een snelle vlucht kon maken op Onnozele-Kinderendag, deze mannen moesten wel gewaarschuwd worden.

Ten zuiden van Wakefield leidden de Yorkse fourageurs hen door een bosachtig park en aan het uiteinde daarvan zag ze op een heuvel Sandal Castle staan, omgeven door kaalgeslagen land. Het reusachtige sprookjesachtige fort zag eruit als een tot leven gekomen plaatje uit een boek over de Middeleeuwen. Het was omgeven door muren en flankerende torens, die om een aantal vestingmuren en kasteelgebouwen heen stonden, met daarbovenuit hoge, ronde torens vol kruisvormige pijlgaten. Langs de weg naar het grote poorthuis stonden sierlijke bomen. Om Sandal nog beter te beveiligen, waren de torenmuren versterkt met loopgraven en veldschansen van pas opgeworpen aarde, waar ijzeren kanonnen op stonden. Robyn herkende onmiddellijk iemand die boven de kanonnen stond te zweten, meester John Harrow, een Londense koopman die tijdens de bezetting van de Tower voor Salisbury had gevochten. Hij droeg een helm met teruggeklapt vizier en een roodmetalen pantserhemd, versierd met de witte, puntige staf van Neville.

Deze handelaar was meesterkanonnier geworden en vroeg op dwingende toon aan Matt en Deirdre wat ze hier kwamen doen, en natuurlijk hadden ze geen antwoord klaar. Robyn woog de mogelijkheden af en vroeg zich af of het kerstbestand ook voor haar gold. Verraad was de hoofdaanklacht tegen haar maar het bestand sloot expliciet arrestaties of gevangenschap uit, bij beide partijen. Of het molesteren van vrouwen. Met een beetje geluk kon ze Sandal binnengaan, haar waarschuwing afleveren en dan weer vertrekken. Ze boog zich voorover in het zadel en riep: 'Meester Harrow, wat fijn om u weer te zien.'

Meester Harrow keek haar scherp aan en vroeg: 'En wie bent u dan wel?'

Ze glimlachte, blij dat haar tijdelijke vermomming zo'n succes was. 'Lady Robyn Stafford. We hebben elkaar op Baynards Castle ontmoet.'

'Lady Stafford?' Harrow probeerde Edward of March' eigenzinnige vrouwe te herkennen onder het vuil en de kleding van een staljongen, zelfs op Onnozele-Kinderendag was ze nog herkenbaar. 'Hoe komt u hier?'

'Een verschrikkelijk lang verhaal,' zei ze tegen hem, dat ze nauwelijks zelf kon geloven. 'Maar nu heb ik een bericht van vitaal belang voor zijne excellentie, de hertog van York.'

Harrow lachte en keek wantrouwend. 'Het lijkt me niet dat u in gesprek bent met zijne excellentie.'

'Zijne excellentie wil zeker horen wat ik hem te zeggen heb,' verzekerde ze hem. 'Ik kom net van het koninklijke kasteel Pontefract waar hertog Somerset een aanval aan het voorbereiden is.'

Nog altijd sceptisch beloofde Harrow de hertog op de hoogte te stellen. Onder het wachten trok Robyn zich in een kerk even buiten de muren terug. Ze wilde zich opfrissen, bidden en haar rij-jurk aantrekken. Hier hadden de kinderen het ook voor het zeggen, ze droegen misgewaden en lachten gelukkig, blij om een vrouwe met moddergezicht en haar dienstmeid te kunnen vermaken op de dag van de Heilige Onnozele Kinderen. Tussen haar spullen zat haar geschiedenisboek over deze periode, waarin ze precies kon lezen welk gevaar Sandal boven het hoofd hing. En weer kwam ze in de verleiding om vooruit te lezen. Maar hoever vooruit? Robyn was altijd bang dat ze iets zou tegenkomen wat ze niet wilde weten, en wat ze niet kon voorkomen. Wat als ze een verwijzing naar Edwards dood zou aantreffen? Of dat hij met iemand anders zou trouwen? Robyn beloofde zichzelf dat ze het boek niet zou openen, tenzij ze absoluut geen keus had. Zo slecht stonden de zaken er niet voor... nog niet.

Toen ze weer in haar rood-met-gouden Staffordkleuren tevoorschijn kwam, stond graaf Rutland bij de veldschans op haar te wachten, prachtig uitgedost in een blauw-met-zilveren mantel, bijpassende maillot en hoge leren laarzen. Sir Thomas Neville was bij hem, die Collin als eerste in de Smithfieldse modder had laten ploffen tijdens het toernooi op de naamdag van Sint-Anna, een half jaar geleden. Ze maakte een diepe revérence voor de jonge graaf, wachtte tot ze van Rutland weer overeind mocht komen en zei: 'Ik ben erg blij om uwe excellentie weer te zien.'

De tienergraaf van Engelands kleinste county was ook blij haar weer te zien en hij vroeg haar op te stijgen en hem te volgen. Ze reed voor haar veel te mooi uitgedoste bedienden uit Sandal Castle binnen, via een groot vooruitgeschoven wachthuis, dat werd beschermd door een grote vestingtoren. Rutland reed naast haar en vertelde: 'Mijn broer Edward heeft u vreselijk gemist.'

'En ik heb hem gemist,' gaf ze toe, maar ze zei niet dat ze Rutlands drukbezette broer twee dagen geleden in Shrewsbury Castle had gezien. Ze moest al moeite genoeg doen om geloofwaardig over te komen zonder dat ze het over heksenvluchten en virtuele vrijpartijen had. In plaats daarvan stelde ze zich Rutland op de troon voor als Edwards plaatsvervanger, de jongen was slim en zorgzaam, en zeker niet vol van zichzelf. Hij miste Edwards kracht, maar misschien was dat voor een koning zo slecht nog niet.

'Edward zal blij zijn te horen dat u veilig bent,' voegde Rutland eraan toe, vooruitlopend op het moment dat de twee clandestiene geliefden weer samen zouden zijn, hij genoot van zijn rol als tussenpersoon.

'Ik ben ook heel blij dat ik veilig ben.' Ondanks de hoge muren en toren, en de duizenden gewapende mannen die er rondhingen, had Robyn het gevoel dat ze het hol van de leeuw binnenreed. Bestand of niet, ze nam een enorm risico alleen al door Sandal Castle te betreden, dus hoe eerder ze haar waarschuwing kon afgeven en naar het zuidwesten naar Shrewsbury kon rijden, des te veiliger ze zich zou voelen.

Vrouwe Robyn kreeg ver na vespers een onderhoud met de hertog – wat betekende dat ze de volgende ochtend pas kon vertrekken – maar dat was beter dan ter plekke in de ijzers te worden geslagen. Hertog Richard maakte er een sport van om nooit rekening te houden met haar behoeftes of gevoelens. Hij sprak met haar in een met fluweel bekleed audiëntievertrek, in het bijzijn van Rutland en een aantal dienaren, maar de graaf van Salisbury was er niet bij. Jammer. Robyn had gehoopt om haar verhaal ook aan de oudere Neville kwijt te kunnen, want als hertog Richard haar niet zou geloven, zou Salisbury dat misschien wel doen.

Hertog Richard zat stijf rechtop met opeengeklemde lippen in een grote, in koninklijk blauw gestoffeerde stoel met hoge rugleuning, op een twee treden hoog podium, het enige meubilair in de ruimte. Hij was kleiner dan zij, dus dat moest hij op een of andere manier zien te compenseren. Hij gedroeg zich nagenoeg als een koning, was gestoken in een donker, wijnkleurig gewaad afgezet met hermelijn, zijn korte, rondgeknipte haar kwam nog niet eens tot zijn oren, zodat het op een klein bontkapje leek dat onder het hertogelijke kroontje uitstak. In combinatie met zijn absurde puntschoenen kreeg Robyn het gevoel alsof ze voor de Gnoomkoning in zijn stenen hal knielde. Ze wachtte tot hij toestemming gaf dat ze kon opstaan, wat de hertog niet deed, duidelijk genietend van de aanblik dat zij op haar knieën voor hem zat. In plaats daarvan zei hij: 'Vertel ons waarom je hier bent.'

Nog steeds geknield stak ze van wal – een verkorte versie – en vertelde hem over Somersets leger, dat met gemak twee keer zo groot was als dat van York, met in de achterhoede Schotse speerwerpers en grensruiters. 'Ik vrees dat Somerset het kerstbestand wil schenden en waarschijnlijk in de komende dagen zal aanvallen.'

York spotte met haar vrouwenangsten en vroeg: 'Waarom denk je dat hertog Somerset vals spel zal spelen?'

'Vrouwelijke intuïtie,' antwoordde Robyn, 'vooral door de manier waarop hij zich tegenover me gedroeg.'

'Zoals hij zich gedroeg?' Zijn excellentie leek het niet te begrijpen, hoewel de mannen naast hem grijnsden, kennelijk begrepen zij het wel.

'Hij maakte me het hof, zoals een man doet voor hij ten strijde trekt,' legde ze uit. 'Bovendien heeft mijn paardenmeester gezegd dat ze de paardenhoeven vervangen en hun wapens slijpen, terwijl de naaisters de spitse Neville-staf op hun mantels aan het naaien zijn.' Hertog Richard had de list van FitzHolland in Greenwich niet gezien bij de ontvoeringspoging van koning Hendrik, York zat toen immers in Ierland terwijl zij en Edward op de koning moesten passen.

Lange tijd keek hertog York glimlachend op haar neer, duidelijk niet onder de indruk van wat ze te zeggen had, maar blij dat ze op haar plaats was gezet. Ten slotte zei hij tegen haar: 'Je bent een ongelooflijke dwaas, een goddeloze meid, met een natuurlijke aanleg om problemen te maken, altijd tweespalt zaaiend, eerst binnen onze familie en nu tussen ons en onze Neville-neven. Je rotzooit zelfs met duistere kunsten om je eigen zin door te drijven.'

Ze wilde protesteren, maar zijne excellentie snoerde haar de mond. 'Genoeg! We vrezen geen vrouwenwapens. Of de snode plannen van een koningin. Zelfs Somersets jonge grensruiters en Schotse speerwerpers niet. En maak je niet bezorgd, lord Neville trekt op mijn bevel troepen samen, niet op dat van Somerset, de eersten zullen zich weldra bij ons voegen.'

Dat zeg jij, ja. De moed zonk haar in de schoenen toen ze zag dat hertog York zich niet liet vermurwen door de signalen van staljongens en naaisters, of door Somersets pogingen om de hoer van zijn zoon te verleiden. Ze kon alleen maar hopen op een haastige terugtrekkende beweging richting Shrewsbury en Edward waarschuwen, die zou er wel raad mee weten.

'Laat onze vijanden het heilige bestand maar met voeten treden, als ze dat durven,' verklaarde York zelfvoldaan, blij dat hij God aan zijn zijde had in de strijd. 'Als Somerset dat doet, dan zullen we hem met mannenwapens verslaan, lansen en hellebaarden, geen zilveren naalden en wassen poppen.'

Ze zei niets, bleef geduldig op het tapijt geknield zitten en onderging stoïcijns de blaaskakerij van hertog Richard, die al ontelbare levens had verruïneerd, inclusief het hare. Dat was het dan. Ze had haar best gedaan om haar toekomstige schoonvader iets aan het verstand te peuteren, ze had hertog Richard op tijd gewaarschuwd, maar nu wilde ze alleen maar zo spoedig mogelijk vertrekken. Ze kon tenminste aan Edward vertellen dat ze het had geprobeerd.

Maar zelfs dat was haar niet vergund. York keek naar zijn tweede zoon en zei: 'Graaf Rutland, zorg ervoor dat deze jonge, bedrieglijke vrouw veilig is, ze mag het kasteel niet verlaten, want er rusten zware beschuldigingen op haar.'

'Maar uwe excellentie,' smeekte ze, 'er geldt een kerstbestand, ik kan niet tegen mijn wil hier worden gehouden. Het enige wat ik heb gedaan is uwe waardigheid waarschuwen voor de samenzweringen van uw vijanden.'

Hertog Richard keek glimlachend van zijn hoge zitplaats op haar neer, vastbesloten om haar tot het uiterste te vernederen, om haar hartgrondig te straffen voor het feit dat ze geprobeerd had hem te redden. 'Je wordt beschuldigd van ketterij en hekserij, en de vijanden van God zijn van het kerstbestand uitgesloten.'

Deel Drie

De papieren kroon

De edele hertog van York,
die had wel tienduizend man.
Hij trok met hen de heuvel op
en ook weer naar benee'.
En boven ben je boven,
Beneden ben je benee',
Maar als je halverwege bent,
Ben je boven noch beneden.
MOEDER DE GANS

10

Wakefield

Maandag 29 december 1460, naamdag van Sint-Thomas van Canter-
bury, Sandal Castle, Yorkshire
Wat een idioot om te denken dat ik Edwards mensen kon vertrouwen.
Hertog Richard van York haatte me al ongeveer vanaf het eerste
moment dat we elkaar hebben ontmoet, alleen maar omdat zijn oud-
ste zoon te veel van me houdt. En ik maar dwaas genoeg denken dat
als ik maar eerlijk en liefdevol was, ik hem wel voor me kon winnen, of
hem in elk geval eerlijk kon waarschuwen. Geen van beide is gelukt en
nu zit ik hier in Sandal in de val. Wat een volslagen idioot! Somerset
was helemaal niet van plan om zich aan het bestand te houden,
waarom dacht ik dat York dat wel zou doen? En waarom blijf ik er
maar van uitgaan dat ze me ridderlijk bejegenen? Toen ik Harrow en
Rutland weer zag, en dat Cockney-accent hoorde, werd ik in slaap
gesust met het idee dat ik weer thuis was, vrij, en dat er van alles
mogelijk was. Nu weet ik wel beter.
Nog vier dagen en dan is het weer heksennacht, dan kan ik naar
Edward vliegen. Wanneer mijn geliefde ontdekt wat er aan de hand is,
komt hij hier in een flits naartoe. Dat hoop ik tenminste...

Rutland was tenminste een geweldige gevangenbewaarder, vriendelijk, zorgzaam en hoopvol. Hij vertelde haar dat Edward al gauw uit
het noorden hiernaartoe zou komen en de zaken zou rechtzetten. Hij
had haar en Deirdre in zijn eigen vertrekken ondergebracht, haar het
neusje van de zalm gegeven, een grote slaapkamer met roodfluwelen
draperieën, een kleinere kleedkamer met badkuip en een privé-hokje
van wandkleden met een gouden baldakijn waarin de *chaise percée*
stond. Heel leuk, zeker vergeleken met haar vensterloze cel in de
Tower waar alleen maar een poepemmer en een houten bank hadden
gestaan. Maar ze probeerde toch graaf Rutland over te halen haar te
laten gaan, zei dat Edward des te sneller zou komen als zij hem in
Shrewsbury ging ophalen. Rutland weigerde gegeneerd maar koppig,
hij beweerde: 'We moeten allemaal op onze vader vertrouwen.'
'Je vader jaagt ons allemaal de dood in,' waarschuwde ze hem en ze
begon zich net als Cassandra te voelen gedurende de bezetting van
Troje, verdoemd omdat ze de waarheid wist maar niemand wilde
haar geloven. Ze had gesmeekt om het houten paard terug te geven in

plaats van het binnen te halen. Ze had zelfs haar verborgen paperback nog waarin stond wat het lot van iedereen was... als dat al iets uithaalde. Dankzij de bezwering die haar in de Middeleeuwen had gebracht, begreep ze Grieks net zo makkelijk als Keltisch en ze wist dat Cassandra 'mannenverstrikster' betekende. En ze had zeker de knappe jonge Rutland verstrikt, die het haar wanhopig graag naar de zin wilde maken maar niet wilde toegeven. Jammer, want zijn oudere broer had wel geweten hoe hij haar moest aanpakken.

'Zulke dingen moet je niet zeggen,' smeekte graaf Rutland. 'Deze vesting is onneembaar, we hebben duizenden boogschutters en krijgsmannen. We kunnen toch onmogelijk het loodje leggen?'

'Hertog Richard vindt er wel wat op,' verzekerde ze hem vol vertrouwen, Richard van York had tot nu toe overal zo'n puinhoop van gemaakt – van het parlement tot haar verloving aan toe – dat hij de verdediging van Sandal Castle ook wel weer zou verprutsen.

'Vrouwen zijn van nature angstig,' wierp Rutland tegen, 'ze weten niets van oorlogvoering.'

Ze slaakte een geërgerde zucht, de jonge Edmund van Rutland wist heel weinig van vrouwen, vermoedde ze, en nog minder van de strijd. 'Je vergeet dat ik degene was in het kamp van koning Hendrik bij Northampton die zag dat hertog Buckingham weigerde in te gaan op je broers pogingen om vrede te sluiten, waarmee hij zijn noodlot tegemoet ging bij duizenden krijgsmannen, in een belegerd kamp omgeven door kanonnen. Een half uur later was hertog Buckingham dood.'

Rutland had daarop geen antwoord en vertrok. Ze probeerde haar zaak bij graaf Salisbury onder de aandacht te brengen, die vriendelijk en vaderlijk naar haar luisterde. Hij haatte haar niet zoals hertog Richard of wees haar niet af zoals zijn zoon, Warwick. Ze had in het huishouden van Salisbury gediend, en ze waren in die heftige zomer samen van Sandwich naar Londen gemarcheerd, toen heel Zuid-Engeland zich achter hun zaak had geschaard. En Salisbury had gevochten om haar te bevrijden toen ze in de Tower vastzat, waar Robyn hem altijd dankbaar voor zou blijven. Maar de geduchte, oude Neville-graaf had altijd zijn orders van hertog Richard gekregen en weigerde te geloven dat zijn neef, lord Neville, werkelijk tegen hen samenspande. 'Dat is alleen maar een truc om Percy en Somerset op afstand te houden. Lord Neville heeft me bezworen dat de troepen die hij aan het samentrekken is voor ons gaan vechten.'

Ze herinnerde hem er uitdagend aan dat lord Neville precies dezelfde belofte aan hertog Somerset had gedaan. 'Waarom denkt uwe excellentie dat lord Neville Somerset zal verraden?'

'Er komen al mannen van lord Neville naar ons toe,' antwoordde

Salisbury, 'tot nu toe zijn het er vierhonderd en morgen worden er nog meer verwacht.'

Pas op voor Nevilles wapendragers, dacht ze, maar ze zei het niet, aangezien Salisbury in naam de leiding had over de Neville-clan. De eerlijke graaf Salisbury had nog nooit een strijd verloren, pochte graaf Salisbury, en hij liep terecht over van zelfvertrouwen. Hij had een twee keer zo groot koninklijk leger verslagen bij Blore Heath, waarmee hij een eind had gemaakt aan Margarets enthousiaste gewoonte om hoogstpersoonlijk naar veldslagen te komen kijken. Waarom zou dit gevecht erger zijn? Salisbury beloofde haar dat hij zou proberen de aanklachten tegen haar wat af te zwakken, vanwege alles wat ze had gedaan, maar meer kon hij niet doen.

Ze maakte een diepe revérence en beloofde: 'Ik zal met alle liefde hetzelfde doen voor uwe excellentie, als dat ooit nodig mocht zijn.' Toen trok ze zich boos terug in haar weelderige gevangenis, moe dat ze zichzelf zo kwelde. Nog twee dagen in 1460. En nog twee voor de eerste heksennacht in 1461. Nog vier dagen en dan kon ze Edward oproepen. Ze had bepaald niet te klagen over haar vorstelijke onderkomen, en Rutland had gelijk, de plek was onneembaar, omgeven met loopgraven en vanaf de toren verdedigd door kanonnen. Hertog Richard smachtte ernaar om koning te worden, en dat had hij in Dublin verbazingwekkend goed gedaan. Hij kon die twaalf kerstdagen toch zeker wel standhouden. Voor Driekoningen zou Edward er moeten zijn, patrijs en perentak in de hand.

Ze vond de viering van Sint-Thomas opmerkelijk karig, haverbrood, gezouten kabeljauw en een afschuwelijke, bloederige pudding die met aangelengd bier en zure wijn werden opgediend. De lords aan de hoge tafel deelden een geschoten gans die ze voor geen goud wilde proeven. Omdat de meeste manors van de hertog waren geplunderd, hadden zijn hofmeesters het kasteel onvoldoende kunnen bevoorraden voor York was gearriveerd, en nog minder voor de duizend kerstgasten die met hem mee waren gekomen, vandaar al die fourageurs. De magere maaltijd werd er ook bepaald niet beter op toen ze zag dat lord Nevilles mannen bij hen aan tafel zaten, van wie Robyn een paar op Pontefract had gezien. De vijand was al in hun 'onneembare' fort, ze hadden niet eens een Trojaans paard nodig gehad. Nadat ze een paar gevriesdroogde, gekruide appels met Deirdre had gedeeld, ging ze vroeg naar bed.

Ontnuchterd door het feit dat Robyn zag dat de schurken van lord Neville zich het in Sandal makkelijk maakten, haalde ze haar geschiedenisboek tevoorschijn, een afbeelding van koning Hendrik staarde haar vanaf de omslag aan – een geflatteerd portret waar hij allerminst als een koning op stond. Er zat nog geen scheurtje in het boek, bang als ze was voor wat ze misschien zou lezen. Maar nu moest ze erachter komen hoeveel tijd ze nog had. Rampspoed hing boven deze vesting waardoor elke dag kostbaar werd. Ze had nog vier dagen om in contact te komen met Edward. Twee, als ze alleen maar wilde vluchten.

Ze deed een schietgebedje en sloeg het boek voorzichtig bij de index open, op zoek naar Sandal Castle in de hoop dat het er niet in zou staan, wat zou betekenen dat ze zich voor niets zorgen maakte. Helaas. Er waren verschillende verwijzingen, ook een vetgedrukte die meerdere dreigende pagina's midden in het boek besloeg. Zonder naar de tekst te kijken, vond ze de pagina's en ging er snel doorheen op zoek naar een datum. Ze vond de woorden 'Kerstmis 1460'. Verdraaid. Er ging iets vreselijks gebeuren, en gauw ook.

En ze kon er helemaal niets aan doen, behalve dan misschien zichzelf redden. En degenen die van haar afhankelijk waren. Het grootste deel van de pagina schermde ze met haar hand af, ze las ongeveer een week na Kerstmis. Daar stond het: '... de slag om Wakefield, 30 december 1460.' Heilige Maria! Dat was morgen al! Wat een ramp, maar goed dat ze uiteindelijk het boek had opengeslagen. Ze deed nog een schietgebedje en las verder.

'Gesneuveld in de strijd...' Het boek gaf een lijst met namen van een heleboel Yorkers, bovenaan stond Richard, hertog van York. Toen ze zijn naam zag, werd ze onpasselijk. Robyn had meer dan genoeg redenen om hertog Richard te haten, maar hij was nog altijd Edwards vader en hij zou ook de hare worden. En morgen zou hij om deze tijd dood zijn. Dan zou Edward hertog van York worden, opvolger van de troon. Ze had de moed niet om naar de verwijzingen naar Edward in het boek te kijken, maar dat kon wel eens een hele rij zijn. Er stond geen verwijzing naar haar, daar had ze al eerder naar gekeken. Robyn kon daar allerlei redenen voor bedenken, en geen van alle stond haar aan.

Salisbury's naam stond niet op de lijst, die van Edmund van Rutland evenmin, maar aan de lijst Yorkse namen te zien was het duidelijk wie de slag om Wakefield had verloren. Toen ze de namen van lord Harrington en sir Thomas Neville las, deed ze het boek dicht, ze had er meer dan genoeg van. Moge Hecate hen allen bijstaan. Sandal zou vallen en zij moest zich gereedmaken.

Ze riep Deirdre en sprak in het Keltisch, zodat haar meid wist dat het ernst was. Ze zei: 'Dit kasteel is verdoemd.'

Deirdre knikte geestdriftig. 'Ze zeggen dat in het park het hele jaar geen reigers hebben genesteld.' Voor Deirdre gold alles alleen maar als de vogels hadden gesproken.

'Nee.' Robyn schudde haar hoofd. 'Ik bedoel Sandal zal morgen vallen. Er komt een grote veldslag, en de hertog van York wordt vermoord, maar Edmund van Rutland en graaf Salisbury niet.' Ze had de moed niet om met Deirdre de hele lijst doden door te nemen. 'Echt waar?' Deirdre keek haar vrouwe vragend aan. De meid wist niets van Robyns boek en beschouwde lezen als een nog groter mysterie dan zwarte magie.

'Echt waar,' bevestigde vrouwe Robyn, 'we moeten het voorbeeld van de reigers volgen en naar het zuiden vliegen. We hebben dekens, warme mantels, gekookt water en voedsel voor onderweg nodig, en al onze waardevolle bezittingen.' Inmiddels wist Deirdre wel wat ze moest verzamelen. Voedsel en water waren het allerbelangrijkste, samen met de moderne gemakken zoals aanstekers en medicijnen, evenals warme kleren, aangezien ze alweer in de winter op de vlucht sloegen. 'En zorg ervoor dat Matt bij het ochtendkrieken de paarden kant en klaar heeft staan.'

Haar meid haastte zich haar te gehoorzamen. Jammer dat er een ramp moest gebeuren om het meisje in beweging te krijgen.

Bij dageraad verscheen er een koninklijke heraut voor de loopgraven die uit naam van koningin Margaret een lange lijst beledigingen voorlas, York werd uitgemaakt voor lafaard en 'dat het door slechts een vrouw werd getrotseerd'. Robyn keek vanaf een toren toe en vond dat laatste niet helemaal eerlijk, aangezien Margaret niet op de bevroren velden kasteel Sandal bezet zou houden, maar zelf ver van de strijd was en Kerstmis bij de koningin van Schotland vierde. Somerset zat achter deze beledigingen.

Rutland stond naast haar en zei: 'Dit hebben ze de afgelopen twee dagen steeds gedaan.' Geen wonder dat zijne lichtgeraakte, aanstaande hoogheid het zich persoonlijk had aangetrokken toen ze hem had verteld dat Margarets leger twee keer zo groot was als het zijne. Van alle kanten werd hertog Richard door vrouwen gedwarsboomd, ze kwamen in opstand tegen zijn oorlog, sliepen met zijn zoon en kleineerden zijn moed. Om de beledigingen kracht bij te zetten kwamen er uit het bos tussen Sandal en de Calder-rivier troepen tevoorschijn die de madelief van koningin Margaret voerden, naast Somersets valhek en kettingen terwijl ze Yorkse fourageurs voor zich uit dreven. Nu komt het, dacht Robyn op de torenspits en zag de ramp zich in slow-motion voltrekken. Ze had de details van de veldslag overgeslagen – waarvan de moderne schrijver moest toegeven dat die gebaseerd waren op schetsmatige verslagen uit de tweede hand – en had zich alleen maar met de lijst slachtoffers beziggehouden. De jonge Rutland keek verbijsterd en zei: 'Dit is nog niet eerder gebeurd.'

Daar ging het kerstbestand. Ze greep het koude, stenen schietgat met blote handen vast en zag het licht van de dageraad op de scherpe bladen van lansen en hellebaarden onder zich glanzen. Bang als ze was, had het toch nauwelijks iets weg van een echte aanval. Somerset had niet eens zijn hoofdmacht ingezet, geen cavalerie, geen kanonnen, alleen een linie boogschutters gesteund door gewapende infanterie. Niet dat ze daar persoonlijk graag mee geconfronteerd wilde worden, maar vanuit haar veilige positie op de toren leken het niet genoeg mannen om de loopgraven te kunnen innemen en al helemaal niet om het kasteel te bestormen. Waarom werd het bestand gebroken om slechts een paar honderd man op de Yorkse loopgraven af te sturen en ze in een verdoemde aanval op te offeren? Wat wilde Somerset bereiken? Het leek zo kinderachtig en zinloos, maar zo ging het wel vaker in oorlogen.

Kanonnen openden vanuit de veldschansen het vuur, ze wierpen stenen ballen over de bevroren grond op Somersets vooruitgeschoven troepen, net een afgrijselijk bowlingspel waarin de mannen de pionnen waren. Matt kwam naar boven en fluisterde tegen haar: 'We zijn zover, m'lady. De paarden zijn gezadeld en de poorten gaan open.'

Ze zei hem Deirdre te waarschuwen en dan bij hun paarden te wachten, als ze konden ontsnappen, moest dat in de verwarring van de strijd. Matt boog, kuste haar hand en verdween de torentrap af. Sir Robert Aspsall, Rutlands tutor, verscheen en vertelde de jonge graaf: 'Uw koninklijke vader rijdt uit.'

'Rijdt uit?' Rutland keek verschrikt en bang, hij was stukken verstandiger dan zijn vader.

'Ja, uwe excellentie,' antwoordde sir Robert ernstig, blij dat hij gewichtig nieuws kon brengen en de geschiedenis kon bevestigen. Sir Robert Aspsall was een wijsneuzige academicus die geschikter was om toekomstige prinsen te onderwijzen dan in de strijd het heft in handen te nemen. En ook een hielenlikker, hij noemde hertog Richard altijd 'zijne hoogheid' of 'de koning'. Hij zei tegen zijn pupil: 'Sir Davy Hall heeft hem gesmeekt te blijven, maar zijne hoogheid wilde er niet van horen. Hij vroeg waarom hij bang moest zijn voor een beledigende vrouw, wier wapens slechts uit een tong en nagels bestaan? Waarom mochten de mensen wel zien dat een vrouw hem te kakken zette terwijl geen man ooit heeft kunnen bewijzen dat hij een lafaard was?'

'Waar is Salisbury?' vroeg Robyn in de hoop dat Neville zijn verstand had teruggekregen en dat ze veilig met hem weg konden komen.

'Graaf Salisbury rijdt met zijne hoogheid mee,' snoof sir Robert Aspsall, die er niet van gediend was dat op drift geraakte vrouwen vragen stelden.

Einde Salisbury. Ze begreep dat elke vrouw voor zichzelf moest gaan. Het enige wat York had hoeven doen was te blijven zitten waar ze zaten tot Edward was gearriveerd, maar in plaats daarvan sprong hij blindelings in de val. Robyn had nog nooit een echte veldslag gezien, bij Northampton had ze immers in koning Hendriks tent gezeten, maar zelfs veilig vanaf de toren was het lang niet zo gruwelijk als ze had verwacht. Boogschutters schoten vanaf de loopgraven en veldschansen waardoor Somersets mannen op afstand werden gehouden, hoewel stenen kanonskogels wel door de linie heen stuiterden, hier en daar een man omverwerpend. Maar nieuwe manschappen namen de plaats in van de gevallenen, vertrouwend op hun geluk en wapens. Middeleeuwers namen oorlog verbazingwekkend ernstig op, ze namen de tijd en zetten hun vernuft in bij de verdediging, en probeerden het aantal slachtoffers zo klein mogelijk te houden.

De meeste middeleeuwers althans. Robyn zag dat het valhek van het wachthuis omhoog werd gehaald en de ophaalbrug werd neergelaten, krijgsmannen in blauw-en-zilver reden met briesende paarden en opflakkerend wapentuig langs de grote vestingtoren naar buiten, de banier met de valk en het D-vormige kluister wapperde boven hun hoofd. Daar kwam hertog Richard, de man die koning wilde worden, hij had het voorzien op die armzalige linie infanteristen en hun schaamteloze banieren met madelieven.

Ongemerkt begon Robyn in zichzelf te mompelen: 'Al gaat mijn weg door een donker dal, ik vrees geen gevaar, want u bent bij mij...'

Sir Robert staarde haar aan en vroeg: 'Wat zegt u?'

Ze dacht een ogenblik na, probeerde zich het te herinneren, toen zei ze tegen hem: 'Psalm 23, koning James-uitgave,' beter wist ze niet.

'Koning James waarvan?' vroeg sir Robert. 'Schotland?'

'Als u dat zegt.' Ze staarde met afgrijzen naar het akelige tafereel onder haar.

'Waarom is het dan in het Engels?' vroeg sir Robert wantrouwig.

'Klinkt zeker beter.' Voor een leraar van een graaf was hij ongelooflijk stompzinnig. Ze keek toe hoe hertog Richards gewapende cavalerie langs de loopgraven reed, de pijlenregen trotseerde en in botsing kwamen met de boogschutters, die vervolgens uit elkaar stoven aangezien ze met geen mogelijkheid een halve ton gewapende ruiters en hun paarden konden tegenhouden. Hertog Richards ridders braken door de boogschutters heen en wierpen zich toen op het gewapende voetvolk achter hen, met een afschrikwekkend gillend geknars dat Robyn helemaal boven op de toren kon horen. Een afgrijselijke combinatie van kletterende wapenrustingen, stukgeslagen lansen en gillende paarden. Er waren niet genoeg hellebaarden om de ruiters tegen te houden en hertog Richard sneed door de wankelende linie heen, sneed hem bijna in tweeën voordat het voetvolk met twee meter lange lansen de ruiters tot staan bracht.

'Uw stok en uw staf, zij geven mij moed,' sprak ze verder en wrong haar vingers ineen terwijl ze voor beide partijen bad. 'U nodigt mij aan tafel voor het oog van de vijand...'

Rutland slaakte een kreet toen gewapende infanterie in het kielzog van York door het wachthuis heen reed, ze vielen Somersets linie aan terwijl die nog steeds met de cavalerie aan het worstelen was. Somersets mannen werden achter de loopgraven teruggeworpen en trokken zich terug naar het bos en de rivier. Maar ze vochten zich een weg terug, werden stap voor stap naar achteren gedwongen, liever dan te breken en weg te vluchten. Robyn begon weer te bidden, want ze wist dat de strijd een crisis had bereikt. 'U zalft mijn hoofd met olie, mijn beker vloeit over...'

Net toen het erop leek dat Somersets linie in de Calder zou worden teruggedreven, brak de rest van het Lancaster-leger van beide kanten tussen de bomen door. Infanterie in Clifford-kleuren schoten Somersets wankelende linie te hulp terwijl gewapend voetvolk van Wiltshire aan de ene kant van het bos tevoorschijn kwam en van de andere kant ruiters de aanval inzetten, waarmee een minderheid van York in een gewapende bankschroef klem kwam te zitten. Hertog Richard had zijn troepen als een hert in een bokstal in de val laten lopen, ze waren aan drie kanten omsingeld en konden geen kant op.

Dit was het moment om te vluchten. Robyn sloeg haastig een kruis en zei: 'Geluk en genade volgen mij alle dagen van mijn leven, ik keer terug in het huis van de Heer tot in lengte van dagen. Amen.'

Toen stoof ze met tranen in de ogen met twee treden tegelijk de torentrap af. Elke waardevolle seconde telde, nu lord Nevilles mannen al in het kasteel zaten. Robyn herinnerde zich hoe Edward de val bij Ludlow had beschreven, door koning Hendriks leger, waar vrouwen wraakzuchtig waren misbruikt of gewoonweg verkracht. Edward vond die dingen afschuwelijk, hij zorgde er altijd voor dat zijn troepen de plaatselijke bevolking met rust lieten, en hij zou zijn eigen mannen ophangen als de zaken uit de hand liepen. Het schorem dat koningin Margarets troepen bevolkte, grensbandieten en Schotse huurlingen die zich hadden aangemeld om te kunnen plunderen, zou minder kieskeurig zijn.

Onder haar mantel en rood-gouden rij-jurk droeg ze een mannenbroek en shirt, gedeeltelijk voor de warmte, en voor een deel omdat ze misschien haar jurk moest uitgooien en rennen voor haar leven als de achtervolgers haar te dicht op de hielen zouden zitten. Haar dierbaarste en gevaarlijkste bezit – Edwards ring met de witte roos – stopte ze in een geheim zakje in haar gevoerde mantel, samen met haar geschiedenisboekje. Ze waren allebei uitermate bezwarend en konden niet makkelijk worden vervangen. Ze haalde Deirdre op en ging naar de stal, waar Matt ze met een akelig bericht tegemoet kwam: 'Lord

Nevilles mannen hebben het wachthuis bij de hoofdpoort in handen.'

Dat betekende dat hertog Yorks mannen van het kasteel waren afgesneden en dat Somersets volgelingen vrij toegang tot het kasteel hadden. 'Maar we kunnen nog door de keukendeur ontsnappen.' Matt wees naar een achterafpoortje in de vesting, dat alleen door het keukenpersoneel werd gebruikt.

Robyn knikte en deelde haar laatste zilver met Matt en Deirdre. 'Buiten kan er van alles gebeuren,' zei ze tegen hen. 'We moeten bij elkaar proberen te blijven, maar schaam je niet als je je uit de voeten moet maken.' Ze maakte zich vooral zorgen om Matt, ze wilde niet dat hij werd vermoord terwijl hij haar probeerde te beschermen.

Toen ze de laatste stukjes zilver had verdeeld, kwam Rutland eraan met sir Robert Aspsall in zijn kielzog. De jonge graaf zag asgrauw, geschokt hoe snel de rampspoed over hen was gekomen en zei: 'Mijn vader is buiten van het kasteel afgesneden en zwaar in de minderheid. De vijand kan zo het kasteel binnenwandelen.'

Robyn maakte een snel knicksje naar de tienergraaf en zei: 'Uwe excellentie, ik bid u, ga met ons mee, het is levensgevaarlijk als u hier blijft. Ze dacht aan Somersets belofte dat hij de Yorkers met wortel en tak zou uitroeien. Met hertog Richard was dat al gelukt, maar Rutland hoefde niet te sterven, sterker nog, in haar paperback stond hij niet op de lijst van de gesneuvelden. Als ze opschoten, konden ze samen vluchten.

Sir Robert wierp tegen dat het een koningszoon niet paste om er via een achterdeurtje met een gemengd gezelschap tussenuit te glippen. De hansworst noemde York nog steeds 'koning' ook al was hertog Richard nu waarschijnlijk al dood, en zou hij nooit de felbegeerde kroon dragen. Ze zei tegen de bemoeizieke tutor: 'U mag blijven, als u wilt, ik had het tegen graaf Edmund, ik hoop dat hij met ons meegaat.'

Graaf Edmund van Rutland keek de binnenhof rond, die er plotseling heel verlaten bij lag en stemde toen zonder aarzelen in, hij vroeg sir Robert hun paarden te halen. Aarzelend gehoorzaamde de koninklijke onderwijzer, die nog steeds deed alsof vluchten voor hun leven iets beneden hun waardigheid was, dat angst iets voor het gewone volk was.

Robyn voelde zich heel gewoontjes en bang, en ze kreeg de neiging om Matt op te dragen het geschiktste paard te zadelen, Rutland te helpen opstijgen en sir Robert aan zijn eigen vooroordelen over te laten. Maar de lichtgeraakte onderwijzer kwam met twee felle hengsten aangelopen die de kleuren van de hertog van York droegen. Woedend om zo'n stupiditeit, beval Robyn dat de kleuren van de hertog eraf gehaald moesten worden. Rutland droeg een wijnpurperen bontwambuis en een gouden cape waar het koninklijke van af schreeuwde, maar daar was niets aan te doen. Ze stegen op en reden in de richting van de zij-ingang, waar verschrikte wachtposten op bevel van Rutland de poort openden.

Buiten de muren kwam Robyn in een grimmig, spookachtig landschap terecht, ze reden langs lege loopgraven en veldschansen bezaaid met verlaten kanonnen. Eerst zagen ze alleen maar de Yorkse soldaten, op de vlucht geslagen omdat ze het kasteel niet meer in konden. Ze hadden hun kleuren afgedaan en hun wapens weggegooid, en zochten hun toevlucht in de bossen of in de kerk, waar ze andere kleren aantrokken. Op de bevroren grond lagen overal achtergelaten messen, lansen, hellebaarden en grote tweehandige zwaarden. Er zaten ook Yorkse overmantels tussen, die middeleeuwse leren soldatenmantels zouden de dag op het veld moeten doorbrengen. Zonder waarschuwing stormde een meute krijgslieden op de blauw-met-gouden kleuren – UCLA-kleuren – af, vanuit hun zadel zwaaiden ze met bijlen en gooiden de mannen omver.

Geschokt vroeg Robyn zich af waarom ze dat deden. Het was zo ongelooflijk en onnodig wreed, ze brachten afschuwelijke wonden toe bij volslagen vreemden die dat helemaal niet hadden verdiend. Toen realiseerde ze zich dat dit de vijand was, lord Roos' ruiters, en ze zouden hetzelfde met Matt en Rutland doen als ze dat liet gebeuren. Ze draaide zich in het zadel om en schreeuwde naar haar metgezellen: 'Onmiddellijk het bos in.'

Ze spoorden hun paarden in een spurt aan, naar de bomen. Toen ze langs de kerk kwam, keek Robyn over haar schouder naar Sandal. Nergens waren de duizenden manschappen te bekennen die achter de hertog van York aan waren gereden, alleen maar verspreid liggende lichamen, vluchtend voetvolk en de blije ruiters van lord Roos, die lachend met hun bijlen rondzwaaiden. Een ongelooflijk onwerkelijk tafereel, zelfs voor 1460. Toen reed ze het bos in en onttrokken de bomen hen aan het zicht.

Ze galoppeerde door de varens en keek om om te zien hoe het Deirdre verging, maar ze was nergens te bekennen en Matt Davye ook niet, dus hield ze halt zodat ze haar konden inhalen. Rutland stopte naast haar, geschrokken van wat hij had gezien en schreeuwde: 'Moesten we niet richting zuiden?'

Ze schudde haar hoofd. 'Daar jagen ze juist op vluchtelingen. Het halve leger van je vader is op weg naar het zuiden. We moeten in Wakefield zien te komen, daar kun je misschien onderdak vinden.' Wakefield was een Yorks stadje en je kon je beter onder mensen verbergen dan tussen de bomen. Als ze Rutland zover kon krijgen dat hij zijn koninklijke purperen wambuis uit zou trekken, zou niemand hem

318

voor een graaf aanzien, of zelfs voor een krijgsman.

Ze keek weer om zich heen, geen Deirdre, geen Matt. Waar waren ze? Misschien waren ze vooruit gereden, tussen de bossen en Wakefield in. Achter haar hoorde ze het gekraak van de varens, haar hart sprong op en ze draaide zich om, biddend dat het haar dienaren waren. De takken weken uiteen en sir Robert Aspsall brak door de struiken heen, zijn grote flaphoed zat scheef en buiten adem vroeg hij luidkeels op bevelende toon: 'Waar is de prins? Waar is graaf Rutland?'

'Hier is hij,' antwoordde Robyn, geërgerd dat die kerel zo stom was om Rutlands naam hardop te noemen terwijl Somersets ruiters waarschijnlijk de bossen afzochten op de zoon van York. Jammer dat Aspsall niet op de dodenlijst stond. Bang dat zich nog iets ergers zou voordoen, riep ze uit: 'Kom op,' en ze stuurde Rutland in de richting van Wakefield. Toen ze uit de bossen braken, keek ze buiten zichzelf om zich heen. Nog steeds geen Deirdre. Wat moest ze doen?

Hier maakte de Calder-rivier een bocht naar het oosten en sneed hen de pas af. Mannen vluchtten voor hen uit op weg naar de brug die naar Wakefield leidde. Het was die kant op of stroomafwaarts naar de hei en de bossen tussen Wakefield en Pontefract. Geen van beide opties was perfect, maar dit kon wel eens hun beste kans zijn, de rivier kwam dan tussen hen en Somersets leger in te liggen. Dan konden ze in noordelijke of westelijke richting de heuvels intrekken. Wakefield was een grote wolstad, waar ze zich wellicht goed konden verschuilen. Rutland keek haar met grote ogen aan en vroeg: 'Zullen we oversteken?'

Ze knikte, wist niet zeker wat het beste was, ze wist alleen dat ze hier niet op de rug van een paard konden blijven staan argumenteren. Sir Robert wilde iets voorstellen, maar Rutland en zij sloegen geen acht op hem. Midden op de stenen boogbrug stond een kapel die aan Sint-Maria was gewijd en Robyn sprak een stil gebed uit toen ze erlangs reed. In de stad zag ze voor zich uit gewapende mannen en de moed zonk haar in de schoenen... die zagen er niet uit als vluchtelingen.

Achter het dichtstbijzijnde huis aan het einde van Park Street van Kirkgate hield ze in en stelde voor dat Rutland zich daarbinnen zou verstoppen. 'Ik verberg de paarden. Als deze mannen dan voorbij zijn, kunnen we verder rijden.' Een hachelijk plan, maar anders moesten ze de Calder weer oversteken en zou de achtervolging worden ingezet.

Te bang om iets te zeggen steeg Rutland af en verdween in het huis, gevolgd door sir Robert. Ze werkte de paarden in een kleine schuur achter de cottage, die precies groot genoeg was, maar waar geen deur in zat. Ze besloot dat ze het ermee moest doen en barricadeerde de ingang met een stok. Toen glipte ze door de kaalbevroren tuin naar de achterkant van de cottage. Rutland was er niet en sir Robert ook niet. Alleen een angstige, grijsharige oude vrouw in een haveloze zwarte jurk. Robyn vroeg de verbijsterde vrouw: 'Wat is er met die twee heren gebeurd die hier naar binnen zijn gegaan?'

'Ze hebben ze meegenomen,' antwoordde de oude vrouw en ze wees naar de voordeur die stevig was gebarricadeerd.

'Wie heeft ze meegenomen?' vroeg Robyn, maar de vrouw was te bang om iets uit te kunnen brengen. Robyn tilde haar rok op, draaide zich om, ging door de achterdeur het huisje uit en liep er toen omheen naar de straat. Met afgrijzen zag ze dat mannen in Somersets kleuren Rutland en sir Robert voor het huis de weg versperden. En lord Clifford kwam in volle wapenrusting de straat in rijden.

Van iedereen moest het uitgerekend Clifford zijn, die er zo bloeddorstig op uit was om zijn vader te wreken, ongeveer de laatste persoon op wie ze een beroep kon doen, alleen FitzHolland was nog erger geweest. Voordat ze iets kon bedenken, riep sir Robert in al zijn stommiteit uit: 'Spaar hem, mijn heer, want hij is een koningszoon en u zult er uw voordeel mee kunnen doen!'

Clifford sprong met een zwaai uit zijn zadel, keek Rutland scherp aan en trok een dolk. Hij zei: 'Wiens zoon is dit?'

Toen sir Robert de dolk zag, realiseerde hij zich zijn fout en deze keer stond hij met een mond vol tanden. Uit uitzinnige angst draaide Rutland zich om en begon hard op de deur van de oude vrouw te bonzen, maar die zat goed vergrendeld. Clifford greep de jongen van achteren met een gemaliede hand vast, trok hem de straat weer op waar Rutland op zijn knieën viel. Met ineengeklemde handen smeekte hij zwijgend om genade. Clifford grijnslachte als antwoord op de pathetische smeekbede van de jongen. 'Bij Gods bloed, uw vader heeft de mijne afgeslacht! Nu zal ik u en uw nazaten afslachten.'

Vervolgens stak Clifford Rutland recht in zijn borst. Robyn voelde haast lijfelijk het mes naar binnengaan, snakte naar adem toen Clifford opnieuw toestak, en nogmaals, totdat Rutland in een hoopje aan de voeten van de lord ineenstortte.

Misselijk zonk ze zelf neer, ze verborg haar hoofd in haar handen en bedacht dat Rutlands naam niet op de dodenlijst had gestaan omdat hij later pas was vermoord. Als ze verder had gelezen, had het boek haar hier waarschijnlijk alles over verteld, maar het kon Robyn niet meer schelen wat er verder nog ging gebeuren. Ze had Deirdre en Matt verloren en Rutland naar zijn moordenaars geleid, ze zat in haar handen te snikken en haar borst kromp pijnlijk ineen bij haar verlies. Clifford mocht haar ook vermoorden, want ze kom hem toch niet tegenhouden. Rutland was de liefste, zachtaardigste edelman geweest die ze ooit had ontmoet, die nog geen vlieg kwaad had gedaan maar evengoed had geprobeerd haar te beschermen, hij had haar zijn beste kamers en vriendelijke aandacht gegeven. Het was te veel voor haar dat hij voor haar ogen werd afgeslacht terwijl hij om genade smeekte. Wat een monsterachtige, goddeloze daad. Ze huilde niet alleen om Rutland, maar ook om Edward, die op één dag een vader en een broer had verloren. Dit zou hem de das omdoen, niet lichamelijk – daar was Edward te sterk voor – maar geestelijk. En ze kon niets doen om hem tegen de schok te beschermen.

'M'lady, kan ik iets voor u doen?' vroeg een man in ronduit Northumberlands.

Ze veegde de tranen van haar gezicht, keek op en zag een boogschutter in een roodbruin stalen maliënkolder met de maansikkel van Percy erop en met een gedeukte pothelm op. Ze schudde haar hoofd, niet in staat iets te zeggen. Niemand kon iets voor haar doen, behalve Edward misschien, die zo verschrikkelijk ver weg was.

'M'lady moet hier niet alleen blijven zitten,' legde de boogschutter geduldig uit. 'Er woedt een oorlog en de mannen zijn niet in hun beste stemming.'

Ze knikte. Zeker als wat. Ze keek om zich heen en zag dat, op deze behulpzame boogschutter na, ze alleen in de doodgevroren tuin zat. De straat was ook leeg, bespat met Rutlands bloed. Clifford was weg, evenals Rutlands lichaam en die belachelijke sir Robert, het was te veel gevraagd om te hopen dat Clifford hem ook had omgebracht. 'Laat me u in veiligheid brengen,' stelde de boogschutter voor. 'U moet hier niet alleen blijven.'

'Ik heb nog een paar paarden,' vertelde ze hem en ze knikte in de richting van de open schuur waar Lily op stal stond met Rutlands en sir Roberts rijdieren.

'Niet meer,' antwoordde de boogschutter, 'die schuur is leeg.'

Ze keek en zag dat de stok uit de deuropening was weggehaald, evenals de paarden. Terwijl zij om Rutland had zitten huilen, was iemand er met Lily vandoor gegaan. Weer iets verloren, in zekere zin raakte haar dat nog meer. Lily had haar vanuit Calais hiernaartoe gedragen en had op Sint-Anna's dag met haar over Cheapside geracet, en nu was Lily ook weg. Robyn herinnerde zich die koude ochtend in Calais nog, toen ze Lily voor het eerst bij de keukenpoort had zien staan, aan de teugel gehouden door een page in Edwards kleuren. Haar nieuwe, grote, witte merrie was zo wonderbaarlijk, zoals ze daar op die koude morgen witte stoomwolken had staan uitblazen. Ze begon weer te huilen.

'M'lady kan hier niet blijven zitten huilen,' verklaarde de boogschutter. 'U moet mensen om u heen hebben, laat me u daar alstublieft heen brengen.'

Ze keek naar de boogschutter op, hij was jong en blond, en glimlachte naar haar, een boerenjongen in wapenrusting met een boog die nog groter was dan hijzelf. In het derde millennium zou hij een pizzakoerier zijn geweest, of een surfer, in plaats van een vriendelijke moordenaar voor de Percy's. 'Op de brug staat een kapel voor Maria, je kunt me daarheen brengen. Ik moet bidden.'

'Zoals wij allen,' antwoordde de jonge boogschutter filosofisch, 'zoals wij allen.' Bij de kapel gaf ze hem een afscheidskus en hij liep vrolijk weg, blij met de beloning voor zijn goede daad.

Ze was Sandal Castle ontvlucht omdat ze bang was geweest dat Deirdre en zij verkracht zouden worden en in de hoop dat ze Rutland kon redden. In plaats daarvan was ze Deirdre kwijtgeraakt, had ze Rutland recht in de armen van Clifford geleid en de vijand gekust. Robyn ging naar binnen om te bidden, ze viel op haar knieën en luchtte haar hart tegen Maria, smeekte haar steeds maar weer om vergeving en goede raad. Maar het enige antwoord wat ze kreeg waren de beelden van Rutlands smeekbede voor zijn leven en lord Cliffords spottende grijnslach voor hij toestak.

Ten slotte gaf ze het op en keek om zich heen. De kapel zat vol vrouwen en kinderen, en een paar gewapende vluchtelingen die een toevlucht hadden gezocht voor de oorlog daarbuiten. Wat nu te doen? Ze sloeg een kruis, stond op en liep de brug op. Ze zag dat de oorlog zich terugtrok, de enige vluchtelingen die nog over waren, zaten binnen in gebed. Gewapende stadswachten stonden aan de noordzijde van de brug om plunderaars uit Wakefield weg te houden. Orde en gezag kwamen maar moeilijk op gang in dit kleine stukje Engeland. Het werd tijd om daar haar voordeel mee te doen. Ze moest op een of andere manier bij Edward in Shrewsbury zien te komen, maar de oorlog zou ook die kant opgaan. Geen plezierig vooruitzicht zonder eten, paarden en niets anders dan een paar versneden munten in haar beurs. En ze kon er moeilijk op vertrouwen dat elke blondharige boogschutter zo'n goed hart had. Robyn herinnerde zich wat de behulpzame boogschutter had gezegd over 'mensen om zich heen', even ten oosten was het leengoed Pontefract, daar zou iemand haar wel willen helpen.

Ze nam afscheid van Sint-Maria en glipte naar de Sandal-kant van de brug, liep over het doorploegde wagenspoor naar het oosten in de richting van Pontefract. Dorpelingen waren druk bezig Yorkse doden te beroven, ze sloegen nauwelijks acht op een vreemd uitziende, eenzame vrouwe die in een rij-jurk langsliep, en ze stak de bevroren hei alleen over. Van heinde en ver hadden kraaien zich verzameld en pikten aan de lichamen die door de boeren waren gestript. Ze dacht aan hertog Richard, die zo zelfverzekerd als Custer bij Little Bighorn was uitgereden. Nu was de man die koning wilde worden dood, en hij had god mocht weten hoeveel mannen met zich meegesleurd, met inbegrip van zijn eigen zoon Edmund van Rutland. En vrienden en kennissen van sir Thomas Neville, tot aan meester Harrow toe. Uit de geplunderde dorpen kwamen uitgehongerde honden tevoorschijn die de kraaien wegjoegen en aan de dood snuffelden. Wat een ongelooflijke verspilling.

Ze was neerslachtig en kwam maar moeizaam vooruit. Robyn had sinds de dageraad niets gegeten en had het gevoel dat ze sindsdien alleen maar had gereden en op de vlucht was geweest. Haar eten en drinken zaten op Lily's zadel vastgebonden – waar Lily ook mocht zijn – en het was niet waarschijnlijk dat ze in dit uitgemolken landschap iets te eten zou vinden. Ten slotte hield ze het niet meer en dronk koud, verfrissend water uit een stroom, maar dat hielp niet tegen haar honger en vermoeidheid. Een paar kilometer verder stortte ze totaal in, ze was niet in staat nog een stap te verzetten terwijl ze nog aardig wat kilometers te gaan had. Ze vond een zachte, grasachtige holte in de koude harde grond en ging slapen. De cirkel van haar verblijf in de Middeleeuwen was weer rond. Zo was ze begonnen: alleen, te voet, platzak en dakloos in een vijandig landschap. Daartussenin was ze een verwende vrouwe geweest, de geliefde van een machtige lord en een vriendin van koning Hendrik, alsof dat enig verschil maakte.

Ze werd gewekt door de kraaien. Ze was diep in slaap geweest toen ze iets aan haar haar voelde trekken. Toen voelde ze een scherpe pijnscheut op haar ooglid. Ze stak haar hand uit en sloeg tegen een gevederd lichaam aan dat boos tegen haar kraaide en in haar vinger pikte. Haar ogen schoten open en ze zag dat ze onder de grote, flapperende en schreeuwende zwarte kraaien lag.

Ze sloeg ze van zich af, sprong overeind en gilde: 'Kssst, kssst, laat me met rust.' De kraaien trokken zich buiten haar bereik terug en kraaiden woedend naar haar, verontwaardigd en spottend tegelijk. Ze hadden zich al de hele dag aan lijken te goed gedaan, dus was het logisch dat ze dachten dat zij ook dood was.

Ze pakte wat aardkluiten op en gooide die naar de kraaien, die vervolgens afdropen. Ze keek om zich heen en zag een reusachtige, zwarte wolf zich te goed doen aan een halfnaakt lichaam, net zo'n wolf als die met Maria in Sherwood was meegelopen. Ze liet de kluiten vallen, ze was niet van plan om zijn feestmaal te verstoren. Waar hij zich ook mee voedde, het had een fijne, blanke huid, kleurrijke zijden dijen en één goede laars. De enorme wolf grauwde een waarschuwing en trok het bloederige lichaam de bosjes in, in de hoop rustig in zijn eentje te kunnen eten. De kraaien sprongen en fladderden achter hem aan.

Kouder en hongeriger dan ooit wankelde ze langs de kale velden en afgebrande schuren, ten slotte kwam ze bij een onbeschadigde boerenhoeve, die bij Pontefract hoorde. Honden kwamen haar grauwend begroeten, gevolgd door oplettend, met bijlen gewapend boerenvolk, dit waren onzekere tijden. De familie herkende haar onmiddellijk en leidde haar een aarden huisje binnen met ruw uitgehakte dakspanten. Ze gaven haar waterig bier en schepten een berg bedorven voedsel op haar bord, blij dat ze hun toegetakelde vrouwe Pomfret konden voeden en troosten. Ze bedankte hen en vroeg om gekookt water in plaats van bier en om de erwtenpap nog even op de haard te zetten, zodat het wat langer kon pruttelen. Dat deden ze graag, ze stookten het vuur op om de pap aan de kook te brengen waardoor het hobbithuisje vol walmde met houtrook.

Ze zat in de enige stoel die het huisje rijk was en sloot haar ogen, ze voelde de warmte van het vuur, rook de sudderende pap en verse mest, en luisterde naar de vrolijke stemmen om haar heen. Slechts een dun scherm van gevlochten twijgen scheidde hen van de dieren, aangezien iedereen door de koude, hardbevroren velden en hongerige, plunderende soldaten met hun beesten moest overwinteren. Zelfs midden in deze strenge, natte winter was deze familie meer dan blij om tegemoet te komen aan de kieskeurige eenentwintigste-eeuwse smaak van hun vrouwe, ook al hadden ze zelf nauwelijks genoeg te eten. Op één ochtend had ze de slechtste en de beste kant van de Middeleeuwen gezien.

Robyn nipte van de dikke pap en de dunne tarwethee, en voor het eerst kon ze zich een beetje ontspannen sinds Margarets heraut voor de loopgraven van Sandal was verschenen en hertog Richard had uitgedaagd zijn mannelijkheid te bewijzen. Ironisch genoeg hadden deze mensen van de slag bij Wakefield gehoord en zij vonden dat er een grote overwinning was behaald. Voor hen waren alle zuiderlingen vreemdelingen en dus verdacht. Voor deze mensen was het goed genoeg wanneer plaatselijke lords als Clifford en Roos tegen hen in opstand kwamen, zij vonden dat de Londenaren maar een gek taaltje spraken en er rare manieren op nahielden. Ze hielden veel meer van de adelstand: 'Zoals u m'lady, u spreekt tenminste fatsoenlijk Yorkshire en luistert naar ons.'

Ze had het hart niet om hun te vertellen dat ze van een nog veel vreemdere plek kwam dan Londen, maar ze bedankte hen alleen maar voor hun gastvrijheid en dat ze met een volle maag mocht gaan slapen. Deze keer werd ze door de kinderen gewekt, ze trokken aan haar jurk en zeiden: 'M'lady, m'lady, er staan ruiters op de binnenplaats.'

'Wat voor ruiters?' vroeg ze behoedzaam en ze stak haar hand uit naar haar kruik gekookt water, die wilde ze bij zich hebben als ze weer op de vlucht moest slaan. Hoewel, zo te horen was het daar al te laat voor.

'Ze dragen blauw en goud, m'lady,' kondigde de oudste aan. 'Misschien mannen van lord Roos.' De anderen knikten geestdriftig.

Ze ging naar buiten en merkte dat het ging schemeren, maar ze kon het embleem met de witte dubbele waterzak van Roos' ridders wel onderscheiden. Zij keken vanuit hun zadel omlaag, hadden hun lansen rechtop en herkenden haar ook. Hun aanvoerder zei: 'Lady Stafford, hertog Somerset heeft u de hele weg naar Sandal gezocht.'

'Waarom Sandal? Ik ben hier bij mijn eigen volk.' Ze knikte naar de familie die hoopte dat deze paar gewapende ruiters geen moeilijkheden betekenden.

Lord Roos' aanvoerder tikte even tegen zijn ijzeren helm en zei: 'Waar de vrouwe ook geweest is, zijne excellentie wenst uw aanwezigheid op Pontefract.'

Hij had een aantal paarden aan de teugel – geen ervan was Lily – dus reed ze uiteindelijk op een vreemd paard terug naar Pontefract, waar ze een vreemde kamer kreeg toegewezen, een privé-slaapkamer in het slot waar Somerset haar nauwlettend in de gaten kon houden. Ze lag alweer in een logeerbed en miste Deirdre ontzettend. Ze klaagde weliswaar altijd dat ze haar slaapkamer met haar dienstmeid moest delen, maar ze was eraan gewend geraakt dat Deirdre steeds bij haar was, haar eeuwige vertrouwelinge en medesamenzweerster, de enige die naast Edward al haar geheimen kende. De meeste in elk geval wel.

Nu was ze weer terug op Pontefract, zonder Deirdre, zonder Matt, zelfs zonder Lily. En bovenal, zonder Edward. Nog drie dagen, dan was het heksennacht, dan zou ze Edward zien en hem vertellen waar ze was en wat er was gebeurd. Tenzij ze eerder bij hem kon komen, wat niet erg waarschijnlijk was. Zonder toestemming van Somerset kon ze onmogelijk vertrekken, niet op een paard dat ze maar half vertrouwde. In romans sprong de heldin zomaar op een gestolen strijdros en reed op een vreemd rijdier door de nacht, zo in de armen van haar geliefde. Maar miss Rodeo Montana wilde graag een paard leren kennen voordat ze er al haar hoop op vestigde. Vooral als de weg naar het zuiden al snel zou wemelen van gewapende ruiters.

Ze kon Somerset natuurlijk alsnog geven wat hij wilde. Hij was jong, knap, rijk en stond aan de winnende kant. Een vrouw met de helft minder verstand had al eeuwen geleden toegegeven. Joan Hill had het waarschijnlijk prima naar haar zin in Devon, kon in alle vrede haar baby opvoeden in een leuk huis aan zee, en tevreden op de komst van haar lord wachten. Zij lag niet in een van beesten vergeven logeerbed naar het zwarte plafond te staren, zich afvragend wat de ochtend zou brengen. Eén mooie, innige wip en Somerset zou een stuk vriendelijker zijn. Als ze genoeg toegaf, zou Somerset haar misschien met een paard en een vrijgeleide laten gaan. Eerst wat gepast tegenstribbelen om het verlangen van zijne excellentie wat aan te wakkeren – onderwijl vleiend van hem gedaan krijgen wat ze wilde – en dan... wham, dan zou ze de hertog een eenentwintigste-eeuws feest geven dat hem nog lang zou heugen. Hollywood lag mijlenver op de Middeleeuwen voor, als het daarom ging, lichtjaren voor zelfs, zoals Edward tot zijn vreugde had ontdekt. Somerset zou blij verrast zijn met het onontdekte gebied.

Maar ze wilde niet met Somerset naar bed, en zeker nu niet. Ze had van dichtbij meegemaakt waar Somerset en de zijnen toe in staat waren. Ze plunderden boerenhoeven en brandden huizen plat. De moord op Rutland. Hongerige vrouwen en kinderen die voor hun veiligheid vreesden. Somerset wilde oorlog, hoe groter hoe beter, en hij zou net zolang branden en moorden tot hij die kreeg. Omdat hij alleen door oorlog kon krijgen wat hij wilde: de macht, zodat iedereen naar zijn pijpen danste. Edward was een krijger, een van de besten, maar hij hield veel meer van feestvieren en vrijen, en hij was slim genoeg om te vechten voor het algemeen belang, zoals vrede en een gezonde regering. Als het volk van Engeland mocht kiezen, zou hun voorkeur verreweg naar Edward uitgaan. En dat gold ook voor haar.

Terwijl ze zo over haar vooruitzichten aan het mijmeren was, hoorde ze lawaai op de kasteelhof en ruiters door de binnenste vestingmuur rijden. Ze liep naar het raam en zag toortsen onder haar. Er was een belangrijk iemand gearriveerd, zo te zien een gevangene. Aangezien zijzelf technisch gesproken geen gevangene was, ging ze naar beneden om poolshoogte te nemen. Ze gleed naar de galerij en keek uit over de hoofdhal. Ze zag graaf Salisbury, hoofd van de Neville-clan, die bij het toortslicht werd binnengeleid, gewond maar niet dood. Salisbury had duidelijk een zwaardere dag achter de rug dan zij. Robyn trok zich in haar kamer terug met nog een probleem waar ze zich het hoofd over brak. Salisbury was altijd goed voor haar geweest, dus als hij morgen nog leefde, zou ze bij Somerset voor het leven van de oude Neville pleiten.

De volgende ochtend kreeg ze na de mis haar kans. Somerset wilde haar onmiddellijk persoonlijk ontvangen, blij dat ze eindelijk naar hem toe wilde komen. Robyn wist dat ze het hele gesprek kon overslaan, ze hoefde alleen maar in haar boek op te zoeken wat het lot van Salisbury zou zijn. Maar ze wilde niet dat ze zich door het boek zou laten leiden en dat het haar ging vertellen wat ze wanneer moest doen. Haar tot Somerset gerichte pleidooi was een persoonlijke verklaring, voor haarzelf, voor Somerset, en net zo goed voor Salisbury. Lords en lady's konden met hun persoonlijkheid iets neerzetten, in de strijd of in de slaapkamer. Ze had Edward laten beloven dat hij Somerset zou sparen. Nu wilde ze dat Somerset hetzelfde deed voor Salisbury, ook al was daar enige overtuiging voor nodig.

Gelukkig had vrouwe Robyn haar hele achtergelaten garderobe tot haar beschikking, en ze koos een kostbare groene jurk uit, afgezet met zilver, waarvan de laag uitgesneden halslijn uitliep in een witte, vlindervormige hoofdtooi. Somerset zou niet weten wat hem overkwam. Jammer dat ze geen borstspleet kon maken om de zaak helemaal af te maken, middeleeuwers moesten nog een hoop leren als het ging om beugel-bh's en steunmaterialen voor vrouwen in het algemeen. Het enige beetje dat ze bij zich had, was Engelands nationale voorraad spandex.

Somerset zag er zelf ook niet verkeerd uit, gelukkig en knap als altijd stond hij bij de vensterbank in wat 'haar' met panelen beklede slaapkamer was geweest, met de manshoge haard, warme tapijten en het reusachtige bed, met daarachter de wandtapijten met de Hof van Eden. Ze rook de appels uit de pantry. Hij droeg een prachtig wit gewaad met vleugelvormige mouwen op een gouden maillot, op zijn borst prijkte zijn embleem met het gouden valhek, waarboven zijn schitterende bruine ogen en donkere, rondgeknipte haar goed uitkwamen.

Ze knielde smekend neer waardoor haar nek goed zichtbaar werd en hertog Somerset nam er de tijd voor voordat hij zei dat ze kon opstaan. Somerset was duidelijk in de wolken, hij had hertog Richard verpletterd, graaf Salisbury gevangengenomen, Sandal Castle ingenomen en heel Noord-Engeland voor koningin Margaret veroverd. Een van de voorrechten van een overwinnaar was dat mooie vrouwen voor hem neerknielden en Somerset wilde zo lang mogelijk van dat moment genieten. De Lancasters waren niet langer de verliezers. Hertog Somerset had persoonlijk een einde gemaakt aan een jammerlijke reeks nederlagen, zijn partij had tot dusverre elke reguliere veldslag verloren – Saint Albans, Blore Heath en Northampton – waardoor hun zaak synoniem stond aan de nederlaag, terwijl de lange lijst van gesneuvelde edelen die moesten worden gewroken alleen maar langer werd. Wakefield had dat allemaal uitgewist. Met een triomfantelijke glimlach zei Somerset tegen haar: 'Kom toch overeind, vrouwe Stafford. Ik heb u toch beloofd dat met Driekoningen alles in orde zou zijn.'

En dus had hij iets te vieren. Ze stond op en verontschuldigde zich dat ze hem niet had geloofd, ze verzekerde hem: 'Als ik het had geweten, uwe excellentie, zou ik me niet zo dwaas hebben aangesteld.'

Somerset vergaf het haar zonder enige moeite, hij was in een meer dan opperbeste stemming, ging dichter bij haar staan en pakte haar handen. Stevige vingers trokken haar naar zich toe toen hij vroeg: 'Bent u daarom gekomen? Om te zeggen dat het u spijt dat u op de dag der Onnozele Kinderen bent gevlucht?'

Zo te horen beschouwde hij haar desertie als niet meer dan een schelmenstreek, hij gaf haar de kans om het domme meisje uit te hangen dat naar de winnende partij terugkeert. Ze schudde haar hoofd en zei: 'Nee, uwe excellentie. Ik wil het graag voor graaf Salisbury opnemen.'

Somerset keek onmiskenbaar teleurgesteld en zei: 'Ik had gehoopt dat u speciaal voor mij was gekomen, niet voor Salisbury. Om me te feliciteren met mijn verpletterende overwinning.'

'Mijn heer heeft een schitterende overwinning behaald,' zoveel wilde ze Somerset nog wel nageven, hoewel hij daarvoor een kerstbestand had moeten schenden. 'Bederf uw triomf niet door met hulpeloze gevangenen het gevecht aan te gaan.'

'Ik ben helemaal niet van plan om mijn overwinning te bederven,' antwoordde Somerset, 'ik wil er een kroon opzetten.' Toen boog hij zich naar voren en kuste haar – niet zo'n Engelse hallo- of gedagkus, die ze normaal uitwisselden, maar een hartstochtelijke Franse kus die ze omwille van Salisbury wel moest beantwoorden.

Somerset voelde dat ze meegaf en verstevigde zijn greep, hij legde een hand op haar middel en de andere even boven haar achterste, terwijl hij hun borst en liezen tegen elkaar aan drukte. Ze wilde Somerset niet zoals ze Edward wilde, maar de helft van de jonge vrouwen uit het noorden zou in haar plaats een appelflauwte krijgen, en vrouwe Robyn was niet immuun. Somerset had zijn kwaliteiten, hoe bruusk en schaamteloos hij ook was. En na wat zij had doorgemaakt zou elke vrouw vanaf haar middel volkomen ongevoelig zijn, wanneer ze niet dolgraag vastgehouden wilde worden door een stoere jonge edelman die wilde dat ze veilig en gelukkig was. Ze onderbrak niettemin de kus en had even haar mond weer voor zichzelf. Ze zei: 'Alstublieft, uwe excellentie, ik ben gekomen om voor het leven van een man te pleiten.'

'En mijn vrouwe heeft de beste manier gevonden?' zei Somerset tegen haar, hij sleurde haar nog net niet naar het bed, maar liet haar ook niet los. De goede hertog had in zijn armen wat hij wilde, en hij was niet van plan haar te laten gaan. De hand op haar ruggengraat gleed verder naar beneden, naar haar achterste, terwijl hij zijn andere arm om haar schouder legde. Zijn vingers speelden met de laag uitgesneden halslijn, zochten naar de huid tussen de plooien van haar jurk. 'Hertog Hollands bastaardzoon beweert dat u van Edward van

March alles krijgt wat u maar wilt.' Somerset wist precies met wie hij haar moest bedreigen. 'Door middel van hekserij, dat bezweert meester FitzHolland althans. Waarom gebruikt u diezelfde hekserij niet ook bij mij?'

Met name wanneer edele lords zo'n verleidelijk doelwit zijn. Weer zo'n koninklijke hertog die haar smeekte om in bed betoverd te worden – geen wonder dat hertogin Wydville van een buitenlandse op zwart zaad rechtstreeks hertogin van Bedford kon worden en vertrouwelinge van de koningin. Ze negeerde de vingers die langs haar hals speelden en zei tegen hem: 'Ik smeek uwe excellentie alleen maar om mededogen.'

'Is dat alles?' vroeg Somerset kwaadaardig glimlachend. Hoe duivels zou hij blijken te zijn? Hij had haar in zijn kasteelslaapkamer, omgeven door zijn soldaten en zij was in zijn macht omwille van een mensenleven. 'Gebruikt u uw toverkunsten niet eens om het leven van een man te redden?'

'Vraag me dat alstublieft niet,' smeekte ze. Het was één ding om in een logeerbed te mijmeren over wat voor koningstijd ze de vorstelijke hertog te bieden had, maar het was heel wat anders om het daadwerkelijk uit te voeren. 'Dat zal over ons beiden schande brengen.'

'U legt een bewonderenswaardige zelfbeheersing aan de dag,' zei Somerset tegen haar en hij liet haar nog altijd niet los, 'zeker voor een dame met uw reputatie. Hoewel je zou kunnen zeggen dat iemand voor zo'n hoge deugd zijn eer wel zou willen opgeven, als het om het leven van een ander gaat.'

'En het is een nog grotere deugd om die niet op te eisen,' bracht ze hem in herinnering. 'Ik kan vast wel iets anders voor u doen.'

Somerset dacht een poosje na, alsof er niets was wat aan haar kon tippen, toen stelde hij sluw voor: 'Er is altijd nog zilver.'

'Zilver?' Ze had haar laatste geld aan dat gezin gegeven, dat haar te eten had gegeven. Het enige zilver dat ze nog had zat in de naad van haar jurk, en Edwards ring, in een geheim zakje.

'Veel heeft de moord op mijn vader me niet opgeleverd,' legde Somerset uit, 'en oorlogvoeren is verbazingwekkend duur, zelfs voor de winnaars. Dit glorieuze leger moet loon naar werken krijgen, en ze zitten intussen als helden te schransen. Ik laat graaf Salisbury met alle liefde vrij tegen een fatsoenlijk losprijs.'

'Werkelijk?' ze kon nauwelijks geloven dat het zo makkelijk ging. Makkelijk voor haar althans – ze was buitensporig vrijgevig geweest, dus haar bijdrage zou nihil zijn – maar de Nevilles hadden vast wel de middelen om hun clanleider vrij te kopen.

'Ja,' lachte Somerset tot haar verrassing, 'Salisbury mag zijn vrijheid kopen, maar hij moet er wel om smeken.'

'Smeken?' Ze keek hem verward aan.

'Op zijn edele knieën.' Somerset genoot duidelijk van het beeld dat Neville senior wel voor hem wilde kruipen om zijn leven te redden. 'Hoewel ik jou liever heb.'

Fijn compliment, aangezien ze zich niet kon voorstellen dat ze een losprijs voor een graaf waard was, maar Somerset vond kennelijk van wel. Hij kuste haar weer en deze keer beantwoordde Robyn zijn kus gelukkig en uit de grond van haar hart, opgetogen dat Salisbury niet hoefde te sterven. Ze kon hertog Somerset met een rein hart terugkussen, want ze wist ook dat hij voor haar op was gekomen toen ze dat nodig had.

Vette vergissing. Gesterkt door haar reactie sleurde Somerset haar deze keer wel op het bed. Robyn lag plat op haar rug met Somerset boven op haar, hij drukte haar op het beddensprei en kuste haar steviger dan ooit. Ondanks zijn kracht en geestdrift wist ze de kus af te breken en zei: 'Alstublieft, nee.'

Somerset glimlachte naar haar en vroeg: 'Waarom niet, malle meid? Salisbury is veilig, dit gaat alleen jou en mij aan.'

Voordat ze antwoord kon geven, kuste hij haar weer. Hij drukte haar beide armen boven haar hoofd neer zodat hij één hand vrij had. Schuddend met haar hoofd weerde ze worstelend Somersets kus af. Hoe dankbaar ze ook was voor Salisbury's leven en vrijheid, ze kon niet met de man naar bed gaan die Edwards vader in de val had laten lopen en had vermoord, niet op de dag na de veldslag. 'Alstublieft, mijn heer,' hield ze vol. 'U moet me laten gaan.'

'O ja?' Somerset trok een wenkbrauw op, hij kon nog steeds niet geloven dat ze nee zei. Welke vrouw met een beetje verstand zou zich niet aan haar rijke, knappe overwinnaar onderwerpen? Zijn vrije hand was onder haar jurk geglipt maar werd tegengehouden door dat nieuwigheidje, de spandex panty. Zonder een woord te zeggen staarden ze elkaar aan... de jonge, zegevierende koninklijke hertog en de vrouw die hem niet wilde geven wat hij wilde. Zijn vingers losten het spandexprobleem op en in stilte verkenden ze de huid eronder, zijn vingertoppen beroerden haar schaamhaar. Toen hij geen reactie kreeg, slaakte Somerset een diepe zucht en zei: 'Ik heb kennelijk geen keus. Ik verlaag me niet zover dat ik zal roven wat Edward van March vrijwillig krijgt.'

Hij liet haar armen los, ging staan en hielp haar overeind. Middeleeuwse mannen waren zeker geen heiligen en in de roes van de overwinning zouden ze zonder meer hulpeloze vrouwen vermoorden en dienstmeiden verkrachten, een kroon op een prachtige dag. Robyn had boeken gelezen over 'hoofse liefde' die opgewekt de aspirant-ridder adviseerde dat wanneer een 'lage' vrouw hem opviel, hij haar 'moest vleien en het hof moest maken' om met haar alleen te kunnen zijn, dan kon hij met haar doen wat hij wilde. Maar vrouwe Robyn werd door haar titel beschermd, die was haar door gekke koning Hendrik geschonken. Het was een grove inbreuk op de ridderlijkheid als je ongehuwde lady's aanviel, dat stond volgens de jonge hertog Somerset nog boven de wet. Wetten waren voor boeren en marskramers, terwijl edelen werden beoordeeld op hun daden en hun twistpunten met het zwaard beslechtten. Ridderlijkheid hield die edele macht in stand, opdat die niet tegen de adel zelf kon worden gebruikt, ook al had Somerset haar in zijn kasteel, omringd door zijn troepen, met heel Noord-Engeland in zijn greep. Het was een te grote vernedering om haar te moeten dwingen.

Koning Hendriks voortdurende pogingen om vrouwe Robyns maagdelijkheid te beschermen hadden succes gehad. Somerset zou geen smet op zijn overwinning willen werpen door een vrouwe die zijn 'bescherming' genoot onmiddellijk aan te randen, ook al was dat haar verdiende loon. Robyn trok haar gekreukte jurk recht, maakte een buiging en liep toen achteruit het vertrek uit, een afscheidskus zat er uiteraard niet in.

Ze liep regelrecht naar Salisbury's kamer in het hoofdgebouw, zei tegen de wachtposten dat ze een boodschap van vitaal belang had van hertog Somerset. De wachters waren in zo'n goede stemming dat ze niet twijfelden aan een mooi gezichtje, ze lieten haar met een buiging binnen. De oude graaf zag er geschokt uit en was in de war, een schokkende metamorfose in vergelijking met de zelfverzekerde edelman die een paar dagen geleden haar angsten over Sandal had weggehoond. Toen hij Somersets aanbod hoorde, kreeg Salisbury weer hoop en hij noemde haar: 'Een engel uit de hemel, mijn vrouwe Stafford, een prachtige en welkome engel.'

Absoluut een treetje hoger dan heks en hoer. Ze spoorde Salisbury aan om alles uit Somersets aanbod te halen wat erin zat, waardoor ze beiden naar het zuiden zouden kunnen trekken. 'Edward zit in Shrewsbury,' zei ze tegen hem, 'als we ons haasten doen we er slechts twee dagen over.'

Graaf Salisbury hoefde niet te worden aangemoedigd, en toen hertog Somerset hem wilde ontvangen, wist Salisbury niet hoe gauw hij zich voor de voeten van de hertog moest werpen en bood hij elke prijs die zijne excellentie maar wilde. Robyn bleef in Salisbury's vertrekken wachten, die mooier en beter geoutilleerd waren dan haar kamertje. Ze bereidde zich voor op de trip, kookte water, maakte dekens schoon, vulde haar broodzak en deed zich te goed aan een stevig ontbijt van linzen, toast, thee en haring. Ze miste Deirdre bij deze voorbereidingen en hoopte dat haar meid in veiligheid was, en dat Matt bij haar was. Over minder dan drie dagen was het heksennacht, maar tegen die tijd kon ze makkelijk bij Edward in Shrewsbury zijn. Als dat zo was, zou ze die nacht gebruiken om Deirdre te zoeken, tenzij ze natuurlijk al in veiligheid waren.

Salisbury kwam opgewekt terug, Somerset had hem beloofd dat hij mocht gaan, zolang hij zijn vrijheid maar gebruikte om het losgeld bij elkaar te krijgen en niet om weer ten strijde te trekken. 'Ik ben blij dat het klaar is met dat vechten,' bekende Salisbury. 'Weet je dat mijn zoon Thomas is vermoord?'

Ze zei dat ze dat nog niet had gehoord en dat het haar speet. Net als Somerset was sir Thomas Neville altijd uit op een gevecht, nu hadden beide mannen hun strijd gehad, en hertog Somerset had gewonnen.

'En lord Harrington, mijn schoonzoon, is ook afgeslacht. Ik heb hem niet zien sterven,' legde Salisbury verdrietig uit, 'maar Trollopes mannen hebben het me verteld nadat ik gevangen was genomen. Ik heb Somerset gevraagd of het echt waar was, toen hij me die losgeld-mogelijkheid aanbood, in de hoop dat Trollopes kompanen het maar hadden gezegd om me te martelen. Maar Somerset zei dat het waar was en dat het hem speet.'

Vooral omdat hij nog meer losgeld misliep, bedacht Robyn, maar dat zei ze maar niet. Somerset moest wanhopig om geld verlegen zitten, gezien koningin Margarets beklagenswaardige reputatie als het op betalen aankwam van de mannen die voor haar vochten en stierven. 'Hoe zit het met hertog Richard?' vroeg ze, Edward zou willen weten hoe zijn vader was gestorven, wist ze, en zij zou waarschijnlijk de droeve taak hebben om hem dat te vertellen.

Salisbury zei hoofdschuddend: 'Hertog Richard stierf als een moedig man, hij heeft tot het laatste toe gevochten en geweigerd zich over te geven of om genade te smeken, hoewel hij met een minderheid in een onmogelijke positie was gemanoeuvreerd.' Dat geloofde Robyn graag, als hertog Richard half zo goed had gevochten als hij was gestorven, zouden ze niet in deze hachelijke situatie zitten. York was de enige die het voordeel van een niet te nemen, schitterend kasteel overboord had gegooid en had ook nog zijn manschappen bereid gevonden om op open terrein en in de minderheid te vechten.

'Ten slotte hebben ze hem van zijn paard gesleurd en vermoord. Wat daarna gebeurde, was veel tragischer,' voegde Salisbury er somber aan toe. 'Trollopes mannen zeggen dat ze zijn lichaam tegen een molshoop hebben gezet, een papieren kroon op zijn hoofd hebben gezet en hem tot koning Richard hebben uitgeroepen. Toen ze klaar waren met hun vernederingen, hebben ze zijn hoofd afgesneden en beloofd dat ze dat op een paal boven Micklegate Bar zouden spiesen zodat iedereen die York binnenkomt het kan zien.'

Robyn sidderde bij de gedachte hoe Edward zich zou voelen als hij daarvan hoorde. Na Northampton hadden Edward en Warwick de gesneuvelde vijanden met alle eerbetoon begraven, uit respect voor koning Hendrik en zijn bisschoppen, maar Somersets mensen hadden het al lang geleden opgegeven om respect af te dwingen, zij wilden alleen maar door middel van angst uit naam van een krankzinnige koning regeren.

Des te meer reden om de plaat te poetsen, dus spoorde ze Salisbury aan om snel te profiteren van Somersets aanbod voordat er een spaak in het wiel zou worden gestoken. Bij de vestingpoort stonden paarden op hen te wachten, precies zoals Somerset had beloofd, dezelfde poort waardoorheen ze op Onnozele-Kinderendag was gevlucht, alleen werd ze nu niet door Lily begroet. In plaats daarvan kreeg ze een voskleurige ruin met zwarte stippen, een van die trage, geduldige Yorkshire pakpaarden, en er stond een grote steenrode Brabantse hengst voor de graaf. Drie sterke, gedrongen Dales pony's stonden klaar om hun bagage te vervoeren. Salisbury verwachtte een escorte van Somerset en zei tegen haar toen hij haar hielp opstijgen: 'Daar komen ze al.'

Ze keek vanuit haar zadel om zich heen en zag een groep boogschutters hun kant op komen, ze droegen ijzeren helmen en gevoerde maliënkolders met de witte gekroonde zwaan van koning Hendrik op hun embleem. Aan het hoofd reed Gilbert FitzHolland in zijn rood-met-zwarte pantserhemd en hij hield een bijl met lange steel in zijn rechterhand. Robyn verstijfde van angst en greep haar zadelknop stevig vast. Graaf Salisbury vroeg verbaasd: 'Komt u voor ons?'

'Inderdaad, uwe excellentie,' antwoordde FitzHolland, hij gaf een teken aan zijn boogschutters die Salisbury beetgrepen, hoe hij ook protesteerde. Het oude gezicht van de graaf trok wit weg van schrik toen de mannen de armen van de edelman op zijn rug trokken en zich niets van zijn tegenwerpingen aantrokken. Toen wendde FitzHolland zich tot haar en zei: 'Gegroet, vrouwe Stafford. U komt ook met ons mee.'

Gewapende mannen namen de teugels en leidde haar naar de vestingpoort. Ze keek over haar schouder naar Salisbury die achter haar paard langs werd voortgesleurd. De schok op zijn gezicht had plaatsgemaakt voor een wanhopige angst. Boogschutters in wapenrusting marcheerden hen recht de kasteelpoort uit, en Salisbury eiste luidkeels hertog Somerset te spreken te krijgen. Hij zei: 'Zijn excellentie heeft me vrije doorgang gegeven, en heeft gezworen dat mij niets zou worden aangedaan.'

FitzHolland, eens wachtmeester van de koning, knikte bedachtzaam met de bijl in de hand en zei: 'Ik zal uw eisen overbrengen aan zijne excellentie.'

Buiten de kasteelpoort stond een grotere meute te wachten, solda-ten, marketentsters, de lagere adel en nieuwsgierig volk, die de gevan-gen Neville uitjouwden. Robyn herkende Elizabeth Grey, geboren Wydville, die met haar man, sir John Grey van Groby, te paard stond te wachten. Toen boogschutters de tegenstribbelende graaf Salisbury op zijn knieën dwongen, spoorde de blonde, statige Wydville-dochter haar paard naar voren aan, een gespikkelde, grijze Arabische merrie met een lange zwarte staart. Vrouwe Elizabeth kwam naast Robyn staan, boog zich naar voren en vroeg nadrukkelijk: 'Wenst u onze bescherming?'

'Bescherming?' Robyn staarde naar de kille, blonde heks, ze kon nog nauwelijks geloven wat er gebeurde. Ze keek om zich heen of ze op iemand anders een beroep kon doen, maar het enige gezicht dat ze herkende was Black Dick Nixon die vanuit de Grey-volgelingen naar haar glimlachte, kennelijk blij om haar weer te zien, maar niet bereid om met een graaf uit het zuiden te sympathiseren. 'We hebben al een vrijgeleide van hertog Somerset.'

Vrouwe Elizabeth schonk haar dat magere, welbekende Wydville-glimlachje. 'Zo meteen zult u zien wat die vrijgeleide waard is. Tenzij u die natuurlijk in bed hebt verstopt.'

Robyn zei niets, ze zat op een geleend paard met weinig anders dan Edwards ring in haar zak. Hertog Somerset had duidelijk gemaakt wat hij wilde en zij had hem niet zijn zin gegeven... en daar had ze nu hartgrondig spijt van. Haar vrijgeleide was net zoveel waard als die haar had gekost.

'Ik dacht het niet.' Het magere glimlachje van vrouwe Elizabeth werd breder. Ze droeg de kleuren van haar vader, een witte jurk met grote, robuuste rode Wydville-velden en dat patroon kwam terug in haar hoofdtooi. 'Wenst vrouwe Diana onze bescherming?'

Toen Robyn met haar covennaam werd aangesproken, herinnerde ze zich weer wat er allemaal op het spel stond. FitzHolland was niet alleen de bastaardzoon van een hertog en voormalige wachtmeester, maar hij was ook een heksenjager... in dat opzicht waren de Wydvilles en zij in zeker opzicht bondgenoten, in elk geval voorlopig. Boven-dien, liever een vrouw dan FitzHolland. 'Ja,' knikte ze. 'Ik geniet graag uw bescherming.'

'Mooi.' Vrouwe Elizabeth ging rechtop in haar zadel zitten en zei tegen haar man: 'Ze accepteert onze bescherming.'

Sir John Grey bracht die boodschap aan FitzHolland over, die daar totaal niet door van zijn stuk was gebracht, hij zei alleen maar: 'Ze moet me alleen de ring geven.'

Vrouwe Elizabeth draaide zich naar haar toe en zei: 'U moet hem de ring geven.'

'Welke ring?' vroeg Robyn, oprecht verrast door dit verzoek omdat ze de ring in haar geheime zak helemaal was vergeten.

'Die zilveren ring met de witte roos,' antwoordde FitzHolland prompt, alsof de ex-wachtmeester recht in haar zak kon kijken.

'Geef het hem,' raadde sir Grey aan, 'anders kunnen we u niet helpen. Dan krijgt hij u en de ring.'

Weinig keus. FitzHolland zou in beide gevallen de ring krijgen, maar zij kon tenminste uit zijn handen blijven. Robyn dacht dat ze veel meer kans had bij lady Elizabeth, aangezien het ergste wat de Wydvilles haar konden aandoen, was haar vermoorden. Ze stak haar hand in de verborgen zak, haalde haar verlovingsring tevoorschijn en gaf die aan FitzHolland. Hij nam hem met zijn linkerhand aan omdat hij in zijn rechter nog altijd de bijl vasthield, en zei: 'Hartelijk dank, lady Stafford. Als ik hier klaar ben, heb ik tijd voor u.'

Sir Grey van Groby boog zich voor haar langs, trok aan haar teugels en leidde de vos bij de poort vandaan. Ze draaide zich in haar zadel om en probeerde te zien wat er achter haar gebeurde. FitzHolland wendde zich met de bijl in de hand naar de plek waar graaf Salisbury op zijn knieën lag te wachten, toen sloot de meute zich om hen heen en werd haar het zicht benomen. 'Iemand moet hertog Somerset waarschuwen,' hield ze vol. 'Graaf Salisbury heeft een vrijgeleide.'

'Let nou maar op uw paard,' zei vrouwe Elizabeth uit de hoogte. 'En wees blij dat je niet bij hem bent.' Toen Robyn achterom keek, zag ze de bijl boven de menigte uitzwaaien. Ze keek snel de andere kant op, maar hoorde de meute wel juichen toen de klap viel.

Tot haar afgrijzen hoorde ze nog een kreet, luider dan de eerste... het vergde enige oefening voor het in één keer lukte. Robyn kon alleen nog maar uitbrengen: 'Hij had een vrijgeleide.'

Hertogin Wydvilles dochter haalde haar schouders op en zei: 'Beter dan te worden verbrand,' waardoor Robyn weer moest denken aan het lot dat FitzHolland voor haar in gedachten had... voor hen beiden, eigenlijk, aangezien de serene, blonde Elizabeth net zo goed een heks was als zij, zelfs nog meer. Vrouwe Elizabeth Grey had haar en Beth Lambert naar het ijzerstenen altaar geleid en toen tijdens hun inwijding naakt gedanst. De dochter van de heksenhertogin bracht haar in herinnering: 'Bedenk wat Jeanne d'Arc heeft gezegd: "Beter zeven onthoofdingen dan één verbranding".'

Robyn had daar geen antwoord op, ze kon nog nauwelijks geloven dat Salisbury dood was. En Rutland ook. En York. En Thomas Neville. Ze hoopte wanhopig dat Deirde en Matt nog leefden. Ze had ze niet meer gezien sinds ze gisterochtend de bossen ten zuiden van Wakefield was binnengereden, wat nu wel eeuwen geleden leek. Vrouwe Robyn kwam niet uit haar verdrietige roes bij voordat ze bij Wentbridge aankwamen, waar mensen haar toejuichten en hun zieke kinderen naar haar toe brachten. Sommigen waren alleen uitgehongerd, anderen hadden kwalen die ze niet kon genezen, maar ze kregen allemaal aandacht en een afscheidskus. Toen ze had gedaan wat ze kon, vroeg ze aan de dochter van hertogin Wydville: 'Waar gaan we naartoe?'

Vrouwe Elizabeth lachte even. 'Doet dat er iets toe?'

Tot nu toe was Robyn zo geschokt geweest dat ze er niet aan had gedacht daarnaar te vragen, maar toen zag ze de mensen die haar naar de harde werkelijkheid hadden teruggebracht. 'Ja, zeker wel.'

'Conisbrough,' antwoordde vrouwe Elizabeth Grey grimmig, stijlvol rijdend in haar dameszadel.

Conisbrough was een uitgesproken akelig slot dat ze op haar weg naar het noorden, niet ver van Tickhill, had zien staan. Ze vroeg: 'Wat is er in Conisbrough?'

Weer dat magere, mysterieuze lachje onder een paar sluwe ogen met laaghangende oogleden. 'Dat zul je wel zien.'

Dat zou best, hoewel Robyn betwijfelde of ze het plezierig zou vinden. Terwijl ze verder naar het zuiden reden langs de gezwollen Skell en Robin Hoods bron, juichten steeds meer mensen haar toe, ze vroegen haar niet om genezing of aalmoezen, maar lieten zien dat ze haar steunden, alsof ze wisten dat de zaken er niet goed voorstonden. Honderden mensen verzamelden zich langs de wegen en Robyn realiseerde zich dat als ze erom zou vragen, ze haar waarschijnlijk zouden redden, want dit was het land van Robin Hood, en elke cottage had zijn eigen pijl en boog. Ze wilde niet meer dat er werd gemoord, dus wuifde ze alleen maar. Mannen lichtten hun hoofddeksels en bleven blootshoofds in de sneeuw staan toen ze langskwamen. Achter haar verstomde het gejuich tot een gemelijk stilzwijgen toen haar pachters zagen dat hun vrouwe Pomfret door een stel zuiderlingen werd weggeleid, het oude liedje in Yorkshire, want al het waardevolle in het noorden kwam uiteindelijk altijd in het zuiden terecht.

Ze lieten het leengoed Pontefract achter zich en reden door een glooiend landschap met hier en daar groepjes kale bomen, en elke kilometer bracht Edward en Shrewsbury net zoveel dichterbij. Schitterend, alleen maakte ze zich zorgen over haar huidige gezelschap. Sir John Grey ging de hoofdmacht vooruit en had zijn eigen volgelingen te paard, evenals een paar ruiters van Percy en Roos. Black Dick Nixon glimlachte wanneer hij maar de kans kreeg, waardoor vrouwe Elizabeth haar vroeg: 'Kent u die Percy-ruiter?'

'Ik heb hem in de wijkplaats in Londen ontmoet,' gaf Robyn toe, 'bij de kerk van Saint Martin-le-Grand.'

Vrouwe Elizabeth bestudeerde besmuikt de bandiet en zei: 'Hij lijkt wel op je te vallen.'

'Misschien kijkt hij wel naar u,' opperde Robyn. Elizabeth Grey was behoorlijk opvallend, met haar zilver-gouden Wydville-haar en roze-crèmekleurige voorkomen, wat goed kleurde bij haar wit-met-karmozijnrode jurk en hoofdtooi.

Vrouwe Elizabeth glimlachte even en zei: 'Maar ik ben een getrouwde vrouw, weet u nog?' Alsof dat iets uitmaakte voor een schurk als Black Dick Nixon, die de koeien van zijn buurman nog zou uitmelken. Toen vroeg ze: 'Wie heeft u die prachtige zilveren ring gegeven, die met de witte roos?'

'Een vriend,' antwoordde ze, ze dacht er niet graag aan dat Fitz-Holland Edwards ring in zijn bezit had, ze vroeg zich af wat een hek-senjager daar nu aan had. Nog iets waarvoor ze Edward moest waar-schuwen. Over twee dagen was het heksennacht.

'Was die vriend soms graaf Edward van March?' vroeg vrouwe Eli-zabeth gereserveerd, heel goed wetend dat dat zo was.

'Misschien,' antwoordde ze, ze wilde zich niet verlagen tot voor de hand liggende leugens. Ze was vrouwe Elizabeth reusachtig dankbaar dat ze haar uit handen van FitzHolland had gered, maar dat beteken-de niet dat ze de Wydvilles voor een cent vertrouwde, aangezien zij degenen waren geweest die sir John Fogge op haar dak hadden gestuurd met de beschuldiging van ketterij en hoogverraad.

'Wat is de jonge Edward van March eigenlijk voor iemand?' vroeg vrouwe Elizabeth zachtjes, en deze keer was ze echt geïnteresseerd. De blonde heks mocht haar dan plagen met Black Dick Nixon, een hele-boel vrouwen hoorden wat graag haar verhalen over Edward.

'Hij is eigenlijk een dolende ridder,' antwoordde Robyn, blij dat ze tegenover deze ergerlijke, blonde heks de loftrompet over Edward kon steken, 'dapper, stoer en galant, hij kan zijn vijanden vergeven en hij is een beminnelijk beschermheer voor vrouwen.' Ze hoopte dat de Wydvilles ook naar deze kwaliteiten zouden streven.

Vrouwe Elizabeth keek haar sluw aan en voegde eraan toe: 'En nu is hij hertog van York.' Misschien niet officieel, maar koning Hendrik zou dat algauw van hem maken, aangezien Edward nu het mannelijke hoofd van het Huis van York was. 'Is hij 's nachts net zo'n stoere rid-der?'

'U bent een getrouwde vrouw, weet u nog?' antwoordde Robyn uit-dagend.

Vrouwe Elizabeth lachte weer. 'Op een dag, liefje, ben je zelf getrouwd, als je geluk hebt tenminste. Als dat gebeurt, zul je merken dat je dan nog steeds een vrouw bent.' Robyn hoopte dat van harte. Vrouwe Elizabeth was zes jaar getrouwd, misschien wel langer, en ze had twee zoontjes, juist op het moment dat een hoop vrouwen om zich heen begonnen te kijken. Jammer dat echtscheiding in dit tijdsgewricht zo moeilijk was. Het enige vooruitzicht dat vrouwe Elizabeth had, was overspel of weduwe worden.

Conisbrough zag er net zo akelig uit als ze zich herinnerde. Het was ongelooflijk oud, zijn oude, torenhoge courtine stond boven op een kunstmatige terp en omsloot een troosteloze, versterkte vesting van achttien meter hoog met muren van een kleine vijf meter dik die neerkeken op de velden en bossen daaronder. Robyn steeg op de kasteelhof af, ze volgde vrouwe Elizabeth een lange trap op tussen de steunberen aan de zuidkant van het fort door, naar een ingang op de eerste verdieping, gelijkvloers met de muuromloop. Ze werd naar een wenteltrap gebracht en kreeg de kamer van de kasteelheer, met een eigen latrine, haard en waskom, allemaal in de dikke stenen muur ingemetseld. Koud, vochtig en buitengewoon troosteloos. Vrouwe Elizabeth kreeg met haar man een kamer daarboven, zodat ze ingeklemd zat tussen hen en de wachtposten beneden. Hier zou ze de laatste nacht van 1460 doorbrengen. Hoe toepasselijk.

Woensdag 31 december 1460, Conisbrough, Yorkshire
Vaarwel 1460, een jaar dat ik nooit erg had verwelkomd, maar nu maar al te goed ken. Het was me het jaartje wel, vol afschuwelijke verrassingen als oorlog, heksenjagers en een babbelzieke ekster. Ik dacht dat 1460 in alle rust zou eindigen, maar het had nog één laatste verrassing in petto.
Helaas, 1461 leek alleen maar meer van hetzelfde te worden. Bittere kou in deze oude, stenen vesting. En wat betekent deze trek naar het zuiden? Een beetje kibbelen met vrouwe Elizabeth is wel vermakelijk, maar ze had geen idee wat ze kon verwachten. Waar gaan we naartoe? En waarom? Tot nog toe wil niemand iets zeggen. Als dit weer zo'n armzalige poging is om me bij de donkere kant in te lijven, dan krijgen de Wydvilles een tien voor hun inspanningen, of vermetelheid. In beide gevallen moet ik het spelletje meespelen. In elk geval voorlopig.
Op mijn horloge is het 00:00:01. Gelukkig nieuwjaar. Ik wilde dat Edward hier was, dan kon ik hem een kus geven. Nog twee dagen, dan is het heksennacht.

Nieuwjaarsdag begon koud en helder, er hing sneeuw in de lucht. Ze gingen weer op weg, nog steeds richting zuiden, reden langs de westelijke rand van Sherwood en volgden de grens tussen Derbyshire en Nottinghamshire, door een lang lint van kleine, landelijke dorpen met rare namen als Bolsover en Long Duckmanton. Sherwood lag in het oosten, en in het westen rezen achter de hei en de hoogvlakte beboste heuvels op. Daar waren genoeg schuilplaatsen te vinden als ze de sprong zou proberen te wagen. Maar elke kilometer bracht haar dichter bij Edward in Shrewsbury, en haar hart sprong op. Ze had het nauwelijks zo snel kunnen doen als ze vrij en in haar eentje de tocht had gemaakt. Ondanks de akelige vooruitzichten begon 1461 er steeds beter uit te zien, in elk geval een uitstekende start, hoewel zij de enige was die dat opmerkte. Voor de rest was dit gewoon de eerste januari, want zij vierden pas met Pasen nieuwjaar.

En morgen was het heksennacht, de eerste in het nieuwe jaar. Volmaakt om Edward op te zoeken. Ze sprak een gebed uit tot Diana, die onder haar christelijke naam, Maria, over de verdeelden waakte, de maagdelijke jageres van het groene bos die naar verdwaalde zielen zocht.

Waar de lagere uitlopers van Sherwood en de hoogvlakte bij elkaar kwamen, stond Codnor Castle, een versterking van de Greys die het zuidelijke deel van het terrein tussen bos en hoogvlakte bestreek. Bij de poort werden ze begroet door lord Henry Grey van Codnor, die behalve zijn eigen livrei het embleem met de zwarte struisvogelveer van de prins van Wales droeg. Lord Codnor had hen kennelijk verwacht en hij leidde ze met veel plezier rond in zijn slot en primitieve laboratorium. Zijn lordschap was een amateur-alchemist en probeerde lood in goud te veranderen. 'Maar tot dusverre heb ik nog niet eens koper kunnen maken,' bekende Codnor.

Hij bleef het niettemin proberen. Hij liet zijn meubilair zien, zijn apparaten en chemicaliën, fiolen met Arabische namen erop – lord Codnor was geschokt dat Robyn ze met gemak kon vertalen – woorden als *alkali, petroleum* en *alcohol*. Ze beschreef zelfs uit de losse hand hun eigenschappen en mogelijke toepassingen. Verbaasd en blij verrast dat hij een vrouw trof die met alchemie bekend was, vertelde lord Codnor haar: 'De meeste vrouwen denken dat alchemisten walgelijke wezens zijn die naar geiten stinken vanwege hun elixers, of oplichters die goud in hun toverstaf en mouwen verbergen om het dan als een wonder tevoorschijn te toveren.'

Vrouwe Robyn gaf toe dat ze dat had gehoord en lord Codnor haastte zich dat recht te zetten: 'Eigenlijk is alchemie een maagdelijke prostituee, ze heeft vele geliefden, maar geeft zichzelf aan geen van hen, ze maakt van wijze mannen dwazen, van rijke mannen paupers en filosofen worden spraakzame minkukels die niets weten maar wel doen alsof.'

Robyn wilde dat wel geloven toen ze zijn chemisch lab-achtige knutselkombuis overzag, volgepakt met afgesloten bekerglazen en bussen met poeder. Deze mannenmagie was wettelijk beschermd, en lord Codnor liet haar de vergunning van de heksen hatende koning Hendrik zien, verleend in de vrome hoop dat Codnors werk 'ziekten zou genezen, mensenlevens verlengen, wonden helen en tegengiffen zou produceren'. Codnors werk zou wellicht ook het koninkrijk kunnen verrijken door 'metalen in goud te veranderen'. Koning Hendrik had niet zoveel aan goud, hij gaf het toch alleen maar weg.

Terwijl Codnor haar met veel plezier een rondleiding gaf, liet ze een van de kleine afgesloten flesjes, met de tekst AQUA VITAE in haar geheime zak glijden, je kon nooit weten wanneer dit 'eau de vie' van pas kwam. Ze vroeg lord Codnor of hij toevallig ook koffie had.

'Koffie?' Zijn lordschap keek onzeker maar zijn belangstelling was gewekt.

Ze probeerde de Latijnse naam: 'Coffea arabica.'

Opgetogen dat iemand zijn taal sprak, liet lord Codnor haar een bus groene bonen zien met het opschrift QAHWE, en zei: 'Ik heb deze gekookt en het aftreksel ervan gedronken, maar het smaakte heel erg bitter.'

'Ze lachte. 'U moet ze eerst roosteren en malen.'

'Roosteren en malen?' Lord Codnor zocht naar inkt en perkament en begon het op te schrijven.

'Ja,' legde ze uit, 'rooster de bonen tot ze donkerbruin zijn, maar pas op dat ze niet verbranden. Dan vermaal je ze tot een fijn poeder, voeg er vervolgens water aan toe en filter dat erdoorheen, en hocus pocus pas: u hebt koffie.'

Lord Codnor ging onmiddellijk aan het werk en algauw vulde de rijke aroma van geroosterde koffie de vesting. Toen hij klaar was, beloonde hij haar met een zak verse basiskoffie dat ze bij haar 'levenselixer' stopte. Het jaar 1461 ging er steeds prettiger uitzien. Als ze lord Codnor nu ook nog leerde hoe hij melk moest stomen, dan konden ze allemaal ontbijt-latté gebruiken.

Maar de vrolijkheid van het nieuwe jaar stortte 's avonds in tijdens de avondmaaltijd, toen lord Codnor haar aan de hoge tafel uitnodigde voor een uitgebreide maaltijd van gekruid everzwijn, de starende kop met slagtanden lag in het midden. Hertogin Wydville zat aan het hoofd van de tafel met haar dochter en schoonzoon, ze droeg een gouden jurk en tiara, ze was net terug van haar kerstviering in Schotland met koningin Margaret en koningin Mary.

Toen ze zag dat hare doorluchtigheid opgewekt de leiding nam over het banket, realiseerde Robyn zich waar deze reis naar het zuiden ook weer om ging. Ze was naar het magische kasteel gebracht om als pion te worden gebruikt in het Wydville-spel, hoogstwaarschijnlijk om Edward in de val te lokken of hem kwaad te doen, hij was nu immers in naam hoofd van het Huis van York. Met hertogin Wydville in de buurt kon ze Edward morgen onmogelijk een bezoekje brengen. Ze had vrouwe Elizabeth nog wel om de tuin kunnen leiden of op een zijspoor kunnen zetten, maar mams niet. Met hertogin Wydville in de buurt was elk contact met Edward levensgevaarlijk, zowel voor hem als voor haar.

De Wydvilles probeerden haar op te vrolijken, maar Robyn plukte alleen maar aan haar plakken everzwijn. Daarna trok ze zich in haar kamer terug, met een deur die aan de buitenkant vergrendeld kon worden, maar ze hoefde hem tenminste niet te delen.

Toen bad ze tot Diana, wier dag het vandaag was, de godin van geboorte en sterfte, van het begin en het einde. Toen nieuwjaarsdag bijna voorbij was, smeekte ze Diana om hulp en leiding, want ze was bang om het in haar eentje tegen de Wydvilles te moeten opnemen. Ze had al haar hoop gevestigd op haar contact met Edward, morgen. Nu moest ze eerst zien te ontsnappen. Shrewsbury was slechts ruim honderd kilometer naar het oosten, een lange dag rijden, als ze maar langs die afgesloten deur kon komen.

Toen ze klaar was met haar gebeden, hoorde ze dat de grendel werd teruggeschoven. Ze kreeg een middernachtelijke bezoeker. Zou hertogin Wydville zich komen verkneukelen? Of zou vrouwe Elizabeth haar lieflijk proberen om te praten? Misschien lord Codnor, die nog wat late-avondtips op het gebied van alchemie van zijn mooie gevangene wilde horen? Ze hoopte eigenlijk dat hij het was. Met lord Grey van Codnor had ze nog de beste kans, hij was de zwakke schakel bij de Wydvilles. Hij was een man, dus niet ingevoerd in al hun heksengeheimen, en hij was duidelijk van haar gecharmeerd. Als ze hem kon overhalen om haar te laten gaan, dan had ze nog een fatsoenlijke kans om Edward te bereiken.

Ze hoorde een klop op de deur. Ze fatsoeneerde zichzelf zo goed en kwaad als het ging en vroeg door de deur heen wie dat was. Geen antwoord. Dat betekende hoogstwaarschijnlijk dat het een man was die iets te verbergen had. Liever dat dan hertogin Wydville. Ze schoof de grendel aan de binnenkant weg en gluurde door een kier.

Bij het licht van een olielamp zag ze Black Dick Nixon door de kier terugstaren. Zijn bebaarde schurkengezicht brak in een grijns open waardoor zijn uiteenstaande tanden zichtbaar werden. 'Ah, m'lady Stafford, ik hoopte u hier al te zien. Ik vroeg me af of u misschien een nachtritje met me wilt maken?'

11
Sherwood

Als rechtgeaarde veedief had Nixon het allemaal uitgestippeld: de staljongens lagen hun roes uit te slapen zodat ze de paarden voor het uitkiezen hadden. Ze koos de voskleurige ruin waarmee ze ook was gekomen, een sterk, geduldig beest, waarmee ze makkelijk overweg kon en die al aan haar gewend was. Tijdens haar vlucht was het prettig iets vertrouwds onder zich te hebben. Elke twijfel over weggaan werd overboord gegooid door het paard dat Black Dick Nixon naar buiten bracht, een grote, rode, voskleurige Brabantse hengst met zwarte spikkels. Nixon wilde zijn Wydville-bazen niet met hetzelfde paard verlaten als waarmee hij gekomen was, dat vond hij ongepast. Hij stal een paard dat geschikt was voor een edelman, dat feitelijk kort tijd aan een graaf had toebehoord. Robyn herkende de krachtige lijnen en de steenrode vacht. Dit was het paard dat voor Salisbury was gezadeld, maar dat hij nooit had bestegen. En nu was de hengst hier in de stallen van Codnor Castle en droeg het de kleuren van hertog Holland. Hollands leeuwen en Franse lelies tooiden ook het hoofdstel dat bij de stal hing.

Een van hertog Hollands bedienden moest Pontefract kort na haar met het paard van de dode graaf hebben verlaten, en hij had waarschijnlijk iets bij zich gehad. Misschien een boodschap, hoogstwaarschijnlijk een ring, haar zilveren ring met de witte roos. Ze fluisterde tegen Nixon: 'Wiens paard neem je mee?'

Nixon glimlachte toen hij zijn eigen zadel op de brede rode rug van de hengst legde: 'Ik geloof dat de bastaardbroer van hertog Holland hem hier heeft gebracht, maar je kunt net zo goed zeggen dat hij van graaf Salisbury is geweest.'

Dus FitzHolland had persoonlijk de ring naar hertogin Wydville gebracht, des te meer reden om zich als de donder uit de voeten te maken. Robyn had zich al afgevraagd waarom FitzHolland de ring zo graag wilde hebben, ze dacht dat hij alleen maar wreed was, of hem als bewijs tegen haar wilde gebruiken. Nou, nu wist ze waarom. Heksenjager en heksenpriesteres hadden een heilloze deal met elkaar gesloten, vrouwe Elizabeth Grey en Gilbert FitzHolland hadden met haar op Pontefract diefje-met-verlos gespeeld, wat maar weer bewees dat de middeleeuwers toch verstand hadden van moderne politiemethoden. Vrouwe Elizabeth had haar 'bescherming' geboden om zich van haar medewerking te verzekeren, terwijl FitzHolland met zijn enorme bijl kon rondzwaaien en de ring van haar kon afpakken, om die vervolgens naar de Wydvilles te brengen.

Als hertogin Wydville van plan was om tijdens heksennacht Edward naar dit magische kasteel te lokken, zou de heksenpriesteres de ring willen hebben. En haar. Door dat toneelstukje op Pontefract hadden ze haar de ring kunnen ontfutselen en was ze vrijwillig met hen meegegaan, waar Edward binnen bereik was... zelfs nog voordat hij op de hoogte kon zijn van het feit dat zijn vader was verslagen. Als ze Edward te pakken konden krijgen, of konden vermoorden, zou de elfjarige George aan het hoofd staan van het Huis van York. En dan bleef Warwick als enige over om het nog tegen de koningin op te nemen.

Robyn huiverde bij de gedachte wat FitzHolland daarvoor in ruil zou krijgen. En zij had nog wel gedacht dat de Wydvilles haar in het slechtste geval zouden vermoorden. Wat verschrikkelijk naïef. Aan de ring kon ze niets meer doen – die was waarschijnlijk al onderweg naar Edward – maar ze kon wel Codnor ontvluchten. En met een beetje geluk Shrewsbury bereiken.

Ze stapten over de slapende staljongens heen en leidden hun paarden naar de staldeur, een kleine vestingpoort die door een korte binnenmuur aan het zicht werd onttrokken. Het houten hek was op slot, maar Nixon had de sleutel. De scharnieren waren pas geolied, dus het zwaaide zonder een kik open. Bijgeschenen door een grote, heldere, door de wolken filterende maan kropen ze stilletjes bij het kasteel vandaan en leidden hun gestolen rossen over de glinsterende sneeuwvlekken. Niemand leek hun steelse aftocht op te merken, kastelen zijn erop gebouwd om vijanden buiten de deur te houden, niet om gasten in te sluiten.

Toen ze eenmaal op veilige afstand waren, hielden ze voor overleg halt bij een smalle beek die naar Erewash stroomde. Tot dusverre had geen van beiden iets gezegd over waar ze heen gingen. Waarschijnlijk had Black Dick Nixon zijn eigen redenen om midden in de nacht uit Codnor weg te glippen, maar hij was er niet happig op om die met haar te delen, net zomin als zij haar geheimen aan Nixon wilde vertellen. Bovendien vermoedde Robyn dat wat Nixon haar ook zou vertellen, het toch allemaal leugens zouden zijn, dus waarom zou ze over de waarheid onderhandelen terwijl ze alleen maar een smoes te horen zou krijgen? Maar nu moesten ze het met elkaar eens worden, of ieder hun eigen weg gaan. 'Ik ga naar het westen,' zei ze tegen de bandiet, ze liet er geen twijfel over bestaan waar zíj naartoe zou gaan. 'Als je met me meegaat, zul je rijkelijk worden beloond.'

'Waar in het westen?' vroeg de doortrapte schurk, altijd ergens voor in als het hem voordeel opleverde.

'Naar de Welse Marches.' Meer hoefde Nixon niet te weten.

'Dus m'lady mist haar jonge graaf van March?' Hij schudde met spottend meegevoel zijn hoofd en vroeg toen: 'Hoe rijkelijk beloond?'

Ze had geen cent te makken op dat moment, maar Edward zou meer dan genoeg betalen voor haar veilige terugkeer. 'Meer zilver dan je je kunt voorstellen.'

Black Dick Nixon grijnsde in het maanlicht. 'Ik heb een grenzeloze fantasie.'

Dat geloofde ze graag. 'Stel je eens voor wat je met honderd zilverlingen zou kunnen doen.' De meeste Engelse families zagen zoveel nog niet in een jaar bij elkaar.

'Als u er ponden van maakt, wijs ik m'lady graag de weg naar Shrewsbury.'

'Afgesproken.' De bandiet vroeg een buitensporig hoog losgeld, maar ze twijfelde er niet aan dat Edward er bijna alles voor over had om haar terug te krijgen, precies waar de Wydvilles op rekenden. En zij ook.

'Dan moesten we maar gaan, m'lady.' Nixon hielp haar galant op haar paard, zonder haar stiekem aan te raken. Paardendieven hadden tenminste nog een greintje eergevoel, dat bleek maar weer. 'Ten westen van hier loopt een oude Romeinse weg, Ryknild Street, als we die nemen, komen we bij de weg ten westen van Derby uit.'

Om Ripley te omzeilen, maakten ze een omtrekkende beweging via het zuiden, kwamen bij de Romeinse weg en schoten goed op totdat de stenen weg steeds slechter werd en in een spoor vol kuilen uitmondde. Nixon zei dat het tijd werd om in westelijke richting naar Shrewsbury te rijden, dus stegen ze af, namen de paarden aan de teugels en doorkruisten het landschap. De heldere maan was nu achter de wolken verdwenen en ze viste een zaklantaarn uit haar handgenaaide leren tas, het enige licht dat ze nog had. Toen ze hem aanknipte, keek Nixon verschrikt. 'Jeetje, m'lady, wat is dat voor toverstok?'

'Van het goede soort,' verzekerde ze hem. 'Zo zien we tenminste waar we lopen.'

Nixon schudde ernstig zijn hoofd. 'M'lady is werkelijk een echte heks.'

'Maar wel een witte,' wierp ze tegen, 'die niemand kwaad wil doen.'

'Dat hoop ik maar.' Nixons grijnsde weer zijn sluwe grijns waarop ze hun geploeter door de dikke duisternis vervolgden en over ijzige stroompjes struikelden. Ondanks haar zaklamp was Robyn algauw hopeloos verdwaald, ze draaide rondjes in de spelonkachtige duisternis. Zo nu en dan vroeg Nixon of ze haar lamp wilde uitdoen, omdat hij erdoor werd afgeleid. Toen bleef hij staan en liet voordat ze verder gingen zijn ogen aan het bewolkte maanlicht wennen. Toen vervaagde de lichtstraal langzaam, de batterijen raakten op en al haar reserve-batterijen zaten in Lily's zadeltas, waar die ook mocht zijn.

Verdoofd door de kou en nagenoeg uitgeput, wilde Robyn het eigenlijk opgeven en op het ochtendkrieken wachten, toen ze een nieuw stuk Romeinse weg kruisten. 'Hier is hij,' kondigde Nixon trots aan, 'die stenen zullen ons rechtstreeks naar Staffordshire bren-gen en zo omzeilen we Derby en Tutbury aan de Dove.'

Het zou wel. Robyn bestudeerde bij het licht van haar lantaarn welke kant de Romeinse weg uitging. In het donker verdween hij naar twee kanten. Ze stelde zich voor hoe de weg verder door het Engelse landschap liep, van hier naar Staffordshire. Ze hadden naar het zui-den gereden, dus als ze linksaf sloegen, gingen ze naar het westen, naar Shrewsbury en de Marches. Godzijdank, ze hoefden niet meer in het donker rond te ploeteren. Ze deed haar lamp uit en worstelde zich weer op de rug van het paard, daar maakte ze het zich zo comfortabel mogelijk en liet zich half in slaap door Nixon leiden.

Met haar cape stevig om zich heen gewikkeld leunde ze voorover tegen de zadelknop en het geklepperdeklep van de paardenhoeven op de oude stenen wiegde haar in en uit haar hazenslaapje. De zwarte, koude kilometers gingen onder haar voorbij en elk daarvan bracht haar een stukje dichter bij Edward. Een paar keer leidde Nixon haar de weg af om de verduisterde dorpen onderweg te omzeilen. Ze hoor-de honden blaffen, maar niemand kwam naar buiten om te kijken. Langzaam begon de lucht op te lichten en de donkere stenen onder haar werden duidelijker zichtbaar, hoewel het niet minder koud werd. Hoe ver nog? Ver genoeg, vermoedde ze. Koud, hongerig en moe bedacht Robyn dat ze wellicht nog een hele dag te gaan hadden. Ze waren nu waarschijnlijk in de buurt van Staffordshire, het 'thuis' waar ze nooit in levenden lijve was geweest. Ze hield zich aan die pret-tige gedachte vast en doezelde weer weg.

De dag begon aan de verkeerde kant. Ze tilde haar slaperige hoofd op, keek om zich heen en zag dat de zon rechts van haar boven de bomen opkwam, niet recht achter haar, zoals de bedoeling was geweest. Ze was opgegroeid op een ranch in Montana dus was ze eraan gewend op de zon af te gaan, ze had pas op haar vijftiende een horloge gekregen. Wat had dat te betekenen? Robyn pijnigde haar hersens af voor een verklaring. Als ze naar het westen reden, moest de zon achter haar, in het oosten, opkomen, of tenminste boven haar rechterschouder. Maar ze zag het helderste gedeelte van de lucht dui-delijk genoeg, daar hoefde ze haar hoofd niet voor om te draaien.

Dus reed ze niet naar het westen, feitelijk reden ze bijna recht naar het noorden, voorzover haar vermoeide brein het kon volgen. Ze keek

345

naar de stenen weg en realiseerde zich dat dit niet de weg naar het westen was, dit was Ryknild Street en ze gingen terug naar waar ze vandaan waren gekomen. Ze hield de teugels in en wilde Nixon vertellen dat ze zich verschrikkelijk hadden vergist. Maar zodra ze die grijns met de wijdstaande tanden op Black Dicks gezicht zag, wist ze dat er geen vergissing in het spel was. Hij had haar in het donker rondjes laten draaien en toen de weg naar het noorden genomen, terug naar Pontefract en Yorkshire. 'Jij klootzak...' Ze schudde zichzelf wakker, '... wat ben je aan het doen?'

Nixon sprong met een zwaai uit het zadel en zei: 'Ik breng u naar huis, m'lady.'

'Huis?' Ze dacht even dat hij haar naar FitzHolland terugbracht, hoewel dat nauwelijks kon kloppen, haar nemesis was immers in Codnor, in een hemelse slaap verzonken. 'Huis, waar dan?'

'Naar Tynedale, m'lady.' Hij liep met een stuk touw naar haar toe. Voordat Robyn hem kon tegenhouden, greep hij haar polsen en bond ze stevig vast. Ze probeerde tegen te stribbelen, maar ze was op van vermoeidheid en Nixon was veel te sterk voor haar. Hij maakte haar handen aan de zadelknop vast, testte de knoop en gromde tevreden. Toen pakte hij haar teugels en steeg weer op.

'Waarom doe je dit?' vroeg Robyn verward, boos en bang. Nog geen minuut geleden ging alles precies zoals ze wilde... nu ging ze een volslagen verkeerde kant op en dat was de halve nacht al het geval geweest. Zonder het te weten was ze naar het noorden gegaan in plaats van naar Edward. En nu had Nixon zich zomaar tegen haar gekeerd. 'Waarom heb je me verraden?'

'Omdat ik u zo graag mag, m'lady.' Nixon reed weer verder, leidde haar paard Ryknild Street op en keek haar grijnzend over zijn schouder aan. 'Ik mag u heel graag.'

Waarom dachten mannen altijd dat dat een geldig excuus was om vrouwen slecht te kunnen behandelen? Ik mag je, dus doe ik met je wat ik wil. Ze wrong met haar handen, probeerde ze wanhopig los te krijgen, maar de koude, natte knopen zaten veel te goed vast. 'Een rare manier om me dat te laten zien.'

'Sorry voor het touw, m'lady,' verontschuldigde Black Dick zich oprecht. 'Zo weet ik zeker dat u meekomt. Echt, een andere manier was er niet.'

Daar kon je donder op zeggen. Alleen bruut geweld kreeg haar nog naar het noorden. Ze ontspande zich en liet zich verbijsterd vanwege deze desastreuze ommekeer, wanhopig in het zadel terugzakken. 'Wat ga je met me doen?'

'Dat zei ik al, m'lady, ik breng u naar Tynedale. Het is er heel plezierig,' verklaarde Black Dick Nixon. 'Het tehuis van de Armstrongs,

Elliots, Nixons, Turnbulls, Halls en Hendersons. En natuurlijk nog de Kerss en Crosers. De beste ruiters die u zich maar kunt voorstellen. U zult het er zeker naar uw zin hebben.'

Ze snoof toen ze een paar van de beruchtste namen uit het noorden onder haar nieuwe buren hoorde noemen. 'Dat betwijfel ik ten zeerste.'

'Geef het een kans,' opperde Nixon, 'het landschap hier is prachtig, en de mensen zijn warm en vriendelijk. Helemaal niet zoals die zuiderlingen, dat is maar een kil, inhalig stelletje, willen altijd van je profiteren. Kijk maar eens hoe slecht ze u hebben behandeld.'

'Wat bedoel je?' Ze was zeker slecht behandeld, maar niet slechter dan nu, nu ze weer naar het noorden werd gesleurd omdat de zoveelste kerel het op haar had voorzien. Door het koude touw kreeg ze al een verdoofd gevoel in haar vingers.

Nixon wuifde haar bezwaren achteloos weg. 'Hertog Hollands mannen haten u, ik begrijp niet waarom, want u bent een aardige meid, zeker voor een vrouwe met een titel. En Somerset wilde u niet tegen hen beschermen, hoewel hij dat makkelijk had kunnen doen, hij is het levende bewijs dat je tegenwoordig niet veel verstand hoeft te hebben om een koninklijke hertog te zijn. En die Wydvilles, wat een stelletje! Zij willen alleen maar misbruik van u maken en zouden zich van de vrouwe ontdoen wanneer het hen uitkwam, reken daar maar op. Dat er rampspoed over hun Franse nageslacht moge komen.' Hij keek vrolijk naar zijn buit en vroeg: 'Hoe kan een man met een beetje gevoel in zijn donder werkeloos toekijken, terwijl een van nature zo vriendelijk en lieflijk persoontje als u zo slecht wordt behandeld?'

Black Dick Nixon zeker niet. Ze kon zijn gevoelens wel waarderen, maar zijn manier van doen niet, en vroeg: 'Waarom breng je me niet naar Edward? Daar wil ik graag heen.'

'De jonge Edward van March zal ook alleen maar misbruik van u maken,' verzekerde Nixon haar. 'Hij loopt over van zichzelf.'

'Nee, nee,' protesteerde ze, haar afwezige geliefde verdedigend, 'Edward houdt heel veel van me.'

'Dan is hij achterlijk,' merkte Nixon op, 'hij had u allang moeten komen ophalen.'

Daar had ze weinig tegen in te brengen. Robyn hulde zich in stilzwijgen en luisterde naar het kille, holle geklepper van de paardenhoeven die haar steeds verder bij Edward vandaan droegen.

'Mijn heer van March mag dan een goede en gulle gentleman zijn,' merkte Nixon op, 'maar al die voorname edelen hebben het te hoog in de bol om werkelijk om u te geven. Hun werkelijke grote liefde zit hem in zaken als gedragscodes en rangen en standen. De vrouwe van zijn lordschap is hier, meegetroond door een doodordinaire schurk, een veedief uit het Tynedal en mijn heer van March heeft het veel te druk om haar te redden.'

Robyns blik dwaalde af naar het vage, lege bos, haar adem vormde wolkjes in de ijskoude lucht. Nixon had overal een antwoord op, vond diefstal onvermijdelijk en kidnapping een prestatie. 'M'lady, je moet een dief zijn om kwaliteit te kunnen beoordelen,' legde de bandiet uit, 'je moet weten of iets waardevol genoeg is om je nek voor uit te steken. En u bent een meid voor wie zelfs de meest rechtgeaarde misdadiger zich met plezier laat ophangen.'

De dag brak boven de bomen aan, een bloederige streep verspreidde zich langzaam langs de horizon en kondigde de tweede dag van 1461 aan, een jaar dat er lang zo aangenaam niet uitzag als op nieuwjaarsdag het geval was geweest. Nixon zag dat ze weer bij een stad aankwamen, hij reed van de weg af in de richting van de dageraad en zocht zijn weg over de bevroren velden langs groepjes kale bomen, naar de westelijke uitlopers van Sherwood, ergens tussen Mansfield en Bolsover, voorzover Robyn kon raden. Ze sloot haar ogen en ging weer in het zadel slapen.

Toen ze wakker werd, staken ze een door hoge bomen geflankeerde stroom over. Aan de overkant liep een bospad dieper de bossen in. Hier hield Nixon halt, steeg af en sneed haar handen los. Hij hielp haar afstijgen maar maakte haar polsen niet los. Ze ging verdoofd en vermoeid tegen een boom zitten terwijl hij een kamp opzette. Hij verzorgde de paarden, verzamelde twijgjes en doodhout, en stak met een tondel uit zijn zadeltas een kampvuur aan. Hij gaf haar een fles gekookt water, eveneens uit zijn zadeltas, maakte haar polsen los en ze bracht de bloedtoevoer in haar bevroren handen op gang. Theoretisch zou ze hem met de kruik de hersens in kunnen slaan en ervandoor kunnen gaan... theoretisch ja. Ze had eenvoudigweg niet de fysieke kracht of wilskracht om de strijd aan te binden met een ervaren, gewapende bruut in maliën en leer.

Nixon deed een leren riem om haar middel en knoopte die stevig aan een touw, vervolgens maakte hij het touw aan zichzelf en een boom vast, ging bij het vuur liggen en nodigde haar uit: 'Maak het uzelf gemakkelijk, m'lady. We moeten een beetje slapen, want het is nog een stevige dag rijden, dus kunnen we maar beter uitgerust zijn.'

Wat attent. Voor een gemene bandiet en moordenaar met losse handjes was Black Dick Nixon verbazingwekkend zorgzaam en bedachtzaam. Net als Gilbert FitzHolland was zij een obsessie voor hem, bijna bij het misdadige af. Hij kon het niet hebben dat ze vrij rondliep, maar FitzHolland wilde haar martelen en haar op gruwelijke wijze ter dood brengen. Nixon zat wat simpeler in elkaar en was meer recht voor zijn raap... in Londen had ze zijn aanbod afgewezen om mee te gaan naar Tynedale en zijn maatje te worden, dus had hij zijn tijd afgewacht. Hij had op het juiste moment de lasso over haar heen geworpen, alsof ze een glanzende merrie was waar hij zijn oog op had laten vallen. Hij had haar niet geslagen of verkracht, hoewel dat ongetwijfeld wel zou komen als ze weerstand bleef bieden. Er waren grenzen aan de hoffelijkheid van een grensbandiet.

Toen hij begon te snurken, zocht ze om zich heen naar iets waarmee ze het touw kon doorsnijden, maar Nixon had er wel voor gezorgd dat het vuur en de scherpe wapens buiten haar bereik lagen. De bevroren knopen in het natte, gevlochten touw zaten zo vast als glibberig staal en uiteindelijk gaf ze haar pogingen op om ze met haar nagels open te wurmen. Ze had nog dagen te gaan waarin ze haar vlucht kon voorbereiden, en vanavond was het heksennacht. Ze rolde zich naast haar warme ontvoerder op en viel dankbaar in slaap.

Hij was al op toen ze wakker werd en was opgewekt haverkoeken aan het bakken op een smalle, platte bakplaat, hij gebruikte zijn pothelm om water voor haar te koken. 'Goedemorgen, m'lady.' Nixon bracht haar een haverkoek en een kop stomend water. Hij zei: 'Overdag ziet u er nog mooier uit.'

Ze bedankte hem beleefd en hield haar zware cape stevig om zich heen. Ze voelde zich een absolute puinhoop in haar natte, besmeurde rij-jurk en wollen broek, maar het was leuk om een complimentje te krijgen, ook al kwam het van haar kidnapper en toekomstige verkrachter. Robyn zocht in haar tas, vond haar borstel en begon haar haar te bewerken terwijl Black Dick Nixon straalde als een verliefde vent, dolgelukkig dat ze bij hem was, hoe haveloos ze er ook uitzag. Dat zij hem niet wilde, was slechts een lastige bijkomstigheid waar Nixon zich totaal geen zorgen over maakte. Mannen zijn zo gauw tevreden als ze hun zin krijgen.

Ze stopte de borstel weg en haalde een mokkazakje tevoorschijn, haar een na laatste, maar dat was de beste kans om Black Dick een fout te laten maken. Ze scheurde het zakje open, goot de helft van de inhoud in Nixons beker, roerde het met een twijgje door en nam een slokje. De cafeïne schoot recht naar haar hersenen en de sombere winterdag klaarde onmiddellijk op. Welkom in 1461. Met koffie zag het nieuwe jaar er een stuk beter uit.

Nixon keek naar haar, nieuwsgierig naar het aroma vroeg hij: 'Wat voor heksenbrouwsel is dat?'

Ze moest glimlachen dat hij dezelfde vraag stelde als Edward, een half jaar geleden op de feestdag van Sint-Anna. 'Ik zal het je laten zien.' Ze haalde het flesje eau de vie tevoorschijn dat ze van lord Codnor had gestolen en schonk een flinke scheut in de beker. Zo te ruiken had het een alcoholpercentage van meer dan honderd en was het wel drie keer gedistilleerd. Fantastisch. Als ze Nixon volslagen plat kon krijgen, zou het nog makkelijker zijn om te ontsnappen. 'Hiermee smaakt het nog lekkerder.'

Nixon keek twijfelachtig naar het flesje en vroeg: 'Wil m'lady me soms vergiftigen?'

Ze lachte en zag zichzelf als *la belle dame sans merci*. 'Waarschijnlijk wel,' zei ze tegen hem, 'maar niet hiermee. Dit is water des levens.'

Ze nam een slokje om te bewijzen dat het veilig was en gaf hem de kop. Nixon nam een achterdochtig slokje, zijn bebaarde gezicht brak in een brede grijns open. Hij zei: 'Dit is een wonderbaarlijk lekker brouwsel.' Zelfs grote schurken met een donker gezicht waren verzot op lekkere drankjes. 'En je wordt er vanbinnen wonderwel warm van.'

'Wij goede heksen weten er wel raad mee,' antwoordde ze meesmuilend terwijl ze zijn beker bijvulde. 'Hier, neem nog wat.'

En dat deed Nixon, hij maakte vrolijk de hele beker soldaat. Toen stond hij door zijn tanden fluitend op terwijl zij de beker nog een keer volschonk. Ze reikte hem de stomende kop aan en zei: 'Ik heb niet gelogen over die beloning van honderd pond.'

'Ik denk ook niet dat u hebt gelogen, m'lady.' Hij sloeg de halve kop in één teug achterover en veegde met de rug van zijn hand zijn baard af. 'Als ik u maar een greintje had gewantrouwd, zou ik uw drankjes niet opdrinken, wel?'

'Waarom doe je dit dan...' Ze knikte naar de riem om haar middel, 'je kunt immers honderd zilveren ponden vangen als je me naar de Marches brengt?' Want daar wilde ze dolgraag naartoe.

Hij grijnsde haar boven zijn beker toe en zei: 'M'lady is veel meer waard dan honderd pond.'

'Wat dacht je van tweehonderd?' vroeg ze hoopvol en ze schonk zijn kop weer vol.

'Geld is niet alles, m'lady,' antwoordde Nixon hoogdravend. 'Goud is koud en harteloos, en zilver alleen maakt niemand gelukkig. U bent het mooiste wat ik ooit in het hele zuidland heb kunnen vinden. U bent mooi en gul, met een goed stel hersens, en u bezit allerlei magische krachten.' Hij stak zijn hand uit en streek haar over een wang. 'Ik zou u nog niet voor duizend pond kunnen kopen.'

Daar kon ze niet tegenop, ze pakte zijn lege kop en schonk hem een dubbele scheut 'water des levens' in. Maar dat maakte Black Dick Nixon niets uit, hij had het niet eens in de gaten en sneed haar vrolijk van de boom los, maar niet van zichzelf. Hij gaf haar een drankkus, hielp haar op haar paard en daar gingen ze weer, over het bevroren bospad op weg. Vrouwe Robyn en de bandiet trokken dieper Sherwood in, zij in haar bemodderde jurk, Black Dick met zijn reusachtige zwaard schuinweg over zijn rug terwijl hij dronken een grensballade aanhief:

Gisternacht droomde ik een nare droom
En ik weet dat gij overdag verdwenen bent
Mijn wond is diep, ik verlang te slapen
Neem mijn vizier van mij af,
Verberg me tussen de varenstruiken
Die groeien op uw lelieblanke huid...

De hele bespottelijke serenade door keek ze voor zich uit door de kale bomen heen, in de hoop dat iemand langs zou komen en haar zou redden, hoewel Robyn geen flauwe notie had wie dat zou moeten zijn. Ze kon moeilijk verwachten dat de sheriff van Nottingham het bos zou afstropen op voortvluchtige vrijbuiters met koppige dames, maar hoop deed leven. Haar paard was in elk geval meegaand, hij was in Yorkshire geboren en getogen en dolblij dat ze weer naar huis gingen.

Laat in de middag kwamen ze een marskramer te voet tegen met een groot, zwaar pak op zijn rug. De arme kerel schrok zich dood toen hij een gewapende schurk te paard tegenkwam met zijn slachtoffer op sleeptouw. De ongelukkige koopman had slechts een mes waarmee hij het zou moeten opnemen tegen Nixons zwaard, speer, schild en een tweetal dolken, één aan zijn riem en één in zijn laars. 'Goeiedag,' riep Nixon luidkeels, vol beschonken jovialiteit. 'Waar ga jij met die vette bundel naartoe?'

'Naar Ripley,' antwoordde de angstige marktkoopman en hij staarde langs Nixon naar haar. 'Naar de zaterdagmarkt.'

Ze wist dat dit haar redder niet kon zijn, dus glimlachte ze naar de bange marskramer, probeerde hem op zijn gemak te stellen en negeerde volkomen de riem om haar middel en het touw dat aan Black Dicks riem zat vastgebonden. Ze draaide zich naar hem toe en zei tegen de koopman: 'U hebt vast soms ook moeite met uw vrouw.'

'Ik heb geen vrouw,' gaf de man toe en hij probeerde te doen alsof hij het niet zag, deed alsof er niets vreemds was aan een lady aan de lijn.

'Wat heb je wel?' vroeg Nixon en hij keek naar het pak van de marskramer.

'Weefdraad,' antwoordde de koopman behoedzaam, 'en naalden, scharen en slijpstenen.'

Nixon was niet onder de indruk van het naaigerei. 'Ook messen?'

'Alleen het mes aan mijn riem, en daarvan is de punt afgebroken,' gaf de man toe. 'Ik heb niets te verdedigen.'

Black Dick Nixon schudde zijn hoofd naar de verpauperde mars-

kramer die met weefgaren en vrouwenrommel door de sneeuw rond-
zeulde voor een beetje winst, hoewel dat waarschijnlijk het leven van
de arme kerel redde. Nixon zette zijn paard weer in beweging en
zwaaide hem met zijn bijna lege kroes gedag. 'Ik hoop dat je een
vrouw vindt.'

Nixon vervolgde zijn weg over het bospad, trok Robyn achter zich
aan en keerde weer naar zijn dronkemansballade terug:

Voor lord noch clown zult gij zwichten
Nog niet zijt gij mijn bezit
Maar zwicht nu voor het bos van varens
Die groeien op je lelieblanke huid.

Vrouwe en vogelvrijverklaarde reden dieper Sherwood in toen er een
lichte sneeuwdouche neerviel. Hoe dronken ze hem ook had gevoerd,
Black Dick Nixons aandacht leek niet te verslappen. Hij bracht haar
in elk geval steeds verder bij hertogin Wydville vandaan. Maar zou
afstand alleen wel voldoende zijn? Hertogin Wydville had haar ring
en het was heksennacht. Kon de hertogin die gebruiken om Edward in
de val te lokken, net zoals de heksenpriesteres dat met haar had
gedaan, met dat wassen beeldje? Ze wist alleen maar dat hertogin
Wydville zich slechts als vrouwe Elizabeth hoefde te verkleden om
precies op haar te lijken. Ze moest Edward zien te waarschuwen, wat
betekende dat ze bij Nixon uit de buurt moest zien te komen, aangezien ze zich niet kon voorstellen dat ze een succesvol ritueel kon houden terwijl deze beschonken schurk in haar nek ademde.

De schemering bracht nog meer sneeuw, die nu in dikke vlokken
begon te vallen. Black Dick Nixon hield stil en verklaarde: 'Dit wordt
een helse nacht, dus kunnen we net zo goed ons kamp hier opslaan.'

Ze steeg af en deed wat hij haar vroeg. Ze hielp hem onder de
beschutting van een paar bomen uitpakken terwijl ze voortdurend
haar kansen afwachtte om te kunnen vluchten. Toen ze klaar waren,
wikkelde hij het touw van zijn middel af, sloeg het strak om een
boomstam en knoopte het uiteinde ver buiten haar bereik aan een jonge boom vast. Tevreden dat ze niet kon ontsnappen, zei Nixon tegen
haar: 'Vermaak uzelf maar zo goed mogelijk, m'lady. Ik ga hout
sprokkelen en de paarden verzorgen.'

'Wacht,' riep ze hem toe terwijl ze de fles tevoorschijn haalde.
'Neem nog een slok, het zal je warm houden.'

Teruggelokt door de drank stak Black Dick zijn kroes naar voren.
Ze schonk haar veroveraar een stevige scheut van de graanjenever in,
ging toen in de sneeuw zitten en deed de stop weer op de fles. Nixon
nam een grote slok en ging zich vrolijk fluitend aan zijn taak wijden.

Terwijl hij wegliep, stak ze haar hand uit en pakte steels de dolk uit zijn rechterlaars. Verdoofd als hij was, merkte Black Dick er niets van.

Ze sprak een kort dankgebed uit en gaf Nixon voldoende tijd, zodat hij ver genoeg weg was, maar niet ver genoeg om zijn mes te kunnen missen. Toen sneed ze het touw om de boom los, pakte haar tas en een paar dekens en glipte in de opkomende schemering weg. Robyn wilde dat ze ook haar paard had, maar dronken of niet, daarvoor was Nixon een te doorgewinterde paardendief. Zijn 'lady love' zou hij misschien uit het oog kunnen verliezen, maar niet een sterke voskleurige ruin. Nixon was veel te groot om te bevechten, dus moest ze het te voet zien te redden en ze zette het op een lopen. Ze had haar cape om de schouders gewikkeld en hield de dekens tegen haar borst gedrukt.

De sneeuw vloog onder het rennen in haar gezicht, grotere vlokken dan daarvoor en ze leken stilletjes uit de duisternis boven haar neer te dwarrelen. Platte, witte, veren vlokken kwamen regelrecht uit de koude, donkere lucht waardoor ze bijna geen hand voor ogen zag. Algauw botste ze tegen bomen aan, struikelde ze over blootliggende wortels en gleed ze uit over de spekgladde grond. Ze zocht in haar tas, vond haar zaklamp en deed hem aan. Sneeuwvlokken vielen door de vage straal, glansden kort op en verdwenen toen in de duisternis. Nu kon ze de bomen tenminste zien voordat ze ertegen aanliep. Vrouwe Robyn ging verder, ze volgde de minder wordende lichtstraal dieper het bos in en hoorde niets anders dan het zachte gekraak van haar voetstappen.

De kou sneed door de plooien tussen haar jurk en cape, waar haar lichaam niet door de dekens werd bedekt, en de sneeuw maakte de wollen broek boven haar laarzen nat waardoor ze pijnscheuten van de kou in haar kuiten voelde. Hoe kon ze zo dom zijn om helemaal alleen de ijzige duisternis in te vluchten, zonder een paard of de mogelijkheid om te schuilen? Als de zaklamp ermee ophield, zou ze de weg helemaal kwijt zijn. Ze worstelde zich nog steeds door de dikke sneeuwvlokken door, vastbesloten om bij Edward te komen en hem zo gauw mogelijk te waarschuwen.

Plotseling hoorde ze achter zich een hoop kabaal, gekraak en gebulder kwamen dichterbij. Ze bleef staan om te luisteren, ze hoorde Black Dick Nixon vloekend haar naam roepen, zijn kreten vielen samen met het bonzen en kraken van een achtervolging te paard. Nixon kwam haar op graaf Salisbury's grote steenrode krijgsros achterna, geleid door het fletse licht van de zaklamp. Ze kon hem nooit te snel af zijn, dus deed ze de lamp uit en dompelde zich in volslagen duisternis. Ze kon helemaal niets meer zien, ze kroop in de sneeuw weg en trok de dekens over zich heen.

Neergehurkt in de sneeuw hoorde Robyn Nixon dichterbij komen, hij riep haar niet meer, maar sprong in het donker rond, in de hoop dat hij over haar zou struikelen. Ze hield haar adem in toen het geluid van beweging en afgebroken takken langzaam haar richting op schoof. Nixon kwam zo dichtbij dat ze zijn moeizame ademhaling bijna pal boven zich kon horen. Haar hart bonsde zo hard dat ze bang was dat het haar zou verraden.

Maar dat gebeurde niet. In plaats daarvan stierf het kabaal langzaam weg, Nixons lawaaiige zoektocht bewoog zich naar haar rechterkant. Ze luisterde gespannen naar de geluiden die in de zacht vallende sneeuw wegtrokken. Ze was weer alleen.

Stilte daalde neer. Ze kon weer ademhalen. Verbazingwekkend. Voor het eerst in dagen was Robyn helemaal alleen, vrij om te doen wat ze wilde – hoewel ze niet vrij kon rondlopen. Maar nu wilde Robyn vooral bidden, ze stortte haar hart uit en smeekte Hecate en Maria om Edward te behoeden. In de besneeuwde duisternis kon ze geen cirkel trekken, maar dit was heksennacht, in hetzelfde magische bos waar ze Maria van Cock Lane had gezien met de bloeiende voetafdrukken. Dat moest toch goed genoeg zijn.

Ze smeekte bij de hogere machten of ze Edward wilden behoeden tegen welke Wydville-plannen ook. Ze wilde een fatsoenlijk ritueel houden, om Edward op te zoeken en hem te waarschuwen, maar Black Dick Nixon had daar een stokje voor gestoken, dus hier moest ze het maar mee doen. Koud en eenzaam, terwijl ze geen kant op kon, vroeg ze niets voor zichzelf, zolang Edward maar in veiligheid was. Alstublieft, Heilige Maria, verhoor mijn gebed in dit gevaarlijke uur, hoor mijn liefde aan en aanvaard mijn offer. Ze eindigde met een eenvoudig gebed tot Maria, Meesteres van Greenwood, die haar kind in de winter had gekregen:

Wit zijn de heuveltoppen, koud de stromen,
De bladeren zijn gevallen, de vogels gevlogen,
Maria, zegen mijn lichaam
Maria zegen mijn ziel
Maria, zegen mijn leven
Maria zegen mijn liefde.

Ze had haar best gedaan, ze ademde zachtjes onder haar mantel en dekens, weggedoken onder een traag aangroeiende sneeuwdeken. Stekende kou drong door de natte plekken in de stof door en haar vermoeide lichaam begon te trillen. Hoe lang kon ze dit overleven? In zo'n verschrikkelijke nacht niet al te lang. Ze had er geen enkele hoop op dat ze in de ijskoude duisternis een vuur kon maken of een schuilplaats kon vinden. Het enige wat Robyn kon doen was zich oprollen en gaan slapen, en weer wakker te worden als de storm overgewaaid was... hoewel daar nauwelijks enige kans op leek. Uitgehongerd, verzwakt en tot op het bot verkild waren haar reserves uitgeput. Ze sloot haar ogen, ze had niet eens trek in eten... en ze zou nooit weten of haar offer iets zou uithalen. Edward kon wel al in handen van de Wydvilles zijn gevallen.

Ze was een achterlijke dwaas geweest om in haar eentje de diepe winter in te duiken, zonder vooropgezet plan en maar heel weinig hoop, en te denken dat een beetje bidden de boel wel in orde zou maken. De tranen rolden haar over de wangen, ze bevroren in haar hals. Wat ongelooflijk stom. Als ze bij Black Dick Nixon was gebleven, had ze het nu zeker warm gehad, had ze vlak naast een knetterend vuurtje kunnen liggen terwijl ze aan de eau de vie zat te nippen en elkaar beter hadden leren kennen. Maar het was nu te laat om van de Tynedale-gastvrijheid te profiteren. Ze had haar keus gemaakt en moest nu de gevolgen onder ogen zien.

Of niet. Ze hoorde een enorme plof van vallende sneeuw, gevolgd door gedempt gekraak van takken. Nixon kwam terug. Ongelooflijk. Hoe had die kerel haar gevonden, dronken waggelend en blind in de besneeuwde nacht? Grensveedieven moesten een zesde zintuig hebben of zo, als het op prooi aankwam. Ze spitste de oren en hoorde een stevig gestamp recht op haar af komen, gevolgd door het zware snuiven van een paard. Robyn bleef zo stil zitten als ze kon en wachtte tot hij weer voorbijging, ze vroeg zich af waarom ze zich niet gewoon zou overgeven. Dat zou nog het slimste zijn. Liever dood dan onteerd was iets voor domoren.

Het gestamp hield op en ze hoorde een zadel kraken toen de ruiter afsteeg. Robyn bibberde van de kou en angst, ze greep de dolk van Black Dick Nixon stevig in haar rechterhand, niet zeker wetend wat ze ermee moest doen. Waarom zou ze blijven vechten als ze toch al had verloren? Het was veel verstandiger om het op te geven en warm weg te kruipen tegen de heidense bandiet dan het in de sneeuw proberen uit te vechten. Nixon zou haar heus niet vermoorden, integendeel zelfs, aangezien in zijn barbaarse geest Black Dick haar juist tegen haarzelf probeerde te beschermen, hij zou het leven in haar terug pompen en zijn vrouwe een spetterende tijd geven.

'Eindelijk heb ik je gevonden, mijn lief!' riep een heerlijk vertrouwde stem, gedempt door de vallende sneeuw. Sterke triomfantelijke armen tilden haar op en vervolgens drukten baardloze lippen tegen haar koude, bibberende mond. Ze snikte opgelucht, herkende de stem en lippen en kuste hem geestdriftig terug... het was Edward.

12

Negen dansende vrouwen

Door Edward werd alles anders. Een paar tellen geleden had het er nog hopeloos voor haar uitgezien, had ze de keus gehad tussen dood-vriezen of de nacht doorbrengen met Black Dick Nixon, een waardige dood of zich overgeven aan haar kidnapper. Geen van beide erg aan-lokkelijk. Nu was alles mogelijk. In de ronddwarrelende sneeuw drukte Robyn zich dicht tegen zijn warme lichaam aan en ze fluister-de: 'Hoe kan dit? Hoe heb je me in hemelsnaam gevonden?'

Edward lachte, hij trok haar nog dichter tegen zich aan een wikkel-de zijn mantel om hen beiden heen. 'Zeg jij het maar. Jij bent de heks, *vraiment*? Je hebt me geroepen.'

'O ja?' Ze had hem willen waarschuwen en willen behoeden, niet hem naar Sherwood willen halen. Ze kon nauwelijks geloven dat het inderdaad Edward was en niet een of andere bovenzintuiglijke hallu-cinatie, opgeroepen door angst, vermoeidheid en verlangen. 'Wan-neer? Hoe dan?'

'Je hebt me je ring gestuurd,' legde Edward uit, 'en dus had je me nodig.'

Dat had ze zeer zeker niet gedaan. Ze zei hoofdschuddend tegen hem: 'Nee, dat heb ik niet gedaan. Ik ben de ring kwijtgeraakt.' Eigen-lijk had FitzHolland hem van haar afgenomen voordat hij Salisbury ging vermoorden.

'Onzin. Natuurlijk heb jij hem gestuurd,' hield hij vol. 'Hoe kon je de ring nu kwijtraken terwijl ik hem in mijn beurs heb zitten? Kom, je bent volkomen gevoelloos door de kou. We moeten je warm zien te krijgen.'

Dat stond buiten kijf en ze knikte zwakjes. Ze leunde met haar hoofd tegen zijn borst terwijl steeds meer sneeuw zich om hun benen ophoopte. Edward riep Caesar, in de sneeuw en het donker had ze de grote zwarte Fries verward met Nixons steenrode Brabander. Edward hield haar dicht tegen zich aan en met Caesar stevig in haar rug voelde ze zich plotseling beschut tegen de storm, hoewel haar voeten nog steeds gevoelloos waren. Edward kuste opnieuw haar verdoofde lip-pen en tilde haar op Caesars achterzadel, hij klemde haar trillende vingers om de zadelknop.

Ze werd weer door sneeuw en kou bevangen, ze sloegen haar in het gezicht en vroren haar vingers aan het zadel vast. Ze wist een hand los te werken, vond de zaklamp en gaf hem aan Edward. Haar handen waren te verdoofd, maar Edward wist nu wel hoe hij met zulke moderne magische snufjes als een zaklamp of aansteker moest omgaan. Hij kon zelfs haar digitale horloge programmeren, hij raakte helemaal opgewonden als de oplichtende cijfertjes op zijn bevel versprongen, hoewel hij als aspirant-hertog weinig aan zijn nieuwverworven vaardigheden had.

Edward knipte het doffe licht aan en leidde zijn krijgsros de verblindende sneeuw in op zoek naar een schuilplaats tegen de storm. Robyn kon zich nauwelijks voorstellen dat ze die zouden vinden. Overal hoopte de sneeuw zich op, bedekte het struikgewas en begroef de brandstof die ze voor een vuurtje nodig zouden hebben. En haar uitputtend gebruikte zaklampbatterijen begonnen het snel te begeven. Al snel zou er alleen maar kou en duisternis zijn. Ze hield zich stevig aan de zadelknop vast en bad inwendig smekend tot Maria om begeleiding.

De zaklamp produceerde nog maar een vaag straaltje licht en Edward deed hem uit. Een lange poos struinden ze door het donker, Robyn vroeg zich af wat ze nu moesten doen. Black Dick Nixon zat waarschijnlijk nu wel bij zijn gezellige kampvuur en zou zich te goed doen aan een hert van koning Hendrik, jammer dat ze hem niet gewoon konden verjagen.

Haar ogen wenden aan het donker en ze zag in de verte een lichtschittering. Eerst dacht ze dat ze het zich verbeeldde, maar toen ze haar ogen inspande, werd de lichtglans sterker en ze riep naar Edward: 'Zie je dat licht daar?'

'Welk licht?' vroeg Edward, hij zat nog geen halve meter voor haar, maar hij was volkomen onzichtbaar.

'Recht vooruit.' Haar hart sprong op, ze hoopte dat het een kampvuur was, of het open raam van een warme hut, hoewel beide heel onwaarschijnlijk was. Wat het ook was, het gaf licht en misschien bood het ook warmte, tenzij het een hoopvolle zinsbegoocheling was. Met haar bevroren voeten schopte ze Caesar in de flanken en stuurde het krijgsros in de richting van de lichtbron.

'Het lijkt niet heel erg ver.' Edward zag het licht nu ook en hij spoorde zijn pikzwarte hengst door de sneeuw naar voren aan.

Net als een heksennachtkaars groeide de glans en breidde zich uit, hij werd een lichtcirkel tussen de bomen. Toen de cirkel wijder werd, besefte Robyn dat ze er recht in kon kijken, alsof het een open raam was, gedeeltelijk verborgen door de vallende sneeuw. Maar in plaats van een boshut zag ze zonlicht en een groene weide. Heel merkwaardig, zelfs voor een heksennachtvisioen.

Toen ze de lichtkring naderden, hield het gaandeweg op met sneeuwen, het smolt midden in de lucht, veranderde in hagel en werd toen

357

een lichte, warme motregen, uiteindelijk hield ook dat helemaal op. De sneeuw op de grond begon te smelten, en er kwam heldergroen gras onder Caesars zwarte hoeven tevoorschijn. Edward was niet gewend aan zulke wonderen en bleef staan, verbaasd door dit plotselinge lentebeeld. Ze boog zich naar voren, legde een hand op zijn schouder en zei: 'Wees niet ongerust, alles is goed.'

'Wat is het?' fluisterde hij en hij staarde in de breder wordende lichttunnel die werd begrensd door groene bogen en sneeuwloze takken, met een streep blauwe lucht boven hun hoofd. Warme, groene aardgeuren stegen uit de zonverlichte bosgrond op. In het midden van de groene open plek liep een spoor van voetafdrukken, gevormd door helderkleurige, wilde lentebloemen: seringen, sleutelbloemen, viooltjes en boterbloempjes. Voor het eerst zag ze Edward weifelen, voor het eerst aarzelde hij om verder te gaan.

Ze kneep in zijn schouder en fluisterde: 'Maak je niet bezorgd. Alles komt goed, het is alleen maar magie.' En goede magie bovendien.

'Het lijkt wel een heel nieuwe wereld.' Edward klonk onzeker, hij wist niet of hij er wel binnen moest gaan. Tot nu toe waren zijn ervaringen met magie simpel en van praktische aard geweest, zoals haar wonderbaarlijke horloge en het feit dat ze iedereen altijd overal kon verstaan. Makkelijk en handig, maar niet echt wereldschokkend. Dit kwam volkomen onverwacht en hij kon het niet verklaren.

'Nu weet je hoe ik me voelde toen ik hier voor het eerst terechtkwam.' Toen ze de Middeleeuwen binnenkwam, was ze van de herfst regelrecht in de lente terechtgekomen, en dat was niet half zo uitnodigend geweest als dit. 'Kom op,' stelde ze voor, ze voelde de warmte op haar gezicht terwijl haar achterste eraf vroor. 'Volg de voetstappen.'

Edward nam haar voorzichtig mee naar voren, door de glanzende doorgang de lente in, naar het bloeiende pad, nacht en winter achter zich latend. De sneeuw smolt van hun lichaam, de witte vlokken werden sprankelende druppeltjes op Caesars lange, donkere manen. Elke stap bracht ze verder een heldere lentedag in, die de lucht verwarmde en Robyn vervulde van kracht en hoop. Ze kreeg weer gevoel in haar bevroren vingers en probeerde haar tenen te bewegen, biddend dat ze er nog waren. Edward koesterde zich in de warme zonneschijn die door het bladerdak heen sijpelde en vroeg: 'Hoe kan de winter nu opeens een lentedag zijn geworden?'

Goeie vraag, en vrouwe Robyn had niet zomaar een antwoord klaar, los van de voor de hand liggende verklaring althans. 'Magie.' Geen enkele hoogdravende preek over de seizoenswisselingen op de schuine as van de nulmeridiaan kon dit beetje lente verklaren. Het enige wat vrouwe Robyn kon zeggen, was: 'Er gaat niets boven de macht van de Heilige Maria.'

'De Heilige Maria?' Hij keek haar verward aan, maar hij hoopte dat er meer kwam. Net als veel middeleeuwers ging Edward heel praktisch met religie om. Hij ging naar de mis en zei zijn gebeden op, maar liet de rest aan de kerk over. Hij was in hekserij geïnteresseerd vanwege haar wonderbaarlijke toepassingen, niet vanwege de metafysische vraagstukken die bezweringen opwierpen.

Robyn begreep het zelf nauwelijks, maar ze probeerde het zo goed mogelijk uit te leggen. Alles draaide om haar beslissing om zes maanden geleden op Sint-Anna's dag, de dag van het toernooi, wat te gaan rondrijden. In plaats van rechtstreeks via Ludgate naar Smithfield te rijden, had ze via de Saint Paul's een omweg gemaakt, was naar Cheapside gereden en Newgate uit. Die omweg had alles in gang gezet, omdat alles wat daarna gebeurde wel voorbestemd leek, ze had het in elk geval niet meer in de hand gehad. Ze had Maria van Cock Lane gered omdat ze het niet kon aanzien dat een onschuldig meisje levend zou worden verbrand. Toen ze vijf weken geleden voor het eerst in Sherwood was, had ze Maria om raad gevraagd en ze had antwoord gekregen in de vorm van dat meisje, en het bloemenpad dat naar het noorden had gewezen. 'Dat moest ik volgen, anders had ik die ellende op het leengoed Pontefract nooit gezien en dan had ik nooit geweten dat ik mijn huur en inkomsten moest opgeven.'

'Heb je je inkomsten opgegeven?' Edward keek geschrokken, hij hoorde nu voor het eerst van haar belachelijke vrijgevigheid.

'Ik moest wel,' legde ze uit, 'die mensen hebben verschrikkelijk te lijden.'

'Net zoals je Maria van Cock Lane moest redden?' Edward schudde zijn hoofd. 'Ik heb er een hoop tijd in gestopt voor ik gekke koning Hendrik zover had dat hij je dat leengoed gaf, zijne hoogheid moest immers denken dat het zijn eigen idee was.'

'Waarvoor ik hem eeuwig dankbaar ben.' Ze leunde in het zadel naar voren en kuste hem lang en liefdevol, nu haar lippen niet meer verdoofd waren, genoot ze er des te meer van. 'Als jij en Hendrik me die inkomsten niet hadden gegeven, dan had ik ze ook nooit kunnen weggeven.'

Hij schudde nogmaals glimlachend zijn hoofd en zei: 'Soms ben je net zo gek als Hendrik.'

Ze glimlachte terug waardoor ze kuiltjes in haar wangen kreeg. 'Maar vast twee keer zo knap.'

'Tien keer komt dichter in de buurt.' Edward keek weer serieus en vroeg: 'Dus dat arme meisje dat we in Saint Martin hebben gezien was de Heilige Maria in hoogsteigen persoon?'

'Maria zit in ons allemaal,' bracht ze hem in herinnering. 'En niet alleen bij christenen. Maria is de Alomvattende Moeder, de Grote Godin, niet alleen onze moeder en de dochter van God, maar ook de maagd en het doodswijf tegelijk. Ze is Diana en Hecate, en de Venus die door onze verre voorouders werd aanbeden.' Voordat ze naar de Middeleeuwen kwam, had dit haar weinig kunnen schelen, maar nu was het een zaak van leven en dood geworden.

'Sommige mannen zouden dat ketterij noemen,' herinnerde Edward haar. Hij ging vrijzinnig en gemakkelijk met zijn godsdienst om, maar hij woonde in een land waar heksen verboden waren, net als moslims of joden dat waren. En als de machthebbers van het bestaan van boeddhisten en Hindoes hadden geweten, zouden die ook illegaal zijn geweest.

'Sommige mannen wel,' gaf ze toe, 'daarom zeg ik het ook alleen maar tegen jou.' Dit waren eigenlijk vrouwengeheimen, maar omwille van de liefde ging ze soepel met de regels om, in elk geval bij deze man. En Maria zou het er vast mee eens zijn, want Edward was niet bepaald blind geweest. Onschuldige nonnen leefden en stierven zonder dat ze ooit zo'n wonderbaarlijk bewijs van Maria's macht mochten aanschouwen.

Edward knikte en zei: 'Ik denk dat ik je wel begrijp, dat hoop ik tenminste. Maar het is een groot mysterie waarom de Heilige Maria dit allemaal doet.'

'Voor mij ook,' bekende ze. 'Het enige wat we echt moeten doen is haar bedanken.' En dat deden ze, Edward hielp haar uit het zadel en ze knielden naast elkaar neer – zij met bibberende knieën – hun koude natte kleren stoomden in het warme zonlicht. Als een stel dolgelukkige kinderen in de lente stortten ze hun hart in gebed uit.

Daarna hielp Edward haar weer op het paard en zwijgend gingen ze op weg, ze volgden het bloemenpad en wisten nog altijd niet waar ze naartoe gingen. Koningsherten kwamen sierlijk tevoorschijn om te grazen en lentevogels leken uit de warmte en het zonlicht vaste vorm te krijgen. Roodborstjes huppelden op het pad. De koekoek riep hen wellustig uit de bomen toe en Robyn hoorde ergens voor zich uit een specht. Ondanks de prachtige omgeving had Robyn een moeilijk gesprek te voeren. Ze begon met de vraag: 'Hoe ben je hier gekomen?'

'Caesar heeft me hiernaartoe geleid,' antwoordde Edward en trots klopte hij op de sterke, zwarte flank van de hengst, 'helemaal vanaf Shrewsbury.'

Zij streelde de zwarte krijgsros ook en probeerde zich voor te stellen waar Lily nu was... ongetwijfeld was ze nu het trotse bezit van een of andere Schotse dief. Ze vroeg zich af of de man wijs was geworden uit de inhoud van haar zadeltas. 'Ik bedoel, hoe wist je dat je naar me toe moest komen? Hoe heb je me in hemelsnaam midden in die sneeuwstorm kunnen vinden?'

'Sneeuwstorm?' Edward keek haar onschuldig aan. 'Welke sneeuwstorm? Het is een prachtige dag vandaag.'

Ze moesten allebei lachen, blij dat ze in leven waren, warmte voelden en midden in zo'n onvoorstelbaar strenge winter samen waren. Edward reikte naar zijn handgemaakte leren beurs die aan zijn riem hing, haalde er een ring met witte roos uit en zei: 'Je hebt me dit gestuurd, althans, hij verscheen twee dagen geleden op mijn nachtkastje.'

Ze schudde haar hoofd. 'Ik heb het niet gestuurd. FitzHolland had hem op Pontefract van me afgepakt. Hij moet hem hebben doorgegeven aan hertogin Wydville, en die heeft hem weer naar jou gestuurd, in de hoop je hiernaartoe te kunnen lokken.' Wat ook was gelukt, hoewel niet zoals hertogin Wydville had gewild.

Hij deed hem weer aan haar vinger en zei: 'Wie hem ook heeft gestuurd, ik wist dat hij van jou kwam en dat je me nodig had. De rest was wonderlijk eenvoudig, meer dan ik ooit voor mogelijk had gehouden. Nadat je die nacht bij me was geweest, wist ik dat je op Pontefract zat, dus ik ben zo snel mogelijk naar het noorden gereden. Ik hoefde eigenlijk alleen maar zelf te beslissen toen ik Sherwood binnenreed en het begon te sneeuwen. Ik had natuurlijk bij een bosbewoner onderdak moeten zoeken, maar in mijn speurtocht naar jou werd ik de storm in gedreven. Volslagen gek, maar ik kon de gedachte niet uit mijn hoofd zetten toen ik terugdacht aan die eerste nacht, toen ik je op de *Fortuna* tegenkwam. Dus begon ik door de sneeuw te zoeken, ik liet Caesar de vrije teugel, tenzij ikzelf een bepaalde richting in werd getrokken. Ten slotte hoorde ik je roepen, niet met mijn oren, maar met mijn hart, en ik volgde die roep naar jou.'

Absoluut hekserij, maar niet wonderbaarlijker dan de rest van deze heksennacht, die was overgegaan in een heldere lentedag. Ze pakte zijn hand en zei: 'Ik wilde naar jou toekomen, je waarschuwen dat de Wydvilles de ring hadden en die zouden gebruiken om je in de val te laten lopen.'

'En in plaats van dat je me waarschuwde om te blijven waar ik was, heb je me naar je toe geroepen.' Edward begon te begrijpen dat hekserij bepaald geen exacte wetenschap was, dat ze heel erg afhankelijk was van ironie en misleiding om zodoende optimaal effect te sorteren.

De groene tunnel voerde omlaag en kruiste een kreek waar de koningsherten zich hadden verzameld om te drinken. Aan het uiterste einde leidde het bloemenpad door een smalle kalkstenen kloof, uitgesleten door een erdoorheen stromend riviertje. Hier hield de magie op, want aan het eind van het ravijn viel er weer sneeuw. Aan beide kanten van het ravijn waren grotten, sommige vlak bij de rivier, andere wat hoger tegen de klifwand op. Edward koos er een dicht bij het water om te schuilen. Hij hielp haar naar binnen, drenkte Caesar en ging hout sprokkelen voor een vuur.

In de grot zagen ze de magische meidag wegsterven, de schaduwen werden langer en gingen over in de nacht, sneeuw viel in witte wervels uit de hemel, vulde de canyon en blies zelfs de grot binnen. De dag stierf langzaam weg, ze haalde haar zaklamp tevoorschijn en merkte dat hij weer licht gaf. Misschien nog een wonder, misschien had de rust de batterijen weer opgeladen. Ze zag dat de grot bezaaid lag met witte botten, grote rendiergeweien en neushoorns, zelfs het bovenste deel van een halve schedel met dikke wenkbrauwrichels, die van een Neanderthaler moest zijn geweest. In Wyoming had ze wel naar fossielen gezocht maar zo'n succes had ze nog nooit gehad. Wonderbaarlijk. Ze vroeg zich af of ze nog steeds in het middeleeuwse Engeland was. Hoe lang was het geleden dat hier neushoorns en mammoeten leefden? Waren ze op een of andere manier in het stenen tijdperk terechtgekomen? Niet erg waarschijnlijk, maar op dit moment was alles mogelijk. Bij de ingang vond ze de gebroken resten van een ruwe stenen bijl en een paar flinterdunne steenscherven, weggeschoven in een hoek, nog een teken dat hier mensen hadden gewoond.

Ze ging tegen de ruwe grotmuur zitten en probeerde kracht te halen uit alle generaties die hier hadden gewoond, mensen nog ouder dan Stonehenge, ouder dan Atlantis, bij wie het oude Londen spiksplinternieuw werd. Ze dacht aan de duizenden kinderen die in de grot waren opgegroeid, hun tanden hadden gebroken op sappige mammoetbotten en tussen de hyenatanden op zoek waren geweest naar schatten. Ze sloot haar ogen en dankte Maria dat ze haar had gered en haar naar deze schuilplaats had gebracht. En omdat ze haar iets had gegeven waarin ze kon geloven.

Voordat ze in de Middeleeuwen was beland, had ze een gewoon leventje geleid, en had ze zich over weinig meer druk gemaakt dan een comfortabel appartement en een leuke baan waar ze voor gladjanussen werkte, klaar om alles aan de kant te schuiven als de prins op het witte paard voorbijkwam. Verbazingwekkend genoeg had ze die prins nu, ook al zat ze in de verkeerde eeuw. Door Edward had ze verbinding met de kosmos gekregen, met oneindige mysteries en mensen, van Londen tot aan Pontefract toe, mensen die nog geboren moesten worden en anderen die al lang waren gestorven. Dank u, Heilige Maria, dat u me dat hebt willen laten zien, en voor de kracht waardoor ik tegen de veranderingen ben opgewassen. Ze had Maria ook willen bedanken dat ze Edward naar haar toe had gebracht, maar dat hadden de Wydvilles gedaan, de Wydvilles en haar zilveren ring. Hekserij kwam altijd bij je terug, vooral als je die alleen voor jezelf gebruikte.

Dit was het makkelijkste gedeelte, het moeilijkste kwam nog. Nu ze veilig was en onderdak had voor de nacht, was Robyn als de dood om Edward te vertellen wat ze bij Wakefield had gezien. Wist hij dat zijn vader dood was? En zijn broer ook? Om het nog maar niet over Salisbury en de anderen te hebben. Als hij het niet wist, moest ze het hem vertellen, niet bepaald de baan waar ze ooit op zou solliciteren. Dat Hecate haar mocht bijstaan, dit zou verschrikkelijk moeilijk worden, veel moeilijker dan doodvriezen, wat wel wat weg had van in slaap vallen. Ze bad tot het meisje Maria van Sherwood, niet voor haarzelf maar voor Edward, die zulke afschuwelijk nieuws te verstouwen zou krijgen. En voor Deirdre en Matt Davye, waar die ook waren, ze hoopte dat ze veilig op weg waren naar het zuiden. Samen met Lily.

Edward kwam terug met brandhout en had wijn, eten en een bundel kleren uit zijn zadeltas meegenomen. Buiten was het nu helemaal donker en er lag sneeuw op zijn blauw-met-gouden wambuis, maar het hout was droog. Hij stak een vuur aan bij de ingang van de grot, hij gebruikte daarbij haar aansteker, degene die ze de vorige heksennacht op zijn nachtkastje had laten liggen. Hij blies driftig op de aanmaakhoutjes en voerde geduldig twijgjes aan het vuur totdat de grotere houtjes vlam vatten. Tevreden ging hij breed grijnzend achterover zitten. 'Wenst mijn vrouwe eerst te eten of zal ik je eerst van je natte kleren bevrijden? Ik heb geen schone jurk bij me, maar wel een droge jas en hemd.'

Ze huiverde, genoot van de gedachte warm en droog te zijn en door Edward te worden vastgehouden. Hij vatte haar stilzwijgen op als instemming, trok haar laarzen en doorweekte sokken uit en droogde haar voeten met een zijden sjaal. Tegelijkertijd wreef hij er met zijn warme handen weer leven in, een voet tegelijk, te beginnen bij de tenen, toen de voetboog en vervolgens haar enkels en kuiten. Het gevoel kwam tintelend in haar benen terug, en hij begon haar vochtige keurslijf los te knopen, schoof het over haar schouders en droogde de druppels gesmolten sneeuw met zijn sjaal. Elke keer als er weer een plekje droog was, kuste hij haar.

Zijn handen voelden ongelooflijk geruststellend op haar lichaam. Ze had net zo goed in een iglo kunnen zitten, halfbevroren en opgejaagd door de Wydvilles. Maar zonder haar lucratieve inkomsten, haar leengoed Pontefract was in vijandige handen, ze had een berg schulden op haar nek en bovendien stond er nog een aantal ernstige aanklachten, als ze tenminste zoveel geluk had dat ze ooit nog levend in Londen terecht zou komen. Edwards sterke aanraking maakte het letterlijk allemaal goed. Ze twijfelde er niet aan dat Edward ervoor zou zorgen dat ze weer veilig in het zuiden zou aankomen, ook al was het maar om haar naast zich in zijn warme veren bed te hebben. Edward zou daar hemel en aarde toe bewegen.

Hij hielp haar overeind, haar benen konden haar weer dragen, trok haar jurk uit en hing die bij het vuur te drogen. Haar zijden hemd kon nog wel, maar was verschrikkelijk vies en zweterig, dus hielp hij haar in zijn wollen broek en livrei-jasje, en wikkelde een droge mantel om haar schouders. Blij dat ze het warm en droog had, en ook omdat ze zijn kleuren droeg, informeerde Edward: 'Welnu, wat wenst mijn vrouwe te eten?' Hij had het meegebrachte eten uitgestald: brood, worst, gedroogde vruchten, amandelen en gekookte eieren. 'Zal ik een noot kraken of een ei voor je pellen?'

'Begin maar met de wijn,' stelde ze voor. 'Ik heb je iets akeligs te vertellen.'

Edward keek opeens bezorgd en schonk wijn in zijn hoornen reisbeker, hij gaf die voorzichtig aan haar. 'Hier, daar word je warm van vanbinnen.'

Ze nam een slok, ze vond de naar kruidnagelen smakende wijn krachtig en verkwikkend, niet als die fruitige, zoete zomerwijn of de wrange drab op Sandal, maar een kruidige en sterke wijn, die je een strenge winter door hielp. De vlammen van het vuur flakkerden op de muren van de grot en de wijn verspreidde zich door haar lichaam, ze vatte moed om haar volgende taak onder ogen te zien. Ze wilde maar dat zij niet degene was die dit hoefde te vertellen, maar ze vroeg: 'Weet je dat je vader dood is?'

Hij knikte grimmig, al zijn vrolijke enthousiasme was op slag verdwenen... de eerste keer dat ze Edward werkelijk gekwetst en boos zag. Met zijn koninklijke opvoeding en verbijsterende successen was dit waarschijnlijk de eerste keer dat Edward zo'n onthutsend verlies te verwerken kreeg. Het gemak en de snelheid waarmee Edward altijd had gewonnen, had hem grootmoedig en vergevingsgezind gemaakt, maar nu klonk zijn stem ongelooflijk hard en koud, ze vreesde voor Somersets leven. 'Ik weet het. Ik heb gehoord wat er in het noorden is gebeurd. Nottingham steekt het nieuws bepaald niet onder stoelen of banken.'

'En je bent toch naar het noorden gegaan?' Ze was verbijsterd dat hij in zijn eentje naar haar toe was komen rijden, dat hij door sneeuw en storm zijn hart had gevolgd, ook al wist hij dat zijn glorieuze vijanden binnenkort naar het zuiden zouden trekken in de hoop de overwinning compleet te maken en hem en Warwick te vermoorden. Liefde en toverkunsten waren sterker dan het gezonde verstand, of zelfbehoud.

Edward streek met zijn hand zachtjes langs haar wang en kin, hoewel zijn stem streng en grimmig bleef. 'Ik heb mijn vader verloren, ik wilde jou niet ook verliezen.'

Tranen sprongen haar in de ogen toen ze eraan dacht hoe ze had geprobeerd Edwards arrogante, opdringerige vader op het gevaar te wijzen, alleen maar om te moeten aanzien hoe de trotse idioot koppig met vrolijk wapperende banieren zijn doem tegemoet reed. Ze had een hoge prijs betaald voor haar vergeefse poging om hertog Richard te waarschuwen, ze was haar Deirdre kwijt, Matt en Lily, samen met alles wat ze al had weggegeven. Ze liet haar hoofd zakken en fluisterde ellendig: 'Ik heb nog zo geprobeerd hem te waarschuwen.'

Edward trok haar kin omhoog en kuste haar op de lippen, deze keer niet teder maar krachtig en stevig, hij nam haar hele mond in bezit. Ze zaten weliswaar bij elkaar gekropen in een ingesneeuwde grot, opgejaagd door hun vijanden, toch wilde hij dat alles op zijn manier ging. Toen hij klaar was, zei hij: 'Ja, ik wil wel geloven dat je hem hebt gewaarschuwd. Net zoals je hem in Londen hebt gewaarschuwd, op Sint-Krispijnsdag, maar hij wilde niet luisteren. Hij had een te blind verlangen om koning te worden. Zo blind, dat het zijn dood is geworden.'

En niet alleen zijn dood. 'Je broer is ook omgekomen,' fluisterde ze. 'Ik was erbij toen het gebeurde en het was afgrijselijk.' Tranen drupten langs haar wangen toen ze eraan terugdacht hoe Rutland voor zijn leven had gesmeekt en hoe opgewekt Clifford op de hulpeloze jongen, die nooit iemand enig kwaad had gedaan, had ingehakt.

Edward legde een arm om haar schouder, trok haar dichter naar zich toe en zei: 'Ja, dat weet ik ook. Dat Edmund dood was, niet dat jij erbij was. In Nottingham vertelden ze dat Clifford hem heeft vermoord.'

'Het was Clifford ook,' verzekerde ze hem in tranen, geen twijfel mogelijk. 'En het was afschuwelijk.'

'Klaar, klaar.' Edward veegde haar tranen weg en probeerde het verdriet erachter te troosten. 'Zeg maar niets meer. Er komt een tijd dat ik de zaken zal rechtzetten.' Te oordelen naar de manier waarop hij het zei, kon er deze keer geen sprake zijn van vergeving, bij lange na niet. Zijn vijanden hadden een kerstbestand geschonden om zijn vader te vermoorden en zijn broer af te slachten. Die konden niet meer op Edwards spreekwoordelijke vergevingsgezindheid rekenen – evenmin had ze een goed argument om genade af te smeken – niet nu zijn halve familie was omgebracht. Haar enige hoop was dat hij Somerset toch nog zou sparen, die was niet bij het ergste betrokken geweest, voorzover ze wist althans.

'Kom, je moet eten,' zei Edward tegen haar. 'Wijn houdt je alleen maar warm, maar voedsel vult.' Resoluut veranderde Edward van onderwerp, hij wilde pas weer aan wraak denken als hij in actie kon komen. Hij pelde een paar eieren voor haar bij de worst en de wijn, wat ze normaal niet zou hebben aangeraakt, maar nu was ze uitgehongerd. Robyn schoof de worst in haar mond en liet de stukjes vet en ui in combinatie met het vlees op haar tong smelten. Edward kraakte met zijn mes een paar noten en verklaarde opgewekt dat de grot een ordinair roversnest was. 'Robin Hood in eigen persoon had zich hier schuil kunnen houden. We zouden op zoek moeten gaan naar buit of drakenbeenderen.'

Ze veegde haar tranen met haar mouw af en liet hem de schatten zien die ze had gevonden... steenschilfers, hyenatanden, de gebroken Neanderthalerschedel, een grove kop van een neushoorn die in een stuk bot was gekerfd. Hij pakte de schedel van de Neanderthaler op en vroeg: 'Wie is deze wildeman?'

'Waarschijnlijk familie.' Hoewel ze dat betwijfelde. Veel middeleeuwers zagen eruit als Neanderthalers, kort, vierkant en gedrongen, met dikke, donkere wenkbrauwen en een woest gezicht... maar niet Edward, met zijn gouden-jongens uiterlijk. Black Dick Nixon kwam meer in de buurt van een holenmens. 'Dit zijn de neven van de mensen, mammoetjagers die hier in de ijstijd leefden.'

'Was dat voor of na de zondvloed?' Alles vóór Noach was voor middeleeuwers niet te bevatten.

'Lang voor mijn tijd, in elk geval.' Ze zou het botonderzoek en de bijbel aan anderen overlaten. Het onfeilbare woord van God, de koning James-bijbel, was nog niet eens geschreven en de middeleeuwers moesten het nog steeds doen met de vroege Latijnse, Griekse en Hebreeuwse uitgaven. Maar deze beenderen waren stukken ouder dan welke bijbel ook, ouder dan papier of piramides, ouder dan Grieks, Hebreeuws of het geschreven woord. Hier hadden mensen geleefd, liefgehad, zich aan voedsel te goed gedaan, hun dromen gedroomd, hun kinderen grootgebracht, hun liederen gezongen, voor gelukkiger tijden gebeden, voor een goede gezondheid en een succesvolle jacht. 'Neanderthalers waren uitstekende jagers die stenen werktuigen maakten en hun doden begroeven, maar ze wisten niet het land te bewerken of hoe ze oorlog moesten voeren, waarschijnlijk zijn ze daarom uitgestorven. Ze moesten plaatsmaken voor graan verbouwende krijgers. Deze schedel duidt erop dat deze grotten duizenden jaren lang als woonplaats en heilige plek zijn gebruikt.'

'En wolvenlegers, zo te zien.' Hij boog zich over een afgekloven en versplinterd stuk bot.

'Of hyena's.' Toen ze nog miss Rodeo Montana was, had ze meegewerkt aan een wolvenproject en daar was ze nooit zo'n doorgebeten bot tegengekomen. Wolven hadden grote snijtanden, maar hyena's waren aaseters met massieve premolaren, bedoeld om taaie, niet op-gegeten stukken van een kadaver te verslinden.

'Hyena's?' Edward klonk alsof hij daar nog nooit van had gehoord.

'Hondachtige Afrikaanse aaseters,' vertelde ze hem tussen twee happen van haar tweede worstje door, deze smaakte naar tijm. Onder het kauwen liet ze hem een van de grote premolaren zien, die zelfs voor een hyena aan de grote kant waren.

'En zij aten die harige eenhoorns?' Hij bestudeerde de kop van de ingekerfde neushoorn.

'Als ze de kans kregen.' Ze knikte naar de stapels beenderen die in de grot uit de modder staken. 'Het oude Engeland moet behoorlijk opwindend zijn geweest.'

'En jij doet er nog een schepje bovenop,' zei hij tegen haar. Hij legde de neushoornkop terug en kuste haar weer. Toen ruimde hij de etens-resten weg en gooide nog wat hout op het vuur, de vlammen wakker-den aan en de sneeuwvlokken sisten in de lucht. Edward maakte van de dekens een bed, wikkelde de mantels om hen heen en knuffelde haar tegen zich aan, zijn grote sterke handen masseerden haar zacht-jes waarmee het gevoel in haar vermoeide, gelukkige lichaam terug-kwam.

Tegen zijn warme, sterke gestalte aangekropen, en zijn handen die het leven in haar terugbrachten, voelde ze zich eindelijk volmaakt vei-lig, ervan overtuigd dat deze oude grot een nieuw begin voor hen bei-den betekende. Ze lagen te midden van die oude beenderen, ze hadden niet veel meer over, behalve elkaar. Zij had alles verloren – haar geld, bedienden, haar Londense status, haar paard en haar leengoed Ponte-fract – ze kon alleen nog maar omhoog, dat was duidelijk. Edward was bepaald niet platzak, maar hij was zijn vader en broer kwijtge-raakt, dus op Arrogante Cis na, waren ze wezen. En hij zou een heel nieuw leven beginnen, als hertog van York en opvolger van de troon. Als ze veilig in Shrewsbury wisten te komen, konden ze samen een nieuw leven beginnen.

Binnen in haar begon het verlangen zich te roeren, een intense hun-kering om lijfelijk te voelen waar ze tijdens de vorige heksennacht alleen maar van had kunnen proeven. Edward wilde dat kennelijk ook, want ze voelde zijn lichaam gespannen tegen het hare aan schui-ven. Zijn handen glipten in haar jasje langs haar rug naar beneden, schoven haar hemd omhoog en voelden aan haar billen, huid over huid wrijvend. Ze was verstijfd en koud geweest, maar nu had ze het behaaglijk warm en was tot alles bereid, zolang Edward de tijd er maar voor nam.

En dat deed hij, hij kuste haar lippen, likte aan haar oor en snuffel-de in haar hals terwijl vingers in het duister rondtastten, haar jasje openmaakten en vervolgens haar onderjurk omhoogschoven. Zonder de mantel los te maken, er kon immers kou binnenkomen, ging zijn hand naar de naakte holte op haar rug en trok hen dichter naar elkaar toe, zijn borst drukte tegen haar borsten en zijn heupen tegen haar liezen, haar lichaam paste op het zijne. Toen hij haar wollen broek naar beneden trok, voelde ze hem groeien en steeds steviger tegen zich aan, hij drukte hard tegen het zachte binnenste van haar dij. Deze heksennacht zou niets hen nog tegen kunnen houden.

Ze ontspande zich in Edwards omhelzing, opende haar benen en liet zijn stijve erectie de vochtige holte tussen haar dijen vullen. Een zweterige wrijving die ze te lang hadden moeten missen kwam met lange, ferme stoten op gang, bouwde zich op en verlengde haar honger naar een smachtend genot. Zijn mond vond de hare en plotseling kusten ze elkaar, vastgeketend met mond en heupen, gingen ze volkomen in elkaar op terwijl het tempo zich versnelde en hij met elke stoot dieper in haar doordrong.

Eindelijk had ze hem weer, en hij haar... wie had kunnen denken dat dat in een roversnest in Sherwood zou gebeuren? Maria van het Greenwood misschien, maar vrouwe Robyn zeker niet. Een paar uur geleden had ze zichzelf nog verloren gewaand, had ze verwacht dat ze nu wel doodgevroren zou zijn... of in bed zou liggen met een grensrover.

Haar lord had zonder het ritme te onderbreken alles weten uit te trekken, op zijn open shirt na en ze kroop tegen zijn blote brede borst, ze genoot van zijn gewicht diep in haar. Ze hoefde zich niet meer ongerust te maken dat ze plotseling ergens anders zou belanden en Robyn gaf zich aan de duisternis en magie over. Ze voelde een volkomen vreugdevolle vrijheid over zich komen die haar optilde en tot grote hoogten bracht. Golven van genot schoten door haar heen, een donkere, orgastische oceaan die zich verhief en op een verre kust neerstortte, zich dan langzaam terugtrok en haar vol heerlijkheid achterliet. Edward bleef ritmisch in haar stoten, kuste haar en snuffelde met zijn neus in haar hals, hield haar veilig en warm terwijl zij in slaap wegzonk. Wat een magische heksennacht. Haar enige angst was dat Edward bij dageraad verdwenen zou zijn.

Die nacht droomde ze heel sterk, ze kreeg levendige dromen, maar onthield alleen de laatste. Het begon met Rutland, springlevend, die vroeg of ze wilde dansen, met 'negen dames van stand en onberispelijke reputatie'. Robyn stemde in, ook al wist ze dat hij dood was, ze was blij om Rutland in haar dromen weer te zien, en ze genoot van zijn spottende humor en galanterie. Rutland toonde hetzelfde enthousiasme als aan de voet van Louse Hill, toen hij haar naar Edward had gebracht. Deze keer nam hij haar mee een andere grasheuvel op, naar een met verwaaide sneeuw bestrooid plateau. Hoge heide strekte zich om hen heen uit, in het noorden en oosten omzoomd door nog hogere heuvels. En daar, precies zoals hij had gezegd, op deze negende dag na kerstmis, dansten negen lady's bij dageraad op de winterse heide.

De meeste dames droegen het rood-met-wit van de Wydvilles, frivole zilveren jurken afgezet met karmozijnrood, en witte zijden hoofdtooien met scharlakenrode linten. Ze herkende hertogin Wydville en haar vijf oudste dochters, Anne, Margaret, Maria, Jacquetta en vrouwe Elizabeth. Jo en Bryn dansten met hen mee, maar Joy en Deirdre niet, die waren nog maar aspirant-heksen en zeker geen lady's. Maria van Cock Lane leidde de dans, nog steeds in haar hertenvel, Vrouwe van de Jacht, de maagdelijke jageres die dieren uit de heuvels met zich mee kon nemen. Ondanks haar wilde uiterlijk leidde Maria haar lady's door een statige dans van in elkaar grijpende cirkels, ze dansten zwijgend op elkaar toe en weer bij elkaar vandaan, draaiden om elkaar heen en verwelkomden met zwierige rokken de zonsopgang. Ze hielden elkaar bij de hand wanneer ze naar elkaar toe dansten en lieten ze weer los als ze zich omdraaiden... net alsof ze op een staatsbanket in een koninklijk paleis waren in plaats van in een verlaten, uitgestrekt, halfbevroren heidelandschap. Alleen de muziek en de mannen ontbraken.

Lady Robyn zag dat er een plek openviel en voegde zich bij de dansers, in haar hoofd hoorde ze de magische muziek en op een of andere manier wist ze precies welke stappen ze moest doen. Rutland bleef staan en keek toe. Ze draaide rond, maakte eerst met de mooie Bryn en toen met vrouwe Elizabeth een rondje, en ten slotte met Maria zelf, die er in haar hertenvel jong en wild uitzag. Toen zij met Maria danste, vielen de anderen terug, ze bleven in een kring om hen heen draaien terwijl Robyn en Maria in het midden bleven. Maria boog zich dichter naar voren, ging op haar tenen staan en kuste haar op de lippen. Ze fluisterde: 'Goed gedaan, vrouwe Robyn, goed gedaan. Hier is je beloning.'

Toen stapte Maria in de vrouwenkring terug en de lady's veranderden prompt in steen. Robyn was alleen op de winterse heide omgeven door een kring stenen die onder het gewicht van de onmetelijke tijd gebukt gingen. Rutland was ook in steen veranderd, hij was een blok kolenzandsteen geworden, meters bij haar vandaan. Bepaald merkwaardig, zelfs voor een heksennacht.

Terwijl ze de stenen stond te bestuderen, hoorde ze een paard snuiven en hinniken. Toen ze opkeek, zag ze dat Lily langzaam naar haar toe kwam draven, zo bleek als de sneeuw in Sherwood, hoofd hoog opgeheven, de witte manen wapperend in de wind. Lily liep op een drafje tussen de stenen door, liep recht op haar af en hinnikte zachtjes, blij dat ze haar meesteres had teruggevonden. Robyn klopte op de ivoren hals van haar prachtige droommerrie, het speet haar dat ze geen suikerklontje had, of een wortel. Lily had geen zadel of hoofdstel om dus greep Robyn een bosje manen vast en trok zich met gemak op de witte rug van de merrie. Ze voelde zich heel en bevrijd, en een nieuwe dag brak aan.

Toen werd ze wakker en merkte dat ze alleen op de grond van de grot lag, gewikkeld in mantels en dekens. Het vuur was uit en Edward was weg. Het koude licht van de dageraad filterde door de ingang van de grot op de stapels oude botten. Een halve Neanderthalerschedel gluurde haar van boven een schaduwachtige berg aan. Hecate, help, hoeveel was ze kwijtgeraakt? Lily natuurlijk, Rutland ook. Maar Edward toch niet ook? En Caesar ook niet, dat leek zo onrechtvaardig. Moest ze nu alleen naar Shrewsbury lopen? Black Dick Nixon doemde op, Codnor Castle en de hemel mocht weten wat ze onderweg verder nog tegen zou komen. Ze huiverde bij de gedachte dat ze in haar eentje de weg naar het zuiden moest trotseren, voortdurend over haar schouder kijkend of ze niet werd achtervolgd.

'Eindelijk wakker?' vroeg een stem. 'Zo lang sliep je in Londen nooit uit.'

Ze wendde zich naar de ingang en zag Edwards gestalte tegen het sneeuwlandschap afsteken, hij droeg nog steeds zijn blauw-gouden wambuis en had zijn armen vol sprokkel- een aanmaakhout. Opgelucht zei ze glimlachend: 'Goedemorgen, mijn heer. Blij dat u niet verdwenen bent.'

'Verdwenen?' Edward legde het hout neer, knielde naast de zwartgeblakerde vuurplaats en rangschikte zorgvuldig de aanmaakhoutjes. 'Waarom zou ik verdwijnen?'

Ze kon geen goede reden bedenken. Wat was het heerlijk dat hij hier bij haar was, te weten dat ze warm en veilig was. Wat haar in de Middeleeuwen ook was overkomen, met Edward in de buurt was haar nooit een greintje kwaad aangedaan. 'Zoals ik uit je tent verdween op de vooravond van Sint-Lucy's dag,' bracht ze hem in herinnering, 'na slechts een kus. En toen nog twee keer uit je kamer in Shrewsbury.'

'Een keer in mijn droom en een keer op de vooravond van de Heilige Stefanus.' Zijn gezicht lichtte op bij de gedachte aan hoe ze afscheid hadden genomen en hij legde het aanmaakhout opzij omdat hem een paar onafgemaakte klusjes te binnen schoten. Zijn hand gleed onder de mantel op zoek naar haar en hij gaf toe: 'Eerst dacht ik dat je alleen maar een welkome droom was, opgeroepen door mijn smachtend hart.'

Ze voelde zich gevleid dat zij het materiaal was waaruit zijn dromen werden gefabriceerd. Zijn vingers glipten tussen haar jas en hemd, vonden haar naakte huid en ze gilde het uit vanwege zijn ijskoude aanraking. Ze zei: 'Koud, te koud. Maak het vuur maar aan.'

Edward trok lachend zijn hand terug en ging verder met de kostbare droge twijgjes rondom het aanmaakhout. Toen stak hij ze met haar aansteker aan en voerde de droogste stukjes hout aan het vuur. 'Tot gisteravond,' zei hij tegen haar, 'heb ik je nooit echt geloofd.'

'Me geloofd?' Begraven in haar mantel en dekens bewonderde ze de plattelandse bostechnieken van haar graaf. Ze waren allebei op het platteland opgegroeid, slechts vijfhonderd jaar van elkaar verwijderd. 'Waarover?'

Hij boog zich dicht naar het vuur toe en blies er leven in, zijn adem joeg de vlammen flakkerend door het hout. 'Over je heksengeheimen.'

'Hoe denk je dat ik hier gekomen ben?' Zij was de grootste scepticus van de wereld geweest, totdat magie haar in de Middeleeuwen had doen belanden. Ze stak haar hand de kou in en vond haar koffie en ijzeren kroes. Ze zei: 'Kook wat water voor me, wil je, dan laat ik je zien hoe ik mijn ontwaak-brouwsel klaarmaak.'

Tevreden over het vuur vulde hij haar kop met water en zette die zo neer dat het aan de kook kon komen. Hij ging naast haar zitten, wreef zijn handen in elkaar en zei: 'Of je was een heel overtuigend leugenaarster of een of andere krankzinnige meid uit Staffordshire met een onbegrensde fantasie.'

Ze had een onbegrensde fantasie... maar daardoor was ze niet hier gekomen, niet rechtstreeks althans. Hoewel dit een saai iemand nooit zou zijn overkomen. 'Wil je nog steeds gravin van me maken?'

Hij ging op zijn hurken zitten en glimlachte naar haar terwijl hij zijn handen warmde. 'Krankzinnig of niet, een verdwaalde meid of een gemene heks, jij bent wat ik wil.' Verliefde mannen zijn wonderbaarlijk immuun voor je fouten. En nu kon hij krijgen wat hij wilde. Hoe verschrikkelijk de dood van zijn vader ook was, hij stond nu wel boven aan de feodale keten, was troonopvolger uit York, gezalfd door het parlement, waaronder Londen en koning Hendrik, om het nog maar niet te hebben over verre oorden als Dublin en Calais. Edward kon krijgen wat hij wilde, landerijen en rijkdommen, het koningschap... zelfs haar. Zolang zijn handen tenminste warm waren.

'En hoe zit het met mijn magische horloge? Mijn elektronische dagboek?' Ze mocht dan eerder een gekke meid zijn dan een gemene heks, ze had wel het bewijs van haar wonderbaarlijke aankomst in de Middeleeuwen in handen.

'Die zijn inderdaad verbijsterend,' moest Edward toegeven. 'Maar die kunnen net zo goed iets mechanisch zijn, een wonder bedacht door verre ambachtslieden, volgens hun eigen buitenissige methoden, maar niet echt magisch.'

Helemaal waar. Haar horloge kon evengoed een grappig tijdklokje zijn, gedoemd om een rare armband te worden zodra de batterijen het begaven, wat elk moment kon gebeuren. Al haar reservebatterijen zaten in Lily's zadeltas. Edward hield haar doorzichtige, plastic aansteker omhoog en verklaarde: 'Jouw magische vuur bestaat alleen maar uit vuursteen, staal en vloeistof, je kunt erdoorheen kijken en zien hoe het werkt. Als de brandolie op is, ga je hem dan op magische wijze vullen?'

'Alleen als we extra hard bidden,' grapte ze en ze moest glimlachen om zijn ernst. Hoewel Edward nooit van de wetenschappelijke benadering had gehoord, kwam hij altijd tot de kern van de zaak, zelfs wanneer hij niet helemaal begreep wat hij zei.

Hij legde de aansteker naast haar hoofd en zei tegen haar: 'Toen dit op een ochtend naast mijn bed verscheen, een week later gevolgd door de ring, toen ging ik erin geloven. Maar zoiets onvoorstelbaars als gisteravond heb ik nog nooit meegemaakt.'

'Ik ook niet,' fluisterde ze. Ze boog zich naar hem toe en gaf hem een dankbare kus achter op zijn hand. Gisteravond was ze volslagen alleen geweest, bijna in de sneeuw bevroren en nu zat ze in warme extase verwikkeld, dat had ze allemaal aan hem te danken. En ook een beetje aan hertogin Wydville omdat zij hem de ring had gestuurd.

Edward straalde bij het compliment en wierp toen tegen: 'Zelfs liefde kan de winter niet in lente veranderen.'

Ze trok vragend een wenkbrauw op en vroeg: 'Wedden?'

Hij begreep onmiddellijk wat ze bedoelde, gleed onder haar mantel en vulde de koude windvlaag achter zijn grote lijf op. Warm geworden door het vuur, gleed zijn hand om haar heen haar jasje in, masseerde haar borsten door het zweterige zijden hemd en gleed toen verder naar beneden. Ze sidderde van opwinding tot zijn vingers haar naakte huid vonden. Ze klemde haar dijen stevig tegen elkaar, zijn hand zat zo tussen haar benen gevangen en vroeg hem: 'Kijk eens, mijn heer, is dat niet veel warmer? Bijna voorjaarsachtig?'

'Veel warmer, mijn vrouwe,' stemde hij in en zijn doelgerichte vingers vonden precies het goede massageplekje. Golven van stekend genot verspreidden zich door haar dijen toen ze zijn hand steviger tegen zich aan klemde en ze wentelde haar heupen tegen zijn schaamstreek. Met één hand tussen haar dijen en zijn vingers druk aan het werk, stak Edward zijn andere hand uit, hij streek langs haar lippen en draaide haar hoofd zijn kant op. Haar tong ontmoette zijn vinger en likte rondom de zoutige top. Toen ontmoetten hun monden elkaar in een diepe weldadige kus die lange liefdesdagen in het vooruitzicht stelde. Ze hadden er genoeg van dat ze mijlenver bij elkaar vandaan waren, wat een onzin.

Toen ze waren uitgekust, zei ze tegen hem: 'Zie je wel, als dat de lente niet tevoorschijn tovert, wat dan wel?'

'Dus kussen brengt de lente in het land?' Dit stukje derde-millenniumwetenschap was nieuw voor Edward.

'Natuurlijk.' Ze had het zelf nog nooit zien gebeuren, maar het was zo klaar als een klontje. 'Als de wereld zich naar de zon keert, wordt het er misschien warmer, maar de liefde brengt de vogels en bloemen naar buiten, en de groene knoppen van de lente. Waar denk je dat de kikkers over zingen?'

'Zingen kikkers over kussen?' Zijn vingers waren nog steeds aan het masseren waardoor haar heupen in beweging bleven terwijl zijn stijve ochtenderectie tegen haar achterste wreef. Het gelukzalige van een enthousiaste tiener was dat hij altijd zo gulzig naar haar verlangde.

'Heb je ze in de lentenachten niet horen zingen?' vroeg ze plagend. 'Hij kwaakt naar een vrouwtjeskikker en wordt dan in een prins omgetoverd?' Om het principe te illustreren gaf Robyn haar prins nog een lange, diepe kus, die zinderde van beloften.

Edward glimlachte toen hun lippen van elkaar loskwamen. 'Mijn vrouwe Pontefract weet haar verhaal uitermate boeiend te vertellen.'

Zelfs in een roversnest in Sherwood. Ze sloot haar ogen en zei tegen hem: 'Liefde brengt de lente, jaar in jaar uit, millennium na millennium, wekt de zaden in de aarde tot leven, drijft de groene scheuten de grond uit, vult de lucht met nectar en vogelgezang. Is dat niet net zo'n wonder als die ene warme nacht midden in de winter?'

Edward genoot van het biologiepracticum en hij fluisterde: 'Je bent een heel wijze vrouw, zelfs voor een heks. En ook nog eens een heel mooie dame.'

En ze gaf zich aan hem over, met haar hele ziel en zaligheid, wat precies was wat haar lord wilde. Als teken van zijn dankbaarheid maakte hij na afloop haar koffie, maakte haar laatste zakje instantmokka open, gooide het in kokend water en roerde met een twijgje – trots brouwde hij zijn eerste magische drankje. Hij stak zijn armen uit, en ze kreeg het gevoel alsof ze een extra paar stoere armen had die uit de dekens de kou in staken, voor het vuur zorgden en koffie voor haar maakten, gretig haar instructies opvolgend. Nog zo'n handig stukje vrouwenmagie. Kregen andere holenvrouwen ook zo'n behandeling? Waarschijnlijk niet van een omgorde graaf... maar ze hoopte van wel, want daardoor werd wakker worden op een besneeuwde winterochtend absoluut een zaligheid.

Toen de koffie klaar was, deelden ze die samen en bespraken de dag die voor hen lag. Edward wilde als altijd snel handelen en beweerde: 'We moeten recht over de heuvels naar Shrewsbury gaan. Ik heb gezegd dat ik was gaan jagen, maar niet waarop. Als er bericht komt van Wakefield en ze kunnen me niet vinden, breekt er paniek uit.'

Hoe behaaglijk de grot ook was geworden, ze was het ermee eens. Somersets ruiters schreeuwden het nieuws al van de daken en de Wydvilles zouden op zoek zijn naar haar en Edward, evenals Black Dick Nixon en zijn prachtige gestolen Brabantse hengst. Dat betekende dat ze niet doodleuk rechtstreeks via Ryknild Street naar Derby konden rijden zonder de aandacht te trekken van Edwards gewapende vijanden, die nu bijna alles ten noorden van Nottingham in handen hadden. Door de heuvels hadden ze de beste kans, ze zouden de zuidelijke uitlopers van het hoogland doorkruisen, waar slechts weinig maar gastvrije mensen woonden. De verste heuvelruggen waren een dag rijden bij Shrewsbury vandaan.

Dat verzekerde Edward haar althans toen hij Caesar opzadelde en vrouwe Robyn in haar gerafelde rij-jurk hielp, die nu door het vuur was gedroogd. 'Toen ik hoorde dat vader dood was, heb ik mijn schildknaap naar Hastings teruggestuurd met de boodschap dat ik naar Sherwood zou doorrijden en dat ik via Staffordshire hoopte terug te komen. Hastings begrijpt wel wat dat betekent.' Onwillekeurig grijnsde hij even, kennelijk blij dat hij haar weer in zijn bed had, wat zijn geliefde neef Hastings niet was gelukt. 'Als het ons lukt om de Dove over te steken, zijn we weer onder onze dierbare vrienden.'

Ze vatte zijn meesmuilende opmerking op als een compliment, kleedde zich aan en ging achter hem zitten met zijn jas over haar jurk en daaroverheen nog een mantel, die redelijk warm was en naar houtrook rook. Ze dronk nog een slokje koffie en vermande zich om de middeleeuwse wereld weer het hoofd te bieden, met de zoveelste heksennacht op zak, de eerste in 1461. Geen zomerse wonderen meer in gezellige grotten. Terug naar de veldslagen, bedmijten en schaamteloze banketten. Geroosterde spreeuwen in zoete gembersaus, of gewoon een bord paling met een paar ochtendeieren. Godzijdank hadden ze daar dienstmeiden. Ze dronk haar koffie op, sprak een gebed uit voor Deirdre en Matt, en voor Lily, die ze de afgelopen nacht in haar droom had gezien.

Ze lieten Sherwood achter zich en zwaaiden naar het zuidwesten af door Whaley Wood, lieten Bolsover en Chesterfield links liggen en reden over de bevroren velden zuidelijk langs Scarcliffe. Ze reden regelrecht over de heidevlakten en door de veenmoerassen naar de hooglanden in het westen. Ze kwamen bijna niemand tegen, op een paar verkilde zielen na die onder de sneeuw naar hout aan het zoeken waren, voorovergebogen stumpers met op hun rug gebonden sprokkelhout, ze gingen rechtop staan en staarden hen na. Edward droeg zijn borstplaat en halve wapenrusting, zijn zwaard, knots en helm hingen aan zijn zadel. Zelfs in het middeleeuwse Derbyshire was het een verrassing wanneer een ridder met een vrouwe achter zich op zijn paard uit Sherwood kwam rijden.

Ze kruisten een ruw stuk van Ryknild Street waar de resten van de oude Romeinse weg onder de sneeuw begraven lag, ze zag niets anders dan een dubbele rij paardensporen die naar het zuiden leidden, van een paar ruiters of een man met een pakpaard. Niemand had zich sinds de laatste sneeuwval van vannacht naar het noorden gewaagd, wat een goed teken was. Codnor Castle lag slechts een paar kilometer zuidelijker, maar van de westelijke heuvels waren er geen Wydvilles uitgereden om hen de pas af te snijden naar de westelijke heuvels, en ze hadden een riante voorsprong, mochten ze de achtervolging willen inzetten. Als iemand ze zou komen opjagen, moesten ze vanuit Codnor komen, aangezien niemand uit het noorden kon weten dat zij en Edward op de vlucht waren.

Bijna niemand. Aan de rand van de bossen ontmoetten ze de ruiter met pakpaard, het was Black Dick Nixon. Hij zag er wat verlept en katerig uit na zijn kennismaking met alcohol de dag tevoren, maar hij grijnsde nog altijd vrolijk onder zijn pothelm. Nixon droeg een gebutste borstplaat en hield het grote, anderhalve hand brede bastaardzwaard in de hand, die hij normaal gesproken over zijn rug droeg. Robyns pakpaard liep achter de grensbandiet aan, over het zadel hing een koningshert. Hij riep haar opgewekt toe: 'M'lady Stafford, wat geweldig om u te zien. We moeten elkaar vannacht zijn kwijtgeraakt.'

'Meester Nixon, wat een verrassing.' En wat een heerlijkheid om met de schurk te praten terwijl Edwards grote gewapende lichaam tussen hen in stond. 'Hoe wist u waar u me kon vinden?'

'Niets was eenvoudiger, m'lady.' Nixon genoot van zijn eigen vernuft. 'Ik wist dat u niet onder de sneeuw zou bezwijken, zeker niet in een heksennacht. Dus als ik van Sherwood naar de Marches op weg zou gaan, vroeg ik me af waar ik Ryknild Street kon oversteken. Vooropgesteld dat ik Codnor wilde vermijden en niet happig was op een ontmoeting met de sheriff. Deze eenzame weg diende zich als vanzelf aan, alleen had ik verwacht dat de vrouwe alleen zou zijn.'

'Weet u wie ik ben?' vroeg Edward op effen toon met zijn hand op zijn zwaardgevest.

Black Dick maakte een knikkende buiging zonder zijn hand van zijn zwaard te halen. 'Welzeker, uwe lordschap. Of liever gezegd: uwe excellentie,' corrigeerde Nixon zichzelf, 'ik zie dat u de nieuwe hertog van York bent. Blij dat ik daar de hand niet in heb gehad. Trollopes mannen hebben uw vader vermoord en een papieren kroon op zijn hoofd gezet. Een duivelse actie als u het mij vraagt. En lord Clifford heeft uw broer vermoord, op een walgelijke manier heb ik me laten vertellen... hoewel ik er zelf natuurlijk niet bij ben geweest...'

'Ik was erbij,' gaf Robyn toe, 'lord Clifford heeft hem gedood.'

'Dus bestaat er in geen van beide gevallen een bloedvete tussen ons,' concludeerde Nixon opgewekt, maar hij hield zijn ontblote zwaard nog altijd tussen hen in.

Edward knikte en zei: 'Met u heb ik geen bloedvete, noch met enige andere Nixon die ik ken.' Zijn hand bleef op zijn zwaardgevest hoewel hij geen beweging maakte om hem uit de schede te trekken.

'Ik wou dat de hele wereld dat kon zeggen,' verzuchtte Nixon melancholiek, 'dan zou de schepping er een stuk vrolijker uitzien. Dus als we om deze vrouwe moeten vechten, zou dat een enorme verspilling zijn.'

'Hoezo?' Edward klonk alsof de bandiet hem amuseerde. 'Voor mij is ze dat dubbel en dwars waard.'

'Dat komt omdat ze van u houdt,' legde Nixon beleefd uit. 'Als ze van mij zou houden, zou ik ook om haar vechten. Ze is mooi, dapper en trots, en ook nog eens een witte heks, hoewel ze een kneus is als het gaat om voorspellen. Ik zou graag mijn leven voor haar riskeren, als ze mijn vrouwe zou zijn geweest. Maar dat doe ik niet voor de lady van een ander.'

Slimme zet voor een bedachtzame kidnapper, vooral wanneer je tegenover een onverslagen jonge ridder staat die langer was en een groter armbereik had. Nixon had niet voor niets van hun reputatie gehoord. Robyn ging rechtop zitten en riep over Edwards stalen schouder: 'Bedankt dat u mijn paard hebt gebracht.'

'Uw paard?' Nixon deed alsof hij haar niet goed gehoord had. 'Wat bedoelt de vrouwe precies?'

'Achter u,' ze wees naar de vos, 'onder dat geschoten hert.'

'Dit hert is niet geschoten,' wierp Nixon tegen, handig ging hij op een ander onderwerp over, dekte zo de ene misdaad met de andere toe. 'Ik heb hem zo gevonden...'

'Ik weet het, ik weet het,' wuifde Robyn zijn excuses weg. 'U vond die bok omdat hij aan de kant van de weg voor dood lag, gevoelloos overreden door een op hol geslagen bierkar en nu neemt u hem mee naar huis en brengt u hem weer tot leven met tedere zorg en warme bouillon. Veel succes bij uw inspanningen, maar u zult het zonder mijn paard moeten doen.'

Black Dick zag dat hij klem zat. Welke beetje handige paardendief zou met een ridder om een pakpaard vechten, wanneer hij het Brabantse krijgsros van een graaf mocht houden? Met zijn boerenverstand had hij gedacht dat ze het onschatbare krijgsros zouden nemen en verdwijnen voordat de eigenaars arriveerden. 'Natuurlijk. U leek zo natuurlijk achter de jonge lord te zitten, dat ik er nooit aan had gedacht dat u deze zo graag terug wilde.'

'Nou, aangezien je er nu wel aan denkt, wil ik dat je hem teruggeeft.' Met twee paarden zouden zij en Edward twee keer zo snel vooruit kunnen komen. Een extra rijdier kon met gemak het verschil uitmaken tussen ontsnapping en gevangenschap.

Nixon zag dat hij geen keus had, steeg met veel misbaar af en slingerde het dode hert over de Brabantse billen, wat het krijgsros niet fijn vond. Toen leidde hij het pakpaard naar haar toe, boog en reikte haar de teugels aan. Hij zei: 'Hier is hij, m'lady, net zoals de vrouwe hem had achtergelaten. Ik reken niets voor voedsel of onderdak. Beschouw het als een geschenk.'

Ze nam de teugels over, bedankte hem grootmoedig dat hij zo goed op haar paard had gepast en negeerde beleefd het hertenbloed op het zadel. Black Dick boog en kuste haar hand, aan zijn pink droeg hij de gouden ring die ze hem had gegeven om op Maria te passen, in de wijkplaats van Saint Martin-le-Grand. Maar uiteindelijk bleek dat Maria over hen beiden had gewaakt. Toen reed Black Dick Nixon weer uit haar leven, nog altijd richting noorden. Deze keer was ze na een ontmoeting met hem tenminste een paard rijker. Toen ze hem nakeek, bad ze dat hij niet zou stoppen voordat hij in Tynedale was en ze wenste dat alle mannen die koningin Margaret naar het zuiden had gestuurd zich om zouden draaien en naar huis zouden gaan. En als iedereen een stukje uit het zuiden met zich mee zou nemen, zouden ze misschien allemaal zo gelukkig thuiskomen als Black Dick Nixon... maar ze betwijfelde het of het zo makkelijk zou gaan.

Van nu af aan zou niets meer makkelijk gaan. Er stond nog slechts een flinterdun leven tussen Edward en de kroon, de zwakke en labiele koning Hendrik, die ondanks overerving en tegen beter weten in nog steeds op de troon zat. En als Hendrik dood ging, was er geen Rutland meer die de kroon over kon nemen. Hendriks andere erfgenaam was een kind-prinsje uit Wales, die door koningin Margaret was opgevoed. Het enige wat voor zijne jonge hoogheid te zeggen viel was dat het nog een jaar of tien zou duren voordat hij koning kon worden. Ze legde haar armen om Edwards gepantserde middel en wist dat ze de voor de hand liggende keus omhelsde. Wijs, galant en vergevingsgezind. Edward had alle kwaliteiten die de meeste mensen graag in een koning zagen. Of in een man, als het daarom ging.

Ze gingen recht naar de westelijke hoogvlakten om Codnor te vermijden, toen langs de Amber naar de beboste toppen die op de Derwent-vallei neerkeken, opgesloten in de vredige winter onder een sneeuwdek. Ze reden de Derwent stroomafwaarts af, staken hem bij een gladbevroren oversteekplaats over en klommen toen naar de verste heuvelruggen. Daar kwamen ze op een uitgestrekte heidehoogvlakte, waar de wind de lichtere sneeuw had weggeblazen en een paar diepe plekken op het dode gras had achtergelaten.

Ten zuiden van Stanton-in-the-Peaks was de heide bezaaid met cirkelvormige steenhopen, oude begraafplaatsen en lage steencirkels die kriskras door elkaar lagen, er was geen patroon in te ontdekken. Robyn zag het in elk geval niet toen ze erlangs reed. Op het hoogste deel van de heidevlakte stuitte ze op een kring van negen, als gebukt staande stenen op de binnenrand van een lichte aardwal. Robyn hield de teugels in en herkende onmiddellijk de stenen cirkel uit haar droom.

'Ze worden wel de negen lady's genoemd,' vertelde Edward haar. 'Vrouwen die zo lang en zo ernstig op deze hoogvlakte hebben gedanst, dat ze er deel van gingen uitmaken.' Hij wees naar de kolenzandsteen waar Rutland had gestaan en voegde eraan toe: 'Hier in de buurt noemen ze dat blok de Steenkoning.'

En zij had gehoopt dat Rutland ooit in plaats van Edward koning zou worden. Alles was precies zoals ze het in haar droom had gezien. Dat was haar één keer eerder overkomen, bij Hunsbury, met een oud ringfort in de buurt van Hardingstone, waar ze in de coven van hertogin Wydville was ingewijd. Ze had de plek op een heksennacht gezien en was er toen zomaar werkelijk op gestuit, op weg naar Northampton. Hunsbury bleek een poort tussen het heden en verleden, waardoor ze weer terug kon naar het Londen van het derde millennium. Deze plek kon wel eens net zo belangrijk voor haar zijn.

Maar hoe dan? Ze aarzelde, wist niet zeker wat ze moest doen en zei tegen Edward: 'Ik moet hier bidden.' En om raad vragen.

'Waarom?' vroeg Edward verbaasd. 'Weet je iets van deze negen lady's?'

'Misschien.' Op Baynards Castle had hij zelf met Jo en Bryn gedanst, en met een paar van hertogin Wydvilles dochters, maar heksennachtdromen waren vrouwengeheimen, helemaal als er covenleden bij betrokken waren. Ze steeg af en probeerde al die gedachten opzij te zetten. Ze moest hier en nu besluiten hoezeer ze op haar magie kon vertrouwen. Heksennachtdromen kon je niet zomaar opzijschuiven. Ze had niet voor niets over deze plek gedroomd, ze had zichzelf daar gebracht, samen met Lily en de negen vrouwen. Maar waarom? En voor wie? Tot nu toe hadden heksenvluchten en wakende dromen haar wonderbaarlijke macht gebracht, en eindeloze moeilijkheden. Was haar laatste droom een uitnodiging of een waarschuwing? De Wydvilles waren daar in volle wapenrusting verschenen. Zelfs als hertogin Wydville de droom niet had gestuurd, kon de heksenpriesteres er makkelijk op zijn geattendeerd.

Robyn moest op Maria vertrouwen, die in haar hertenvel de dans had geleid. De maagd Maria van Sherwood was in haar droom verschenen, net zo duidelijk als toen ze haar met wolf en hert had zien rennen. Robyn betwijfelde het of hertogin Wydville het had gewaagd daarmee te knoeien, als de heksenpriesteres daar al toe in staat was. Sommige dingen waren te heilig om mee te spotten. Hekserij werkte met natuurlijke oorzaak en gevolg, liefde, haat, angst en hoop, en betoveringen werkten het beste als ze werden opgeroepen. Op Halloween had ze de schim van hertog Somerset willen oproepen, maar deze keer had ze alleen maar een dankwoord gezegd en om raad gebeden. En als antwoord had ze die droom gekregen. Hoe kon ze daar zomaar aan voorbijgaan?

Natuurlijk zag Edward het zo niet, hij wilde doorrijden, wilde morgen voor het invallen van de duisternis in Shrewsbury zijn. 'Ik moet er zijn om het volk te kalmeren wanneer het nieuws van de nederlaag zich verder verspreidt. Het is beter dat de mensen de waarheid van jou te horen krijgen dan geruchten die gaandeweg alleen maar erger zijn geworden.'

Hij had natuurlijk gelijk, ze waren nog maar een kleine veertig kilometer bij Sherwood vandaan en de dag was nog lang niet om. Als ze voortmaakten, konden ze tegen de schemering de hoogvlakten achter zich hebben gelaten. Maar magie was niet altijd logisch, en als ze haar gevoelens zou opofferen aan de politieke situatie in Shrewsbury, kon ze net zo goed toegeven en koningin worden. 'Jij hebt de route gekozen en hier zijn we terechtgekomen. We zijn hier met een doel naartoe gestuurd en daar moeten we doorheen.'

'Is dat zo?' Edward leek niet overtuigd. 'We moeten deze hoogvlakten oversteken evenals de Dove naar Staffordshire, waar vrienden ons popelend staan op te wachten. Als we doorrijden, kunnen we vanavond veilig in Stafford overnachten, is dat geen mooi doel?' Robyn Stafford was in heel Engeland en Wales geweest, met inbegrip van meer exotische delen als Ierland en Calais, maar ze was nooit in haar zogenaamde geboorteplaats Staffordshire geweest. 'Als we hier treuzelen, hebben we morgen een lange dag voor de boeg, we moeten dan bij het ochtendkrieken opstaan en komen pas in het donker in Shrewsbury aan.'

Ze boog zich naar hem toe, kuste hem en zei: 'Je weet het altijd zo aanlokkelijk te brengen. Het ochtendkrieken dan maar.' In haar droom was Lily bij dageraad gekomen.

Edward had dat als tegenargument bedoeld, niet als een aanbod, maar hij was te galant om het terug te nemen. Hij had zijn vrouwe beloofd om bij Stanton-in-the-Peaks te blijven en haar de volgende dag naar Shrewsbury te brengen, en hij was middeleeuws genoeg om te vinden dat dat het enige was wat ertoe deed. Ze kuste hem weer dankbaar en zei: 'Als je me wilt, moet je mijn heksenkant erbij nemen.'

'Ik zou het niet anders willen,' protesteerde hij en hij bekeek de stenen cirkel en eenzame steenhopen die eromheen lagen. 'Wat ik in Sherwood heb gezien, was zo verbazingwekkend, zo wonderbaarlijk, dat ging alle verbeelding te boven. Ik heb altijd gedacht dat ik alles zelf moest doen, dat het anders niet goed zou gaan. Ik ergerde me aan mijn vader als hij niet handelde of juist overhaast te werk ging. Ik dacht dat als hij nou maar naar mij luisterde, alles goed zou komen. Nu zie ik dat er dingen kunnen gebeuren die groter zijn dan ik, we zijn net een stel acteurs in een van jouw realitystukken, al spelende bedenken we zelf onze tekst en denken dat we alles onder controle hebben. Mijn vader ging tegen de gebeurtenissen in en is nodeloos gestorven... zelfs een dwaas ziet hier de les van in.'

'Welk les is dat dan?' Ze wist werkelijk niet wat Edward hier van dacht, behalve dat hij Hendriks troonopvolger was en nu zijn vader en Rutland zo zinloos had verloren.

'Nou, dat Engeland vrede en een goede regering wil.' Hij was verbaasd dat ze het vroeg. 'Wat jij steeds al zegt. Engeland zal elke rechtvaardige lord goedgezind zijn, maar iedereen afwijzen die dat wil dwarsbomen, hoe edel hij ook is. Mijn vader heeft zichzelf boven de vrede van het koninkrijk gesteld en gemerkt dat niemand met hem mee ging.'

Ze pakte zijn hand en zei: 'Behalve degenen die werkelijk van hem hielden en achter zijn zaak stonden.' Ze dacht aan Salisbury en meester Harrow, en jonge knullen als sir Thomas Neville. 'Velen waren graag bereid voor hem te vechten.'

Hij kneep haar in de hand en voegde eraan toe: 'Zelfs heksen hebben geprobeerd hem te waarschuwen.'

Ze had niet stilgestaan bij hertog Richards koppigheid, maar Edward was slim genoeg om zich het tafereel te kunnen voorstellen. Ze vonden onderdak in een boerderijtje van een weduwe en sliepen op een rokerige zolder een stuk bij het vuur vandaan, maar gelukkig boven het ongedierte. De lakens waren fris en droog, en de stoofpot die de vrouw voor hen had klaargemaakt, was prima maar zonder kraak of smaak. Edward stal het hart van zijn gastvrouw door een zak zout tevoorschijn te toveren, waar de vrouw een snufje van gebruikte. Hij stelde zich voor als de graaf van Ulster, een titel die hij eveneens had geërfd. Hij pakte de eenzame weduwe helemaal in, hij liet haar geheimhouding beloven en ze was helemaal opgewonden dat hij haar in vertrouwen nam. Als ze hier zouden worden ontdekt, kon dat alleen maar door middel van magie.

Robyn ging bij de avondschemering naar buiten om de magische atmosfeer te proeven, terwijl Edward hun gastvrouw bezighield. Ze ging naar de Negen Lady's om te bidden, ze bleef staan tot ze drie sterren boven zich zag en probeerde een gevoel voor de plek te krijgen. Het enige wat ze voelde was de kou die vanaf de grond in haar kuiten en knieën trok. Hekserij was niet altijd een sprong van de winter naar de zomer en vaak moest je in een verkrampte houding stilletjes bidden, mijmerend over je fouten uit het verleden en je vooruitzichten in de toekomst.

Toen ze op de boerenhoeve terugkwam, stond de weduwe met een roetzwarte lantaarn op haar te wachten en ze zei dat haar ridder zich al op de kleine zolder had teruggetrokken. De weduwe schonk haar een grimmig lachje en fluisterde haar toe: 'Meissie, pas op voor die jongen, geef niet toe tenzij hij met je wil trouwen.'

'Maakt u zich maar niet bezorgd.' Robyn moest lachen dat de weduwe zo ongerust was en zei: 'Hij trouwt met me.' Probleem was alleen dat Edward haar ook koningin wilde maken.

'Dat zeg jij,' snoof de weduwe. 'Ik heb tientallen appetijtelijke meisjes als jij meegemaakt die er met knappe jonge landjonkers, graven en zo, vandoor waren gegaan, het meisje was altijd de pineut. Ze laten haar bedelend achter om haar bastaardzoon te kunnen voeden, terwijl ze veel gelukkiger af zou zijn met een eerlijke melkknecht of houthakker, die zichzelf dood werkt om het zijn mooie vrouw naar de zin te maken.'

Deze goedbedoelende weduwe had haar in gedachten al zwanger gemaakt en uitgehuwelijkt aan een handelsman, dus Robyn probeerde haar gerust te stellen. Ze zei: 'Maakt u zich over mij maar niet bezorgd, ik ben een vrouwe en heb mijn eigen inkomsten.' En de schulden die daarbij horen.

'Kletskoek. Jij, een lady?' Haar gastvrouw lachte bij de gedachte. 'Je praat als iemand van de hooglanden, en ik wed dat je geboorteplaats niet zuidelijker ligt dan Staffordshire.' Deze keer moest vrouwe Robyn zich inhouden om geen ruzie te maken.

'Jij bent net zomin een lady als die mooie jonge schavuit in wapenrusting een graaf van Ulster is.' Maar de oude weduwe bracht haar toch naar de zoldertrap en stond oogluikend haar heimelijke zonde toe. 'Nog even en je gaat me vertellen dat je de hertog van York kent.'

13

De brug over de Dove

Ze stond bij het ochtendkrieken op, ze wilde Edwards terugkeer naar Shrewsbury zo min mogelijk ophouden. Ze zocht haar kleren bij elkaar en glipte stilletjes het bed uit. Ze ontdekte onmiddellijk dat Edward een beetje oponthoud helemaal niet erg vond, zolang dat maar door haar in een warm, behaaglijk zolderkamertje gebeurde. Politiek, familie, wapengekletter en al zijn haast waren vergeten toen hij haar in een heus touwbed had en niet in een of ander hol in de sneeuw. Hoe houd je een in lichterlaaie staande moloch van een jongen tegen? Niet met gewapende piekeniers en een batterij kanonnen. Eén mooie vrouw in haar nachtpon kon met gemak meer bereiken waar duizend lansen geen schijn van kans hadden. Robyn hoefde niet eens zo mooi te zijn, aangezien Edward klaarwakker was en vast van plan om de steunbalken van de zolder uit te testen.

'Rustig aan, mijn heer,' fluisterde ze. 'Ik geloof dat deze kamer bedoeld is om in te slapen.'

'Dat is waar,' gaf hij toe, 'maar het kan ermee door. Kom hier, ga boven op me liggen.' Maar de steunbalken van de zolder werden gered door het geluid van een paard buiten... snelle, gretige hoefslagen gevolgd door een bekend gesnuif en gehinnik. Tot grote teleurstelling van haar lord trok Robyn haar wollen broek aan en gooide een mantel over haar hemd, ze wilde per se zien wat voor paard daar aan kwam lopen. Edward hielp haar de verraderlijke trap af en kwam toen zelf ook, met het zwaard in de hand voor het geval het paard problemen betekende. Ze jaagde ganzen en kippen weg, stapte uit het boerderijtje op de ijzige grond en wilde dat ze haar laarzen had aangetrokken.

Daar was Lily, witter dan de sneeuwvlokken die als vlekken op haar vacht plakten, snuivend en stampend te midden van de lage steenblokken, net als in haar droom. Robyn riep haar merrie en Lily kwam naar haar toe gedraafd, blij dat ze haar meesteres weer had gevonden die ze sinds het opstootje vorige week in Wakefield was kwijtgeraakt. Lily had geen zadel, geen stijgbeugels, niet eens een hoofdstel, maar de merrie wilde duidelijk dolgraag dat alles weer normaal werd, ze draafde naar haar meesteres, kwam tot stilstand en schudde geestdriftig met haar hoofd. Lily was blij dat ze haar eigenaar had teruggevonden en hoopte op een beloning.

En net als in haar droom, greep Robyn een bos manen en trok zichzelf op de rug van het paard. In tegenstelling tot haar warme, nevelige heksennachtdroom zat ze nu op een opgewonden dier van vlees en bloed, en een koude wind veegde tussen haar wollen mantel en dunne nachthemd. Ze begroef haar blote voeten in Lily's witte, warme flanken.

'Waar komt zij nu vandaan?' vroeg Edward, hij zag er heel romantisch uit, zo halfnaakt op de hei, zwaard in de hand, als een jonge heidense krijger uit de sagen. Terwijl hij in werkelijkheid een heel christelijke prins was, een koninklijke hertog en erfgenaam van de troon, als je de Act of Accord tenminste accepteerde.

Wat Robyn nog steeds niet deed. Edward mocht haar lichaam dan hebben, haar stem had hij niet. Voor haar was politiek een en al slangenkuilen en toverkunsten. Ze ging rechtop zitten en riep naar hem: 'Ik weet het niet. Ik ben haar vijf dagen geleden in Wakefield kwijtgeraakt.'

Wakefield was zo'n zeventig kilometer hiervandaan, de heuvels over naar het noorden. Hoe had Lily geweten dat ze hiernaartoe moest komen? Misschien had haar merrie ook wel een droom gehad. Maria was onze Vrouwe van de Dieren, aanbeden sinds het paleolithische tijdperk vanwege de macht die ze over dieren had, die ze in tijden van nood naar mensen toestuurde. Welk wonderbaarlijk verhaal ook achter die magische verschijning van haar merrie zat, Lily zou het haar nooit kunnen vertellen. Sommige dingen zouden altijd een mysterie blijven.

Wat er ook gebeurd was, deze droom kwam uit, niet op een vage, onverwachte manier, maar een daadwerkelijke beloning van een diepgevoelde wens die glashelder in haar slaap was voorspeld. Magie voor de vuist weg, net zo welkom als mysterieus. Robyn had zo hard gewerkt om haar wakende leven op orde te krijgen, dat ze te weinig aandacht aan haar dromen had besteed, die nu solide en werkelijkheid werden. Niet alleen door de terugkeer van haar paard werd ze eraan herinnerd dat haar groeiende krachten het gevolg waren van een geestelijke eenheid, niet verdeeld in logische categorieën als waken en dromen, willen en zien, verleden en toekomst, of zelfs menselijk en dierlijk. Lily was duidelijk naar haar op zoek geweest, net zoals zij haar merrie had willen terugvinden. Met haar knieën spoorde ze Lily aan naar de plek waar de Negen Lady's in hun dans bevroren stonden, vanaf de paardenrug dankte ze voor de droom en de vervulling ervan.

Edward herinnerde zich, wakker en half gekleed, hoeveel haast hij had om naar Shrewsbury te komen, dat ongetwijfeld al in rep en roer zou zijn omdat hij nog niet terug was. Shrewsbury was nog een lange dag rijden te gaan, hun vrienden hoefden niet nog een slapeloze nacht door te brengen, dus dat moest lukken. Edward hielp haar afstijgen en in plaats van haar naar de zolderkamer terug te sleuren, droeg hij haar aan de weduwe over, terwijl hij de paarden ging verzorgen.

Het speet de oude weduwe dat ze moest gaan, ze hielp haar aankleden, streelde bewonderend haar zijden onderjurk, designer ondergoed en het zachte linnen dat ze onder haar rij-jurk droeg. Maar het leven van een eigenzinnige lady was totaal niet aantrekkelijk voor de arme rechtschapen landarbeidster. 'Als je jonge ridder je slecht behandelt, en dat doen ze altijd, dan ben je hier altijd welkom. Ik laat me niet zeggen dat ik een meissie wegstuur, hoe stom en ongelukkig ook.'

'En als u ooit om geld verlegen zit, of hulp nodig hebt bij de huur, doe dan een beroep op vrouwe Stafford van Pontefract.' Hopelijk kon ze wat geld lenen. Ze gaf de weduwe een afscheidskus en besteeg met hulp van Edward haar vos, omdat Lily nog steeds geen zadel of hoofdstel had. Ze wilde de vos niet achterlaten, het arme beest was deze week al een paar keer van eigenaar gewisseld, en begon er juist aan te wennen dat hij weer bij haar terug was.

Hoe snel Edward ook alles in gereedheid had gebracht, ze kwamen niet zomaar weg. Vanaf haar pakpaard zag Robyn twee ruiters uit de heuvels zuidwaarts rijden, langs Stanton-in-the-Peaks. Ze keken koortsachtig om zich heen, ze zag dat ze ergens naar zochten, hoogstwaarschijnlijk naar Lily. Ze waarschuwde haar ridder: 'We krijgen gezelschap.'

Edward steeg onmiddellijk op, maakte de zware knots van zijn zadel los en liet de leren lus van het handvat over zijn pols glijden. Hij had zijn maliënkolder aan met het blauw-en-goud van Mortimer, en van een afstand konden die kleuren makkelijk verward worden met ruiters van Roos of Somerset. Zij droeg de Stafford-kleuren, net als de nieuwkomers. Toen ze dichterbij kwamen, herkende ze meer dan alleen hun kleuren. 'Het is mijn onhandelbare huishouden.'

Deirdre en Matt Davy reden naar hen toe en hielden halt, opgewonden begonnen ze in verschillende talen door elkaar te praten. Overgelukkig dat ze weer terug waren in haar dienst, legden ze uit hoe ze ten oosten van de bossen onder Wakefield terechtgekomen waren, en onderdak hadden gevonden op een boerderij in de buurt van Pontefract. 'De mensen daar wilden maar al te graag mensen in uw kleuren verstoppen,' legde Matt uit. 'We zijn daar twee dagen gebleven, totdat we hoorden dat u door Wentbridge naar het zuiden was getrokken.'

'Vergezeld van de Wydvilles,' voegde Deirdre er nadrukkelijk aan toe.

'Wij zijn u gaan zoeken, door Wentbridge en Skelbrooke, helemaal tot aan de rand van Sherwood. Voorbij Tickhill hoorden we geen nieuws meer over u en werden gek van onzekerheid,' gaf haar paardenmeester toe, 'en er was weinig hoop op succes.'

'Maar Lily vonden we wel,' verklaarde Deirdre gelukkig.

'Dat was onder Skelbrooke,' vertelde Matt haar. 'Uw merrie zat tussen een troep paarden die door een paar van Cliffords ruiters uit Yorkshire naar het zuiden werden gebracht. De meeste hadden hun zadels en teugels nog, ze waren volgepakt met buit uit Wakefield, wapens, wapenrustingen en laarzen van gesneuvelden. Cliffords mensen zijn schorem, ongemanierde schoften, zelfs voor noordelijke begrippen.'

'Was lord Clifford bij hen?' vroeg Edward achteloos. Robyn wist dat hij niet kon wachten om Clifford te pakken te nemen, en dat nam ze hem bepaald niet kwalijk. Gelukkig hoefde zij het alleen voor Somerset op te nemen, die had tenminste nog geprobeerd het leven van Salisbury te sparen.

'Nee, van lord Clifford hebben we niets gezien,' bekende Matt en hij voegde eraan toe: 'het waren niet zijn persoonlijke krijgslieden, meer misdadigers te paard met stalen beschermkappen in het livrei van Clifford. Ze profiteerden van het publieke conflict van hun heer en pochten erover hoe slim ze wel niet in Yorkshire waren geweest.'

'Matt heeft Lily van ze gestolen.' Haar roodharige meid was helemaal opgetogen door Matts onverwachte talent als paardendief.

'Eigenlijk heb ik haar niet gestolen,' wierp Matt bescheiden tegen. 'Zodra Lily Ainlee zag, wilde ze met ons mee. Ik hoefde alleen haar lijn maar los te maken toen die noorderlingen dronken waren en even niet opletten. Maar ze zullen het ongetwijfeld als diefstal aanmerken, dus zijn we over de hoogvlakten getrokken en bij de wegen uit de buurt gebleven. Overdag reden we naar het zuiden en 's nachts verbleven we bij pachters. Afgelopen nacht hebben we bij een schapenboer gelogeerd ten noorden van Stanton, lekker warm en behaaglijk tussen de schapen.'

'En vanochtend liep Lily zomaar weg,' Deirde deed alsof de merrie het allemaal zorgvuldig had voorbereid, 'ze heeft met haar tanden haar lijn losgemaakt, maar gewacht tot wij op waren, toen heeft ze de lijn van zich afgegooid en is in zuidelijke richting gegaan. Sinds zonsopgang zitten we al achter haar aan. Lily liet ons steeds heel dichtbij komen, en zodra we haar hoofdstel hadden afgedaan, galoppeerde ze de volgende heuvel over.'

Lily wist kennelijk precies waar ze naartoe ging, ook al wisten de ongelukkigen die achter haar aan zaten dat niet. 'Heb je haar hoofdstel? En hoe zit het met het zadel en de tassen?'

'Haar zadel hebben we bij de schaapherders achtergelaten,' Matt knikte naar het noorden. 'Maar ik heb de tassen bij me. Cliffords mannen hebben alleen het zilver eruit gehaald, de rest hebben ze niet aangeraakt.'

'Er was geen zilver meer om mee te nemen.' Ze lachte iedereen uit die er een sport van wilde maken om haar te beroven. 'Ze keek in de tassen en zag dat ze nauwelijks open waren geweest. Iemand had erin gerommeld op zoek naar iets van waarde, de tampax, blusher en antibioticapillen lagen door elkaar, maar er leek niets weg. 'En dat andere spul vonden ze maar niks.'

Matt haalde zijn schouders op. 'Als je het niet kunt uitgeven of opdrinken, dan hoeven lord Cliffords ruiters het niet.' Godzijdank, want ze had haar spullen hard nodig, kleine dingetjes als verkoudheidspillen en batterijen waardoor de Middeleeuwen leefbaarder werden.

Voordat ze vertrok, ging Robyn nog in haar eentje afscheid nemen van de Negen Lady's. Ze steeg naast de lage kring stenen af, dankte Maria voor de terugkeer van Deirde, Matt en Lily en dat haar kleine huishouden weer compleet was. Ze ging uit het noorden weg en had niets anders verloren dan het leengoed Pontefract, wat om te beginnen niet eens echt van haar was geweest. Ze bad tot Maria om haar kracht te geven en dat ze alles wat ze zou tegenkomen zou kunnen dragen. Ze vroeg zich af hoeveel vrouwen hier door de eeuwen heen hadden geknield, met diezelfde wensen in hun harten. Minstens duizenden, als schakels in een reusachtige levensketen. Ze sloeg een kruis voor het heidense monument, kwam overeind en steeg op, en keerde terug naar haar bedienden en haar verloofde.

Ze reden naar het zuidwesten, rechtstreeks naar Shrewsbury. Ze bereikten een stuk hogergelegen bosgrond in de buurt van Cratcliff Rocks, waar een natuurlijke geul in de lange met sneeuw overdekte helling verscholen ging achter een indrukwekkende zandstenen berg, die Robin Hoods Pas werd genoemd. Voorbij de geul lag de rivierbedding van de Dove en de grens met Staffordshire, de zuidelijke uitloper van de hoogvlakten. Boven aan de geul bleven ze onder een paar kale bomen staan en keken achterom. Matt zag ruiters achter hen aankomen, ze kwamen uit de richting van de Negen Lady's en Stanton-in-the-Peaks. Edward vroeg: 'Welke kleuren dragen ze?'

Matt ging rechtop in zijn zadel staan, tuurde ingespannen en zei toen: 'Wit en rood.'

'Wydvilles,' concludeerde Edward en hij keek ter bevestiging naar Robyn. De lord van March had zoveel vijanden, dat het maar goed was dat ze elk hun eigen kleurtje hadden.

Ze knikte instemmend, ze hoefde hun embleem niet eens te zien. Wie anders dan de Wydvilles wisten dat ze hen bij de Negen Lady's moesten zoeken? Hertogin Wydville had haar niet die heksennachtdroom over de Negen Lady's gestuurd, maar kennelijk wist de hertogin er alles van. Tenslotte hadden hertogin Wydville en haar blonde dochters in de droom op de heilige grond gedanst, zeker een teken dat ze een deel van het visioen hadden opgevangen. Je hoefde tijdens heksennacht de naam van hertogin Wydville maar te laten vallen, of ze nodigde zichzelf uit.

'We moeten ze tot de Dove voor zien te blijven,' besloot Edward. 'Ik verwacht dat Hastings me door Staffordshire kan loodsen, dus als we daar eenmaal zijn, is er hulp.'

Ze gingen allemaal over in galop, sneden door de velden en sprongen over bospaden, op weg naar de rivier de Dove, zo'n negen kilometer verderop. Het waren een snelle, angstaanjagende negen kilometer die Robyn in recordtijd aflegde, nog steeds op haar noordelijke vos. Ze moest de zware ruin voortdurend tot snelheid aansporen, kalm geduld konden ze vandaag niet gebruiken. Lily rende gemakkelijk naast haar voort, ze hoefde niets te dragen en genoot van de jacht. Edward voerde de terugtocht aan, met Deirdre in zijn kielzog, terwijl Matt Davye de achterhoede vormde, klaar om toe te schieten als een paard ermee ophield of ten val zou komen.

Ze kruisten de resten van een Romeinse weg en beklommen de laatste heuvelrug die over de Dove-vallei uitkeek. Vanaf de kam zag Robyn een stuk of tien ruiters die het op hen hadden voorzien en die inderdaad de rood-witte kleuren van Wydville droegen. Ze moesten versere paarden hebben dan zij, want ze kwamen zienderogen naderbij. Ze zag dat Grey van Codnor bij hen was, de vriendelijke lord alchemist, nu aan het hoofd van een groep gewapende ruiters in zijn livrei. Ze voelde zich schuldig, als ze er niet op had gestaan om de nacht bij de Negen Lady's door te brengen, dan had Edward makkelijk kunnen ontsnappen. Wat er ook zou gebeuren, het was allemaal haar schuld, alweer.

Ze daalden af naar de Dove-vallei en reden regelrecht naar de rivier, spetterden de modderige brug af in de hoop dat die naar een brug voerde. Hier meanderde de Dove door hoog heidelandschap en groenbruin moerasland met hier en daar wat groepjes kale bomen, om dan in de steile, dikbeboste Dove-vallei te storten. Als ze de rivier eenmaal over waren, zouden ze vrienden en een schuilplaats vinden, maar eerst moesten ze een brug over de Dove zien te vinden, die door regen en smeltwater gezwollen was. Het kalme riviertje was in een brede, snelstromende barrière veranderd. De Wydvilles waren nog zo'n anderhalve kilometer achter hen en kwamen snel dichterbij.

Maar toen ze bij de brug waren aanbeland, stonden er meer gewapende ruiters voor hen, een stuk of zes in de Wydville-kleuren, en twee keer zoveel onder de bomen aan de kant van Staffordshire. De moed zonk haar in de schoenen en ze zag voor zich uit nog meer gewapende mannen. Wat had het nog voor zin om verder te rennen, hun paarden werden er immers alleen maar moe van? Geschrokken door wat ze allemaal had aangericht, riep ze naar Edward: 'Zullen we een door-waadbare plaats verder stroomopwaarts zoeken?'

'Nee.' Edward schreeuwde achterom, hield de teugels in en wees naar de ruiters aan de overkant van de rivier. 'Kijk, die mannen in Staffordshire dragen purper-rood en blauw, dat zijn de mensen van Hastings.'

Het was duidelijk dat de mannen onder de bomen aan de overkant donkerrood en blauw droegen, het kon inderdaad ook purperrood zijn. Hoe dan ook, het waren geen Wydvilles. Toen ze beter keek, zag ze dat de Wydvilles aan deze kant van de rivier het de mannen uit Staf-fordshire beletten over te steken. De smalle stenen brug kon met gemak door één man worden geblokkeerd, laat staan door zes.

Edward bond zijn rug- en borstmaliënkolder vast, en deed zijn helm op, klaar om vechtend de rivier over te steken. Matt had ook een helm en maliënkolder, zij en Deirdre waren met hun goud-met-scharlakenro-de rij-jurken jammerlijk slecht voorbereid. Geen van tweeën droeg een fatsoenlijke hoofdtooi, laat staan een helm. Matt bood zijn metalen pantserhemd aan, gezien de omstandigheden een heel lief gebaar.

Robyn zei alleen dat hij Lily moest opzadelen. Zij en Deirdre zou-den als het om bescherming ging het wel met hun jurken doen, in de hoop dat niemand op ze zou schieten. Zoals die wrede, wraakzuchti-ge lord Clifford had gezegd, zij waren de beloning in de strijd, niet de vijand. Bovendien was er maar één maliënkolder, en zij en Deirdre konden dat moeilijk delen. Matt gehoorzaamde en trok het zelf aan.

Edward maakte de knots van zijn zadel los, gaf die aan Matt en zei: 'Ik ga op kop. Zorg jij dat de vrouwen veilig en dicht achter ons blij-ven.'

'Ja, mijn heer,' antwoordde Matt terwijl hij de zware knots optilde. 'U slaat ze tegen de grond en ik zorg dat ze daar blijven.'

'Uitstekend.' Edward was het volslagen eens met Matts tactiek en zwaaide ondanks zijn stalen wapenrusting met gemak terug in het zadel. 'We zullen ze laten zien waarom ruiters nooit voet bij stuk moe-ten houden.'

Robyn besteeg voor de tweede keer die ochtend Lily, ze boog zich naar voren en gaf Edward een lange kus – die voor de zoveelste keer wel eens hun laatste zou kunnen zijn. Daarna zei ze: 'Probeer niemand te vermoorden.'

'Uiteraard, mijn vrouwe.' Edward zat barstensvol zelfvertrouwen dat door haar kus nog eens groeide. 'De ochtend is veel te mooi om met bloedvergieten te laten bederven.' Toen trok hij zijn zwaard en stormden ze tussen de bomen door naar voren. De zes krijgsmannen verdeelden keurig hun krachten, drie kwamen op Edward en Matt af terwijl de andere drie de brug bewaakten. De drie mannen in halve wapenrusting draafden naar voren en vormden een lijn. Ze lieten hun lansen zakken, bepaald niet onder de indruk van een krijgsman, een schildknaap en twee vrouwen.

Edward en Caesar stormden als een stalen wervelwind op ze af en richtten zich op de middelste man. Edward sloeg met zijn zwaardpunt handig de lanspunt van de man weg, hij mepte recht op de verraste vent in en gaf een oorverdovende klap op zijn helm waardoor de geschrokken ruiter uit het zadel vloog. Edwards volgende slag raakte de onbeschermde romp van 's mans paard waardoor het geschrokken dier met hulpeloze ruiter de weg af galoppeerde. Hij draaide Caesar snel om zijn as en verraste de derde ridder met een verbijsterende backhand voor de kerel maar zijn lans had kunnen omdraaien. Bij Edwards volgende klap vloog hij uit het zadel.

In een paar tellen had Edward drie gewapende ruiters uitgeschakeld, die nu op de grond lagen of weggedraafd waren. Voordat de Wydvilles bij de brug in de gaten hadden wat er was gebeurd, was Edward al bij ze, hij sloeg om zich heen en ontweek hun slagen. Matt zat vlak achter hem, zoals hij had beloofd, en sloeg iedereen neer die probeerde op te staan. Robyn en haar meid sprongen tussen de gevallen mannen en ruiterloze paarden door en maakten dat ze naar de brug kwamen.

Edward veegde een man opzij en wierp een andere uit het zadel. De laatste Wydville, degene die de brug feitelijk stond te verdedigen, had hij te pakken voordat de man zich had kunnen omdraaien. Edward raakte hem als een lichtbol van achteren en stuurde de wit-met-scharlakenrode ruiter zo de Dove in. Alle brugverdedigers lagen plat op hun gepantserde rug, spartelden in de modderige rivier rond of vluchtten de heuvels in. Van de overkant klonk gejuich op toen Edward met Caesar dekking gaf zodat de dames konden oversteken.

Met haar dienstmeid in haar kielzog en een voor haar uit wegvluchtend, angstig paard in de Wydville-kleuren reed vrouwe Robyn Stafford van Pontefract kalm de brug over. De gewapende mannen kwamen tussen de bomen uit naar voren en verwelkomden haar met applaus. Matt Davye kwam achter haar aan, hij had haar vermoeide pakpaard voor zich uit weten te drijven. Als laatste stak Edward over, zwaard in de hand, en vormde de achterhoede voor het geval de verbijsterde Wydvilles een tegenaanval zouden proberen. Robyn keek op haar horloge en zag dat de schermutseling minder dan anderhalve minuut had geduurd, zodat ze van de rest van de zonnige ochtend konden gaan genieten.

De mannen van Hastings begroetten haar met hoera's en uitroepen als: 'Goed gereden, vrouwe.' Alsof ze in haar eentje door de Wydvilles heen was gereden, in plaats van dat dit alleen maar was gelukt door Edwards koele optreden en zijn stoere zwaardarm.

Tegen de tijd dat lord Grey van Codnor aan de andere kant van de brug was aangekomen, hoefde je geen alchemist te zijn om te zien dat hertogin Wydvilles plan was mislukt. Edward was overgestoken en had een uiterst lastige militaire oefening uitgevoerd: een rivier overbruggen met een overmacht tegenover zich terwijl hij ook nog eens vrouwen en bagage moest verdedigen. Lord Grey had de onaangename taak om de brug op een gretige en triomfantelijke vijand terug te veroveren. Ze riepen hem toe: 'Kom dan, lafaards, niet zo verlegen! Het is een makkie om achter vrouwen aan te zitten, probeer het nu eens met een stelletje kerels.'

Grey van Codnor was niet helemaal hiernaartoe gekomen om zich te laten uitlachen en wendde zijn paard. De Wydvilles raapten zichzelf van de grond op en volgden in zijn kielzog, wat nog meer gejoel van de overkant uitlokte. 'Wat? Nu al op de vlucht? Bang om een nat pak te halen? Blijf nog even, dan komen we jullie halverwege wel tegemoet.'

Edward zag dat het gevaar was geweken, hij deed zijn helm af, steeg af en hielp haar ook afstijgen. Zijn grijnzende gezicht glom op deze koude dag, maar verder was er niets te merken van het feit dat hij zojuist zes gewapende mannen te paard had verslagen. Blij dat hij haar in zijn armen kon nemen, zette hij haar voorzichtig op de grond en zei: 'Welkom thuis, mijn vrouwe.'

'Thuis?' Ze stond daar stevig in zijn greep, maar nog steeds te trillen op haar benen, nauwelijks gelovend dat ze ongedeerd door die plotselinge gewapende uitbarsting heen waren gekomen. Dat betekende nog niet dat ze thuis was. Ze was nog nooit in de Dove-vallei geweest, niet in dit of welk millennium ook. Voor haar was thuis nog altijd Montana, of L.A. misschien. Londen kwam er in dit 'heden' nog het dichtste bij.

'In Staffordshire.' Hij knikte naar de rustige kleine vallei, die zelfs in de greep van deze verschrikkelijke winter er zo mooi uitzag dat je je er met gemak een camping en een recreatiepark kon voorstellen, wat waarschijnlijk in het derde millennium wel het geval zou zijn. Ze had steeds beweerd dat ze hier vandaan kwam, maar ze was er feitelijk nooit geweest, een oud leugentje om bestwil dat haar al zo vertrouwd in de oren klonk. 'Ook al ben je er nog nooit geweest, eindelijk ben je thuis.'

En zo was het ook, vrouwe Robyn Stafford van Staffordshire was veilig in het thuis dat ze nooit had gekend. Nog nagenietend van hun ontsnapping hield ze hem dichter tegen zich aan, de jonge mannen om hen heen stonden te grijnzen. De rest zou moeten wachten tot er wat minder pottenkijkers waren. Landjonker Hastings was er zelf niet, maar zijn snode broer Thomas kon niet wachten om verslag aan Edward uit te brengen. En aangezien Edward haar kennelijk niet wilde loslaten, moest de brutale meester Hastings dat aan hen beiden doen. Hij maakte een haastige buiging en zei: 'Mijn heer, half Shrewsbury is naar u op zoek.'

'En wat een geluk dat jij me hebt gevonden.' Het was geen moment in Edward opgekomen dat hij vermist was, maar dat was nog geen reden om de prestatie van de jonge Hastings als een niemendalletje af te doen.

Thomas tikte bescheiden tegen zijn hoofddeksel en zei: 'Broer William zei dat uwe lordschap ten westen van Sherwood zou aankomen en had me opgedragen om de bruggen over de Dove te bewaken. Hij heeft de Trent voor zijn rekening genomen en Ralph de Churnet.'

'Maar jij hebt de goede brug gevonden,' zei Edward nadrukkelijk, 'en er zijn er vast meer.'

Thomas knikte geestdriftig. 'Zes, mijn heer, met inbegrip van doorwaadbare plaatsen en stapstenen, maar het was doodmakkelijk om de goede uit te kiezen.'

'Hoezo?' vroeg Robyn, zij vond het een wonder dat de jonge Hastings hier was.

'Nou, mijn vrouwe, de Wydvilles lieten ons hier niet oversteken.' Hij knikte naar de zichzelf oprapende en afdruipende krijgsmannen op de Derbyshire oever. 'Dat was vast niet voor niets, hadden we bedacht.'

'Uitstekend bedacht.' Edward prees zijn logische gedachtegang. 'Breng nu je mannen in gereedheid, want we moeten voor de avond in Shrewsbury zijn.'

Weer een hele dag rijden. Jammer, want het was mooi hier en dit was het eerste veilige moment dat ze in maanden met Edward had, hoewel je het nauwelijks privé kon noemen. Mannen struinden rond, maakten eten klaar en zadelden hun paarden, waren aan het lachen en grappen, en genoten nog na van de schermutseling die ochtend, en dat die zonder bloedvergieten was verlopen. Ze was nog steeds wat verdwaasd en vroeg zich af wat ze met zichzelf aan moest toen haar ridder haar een bord eieren en uien bracht, geroosterd op een plat rooster op open vuur. Edward van March, de nieuwe hertog van York, had die dag bijna de hele strijd voor zijn rekening genomen, maar zag het als zijn eerste taak om ervoor te zorgen dat zij haar lievelingsontbijt kreeg. Hij verontschuldigde zich omstandig dat ze het zonder toast moest doen, maar bezwoer haar dat zijn mannen water voor haar heksenbrouwsel aan het koken waren. Wat een service. Glimlachend zette hij het bord en een glanzend schone ijzeren lepel neer en zei: 'Van nu af aan zal het mijn vrouwe aan niets ontbreken.'

Ze bedankte hem en hoopte dat het de waarheid was. Ze was er zonder meer aan toe. Technisch gesproken was ze nog steeds een vogelvrijverklaarde, beschuldigd van gruwelijke misdaden, maar toen ze Edward voor het eerst ontmoette, had dat ook voor hem, Hastings en zijn broers gegolden. Al haar zorgen om de wet waren door het bloed bij Wakefield weggespoeld. Hoewel niemand het hardop zei, was met de dood van hertog Richard en graaf Salisbury de oudere generatie vrijwel geëlimineerd, op die arme gekke Hendrik na dan, maar die was geen partij. Van nu af aan zou het lot van de natie in handen liggen van een nieuwe generatie, met inbegrip van Warwick en Somerset, aangevoerd door de knappe tiener die haar roereieren had gebracht. Hij zei tegen haar: 'Zodra we in Shrewsbury zijn, kunnen we de dingen helemaal naar onze hand zetten.'

'Met veel tijd samen?' Ze was doodmoe van al dat rijden en gevaarlijke politieke manoeuvres. Robyn was toe aan een feestje en dansen, en lange winteravonden naar de luit luisteren.

'Van nu af aan kan niets ons nog scheiden,' verzekerde hij haar en hij keek hoe de laatste Wydvilles zich op de andere oever van de Dove terugtrokken. 'En doen we precies wat we willen.'

Ze knikte ernstig. Niet meer verstoppertje spelen voor het parlement en hertog Richard. Trouwen, de troonopvolging, het lot van Engeland... allemaal in hun handen en op hun hoofden. Prima. Vrouwe Robyn van Pontefract zou het niet anders willen. 'Alleen wat wij willen.'

'Natuurlijk zal Somerset naar het zuiden optrekken,' gaf Edward toe, 'dus moet ik een leger bijeenbrengen om Londen te verdedigen.' Natuurlijk. Ze moesten vooral de gewone dingen niet vergeten. Staatszaken, gewapende opstand, een beroerde winter. Maar dit waren de Middeleeuwen, je kon je altijd nog zorgen maken over een natte lente, of een suïcidale Franse koningin die een legertje Schotse maniakken aanvoerde. De middeleeuwers deden het ermee, dus zij zou dat ook doen.

'Maar niet nu,' zei ze tegen hem, en ze genoot van de warme eieren en uien, gekruid met een snufje peper uit het exotische Indië. Ze had Somersets leger gezien, door hun overwinning net zo wanordelijk als de Yorkers vanwege hun nederlaag. Al die plunderingen, willekeurige executies en ontvoeringen... het zou nog wel even duren voordat de losgeslagen grensruiters, kibbelende lords en onwillige rekruten weer verzameld waren en naar het zuiden zouden optrekken. 'Nu geniet hertog Somerset van zijn mooie suite op Pontefract, die eigenlijk mij toebehoort. En hij zal waarschijnlijk eerst naar het noorden trekken voor een ontmoeting met koningin Margaret, die naar verluidt in Schotland zit.'

Edward knikte, niet verbaasd dat de vijand in totale verwarring verkeerde, en genoot van de gevolgen van een zeldzame en onverwachte overwinning. Hij vroeg: 'Hoe komt het dat je zo goed van Somersets plannen op de hoogte bent?'

'Wij heksen hebben zo onze methoden.' Wie had kunnen denken dat ze zo'n talent had voor spionage? Ze had nooit spion willen worden, het enige wat ze ooit had gewild was actrice worden.

'Tegen de tijd dat ze naar het zuiden optrekken, hebben we kroon en volk achter ons,' orakelde Edward. 'Koningin Margaret en Somerset staan alleen maar een nederlaag te wachten.'

Amen. 'En wat doen we met koning Hendrik?' vroeg ze. 'Is Hendrik nog steeds koning als we in Shrewsbury aankomen?' Kennelijk vond Edward het wel een aanlokkelijk idee om de bezem erdoorheen te halen, om het laatste en minst competente lid van die oudere generatie omver te werpen en voor de verandering de dingen eens goed te doen.

Edward lachte om haar bezorgdheid en zei: 'We hebben allebei onze eigen redenen om het beste voor Hendrik te willen. Jij omdat je geen koningin wilt worden en ik omdat Hendrik mijn koning is.' Edward zei het luchtigjes, maar hij meende het oprecht. Hendrik was zijn koning, omdat hij toevallig zo geboren was, of door Gods genade, of door angst en afschrikwekkende straffen, zoals Hendrik voor elke andere Engelsman koning was. Voor Edward was Hendrik een keuze. Edward werd door bijna het hele land als zijn opvolger aanvaard en hij had Hendrik in zijn hand. Als Edward Hendrik omver zou werpen, of zou vermoorden, dan was zijn enige rivaal een kind van wie maar weinigen graag zagen dat die op de troon kwam. Hendrik droeg de kroon omdat Edward wilde dat hij koning was, waardoor Edward de enige vrije man in Engeland was, de enige wiens stem er werkelijk toe deed.

Edward pakte haar hand en zei zacht en oprecht: 'Jij en ik delen een wonder, een geheim wonder van liefde, hoop en lente. Wat wij op die nacht in Sherwood hebben gezien, betekent meer voor me dan alle tronen op aarde. Of alle missen die vanaf de kansel worden opgedragen. Wat er vanaf vandaag ook gebeurt, dat wonder verbindt ons voor eeuwig.'

Amen. Ze glimlachte naar haar jonge lord, die haar liever ontbijt op bed bracht dan koning van Engeland te worden. Voor het eerst sinds Halloween waren ze veilig en weer samen, en vrij om hun eigen lot te bepalen. Vanavond zouden ze in Shrewsbury slapen, de hoofdstad van de Welse Marches, de oude zetel van de prinses van Powys. Maar eerst moesten ze een dag door Staffordshire rijden, het thuis dat ze nu pas ging leren kennen. Jammer dat ze omringd waren door die hinderlijke vazallen. Wat een lange, luie rit had moeten worden – met alleen Matt en Deirdre in hun gezelschap – was weer de zoveelste gewapende optocht geworden. En weer werd ze toegejuicht, waar ze ook kwam, en zolang ze haar 's avonds zingend naar bed begeleidden, had ze niet veel te klagen. Toen Hastings' mannen het gekookte water brachten, haalde ze lord Codnors koffie tevoorschijn en leerde ze haar lieve en handige geliefde hoe je verse koffie kon zetten.

14

De Duivelsstoel

Dinsdag 6 januari 1461, Driekoningen, Shrewsbury Castle, Shropshire
Shrewsbury is in de rouw vanwege hertog Richard en de doden van
Wakefield, dus Driekoningen is niet de laatste uitspatting van de
Dwazentijd die ik mocht verwachten, met bal masqués, toneelstukken
en amazonetoernooien, waar vrouwen in halve wapenrusting te voet
op de barricades vechten tegen mannen en tegen elkaar. We moesten
het doen met drank en backgammon, dus ik versla Edward, Hastings,
de ongelukkige lord Audley en een jonge Welse gentleman, John Donne
genaamd. Letterlijk. Ik heb ze alles uit de zak geklopt, ze moesten
zelfs hun jasjes achterlaten als onderpand voor hun schulden, hopelijk
gaan ze daardoor juist weer spelen. Als ik zo doorga, kan ik de Vene-
tianen terugbetalen – twee jaar na de volgende Sint-Michiel.
De moderne mens is beduidend beter in spelletjes. Middeleeuwers zijn
net kinderen, ze zijn zo op het spel gericht dat ze niet de moeite
nemen om over de volgende zet na te denken. Ik versla Edward regel-
matig met schaken en niemand wil meer met me kaarten, tenzij de
inzet een kus is. Maar ze denken nog steeds dat ze me met backgam-
mon kunnen verslaan. 'Zelfs een heks heeft geen macht over de dobbel-
stenen...'
Wedden?

'Jouw beurt.' Edward gaf haar de dobbelsteen, prachtig handbewerkt
ivoor met gouden stippen. Vrouwe Robyn hield op met typen en gooide. Haar lord had alleen een shirt en broek aan, hij had zijn wambuis,
pet en laarzen al ingeleverd. In de privé-vertrekken ontaardden deze
spelletjes vaak in strip-backgammon. Vanavond droeg ze begrafeniszwart, op het glanzende wambuis van lord Audley na, dat had ze over
haar schouders gedrapeerd, een prijs die perfect bij haar kleuren paste: karmozijnrood fluweel met schitterende gouden vlinders.

Ze deed een schietgebedje tot Fortuna en gooide een acht, twee vieren, dubbele worp. Dank u wel, Geluksvrouwe. De mannen om haar
heen kreunden en beschonken beschuldigingen van hekserij vlogen
over tafel. Hastings klaagde: 'Hoe kan ze haar eigen dobbelstenen
nou beheksen?'

'Geluk is een lady,' bracht ze meester Hastings in herinnering toen
ze snel haar stenen met twee tegelijk verschoof en vervolgens de inzet
verdubbelde. 'Hoe kan die nu niet mijn partij kiezen?'

Deirdre moest lachen en de aanwezige dames applaudisseerden beleefd. Audley had Cybelle meegenomen, zijn mooie, donkerharige minnares, en Hastings had een jongere zuster en een vriendin bij zich, terwijl de Welse ridders er met hun vrouw waren. Edward grijnsde haar over de backgammontafel toe. In de Middeleeuwen hadden ze elkaar aan boord van baron Wydvilles *Fortuna* voor het eerst ontmoet, even voor de kust van Ierland. Vrouwe Geluk was haar persoonlijke godin, hoe hadden ze elkaar anders tegen kunnen komen?

Er werd zo gemakkelijk over hekserij gepraat, zo zag je maar weer hoe alles kon veranderen. Alle aanklachten tegen haar waren nietig verklaard en hier in Shrewsbury was ze lord Edwards vrouwe, de nieuwe lady van de Marches, en toekomstig gravin van March... om het nog maar niet te hebben over hertogin van York. Ze stond al hoger op de ladder dan welke man in de kamer ook, op Edward en lord Audley na. Als zodanig kon ze weinig kwaad doen.

'Die dubbele inzet maakt het verdomd moeilijk,' klaagde Hastings maar hij ging brutaal met haar mee.

'En duur,' voegde Audley eraan toe terwijl hij naar zijn schitterende, verpande jasje keek.

'Dat maakt het spel juist zo leuk,' legde ze uit. Wie had er nu hekserij nodig? Zij was de enige die in de gaten had dat je het zo moest spelen dat je de volgende zet voorbereidde, het enige wat ertoe deed was dat je hoge ogen gooide. Of dubbel. Zelfs Edward gaf de voorkeur aan snelle, brutale zetten in plaats van sluwe opzet, getuige zijn benadering van de politiek. Het hielp natuurlijk dat zij als enige halfnuchter was.

'Ik krijg pijn in mijn hoofd van al dat tellen,' hield Hastings vol en hij nipte van zijn met anijs gekruide wijn.

'Dan moet je me verslaan,' stelde ze zedig voor, de hulpeloze vrouw uithangend. 'Ik zou wat graag mijn schulden tellen en mijn schamele best doen om alles te betalen.' Wat haar een luid honend gelach opleverde, aangezien iedereen wist dat Robyn haar winst toch weggaf en niet graag verloor als ze tegen lords en graven speelde. Ze gaf de dobbelstenen aan Edward terug en ging verder met haar dagboek:

Hier in Shrewsbury Castle ben ik de vrouw des huizes, niet meer bang als het woord heks valt of voor wat ik voel. Wij hebben zelf het recht in eigen hand, zowel in slechte als in goede zin, en dat kan niet tegen me worden gebruikt. Ik bepaal de mode en Edward staat boven aan de sociale piramide, alleen koning Hendrik staat nog boven ons, letterlijk. Dus als Edwards vrouwe een heks is, dan is hekserij in de mode, net als een dubbele inzet bij backgammon of muntthee bij het ontbijt in plaats van een biertje.

*Eindelijk heeft de beschaving wat voet aan de grond gekregen in deze
kleine uithoek van de Marches, compleet met een wekelijks bad, thee-
tijd, liefdesgedichten en eenvoudigweg rechtvaardigheid. Niet iedereen is ervan gediend... velen zijn ontsteld door mijn losse levenswijze
en buitenissige ideeën, maar ze zullen ermee moeten leren leven. Het
doet er niet meer toe wat FitzHolland of vrouwe Frogbottom denkt,
want ik ben de nieuwe vrouwe van de Marches, wier lord bij gunste
van het 'roestige zwaard' de scepter zwaait, door Mortimers voorva-
ders gehanteerd. Bovendien spreek ik vloeiend Welsh en is de onverslagen sir Collingwood Grey mijn persoonlijke voorvechter. Er zou een
gewapende Tudor opstand voor nodig zijn om mij omver te werpen...*

En dit zou niet die stoffige, oude Engelse aristocratie van je grootmoeder worden. Vrouwe Robyn sloot haar elektronische notebook en
bekeek de groep mensen die om de backgammontafel stond, ze zag er
nauwelijks een edelman tussen, alleen maar jongere zoons die nooit
wilden deugen, Welse schurkenridders, ambitieuze landjonkers als
meester Hastings en de op drift geraakte jonge vrouwen die achter ze
aan liepen, van een knappe, amoureuze Franse dichteres tot een
Welsh-Ierse heks-in-wording. Er was geen edelman van stand bij, op
Edward na dan.

Van hoog tot laag hadden deze mensen zich persoonlijk aan
Edward en zijn zaak verbonden, lord Audley, die met koningin en
familie had gebroken toen hij naar de andere partij overstapte, tot aan
Deirdre toe die had meegeholpen toen ze de koning bij Northampton
gevangennamen. Deze mensen deelden Edwards geheimen, gingen
mee op zijn persoonlijke missies, luisterden zijn feestjes op, brachten
zijn berichten rond en vochten zijn strijd uit. Na Wakefield telde niemand anders meer mee. De oudere generatie Yorkse leiders was daar
en masse gesneuveld, sommigen noemden het zelfs zelfmoord. In elk
geval was hun heengaan betreurenswaardig, niet voor herhaling vat-
baar. Liet hertog Somerset maar hardnekkig de fouten van die laatste
generatie herhalen.

Edwards vergissingen beperkten zich tot het backgammonbord, hij
verdubbelde de inzet en verloor uiteindelijk het achtvoudige. Hij was
zijn laarzen en wambuis al kwijt, en Robyn droeg zijn zwarte fluwelen
baret. De lord van de Marches keek haar schaapachtig aan en vroeg:
'Accepteert mijn vrouwe een promesse?'

'Geen promesses,' riep de Franse vriendin van Audley uit. 'Mijn
heer hoopt alleen zijn hemd te kunnen redden.'

'Zijn hemd, zijn hemd,' schreeuwde de aangeschoten meute, en
sommigen van Edwards mannen deden verraderlijk mee.

'Zijn broek,' stelde Deirdre voor, die haar lord wel eens zonder had gezien. 'Dan zullen jullie iets schitterends zien.'

'Schitterend handig, zul je bedoelen.' Als Française nam Audleys dichteres geen blad voor de mond en bespotte vrijelijk de Engelse troonopvolger.

Edward stak zijn handen omhoog en gaf zich over, nog iets wat maar weinigen hem ooit hadden zien doen. Zonder een woord te zeggen kwam een knappe, jonge page in purper-rood en blauw zijn meester te hulp, hij droeg een houtbewerkte doos, versierd met emaillen hartjes en duiven. Hij gebaarde dat de page de mooie doos moest neerzetten. Edward smeekte: 'Vrouwe, geef me tenminste mijn hoed terug.'

'O, doe maar,' opperde een dienstmeid in spottend afgrijzen, 'mijn lord heeft hem misschien nodig als hij zijn broek kwijtraakt.'

'Daar is een grotere pet voor nodig,' verklaarde Deirdre zelfverzekerd.

Vrouwe Robyn bracht met een gebaar haar lachende vrouwen tot zwijgen, ze lichtte de zwartfluwelen baret en gaf die aan Edward. 'Bij deze, mijn heer. Waar is mijn prijs?'

Edward nam zijn fluwelen baret terug en zette die zoals altijd zorgvuldig schuin op zijn hoofd. Dat ontlokte opnieuw een lachbui, aangezien hij nog altijd blootsvoets in zijn onderhemd en koninklijke purperen maillot stond. Robyn kon zich niet voorstellen dat koning Hendrik, of zelfs Somerset, zich zo op zijn gemak kon voelen bij deze mensen, nog een reden waarom Edward een voorsprong had. Edward opende zwierig de doos en zei: 'Ik heb gezworen dat ik je dit zou geven voordat de twaalf kerstdagen voorbij waren.'

Op een roodfluwelen bedje lag een ronde, gouden diadeem met zes robijnen, een in haar kleuren uitgevoerd kroontje, zo schitterend als voor een hertogin, dat de middelen van vrouwe Pontefract ver te boven ging. De vrouwen om haar heen waren met stomheid geslagen en het enige wat Robyn kon uitbrengen was: 'Mijn heer, dit is prachtig.'

'Niet in vergelijking met degene die hem zal dragen,' zei Edward tegen haar. Hij nam hem uit de doos en hield hem in het toortslicht omhoog. Hun verloving was nu een publiek geheim, zeker niets nieuws voor degenen in het vertrek, hoewel de openbare aankondiging en trouwdatum uit respect voor de doden waren uitgesteld. Maar Edward was eerder een man van daden dan van woorden, en toen zij met zijn diadeem, een gravin waardig, aan zijn zijde verscheen wist iedereen wat zijn plannen waren.

Hij zette het gouden kroontje plechtig op haar hoofd met dezelfde omstandige zorg als waarmee hij zijn baret op had gezet... haar beschonken geliefde wilde het absoluut goed doen. En dat deed hij dan ook, de vrouwen juichten terwijl zijn ridders en commandanten meesmuilend glimlachten, geamuseerd omdat hun lord zijn menselijke kant liet zien. Edward wilde de vrouw van zijn hart, niet de politiek correcte keuze. De grote edelen zouden dat absoluut een vergissing vinden, een 'vrouwe' met zo'n lage status die in rang hoger zou zijn dan al hun vrouwen – Warwick zou bijvoorbeeld des duivels zijn – maar Edwards mensen hadden geleerd dat hij nu eenmaal zo in elkaar stak.

Het goud voelde koud en zwaar op haar voorhoofd en vrouwe Robyn wist meteen waarom het volk Shakespeares 'holle kroon' zo serieus namen. Dit gouden diadeem, dat zo mooi paste bij het door haar gewonnen jasje, kondigde niet alleen haar verloving aan, maar het betekende ook dat ze nu een potje apart was ten opzichte van bijna iedereen die ze in het hier en nu kende. En in de toekomst, als het daarom ging. Ze trouwde niet alleen met een man, maar ook met een volk en een zaak, ze gaf elke claim op een privé-leven op. Wie er ook koning zou worden, Edward zou de komende periode Engeland regeren, en zij zou aan zijn zijde staan. Dat moest dan maar.

Edward besloot de voorstelling met een kus wat zelfs bij de mannen uitroepen ontlokte. Tenslotte had Edward hen wel kunnen opzadelen met een of andere buitenlandse prinses die hen in het Frans aansprak en verwachtte dat ze op haar wenken bediend zou worden. In plaats daarvan had Edward een 'lady' uitgekozen die vanaf Sandwich met hen had mee gemarcheerd en bij Northampton haar leven had geriskeerd. Als een soldatenhoer goed genoeg was voor zijn mannen, dan waren ze ook goed genoeg voor hem... wat iets over Edwards leiderschap zei...

Opgetogen en opgewonden had ze het hart niet om ook nog om zijn verbeurde broek te vragen, niet voordat ze in bed lagen.

Woensdag 7 januari 1461, naamdag van Sint Distaff, Shrewsbury Castle, Shropshire
Vanochtend voor het eerst mijn diadeem in het openbaar gedragen, ben met Edward naar Saint Mary's geweest voor een speciale mis die werd opgedragen aan de doden van Wakefield, velen van hen waren voordat ik arriveerde nog onbekend. Vandaag zou Somersets 'bestand' zijn geëindigd. Los van het diadeem was ik helemaal in het zwart, maar daardoor kwam het goud des te beter uit toen ik met Edward in de stille processie liep en inwendig mijn gebeden opzei. Al mijn gebeden kwamen uit de grond van mijn hart, want ik was behoorlijk zenuwachtig. Het nieuws zal nu wel overal bekend zijn, want de kronkelige straatjes stonden vol mensen en ze staarden uit hun bovenramen om de volgende gravin van March eens goed te bekijken. Aange-

zien het een herdenkingsmis was, liet niemand zijn gevoelens blijken, maar iedereen weet het nu wel zeker. Lord Edward gaat met zijn vrouwe trouwen.

Samen hebben we al een datum geprikt, de eerste maandag na het einde van de rouwmaand, 2 februari, Groundhog-dag. Edward wil geen minuut verspillen, zo snel wil hij zich kunnen wentelen in huwelijkse gelukzaligheid. In deze contreien noemen ze Groundhog-dag ook wel Maria-Lichtmis, dan wordt er een speciale mis aan Maria opgedragen en het donkere kasteel wordt vol brandende kaarsen gezet. Het klinkt inderdaad als een geluksdag, zolang hij zijn belofte maar houdt en geen koningin van me maakt. Engeland krijgt al te maken met elkaar rivaliserende heksenhertoginnen, dat lijkt me meer dan genoeg.

Sint Distaff staat niet op de kerkkalender. Dit is weer zo'n schitterend volksfeest, boven op de officiële feestdagen. Middeleeuwers kenden nog geen massaal volksvermaak, dus creëerden ze dat zelf. Niet dat Sint Distaff nou zo'n feestdag is, aangezien die het einde van de kersttijd aanmerkt en de terugkeer naar het normale leven van alledag. Voor vrouwen wordt dat door het spinnenwiel gedomineerd, iedereen draagt hier immers zelfgemaakte kleren. Maar de middeleeuwse vrouwen kijken er met een ironische knipoog naar: wij hebben nog nooit van iemand een 'kerstpauze' gekregen. Vrouwe Robyn heeft de hele Yuleperiode staan koken, zitten naaien en tussen de vluchtpogingen door opgeruimd en schoongemaakt, en de wet ontsprongen. Lekkere vakantie. Dus de jonge, ongetrouwde vrouwen maken een feestje van hun 'terugkeer' naar het werk: ze stoppen de mannen in bad. Hecatelief! We hebben water opgewarmd in de kasteelketels en daarmee de badkuipen in het badhuis vol laten lopen. Vervolgens hebben we alle jonge mannen en staljongens die we te pakken konden krijgen schoongepoetst, met inbegrip van een stel vrijwilligers onder aanvoering van Edward. Het kan geen kwaad om een beetje schoon op jezelf te zijn. Er werd veel geplaagd en gegiecheld, en er gingen verschrikkelijke 'distaff'-grappen over tafel, maar verder hadden we alleen maar schoonmaakpret. Joost mag weten dat het hele kasteel wel een stevige schoonmaakbeurt mag hebben, dan kon je er maar het beste een spelletje van maken om de moeilijkst bereikbare plekken lekker te wassen. Het verschil was duidelijk te ruiken...

De reactie van het volk kwam op vrijdag, toen Edward zijn familiekasteel in Ludlow ging bezoeken, een dag of twee ten zuiden van Shrewsbury. Edward, Hastings en lord Audley gingen vooruit om troepen te verzamelen voor Somersets op handen zijnde invasie. Ze zouden de dames op Acton Burnell ontmoeten, een versterkte manor een paar kilometer buiten de stad. Ze hoefden niet zo vroeg op, dus

Deirdre nam uitgebreid de tijd om te pakken, net als 'lady' Cybelle, lord Audleys dichteres-minnares die leefde van de verkoop van haar gedichten en met rijke jonge mannen slapen. Audley had haar in Calais ontmoet, en Cybelle had ook haar overredingskracht ingezet om haar lord over te halen zich bij de rebellen aan te sluiten. Feitelijk was zij met hem bij Sandwich aangekomen en mee naar Londen gegaan, onderweg gedichten schrijvend om Edwards kleine leger te inspireren. 'Calais is best leuk, hoor,' verklaarde Cybelle, 'maar het begon op een gevangenis te lijken. Ik was aan iets anders toe, ook al was het dan Engeland.'

Bepakt en bezakt hielp vrouwe Robyn de dichteres zich op te tutten, met steken zette ze het smalle middel van Cybelles nauwsluitende jurk vast en naaide haar er zorgvuldig in. Op dit moment was spandex wel heel handig geweest. 'Kan Shrewsbury ermee door?'

'Meer dan,' gaf Cybelle zuchtend toe. Ze hoopte op een literaire carrière en Cybelle had zichzelf naar een Griekse godin genoemd, waarvoor ze haar moeders meer prozaïsche Isabella aan de kant had gezegd. Haar vader werd dan weer voorgesteld als een zigeunerprins, of een uit zijn ambt gezet priester en dan weer als een koninklijke hertog. Enigszins verrassend, aangezien vrouwe Cybelle zelf twee kinderen had, 'schattige lieverdjes die door hun vrome grootmoeder, een non en weduwe, werden opgevoed. Ik zie ze zo vaak ik kan en ik stuur geld.' Haar poëzie was volkomen aan de rebellen voorbijgegaan, het waren kunstzinnige gedichten in het hof-Frans, maar werd niettemin juichend ontvangen door Kentse boogschutters en het Londense burgerleger. Cybelle wist mannen eerder door haar verschijning te inspireren. Perfect om Edwards soldatenritje op te luisteren, ging Cybelle mee naar het zuiden naar Ludlow, terwijl haar lord in Shrewsbury achterbleef.

Cybelle reed door de kasteelpoort op een modieus dameszadel in een blauw-witte zijden jurk, als de kleuren van een zomerse dag, afgezet met zilveren lelies. Om de zaak te completeren, droeg ze een witzijden hoofdtooi met vleugels. Zo mal en egocentrisch als Cybelle was, was zij eveneens een teken dat ze aan de winnende hand waren. Getalenteerde, loslopende jonge vrouwen konden het zich niet veroorloven zich aan een verliezende partij binden. Als escorte gingen Matt en Hastings' jongere broers met hen mee.

Maar het volk juichte vrouwe Robyn toe, ze droeg nog altijd begrafeniszwart dat door haar diadeem werd gebroken. Zodra zij en Deirdre in hun rouwmantels de poort uit reden, tilden de burgers van Shrewsbury hun hoed op en begroetten vrolijk de nieuwe vrouwe van de Marches. Dat ontroerde haar heel erg, zelfs nog meer dan toen ze het van de Londenaren had gehoord. Voor Londen had ze veel gedaan, maar voor Shrewsbury was ze alleen maar vrouwe Pomfret van ergens uit Yorkshire, hoewel ze puur Shropshire sprak. Ze was in Shrewsbury nu al een graag geziene gast en ze waren trots op Edwards onuitgesproken keuze.

Merkwaardig ontroerend. Met hertog Somerset was ze half Engeland door gereden, maar zo'n sympathie was hem nooit ten deel gevallen. De mensen hadden hun hoed afgenomen en hoera voor de goede hertog geroepen, maar niemand, op degenen na die zijn livrei droegen, had hem liefde betoond. En Somerset had ook niet gedaan alsof hij van hen hield.

Soms dacht Robyn dat het ook kwam omdat ze de show stalen van hun tegenstanders, ze hadden de leukste feestjes en de beste vriendjes. Dat speelde zeker mee, maar er was veel meer nodig om een publiekslievelingetje te worden, zoals Robyn steeds weer had moeten ontdekken. Middeleeuwers waren niet achterlijk, ze wisten wie om hen gaf en wie het niets kon schelen – zelfs in 1461. Wellicht zelfs nog beter, aangezien Somerset geen geslepen mediatypes om zich heen had die hem met zieke kinderen lieten poseren en tegen hem zeiden dat hij moest glimlachen en bezorgd klinken. Een half jaar geleden had ze op Sint-Anna's dag besloten om een ritje door Londen te maken in plaats van rechtstreeks via Ludgate naar de toernooivelden te rijden, de eerste stap op de weg die haar naar Pontefract en verder had gevoerd. Die enorme opwinding van jonge edelen die op elkaar insloegen hadden haar een lege show toegeschenen, en zij had zich tot de stad aangetrokken gevoeld, tot de echte mensen met hun dagelijkse overwinninkjes en alledaags verdriet. Ze had zelf die keus gemaakt en Maria had de inzet verhoogd, haar verteld dat ze niet een beetje werkeloos kon rondlummelen als een lady die zich dood verveelde in een kasteel. Robyn moest bereid zijn alles op het spel te zetten: haar leven, vrijheid, comfort, voorrechten, zelfs haar besmuikte gevoel van 'werkelijkheid', door voor de rechten van anderen op te komen, recht in het gezicht van de wet, godsdienst en bruut geweld. Anders was haar zorg voor het 'volk' net zo hol als die van Somerset, of van gekke koning Hendrik.

Tot dusverre had Robyn het gevoel dat ze geslaagd was voor de test, ook al was het maar ternauwernood. Voor Shrewsbury had ze niets gedaan, deze mensen hielden van Edward omdat hij duidelijk van hen hield, en ervan uitgingen dat zij dat ook deed. Wat een compliment.

Robyn wist dat dit in een oogwenk verdwenen kon zijn, en dat ze weer net zo wanhopig kon achterblijven als in die besneeuwde nacht in Sherwood. Middeleeuwers vonden het heerlijk dat het leven zo tijdelijk was, en ze begreep wel waarom. Zij was zelf door het rad van fortuin de hoogte in gestoken, en toen weer de diepte in geduikeld, minstens een paar keer, ze had in een gevangeniscel gezeten en van een koningsbord gegeten, had zich in grotten en hutten moeten schuilhouden. Het kon zo weer gebeuren. Nu draaide ze in het rad omhoog, maar op een dag moest Edward werkelijk besluiten of hij haar wilde of het koningschap. Zolang ze koning Hendrik hadden, zou die nog niet onmiddellijk aanbreken. En Hendrik had nog zeker tien jaar te gaan, misschien wel meer. Als er goed voor Hendrik werd gezorgd, kon hij nog wel twintig, misschien wel dertig jaar mee. Een goed, duurzaam, niet-ambitieus maar geliefd staatshoofd, en in die tijd kon er van alles gebeuren. Zij en Edward hadden tegen die tijd misschien een robuuste zoon die wat graag koning wilde worden. Of de kleine, ernstige Richard, Edwards jongste broer, die ook veelbelovend leek. Over twintig jaar was Richard oud genoeg om koning te zijn. Maar dat was nog heel ver weg, des te meer reden om van het hier en nu te genieten.

Acton Burnell was wel pittoresk maar niet erg praktisch, het was een verlaten, vervallen versterkte burcht. Lang geleden was de laatste Brunell verdwenen, maar Robyn trof Edward en de anderen onder een paar bomen, waar ze op haar stonden te wachten. Edward liet haar de ruïne zien en vermoedde: 'Sinds mijn grootvaders tijd heeft hier niemand meer gewoond.'

Hastings dacht dat ook. 'Toch kunnen we er een vooruitgeschoven post van maken, en zo de zuidelijke wegen naar Ludlow en Londen bestrijken.'

Edward beloofde om het afbrokkelende landhuis in gedachten te houden. Robyn beschouwde het verval als een positief signaal, het toonde aan dat de Welse Marches tegenwoordig behoorlijk vredelievend waren en dat versterkte manors dingen uit het verleden werden, zelfs in 1461 al. Greystone was een uitzondering, Robyn had dat immers vijfhonderd jaar later gezien, groter dan ooit en sir Collingwood Grey woonde er in de toekomst nog steeds, met vergelijkbare incarnaties van Jo en Joy in de buurt. Maar de Greys waren onsterfelijke heksen, die door de eeuwen heen steeds opnieuw geboren werden, niet alle geslachten hadden hun specifieke kenmerken. Er kwamen geen Welse legers meer uit de Powys om vee te stelen, dorpen te plunderen en steden af te persen. Als er oorlog kwam, werd die tussen de nobele families uitgevochten, en dat ontging de plaatselijke bevolking niet. Rechtvaardigheid en patriottisme waren minder belangrijk dan familiebanden en de hoop op vooruitgang, en Edward kon het niet weerstaan om zelf zijn eigen pachters in te lijven, zodat hij kon horen wat de mensen over hem zeiden. Op de weg naar het zuiden volgden ze de route van de Romeinse weg door Leebotwood en Stretton, probeerde hij plaatselijke ridders over te halen om zich achter zijn zaak te scharen en praatte hij met oudere boogschutters, die misschien weer wilden bijtekenen omdat het zo'n strenge winter was, en omdat Edwards troepen soldij kregen.

Enthousiaste menigten hadden zich verzameld om hun lord en zijn lady toe te juichen, en Cybelle las haar gedichten voor en oogstte een daverend applaus. Maar slechts weinigen pakten hun boog op of wilden de pothelm weer opzetten. Deze mensen waren arm, wat niet betekende dat ze niets te doen hadden. De meeste mensen moesten op hun boerderij werken. Er was land genoeg, want de wereld was nog verbazingwekkend dunbevolkt, en ze boerden nog op de primitieve manier. Daardoor moesten lords het volk wel tegemoetkomen, anders gingen hun pachters ergens anders naartoe. Op dit moment lag het land te slapen, maar er moest gesnoeid worden, Ploegmaandag was niet ver meer en daarna kwamen de lammetjes. Dus Edward was blij met elke man die hij kon krijgen. Hij zei: 'Beter één man die met heel zijn hart bij ons is, dan een stuk of tien die hun hoofd bij graven en snoeien hebben.'

Robyn had die halfhartige troepen bij Somerset gezien en ze stemde daarmee in. 'En degenen met heimwee eten net zo goed als helden, vaak zelfs meer. Veel van Somersets mensen komen alleen maar naar het zuiden om te kunnen plunderen.' Welke verstandige Schot maalde er werkelijk om wie er op de Engelse troon zat?

'Zolang ze alleen Londen plunderen, zal het ze in March worst wezen.' Edward moest glimlachen om zijn verstandige pachters.

De gedachte dat de oorlog naar Londen of de Marches zou komen, stond Robyn helemaal niet aan. Tegen vespers hielden ze halt, ze verbleven in een boerenhoeve van Edward boven aan een prachtige vallei tussen de ronde walvisrug van Long Mynd en de karteltanden van de Stiperstones. De plek lag op een hooggelegen heidevlakte en de kleine hal rook naar schapen. De bewoners wilden maar al te graag hun jonge lord van dienst zijn. Op deze heidevelden was het land arm en voornamelijk in handen van een paar eigenaren, dus de belangrijkste inkomsten van de manor kwam van de loodmijnen, die hier sinds de Romeinse tijd waren. Zij en Edward kregen de beste kamer, de grote slaapkamer boven de hoofdhal, die heel veel privacy bood, maar niet geschikt was voor heksennacht. 'Let maar niet op mij,' zei Edward tegen haar. 'Je kunt je cirkel hier trekken. Ik ben toch al bijna in slaap.'

Mooi niet. Edward kwam toch al te veel over hekserij te weten. Gelukkig leek het een koude, heldere nacht te worden met een afnemende maan. Ten westen van de boerenhoeve waren de Stiperstones, heksachtige pieken waar de zuidelijke heidevlakten samenkwamen met de noordelijke moeraslanden, perfect voor magie. Een plek die Jo zeker zou kennen. Ze moest in contact zien te komen met Jo, haar vertellen wat er in het noorden was gebeurd en een bekend oord zou het allemaal makkelijker maken. Sterker nog, Jo zou naar hen toegetrokken worden, wat beter was, aangezien Deirdre nog nooit een heksenvlucht had gemaakt. Vanavond had ze niets extra's nodig, alleen maar rechtstreeks, simpel contact vanuit een plaats die Jo bekend was. Maar elke betovering was riskant. Ze gaf haar geliefde een afscheidskus en beloofde: 'Ik ben voor het heksenuur weer terug.'

'Ik zal op je wachten,' zei Edward tegen haar, die het helemaal niet fijn vond dat ze 's avonds zonder hem naar buiten ging, ook al waren ze op zijn eigen landerijen. Maar hij wist dat hij haar er toch niet van af zou kunnen brengen. 'Doe Maria de groeten.'

'Mannen mogen ook bidden, hoor,' bracht ze hem in herinnering en ze glipte in haar mantel. Verlangend om warm en behaaglijk naast haar lord te liggen, blies ze Edward nog een kus toe en vertrok.

Deirdre en zij gingen bij de schemering op pad, ze droegen een zwarte jurk, bonthandschoenen en een zware donkere mantel over hun heksenhemd, want het was een bitterkoude nacht. Robyn kon het niet laten om ook haar gouden diadeem te dragen, zodat Jo kon zien hoeveel er was veranderd. Als ze Jo op deze gebroken heidevlakte in de nachtelijke duisternis tenminste kon vinden. Tegen het laatste licht rees de kartellijn van de Stiperstones boven haar uit, met daarbovenop een gehoornd uitsteeksel, dat de Duivelsstoel werd genoemd, een plek waar een merkwaardige mist hing en donkere magie. Perfect voor haar doeleinden. Robyn gebruikte haar zaklamp zodat ze de besneeuwde, glooiende weg kon zien, ze moest uitkijken voor de gapende kuilen die de loodmijnwerkers hadden achtergelaten, ze wilde maar dat ze binnen zat en niet door de kou liep te strompelen. Maar in de overvolle boerenhoeve was geen privacy en Sherwood had haar geleerd dat je geen hekserij kon bedrijven zoals het je lukraak uitkwam.

Op de hoge, donkere hei had ze niet eens privacy, want Deirdre ontdekte onmiddellijk dat ze door een in mantel gehulde gestalte werden gevolgd. Robyn doofde haar zaklamp en wachtte in het donker. Ze liet haar ogen aan het maanlicht wennen en vroeg zich af wie er in hemelsnaam achter hen aankwam naar deze sombere, verlaten plek. Langzaam kwam de gestalte dichterbij, leek soms te aarzelen maar deed toen een alarmerende uitval.

Vrouwe Robyn vermande zichzelf, hield haar zaklamp stevig vast, die veel te klein was om als wapen te kunnen dienen. Ze had haar Saksische mes mee moeten nemen of Edwards knots moeten lenen. Maar wie bedacht nu dat ze op haar nachtelijke heidewandeling gewapend moest zijn? Toen de mysterieuze, in mantel geklede figuur dichterbij kwam, zag Robyn dat het een vrouw was, ze struikelde en wankelde, en vloekte in het donker – in Franse rijmverzen. Vrouwe Cybelle.

'Steek je toverstaf weer aan,' riep de eigenzinnige dichteres uit. 'Ik zie geen hand voor ogen.'

'Wat doe je hier?' vroeg vrouwe Robyn uit de hoogte.

'Een uitstapje maken en vloeken,' riep Cybelle terug. 'Wat is er met dat licht gebeurd?'

'Waarom kom je achter ons aan?' Robyn liet haar ploeteren en liet het licht uit. Ze trokken al genoeg aandacht.

'Je mag me niet alleen bij de mannen achterlaten.' Cybelle deed een weinig overtuigende poging om hulpeloos te klinken. Welke hofdichteres met aspiraties kon niet overweg met een grafelijke hal vol dronken jonge ridders en schildknapen? Met dat soort spelletjes werden reputaties gevestigd. Cybelle zag in dat haar protesten niet aansloegen en ging tot de aanval over. 'Kom op, ik weet dat je aan hekserij gaat doen.'

'Hoe kom je daarbij?' Nu was het Robyns beurt om de vermoorde onschuld te spelen.

'Dat is toch duidelijk?' klaagde Cybelle. '*Mon Dieu,* jullie glippen helemaal in het zwart weg, midden in de nacht, en gaan op weg naar een of andere helse plek op de hei... het enige wat ontbreekt is een kat als offerdier...'

'En je wilt nog steeds met ons mee?' vroeg Robyn geërgerd, dat kreeg je ervan als je er zo'n los huishouden op nahield.

'Waarom heb ik me anders Cybelle genoemd?' vroeg de dichteres.

Daar zat wat in. Op Baynards Castle had de innemende Alice hen verraden, maar Cybelle was wat anders... de dichteres was sinds Calais bij hen geweest en had geen banden met de Wydvilles, of met wie ook in Engeland, los van haar liaison met lord Audley. Cybelle was hier alleen maar voor zichzelf.

Wat moesten ze met haar? Cybelle terugsturen was eigenlijk geen optie, en zelfs als ze daarmee wegkwamen, zou dat de sfeer maar bederven. Cybelle was absoluut een brok wild talent... beter om haar mee te nemen dan buiten met haar ruzie te gaan maken. 'Kom dan maar mee.' Robyn deed de zaklamp weer aan. 'Houd je stil. Met ons drieën zijn we een coven.'

'Oh,' Cybelle keek verwonderd naar de lichtstraal. 'Mon Dieu, je bent een echte heks. Wanneer krijg ik er een?'

Robyn zei dat ze stil moest zijn en ging weer op weg, ze had het gevoel alsof ze een lichtsabel in haar hand had. Cybelle was een blok aan het been bij wat er vannacht kon gebeuren. Vrouwe Robyn keek naar de heldere winterhemel en probeerde kracht te putten uit de vertrouwde sterrenpatronen, dezelfde die ze in haar jeugd in Montana had gezien, hoewel ze hier andere namen hadden. Ze had nog nooit een ritueel onder een sterrenhemel en een afnemende maan uitgevoerd, maar in de ijzige, nachtelijke wind zou een kaars niet aan blijven en de zaklamp zag ze niet zitten. Robyn vond een vlak plekje dat goed aanvoelde, ze doofde het licht en sprak een gebed uit, toen trok ze haar cirkel terwijl haar gouden diadeem koud en zwaar op haar hoofd aanvoelde.

Ze begon de eerste vurige liederen te zingen, die Jo haar had geleerd, ze kon Cybelle met gemak buitensluiten en richtte zich op Jo, die nu wel zou slapen of net zo'n ritueel ergens in de Cotswolds zou uitvoeren. Jo, kom naar me toe, bad ze, want ik heb je sinds Coventry afgelopen november niet meer gezien.

Ze hoorde Jo naar haar terugroepen, vage, verre kreten die uit de bodem van de zee leken te komen. Robyn verdubbelde haar inspanningen, concentreerde zich nog dieper op Jo en probeerde hen door pure wilskracht bij elkaar te brengen.

Er kwam mist opzetten. De wind en kou verdwenen en daarvoor kwam een vochtige, klamme nevel in de plaats, lichter en duidelijk warmer, doortrokken van een parelgrijze ochtend, hoewel het dichter bij middernacht moest zijn. Heel vreemd, maar Jo riep haar uit de warme mist toe, helderder en krachtiger, zo luid dat ze het gevoel had dat Deirdre en Cybelle het ook moesten horen. Maar de rest van haar klein coven was in de mist verloren, ze zaten gewetensvol naar een heilige stilte te kijken.

Jo's geroep kwam dichterbij, het klonk steeds echter. Robyn staarde naar de bron van het geluid, en in de langzaam optrekkende mist zag ze een vorm bewegen, wat raar was, want zonder maan en sterren zou de nacht pikkedonker moeten zijn. Maar de bewegende gestalte ging over in een zwartharige vrouw in een lange, donkere jas. Het was Jo en ze zag er ongelooflijk compact en echt uit.

Jo verdween weer net zo abrupt, ze liep heuvelafwaarts en riep nog steeds Robyns naam in de mist. Kennelijk had Jo haar niet gezien. Robyn tastte naar Deirdre en Cybelle om duidelijk te maken dat ze konden opstaan, maar het enige wat ze vond was een lege mist. Verdomme, ze voelde om zich heen, maar vond niets. Ze was haar coven in de mist kwijtgeraakt. Logisch. Maar ze kon er niets aan doen en ze wilde Jo niet ook kwijtraken... na alle moeite die ze had gedaan.

Ze sprak een stil gebed uit, stond op en liep de heuvel af, ze tastte in de mist rond en ging af op Jo's geroep. Ze had haar zaklamp in de hand, maar die had ze nauwelijks nodig in deze merkwaardig verlichte mist. Het grondgebied van Grey was hier niet ver vandaan, maar ze kon niet verder dan een paar meter voor zich zien. Jo's roepen stierf in de vochtige lucht weg en werd zo zacht dat Robyn niet meer kon uitmaken van welke kant het kwam. Toen verdween het helemaal en bleef ze alleen achter, wankelend door de nacht en de mist.

Wat een volslagen absurde heksennacht. Robyn bleef staan om haar diadeem recht te zetten en zich bij elkaar te rapen. Ze had gedacht dat ze volkomen in evenwicht was met de kosmos, maar uiteindelijk was ze verdwaald in de mist. Ze liep verder de heuvel af, dezelfde weg die Jo had genomen. Vrouwe Robyn stond de volgende shock te wachten toen de mist abrupt optrok.

Het was klaarlichte dag, geen heldere dag, maar absoluut 's ochtends vroeg, de opkomende zon boorde zich door de mist heen. En er hing een merkwaardige, maar vertrouwde geur in de lucht, die ze niet goed kon thuisbrengen. Bezorgd keek ze op haar horloge, 23:09:01. Nog geen middernacht, misschien houden de batterijen er nu eindelijk echt mee op. Maar de zon was veel te vroeg opgekomen, zodat ze een heel stuk van heksennacht had gemist, en dat maakte haar heel erg bang. Waarschijnlijk zou het allemaal nog veel erger worden.

'Kan ik u ergens mee helpen?' vroeg een vriendelijke vrouwenstem achter haar.

Ze draaide zich om in de hoop Jo te zien, maar in plaats daarvan zag ze een stevige, witharige vrouw in een mannenjas over een wollen trui en katoenen jurk met een ijzeren emmer in de hand. Het enige wat vrouwe Robyn kon uitbrengen was een zwak: 'Misschien.'

'We komen niet vaak jonge vrouwen tegen die in een zwarte jurk en een gouden kroon over de Stiperstones ronddwalen,' verklaarde de oude vrouw opgewekt, ze sprak met een veel dikker accent dan zou moeten. En hoe kwam het dat een boerin uit Shropshire een katoenen jurk droeg en, zo te zien, orthopedisch schoeisel? Deze vrolijke, glimlachende verschijning vroeg: 'Bent u Amerikaanse?'

'Ja.' Hoe wist die vrouw dat? Ergens was er iets verschrikkelijk misgegaan. 'Maar ik ben vrouwe Pomfret, ik logeer in de boerenhoeve van lord Edward.'

'Vrouwe Pomfret? De boerenhoeve van lord Edward?' De oude vrouw schudde haar hoofd en beweerde dat ze nog nooit van de plek had gehoord. 'Dit zijn de Stiperstones, en daar loopt de weg naar Bog. Maar misschien is daar iemand die u kan helpen...'

'Robyn!' Van achter haar rechterschouder hoorde ze een bekende stem die vroeg: 'Ben je het echt?'

Ze draaide zich om en zag Jo, die nog steeds dezelfde lange zwarte jas droeg als in de mist. Opgelucht sloeg Robyn haar armen om Jo, gelukkig dat ze zich aan een vertrouwd iemand kon vasthouden. 'Bij Hecate, wat heerlijk om je weer te zien.'

'Insgelijks,' stemde Jo in, ze grijnsde blij en knuffelde haar ook.

Maar ze zag er een beetje anders uit, ze droeg een dichte pony, wat in de Middeleeuwen helemaal niet populair was. Robyn realiseerde zich dat vrouwe Grey een zwarte mantel met een kraag van nepbont droeg en mooie designer oorbellen die zich half verscholen in haar steile, zwarte haar dat naar perziksshampoo rook. Dit was niet vrouwe Grey van Greystone, dit was Jo Grey, haar incarnatie in het derde millennium, verstoten door haar familie en ongehuwd moeder die met haar dochter Joy van de bedeling leefde.

De koude realiteit golfde als een ijsbad over Robyn heen, ze was niet langer in de Middeleeuwen, nog niet eens in de buurt. Dit was de eenentwintigste eeuw. Op een of andere manier was ze weer in haar eigen tijd terug. Wat een ongelooflijke ramp! Ze vroeg bibberend aan Jo: 'Wat voor dag is het?'

Het was de vrijdag nadat ze het derde millennium had verlaten. Ze keek om zich heen en zag dat de bomen heldere herfstkleuren droegen. Het was weer oktober en de sneeuw was van de grond verdwenen. Edward was ook weg, lieve, zoete Edward, samen met Deirdre, Matt Davye en de rest van de Middeleeuwen. Verloren in een reusachtig tijdgat van vijfhonderd jaar. De tranen sprongen haar in de ogen. Hoe was zo'n verschrikkelijke ommekeer mogelijk?

'Die gekke oude weduwe Wydville hield hardnekkig vol dat ik je hier zou vinden,' legde Jo opgewekt uit.

'Weduwe Wydville?' Zij was de incarnatie van hertogin Wydville in het derde millennium, een plaatselijke zonderling en zieneres die in een oude cottage in de buurt van Dursley woonde. Robyn had haar kort ontmoet, tijdens haar laatste cruciale verblijf in het moderne Engeland.

'Ja, die gekke ouwe heks.' Jo schudde verbaasd bewonderend haar hoofd. 'Wie had dat kunnen denken? Maar de weduwe *Weird*ville wist precies waar je was. Abnormaal, zelfs voor een tovenares.'

Het verbaasde haar eigenlijk niet. Hertogin Wydville had haar duidelijk hiernaartoe gestuurd. Toen ze hare doorluchtigheid het nakijken had gegeven bij Codnor en over de Dove had weten weg te komen, moest hertogin Wydville hebben geconcludeerd dat ze aan vrouwe Robyn niets meer had als het erom ging Edward te pakken te krijgen, dus had de heksenpriesteres haar 'naar huis' gestuurd. Hertogin Wydville moest Robyns verlangen om contact te krijgen met Jo tegen haar hebben gebruikt en op een of andere manier deze Jo in de plaats hebben gezet van de middeleeuwse versie, zodat Robyn handig in een andere eeuw terechtkwam, gestrand in haar 'eigen' eeuw met weinig hoop op terugkeer naar de mensen van wie ze hield.

'Kom,' zei Jo tegen haar. 'Joy popelt om je te zien.' Verslagen vanwege deze laatste catastrofe liet Robyn zich door haar vriendin de heuvel af leiden waar Jo's auto langs de weg naar Bog geparkeerd stond. Jo reed in een slagschipgrijze Bentley met slechte schokbrekers, geproduceerd ergens in de vorige eeuw die *Hobbelende Betsy* of *QE2* werd genoemd. Hij was befaamd omdat hij de blitzkrieg had doorstaan en was een erfstuk binnen de Grey-familie. Een absoluut bewijs dat ze de vijftiende eeuw achter zich had gelaten.

In de auto zat Joy te wachten, ze leek precies op de Joy uit 1461, blij dat ze haar favoriete Amerikaanse vriendin weer zag, riep ze vrolijk: 'Je bent er, precies zoals weduwe Weirdville heeft gezegd. Waar ben je geweest? En hoe kom je aan dat kroontje?'

Van de troonopvolger. Robyn zei het maar niet, ze wist wel dat het absurd zou klinken. Jo opende de passagiersdeur en hielp haar instappen, ervoor zorgend dat de middeleeuwse jurk nergens achter bleef haken en zei tegen haar dochter dat ze moest opschuiven. 'En val Robyn niet lastig met vragen.'

'Maar het is toch allemaal heel raar,' protesteerde Joy. Vandaag had ze eigenlijk naar school gemoeten, maar het heksenkind had een aantal vrije dagen voor 'huiswerk' in toverkunsten en heidense rituelen. Het zwartharige meisje sloeg haar armen om Robyn heen en smeekte: 'O, alsjeblieft, wil je vertellen waar je bent geweest?'

'In de Middeleeuwen.' Maar nu niet meer en Robyn staarde naar het embleem van de zilveren gevleugelde draak op het handschoenenkastje, dat ze voor het laatst op sir Collins schild had gezien.

'Ongelooflijk, een week in de Middeleeuwen!' Joy was buiten zichzelf, vergat dat de tijd in het verleden een ander tempo had. 'Hoe was het daar?'

'Het was geen week...' Robyn keek op haar horloge, waar nog steeds vr 09-01-61 op stond.

'Nou ja, zes dagen dan...' gaf Joy toe, ze overdreef de dingen graag.

'Ik ben daar acht maanden geweest,' fluisterde ze en ze telde in haar hoofd de tijd op. 'Acht maanden, twee weken en drie dagen. Tot een paar minuten geleden dacht ik dat ik de rest van mijn leven daar zou blijven.'

Zelfs Joy had daar niets op te zeggen. Jo gleed achter het stuur, keek haar met de sleutels in de hand aan en zei: 'Wat doen we nu?'

'Ik wil terug,' zei Robyn tegen haar.

'Maar je hoeft nog niet naar Amerika terug!' klaagde Joy.

Jo probeerde te bemiddelen, ze stopte de sleutels in het contactslot en zei: 'Ik weet zeker dat Hollywood nog wel even kan wachten, twee dagen op zijn minst.'

'Niet naar Hollywood,' zei Robyn hoofdschuddend. 'Naar 1461.'

'O jee... dat ligt wat gecompliceerder.' Jo staarde haar aan, haar hand nog steeds op de contactsleutel.

'Maar niet onmogelijk,' zei Robyn. 'Dat leer je wel in de Middeleeuwen: niets is onmogelijk.'

Jo knikte, ze had wel wat met het middeleeuwse sentiment, en vroeg toen: 'Blijf je in elk geval dit weekend nog?'

Kennelijk. Ze kon nergens heen en had alleen maar de kleren die ze aan had, haar zilveren ring met witte roos en de gouden diadeem op haar hoofd. Robyn antwoordde zwakjes: 'Als je me wilt hebben, tenminste.'

Joy slaakte een opgetogen kreetje en schreeuwde uit: 'Natuurlijk wel!'

'Prima.' Jo glimlachte, draaide de sleutel om, zette de grijze snelle Bentley in zijn versnelling en reed de weg op. Robyn staarde naar de beide Marchall-koplampen die zich door de laatste flarden mist boorden, en ze voelde zich gevangen in een grote stalen automobiel en al dat glas en asfalt om haar heen, in de val in haar 'eigen' tijd. Nu ze Edward voor zich had gewonnen en de Middeleeuwen had bedwongen, vond ze het heden maar een verschrikkelijke verspilling, ondanks al die moderne gemakken. Liefde en ziel betekenden meer voor haar dan heetwaterdouches en zevenennegentig kanalen waar toch niets op te zien was. Tijdens de vorige Halloweennacht had ze gebeden om hier te mogen zijn... nu vond ze het afgrijselijk dat haar gebeden waren verhoord, ze wilde alleen nog maar terug naar het verleden. Pas op met wat je wenst, zeker als je een heks bent.

Ze kon het gevoel niet van zich afschudden dat deze stalen machine haar nog verder bij Edward vandaan bracht, terwijl ze door slaapstadjes reden met namen als Bog, Pennerley en Snailbeach, in de richting van de A488, naar Shrewsbury. Eigenlijk bestond Edward helemaal niet meer, dus verder weg kon hij niet zijn. Edward was dood, evenals Deirdre en Matt, en ieder ander van wie ze was gaan houden. Ze was verslagen door een oudere, slimmere en machtiger heks dan zij, gescheiden van de man van wie ze hield en die van haar hield.

Maar niet voor altijd. Op de een of andere manier, bezwoer ze, zou ze naar Edward teruggaan. Zij en Edward waren zielsverwanten, ondanks dat ze door eeuwen en geboorte van elkaar waren gescheiden, hun liefde kon de tijd trotseren. Liefde en magie zouden dit allemaal weer in orde maken, zei ze tegen zichzelf, als ze de juiste bezweringen maar leerde. Ze staarde door de voorruit naar het ontwakende Engels landschap, ze sprak een stil gebed uit tot Maria toen ze zich in het ochtendverkeer naar Shrewsbury voegden, wat zich nu met beton en asfalt over de zuidelijke oever van de Sever had uitgestrekt. Haar eigen wereld scheen haar merkwaardig vijandig toe, met al die spullen en een myriade van borden die voor nog meer spullen reclame maakten. Je kon het allemaal kopen, met geld dat ze niet had. Jammer dat ze haar VISA-card in de Middeleeuwen had achtergelaten, samen met haar winst van haar spelletjes backgammon. Het enige wat ze had, waren haar gouden diadeem en de zilveren ring. Maar ze zei tegen zichzelf dat ze niet moest wanhopen. Tenslotte was vrouwe Robyn wel op ergere plekken geweest, heel wat erger.